中国中药资源大典

资源大典

海南卷

1

黄璐琦／总主编

魏建和　郑希龙／主　编

北京科学技术出版社

图书在版编目（CIP）数据

中国中药资源大典．海南卷．1 / 魏建和，郑希龙主编．—北京：北京科学技术出版社，2019.1

ISBN 978-7-5714-0067-5

Ⅰ．①中… Ⅱ．①魏… ②郑… Ⅲ．①中药资源—中药志—海南 Ⅳ．① R281.4

中国版本图书馆 CIP 数据核字（2019）第 011560 号

中国中药资源大典·海南卷1

主　　编：魏建和　郑希龙
策划编辑：李兆弟　侍　伟
责任编辑：严　丹　周　珊
责任校对：贾　荣
责任印制：李　茗
封面设计：蒋宏工作室
图文制作：樊润琴
出 版 人：曾庆宇
出版发行：北京科学技术出版社
社　　址：北京西直门南大街16号
邮政编码：100035
电话传真：0086-10-66135495（总编室）
　　　　　0086-10-66113227（发行部）　0086-10-66161952（发行部传真）
电子信箱：bjkj@bjkjpress.com
网　　址：www.bkydw.cn
经　　销：新华书店
印　　刷：北京捷迅佳彩印刷有限公司
开　　本：889mm×1194mm　1/16
字　　数：1183千字
印　　张：69.5
版　　次：2019年1月第1版
印　　次：2019年1月第1次印刷
ISBN 978-7-5714-0067-5/R · 2576

定　　价：980.00元

《中国中药资源大典·海南卷》

编写委员会

顾 问	韩英伟 吴 明 周国明
主 编	魏建和 郑希龙
副 主 编	李榕涛 杨新全
编 委	（以姓氏笔画为序）

丁宗妙　王 军　王士泉　王发国　王庆煌　王祝年　王清隆　王德立
邓双文　甘炳春　叶 文　田怀珍　田建平　冯锦东　邢福武　朱 平
朱 麟　全 峰　刘寿柏　刘洋洋　严岳鸿　杜小浪　李大周　李东海
李冬琳　李伟杰　李向民　李建保　李海涛　李榕涛　杨 云　杨小波
杨东梅　杨新全　杨福孙　肖 艳　肖邦森　何明军　何春梅　宋希强
张 力　张连帅　张荣京　张俊清　陈 林　陈伟平　陈红锋　陈沂章
林余霖　周亚东　周亚奎　周国明　庞玉新　郑才成　郑希龙　孟 慧
赵祥升　郝朝运　胡爱群　胡碧煌　钟捷东　钟琼芯　秦新生　徐清宁
唐 菲　黄 勃　康 勇　董安强　韩长日　曾 琳　曾 渝　曾念开
谭业华　翟俊文　戴好富　魏建和

资料收集 （以姓氏笔画为序）

丁宗涨　于淑楠　马子龙　王 勇　王 捷　王 辉　王 聪　王开才
王文峰　王亚雄　王茂媛　王建荣　王雪慧　王康剑　王焕龙　王雅丽
王辉山　邓 民　邓 勤　邓开丽　龙文兴　叶才华　叶其华　叶绵元
代正福　冯里喜　吉训忠　吕晓波　农翼荣　刘凤娟　刘世植　关义芳
孙有彬　孙军微　孙蕊芬　麦贻钦　李 冰　李 阳　李 俊　李 聪

李万蕊　李立坤　李和三　李洪福　李舒畅　杨　峰　杨　浪　杨　锋
杨安安　杨海建　吴　妹　吴小萌　吴少雄　吴成春　吴坤帮　吴国明
利冬妹　邱　勇　邱燕连　何发霖　何春生　邱　明　沈日华　张　雯
张　歆　张　磊　张亚洲　张建新　张新蕊　张影波　陈　能　陈玉凯
陈业强　陈荣耀　陈昭宁　陈信吕　陈俊秀　陈道云　陈赞妃　林　君
林　密　林秀闲　林福良　罗　宇　周　干　周　晓　周世妹　郑　莎
单家林　赵玉立　赵学来　胡吟胜　钟　莹　钟星云　钟雯雯　钟燕琼
段泽林　袁　晴　莫志敏　莫茂娟　晏小霞　徐世松　郭育慧　唐小儒
黄　谨　黄卫东　黄立标　黄明忠　黄宗秀　梅文莉　戚春林　崔　杰
符传庆　符焕清　彭　超　彭小平　窦　宁　蔡于竞　鲜孟筑　廖兴德
黎　鹏　戴　波　戴水平

摄　影（以姓氏笔画为序）

王发国　王清隆　王德立　邓双文　叶　文　邢福武　朱　平　朱鑫鑫
刘寿柏　严岳鸿　杜小浪　李冬琳　李海涛　李榕涛　杨　云　杨东梅
肖　艳　何春梅　张　力　张代贵　陈　林　林余霖　周亚奎　周喜乐
郑希龙　孟　慧　郝朝运　秦新生　袁浪兴　董安强　童　毅　曾念开

《中国中药资源大典·海南卷1》

编写人员

主　　编　魏建和　郑希龙

副 主 编　李榕涛　杨新全　严岳鸿　曾念开

编　　委　（以姓氏笔画为序）

王　军　王发国　王清隆　王德立　邓双文　甘炳春　叶　文　冯锦东

邢福武　朱　平　刘寿柏　严岳鸿　杜小浪　李冬琳　李伟杰　李海涛

李榕涛　杨　云　杨东梅　杨新全　肖　艳　何春梅　张　力　陈　林

陈红锋　陈沂章　林余霖　周亚奎　郑希龙　孟　慧　赵祥升　郝朝运

秦新生　康　勇　董安强　曾念开　魏建和

资料收集　（以姓氏笔画为序）

杨海建　张　雯　陈俊秀　林　君　崔馨云　康　勇　戴　波

摄　　影　（以姓氏笔画为序）

王发国　王清隆　王德立　邓双文　叶　文　朱　平　朱鑫鑫　刘寿柏

严岳鸿　杜小浪　李冬琳　李海涛　李榕涛　杨　云　杨东梅　肖　艳

何春梅　张　力　陈　林　林余霖　周亚奎　周喜乐　郑希龙　孟　慧

郝朝运　秦新生　董安强　曾念开

主编简介

魏建和

博士，福建南平人。现任中国医学科学院药用植物研究所博士生导师、研究员、副所长，兼海南分所所长，国家药用植物种质资源库（北京、海南）、全国中药材生产技术服务平台负责人，濒危药材繁育国家工程实验室执行人，国家中医药管理局沉香可持续利用重点研究室主任，海南省南药资源保护与开发重点实验室主任，海南省中药资源普查技术负责人。第十一届国家药典委员会委员，中国野生植物保护协会药用植物保育委员会主任委员，中华中医药学会中药资源学分会秘书长，第十一届中华全国青年联合会委员。

国家"万人计划"第一批科技创新领军人才，国家创新人才推进计划首批重点领域创新团队"沉香等珍稀南药诱导形成机制及产业化技术创新团队"负责人，全国优秀科技工作者，"百千万人才工程"国家级人选及国家有突出贡献中青年专家，国务院特殊津贴专家，海南省杰出人才，海南省省委省政府直接联系专家；入选协和学者特聘教授、教育部新世纪优秀人才、北京市科技新星等人才培养计划。

多年来聚焦珍稀濒危药材再生技术和优质药材新品种选育重大创新研究，原创性解析了"伤害诱导白木香防御反应形成沉香"机制，发明了世界领先的"通体结香技术"，在全球沉香资源的利用、中国沉香产业复兴发展技术"瓶颈"的解决上，迈出了重要的一步，诱导理论与方法对"诱导型"珍稀南药降香、龙血竭等及世界性濒危植物资源的持续供应有重大理论和现实意义，为海南省"香岛"建设提供了核心技术支持；创新了根类药材及药用次生代谢产物选育理论，突破了中药材杂种优势育种技术难题，选育出柴胡、桔梗、荆芥、人参等大宗药材优良新品种16个；创建了药用植物种质资源低温干燥保存技术体系，建成了收集、保存世界药用植物种质资源最多的我国第一座药用植物专业种质库，建成了全球第一个采用超低温方式保存顽拗性药用植物种子的国家南药基因资源库。创新成果已在我国17个省市、7个东南亚国家应用，具有重大的应用价值和较广泛的学术影响，先后获国家科学技术进步奖二等奖2项、海南省科学技术奖特等奖等省部级奖7项，在国内外发表学术论文170余篇，主编专著《中国南药引种栽培学》。

通讯地址：北京市海淀区马连洼北路151号中国医学科学院药用植物研究所 // 海南省海口市秀英区药谷四路四号中国医学科学院药用植物研究所海南分所

邮政编码：100193（北京），570311（海南）

联系电话：010-57833358/0898-31589009

电子信箱：wjianh@263.net

主编简介

郑希龙

　　博士，广东韶关人。现任中国医学科学院药用植物研究所硕士生导师、副研究员、海南分所南药资源研究中心主任、海南省中药标本馆馆长。中华中医药学会中药资源学分会委员，中国植物学会民族植物学分会理事，第四次全国中药资源普查工作（海南省）物种鉴定专家组专家，海南省植物学会理事，海南省中医药学会中药专业委员会常务委员。

　　2005年毕业于广州中医药大学中药学专业，本科期间在潘超美教授的指导下开展了广东省境内的药用植物资源调查。2005—2010年于中国科学院华南植物园攻读博士学位。期间，在导师邢福武研究员的指导下，围绕"海南黎族民族植物学研究"，多次赴海南省鹦哥岭、五指山、霸王岭、黎母山、吊罗山、七仙岭等主要山区开展野外调查和标本采集工作。近年来，聚焦南药、黎药资源分类与鉴定研究，开展了中国进口药材及海外药物资源调查、海南省中药资源普查、热带珍稀濒危药用植物资源调查与保护技术研究、七洲列岛植物与植被研究、大洲岛植物物种多样性研究等多项与药用植物资源分类及鉴定密切相关的课题研究工作。曾赴柬埔寨国公省达岱河流域的原始热带雨林开展为期 1 个月的野外考察和标本采集工作；赴老挝、越南、缅甸、泰国等国开展珍稀药材沉香、龙血竭等资源的专项野外考察及合作研究。先后获得海南省科学技术奖一等奖、广东省科学技术奖一等奖各 1 项，发表论文 47 篇（其中 6 篇被 SCI 收录）。主编《海南民族植物学研究》《黎族药志（三）》等专著 2 部，副主编《中国热带雨林地区植物图鉴——海南植物》《海南植物物种多样性编目》《海南省七洲列岛的植物与植被》《中华食疗本草》等专著 4 部，参编《中国药典中药材 DNA 条形码标准序列》等专著多部。迄今已采集植物标本 1 万多个，拍摄照片 10 万多张，鉴定植物 5000 多种，发表新种 3 种，中国新记录植物 1 种，省级新记录植物 22 种。在野外调查和观测的基础上，引种驯化柬埔寨、泰国、老挝、缅甸及我国海南、云南、广西、广东等热带和亚热带地区的药用植物资源 800 多种，进一步丰富了兴隆南药植物园的物种，建成了南药荫生园及种苗繁育资源圃等专类园平台。

通讯地址：海南省海口市秀英区药谷四路四号中国医学科学院药用植物研究所海南分所

邮政编码：570311

联系电话：0898-32162051

电子信箱：zhengxl2012@sina.com

肖 序

　　中华人民共和国成立后，我国先后组织开展了三次规模比较大的中药资源普查，当时普查获得的数据资料为我国中医药事业和中药产业的发展提供了重要依据。但是从第三次全国中药资源普查至今已经 30 余年，在此期间我国的中医药事业和中药产业快速发展，对中药资源的需求量不断加大，中药资源种类、分布、数量、品质和应用也都发生了巨大的变化。因此，自 2011 年开展的第四次全国中药资源普查试点工作意义重大，此次详细的摸底调查，能为制定中药资源保护措施以及环境保护措施、促进中药产业发展的政策提供可靠、翔实的依据。

　　海南省是我国的热带省份，素有"天然药库"之称，蕴藏着丰富的中药资源。据我了解，省内药用植物非常丰富，海南省的槟榔、益智产量占全国 90% 以上。然而，此前三次普查，海南省均作为广东省的一部分参与普查，从未有过真正意义上的全省普查。此次海南省普查，内容涉及南药、黎药、动物药、海洋药等全部资源类型，可以说是海南省真正意义上的第一次全省中药资源普查，意义重大。

　　魏建和研究员是中国医学科学院药用植物研究所副所长、海南分所所长，作为海南省中药资源普查的负责人之一，其带领一支专业的资源普查队伍，经过 3 年多的实地调查，获得了丰富的第一手资料。在此次普查获得的资料基础上，魏建和研究员主编的《中国中药资源大典·海南卷》以全高清彩图的形式全面展示海南省的中药资源情况，是收载海南省中草药品种数量最多的中药著作。同时，该丛书的出版也将为海南省中药资源的保护、利用和产业发展政策的制定提供数据支撑，为中药资源的有效利用、成果转化提供科学依据，更好地促进海南省中医药事业和中药产业的发展。

2018 年 8 月 2 日

黄 序

　　2009 年，《国务院关于扶持和促进中医药事业发展的若干意见》提出开展全国中药资源普查、加强中药资源监测和信息网络化建设的要求。同年，国家中医药管理局开始筹备第四次全国中药资源普查试点工作，并于 2011 年正式启动。自本次全国中药资源普查试点工作开展以来，在中药资源调查、动态监测体系建设、种子种苗繁育基地建设、传统知识调查等方面取得了阶段性的成果，为全面开展第四次全国中药资源普查打下了坚实的基础。海南省作为试点省份之一，其中药资源普查所取得的成果也较为丰硕。经过 3 年多的全省普查，基本摸清了海南省南药、黎药和海洋药资源现状。此次中药资源普查共调查野生药用植物 2402 种，动物药 94 种，民间传统知识 222 份，海洋药 252 种；建立了我国目前唯一以超低温方式保存顽拗性药用植物种子的国家基本药物所需中药材种质资源库（国家南药基因资源库）、第一个海南省中药标本馆、具有中国计量认证（CMA）资质的海南省中药材种子检测实验室以及海南省中药资源信息系统，为海南省丰富中药资源的开发利用奠定了基础。

　　基于海南省本次普查成果，魏建和研究员主编了《中国中药资源大典·海南卷》，该丛书收录了海南省 2000 余种中药资源，是我国首部采用彩色图片、全面反映海南省中药资源种类和特点的大型专著，具有非常重要的学术价值，也将会是认识海南省中药资源的重要工具书，具有极为广泛的社会效益。另外，该书的出版也将在中医药、民族医药的教学、科研、临床医疗、资源开发、新药研制等方面有一定的指导作用和实用价值，并将促进海南省中医药事业的发展。

2018 年 8 月 1 日

前　言

　　海南省是我国的热带岛屿省份，包括海南岛和西沙群岛、中沙群岛、南沙群岛及其邻近岛屿。海南岛地形地势复杂多样，中部高、四周低，以五指山、鹦哥岭为中心，向外围逐级下降，由山地、丘陵、台地、平原构成环形层状地貌，面积 3.39 万 km^2。海南岛属于海洋性热带季风气候，年平均温度为 22~26℃，年平均降雨量在 1600mm 以上。长夏无冬，光照充足，雨量充沛，为动植物的生长提供了良好的条件，是我国岛屿型热带雨林分布面积最大、物种多样性最为丰富的热带区域，蕴藏着极为丰富的植物、动物和矿物等中药资源，素有"天然药库"之称，是我国南药的主产区之一，有维管束植物 4000 多种、药用植物 2500 多种。所辖近海海域蕴藏近万种海洋生物，其中含有生物活性物质的占 3000 多种。岛内民间使用地产药材的历史悠久，是中华民族医药宝库中的重要组成部分。

　　中药资源是中药产业和中医药事业发展的重要物质基础，是国家的战略性资源，中医药的传承与发展有赖于丰富的中药资源的支撑。中药资源普查是中药资源保护和合理开发利用的前提，也是了解中药资源现状（包括受威胁现状及特有程度等）的最有效途径。我国经历了 3 次全国性的中药资源普查：1960—1962 年第一次全国中药资源普查，普查以常用中药为主；1969—1973年第二次全国中药资源普查，调查收集各地的中草药资料；1983—1987年第三次全国中药资源普查，由中国药材公司牵头完成，调查结果表明我国中药资源种类达12807种。历次中药资源普查所获得的基础数据资料，均为我国中医药事业和中药产业的发展提供了重要的依据。但自1987年以后未再开展过全国性的中药资源普查，30多年间中药产业快速发展，民众对中药的需求不断加大，中药资源种类、分布、数量、质量和应用等与30多年前相比发生了巨大变化。许多30多年前的资料已成为历史资料，难以发挥其指导生产的作用，中药资源家底不清已成为当前中药资源可持续发展面临的重大问题。在这种情况下，组织开展第四次全国中药资源普查势在必行。

2012年6月，在海南省政府的领导下，在全省主要相关厅局的配合下，以海南省卫生和计划生育委员会为组织单位，依托中国医学科学院药用植物研究所海南分所为技术牵头单位，正式启动了第四次全国中药资源普查工作（海南省）。此次中药资源普查工作范围覆盖海南省18个市县（三沙市2018年启动，单独成卷出版）所有乡镇，普查内容涉及南药、黎药、动物药、海洋药等全部资源类型，共实地调查652块样地、3260套样方套、19560个样方。调查野生药用植物2402种、动物药94种、民间传统知识222份、海洋药252种、民间调查数据274份，收集腊叶标本22774份、药材标本2097份、照片107120张，完成大宗芳香南药沉香、降香18个市县的调查工作，发现新种1个、中国新记录种1个、海南省新记录种11个。普查工作开展以来，已出版5部专著，发表31篇论文，并形成海南省中药资源普查报告1份；获得海南省科学技术进步奖一等奖及农业部、科学技术部神农中华农业科技奖一等奖各1项；建成了一系列国家级南药种质资源平台；共培养了40名专业人员及80名骨干普查人员，培养了一支海南省中药资源研究和工作的人才队伍，培养了专业从事南药资源研究的副教授和博士30多人，包括科学技术部重点领域首批创新团队1个，全国中药特色技术传承人才2人，国家"万人计划"科技领军人才及全国先进科技工作者1人，海南省先进科技工作者2人。

在普查工作开展之初，普查团队便提出要编纂一部图文并茂，全面、系统地反映海南省中药资源现状的地方性大型学术专著。2013—2014年，数次召开工作会议，探讨专著编纂的具体事项，包括编写体例、名录整理等一系列前期准备工作，听取参会专家学者的中肯意见，逐步形成和完善专著编纂方案。2015年，获得了海南省科学技术厅的专项支持。在2年时间内，补充完成了15个市县25个调查点的野外考察工作，获得大批高质量的彩色照片。同时，完成了全省中药资源普查数据资料的整理以及相关文献资料的收集、分类工作。

　　扎实的野外实地调查工作，使我们获得了大量第一手珍贵资料。结合充分的文献查阅，编写人员对本书所收载的中药资源物种进行了认真细致的整理和校对。每个物种的编写内容包括：中药名、植物形态、分布区域、资源、采收加工、药材性状、功能主治、附注等。同时附上植物形态、药材性状等彩色图片。本丛书分为六册出版，其中第一册分为上、中、下篇：上篇综述海南省中药资源概况，中篇分述白木香、降香、槟榔、益智等4种海南省道地中药资源，下篇分述苔藓植物（5科6种）、真菌（18科34种）、蕨类植物（42科144种）、裸子植物（7科14种）和被子植物的双子叶植物（从木兰科到紫茉莉科，45科273种）等中药资源共117科471种。第二册收录被子植物的双子叶植物（从山龙眼科到含羞草科）中药资源39科408种。第三册收录被子植物的双子叶植物（从苏木科到杜鹃花科）中药资源39科447种。第四册收录被子植物的双子叶植物（从鹿蹄草科到唇形科）中药资源32科426种。第五册收录被子植物的单子叶植物中药资源约400种。第六册以三沙市中药资源普查工作为基础，专门记述西沙群岛、中沙群岛及南沙群岛等岛礁的中药资源物种及其现状。（第五册、第六册待出版。）

　　本书出版时，肖培根院士和黄璐琦院士亲自为其撰写了序言，这是对我们一线工作者的鼓励，谨致诚挚的谢意。本书的工作得到了国家中医药管理局中药资源普查办公室的指导，得到国家出版基金及海南省科学技术厅的资助，在此表示衷心的感谢。

　　"路漫漫其修远兮，吾将上下而求索。"本丛书仅是对海南省中药资源调查的阶段性总结，海南省独特而丰富的中药资源仍有待我们进一步去发现和了解。由于我们水平有限，工作仓促，难免存在差错与疏漏之处，敬请不吝指正，以便在今后的工作中不断改进和完善。

编　者

2018 年 12 月 6 日

凡　例

（1）本丛书共分六册，第一册分为上、中、下篇：上篇综述海南省中药资源概况，中篇分述4种海南省道地中药资源，下篇分述苔藓植物、真菌、蕨类植物、裸子植物和被子植物的双子叶植物（从木兰科到紫茉莉科）等中药资源。第二册收录被子植物的双子叶植物（从山龙眼科到含羞草科）中药资源。第三册收录被子植物的双子叶植物（从苏木科到杜鹃花科）中药资源。第四册收录被子植物的双子叶植物（从鹿蹄草科到唇形科）中药资源。第五册收录被子植物的单子叶植物中药资源。第六册以三沙市中药资源普查工作作为基础，专门记述西沙群岛、中沙群岛及南沙群岛等岛礁的中药资源物种及其现状。（第五册、第六册待出版。）

（2）本丛书内容包括序言、前言、凡例、目录、正文、索引。正文介绍中药资源时，以药用植物名为条目名，包括植物科属、基原植物名。每一条目下设项目包括中药名、植物形态、分布区域、资源、采收加工、药材性状、功能主治、附注等。同时附上植物形态、药材性状等彩色图片。资料不全者项目从略。为检索方便，本丛书出版时在第四册最后附有1～4册内容的中文笔画索引、拉丁学名索引，第五册、第六册出版时也将附有索引。

（3）条目名。为药用植物的基原植物名及其所属科属名称，同时附上拉丁学名，均以《中国植物志》《中国孢子植物志》用名为准。其中，蕨类植物按秦仁昌1978年系统，裸子植物按郑万钧1975年系统，被子植物按哈钦松1934年系统。属种按照拉丁学名排列。

（4）中药名。记述该药用植物的中药名称及其药用部位。以2015年版《中国药典》用名为准，《中国药典》未收载者，以上海科学技术出版社出版的《中华本草》正名为准。部分海南省特色药材采用当地名称，若无特别名称的，则采用"基原植物＋药用部位"命名。

（5）植物形态。简要描述该药用植物的形态，突出其鉴别特征。描述顺序：习性—营养器官（根—茎—叶）—繁殖器官（花序—花的各部—果实—种子—花果期），并附以反映其形态特征的原色照片。本部分主要根据《中国植物志》所描述特征，并结合其在海南省生长环境中的实际形态特征进行描述。

（6）分布区域。记述该药用植物在海南省的分布区域，及其在我国其他省份、世界各国的分布状况。若在海南全省均有分布，则记述为"产于海南各地"或"海南各地均有分布"。我国县级以上地名以2018年版《中华人民共和国行政区划简册》为准，其他地名根据中国地图出版社出版的最新《中华人民共和国（或分省）地图集》或《中国地名录》的地名为准。

（7）资源。简要记述野生资源的生态环境、群落特征，野生资源蕴藏量情况采用"十分常见、常见、少见、偶见、罕见"等描述。简要记述栽培资源的情况。

如果只是野生资源，则栽培情况可忽略。同样，如果只有栽培资源，则野生资源情况可忽略。如果既有野生资源，也有栽培资源，则先描述野生资源，再描述栽培资源。

（8）采收加工。为保障该药用植物的安全有效应用，根据植物生长特性，记述其不同药用部位的采收季节与加工方法。

（9）药材性状。依次记述药材各部位的性状特征、药材质量状况等，附以反映药材性状特征的原色照片。重要药材还记述其品质评价或种质的优劣评价。

（10）功能主治。记述药物功能和主治病证。2015年版《中国药典》收载者，优先参考该书描述；其次以《中华本草》为主要参考资料；前两部著作未收载者，以临床实践为准，参考诸家本草。

（11）附注。记述该药用植物拉丁学名在《中国植物志》英文版（Flora of China，FOC）中的修订状况。描述该品种濒危等级、其他用途、地方用药特点；并结合本产区相关的本草、地方志书、历代贡品相关记载情况等资料撰写其传统医药知识。

（12）拉丁学名表示方法。生物学中拉丁学名的属名和种名排斜体，包括亚属、亚种、变种等，但附在属种名称中的各种标记及命名人排正体，如 *Populus tomentosa* Carr.，*Linnania lofoensis* sp. Nov.，*Saukia acamuo* var. *punctata* Sun.。

（13）数字、单位及标点符号。

1）数字用法按国家标准《出版物上数字用法的规定》（GB/T 15835—2011）执行。本书的用量、统计数字、时间、百分比、温度等数据均用阿拉伯数字表示。

2）计量单位一律按国家发布的《中华人民共和国法定计量单位》及《量和单位》（GB 3100~3102—93）执行。

3）标点符号按国家标准《标点符号用法》（GB/T 15834—2011）使用。

上 篇

海南省中药资源概论

中 篇

海南省道地中药资源

下 篇

海南省中药资源各论

上篇

海南省中药资源概论

海南省自然环境

一、地形地貌

海南省位于中国最南端，北以琼州海峡与广东省划界，西临北部湾与越南相对，东濒南海与台湾岛相望，东南和南边在南海中与菲律宾、文莱和马来西亚为邻。海南岛的长轴呈东北—西南向，长约300km；西北—东南向为短轴，长约180km；面积3.39万km²，在中国是仅次于台湾岛的第二大岛。海南岛中间高、四周低，由山地、丘陵、台地、平原等组成，整个地势从中部山体向外，按山地、丘陵、台地、平原顺序逐级递降，构成层状垂直分布带和环状水平分布带。南海诸岛地形具有面积小、地势低的特点：其中以西沙群岛的永兴岛面积较大，面积为1.8km²，其余都在1km²以下；最高的西沙群岛石岛，海拔也不过12~15m，其余一般都只高出海平面4~5m。

二、土地资源

海南省的行政区域包括海南岛和西沙群岛、中沙群岛、南沙群岛的岛礁及其海域。全省陆地（包括海南岛和西沙群岛、中沙群岛、南沙群岛）总面积3.5万km²，海域面积约200万km²。海南岛四周低平，中间高耸，以五指山、鹦哥岭为隆起核心，向外围逐级下降。山地、丘陵、台地、平原构成环形层状地貌，梯级结构明显。海南岛的山脉海拔多数在500~800m，实际上是丘陵性低山地形。海拔超过1000m的山峰有81座。海拔超过1500m的山峰有五指山、鹦哥岭、猕猴岭、雅加大岭和吊罗山等。

三、气候条件

海南岛是我国最具热带海洋气候特色的地方之一，全年暖热，雨量充沛，干湿季节明显，常风较大，热带风暴和台风频繁，气候资源多样。海南岛气候属于海洋性热带季风气候，年平均温度为22~26℃，中部山区较低，西南部较高。海南岛年平均降雨量在1600mm以上，东湿西干明显，多雨中心在中部偏东的山区，西部少雨。海南岛年太阳总辐射量为460~586kJ/cm²，年日照时数为1750~2650小时，光照率为50%~60%，日照时数按地区分，西部沿海最多，中部山区最少。

四、森林植被资源

海南岛具有热带和亚热带自然条件的过渡特征，在地质时期海南岛与雷州半岛相连，直至第四纪才分离而成大陆岛。海南岛的植被基本特征是：富有热带性，但有别于赤道带植被，具有季雨林特点。植物种类复杂，层次杂乱，乔木高大，板根和茎花现象普遍，藤本植物和附生植物丰富，植物花期很长。植物资源的最大蕴藏量在热带森林植物群落类型中，热带森林植被垂直分带明显，且具有混交、多层、异龄、常绿、干高、冠宽等特点。海南岛的植被生长快，种类繁多，是热带雨林、热带季雨林的原生地。

第二章

海南省第四次中药
资源普查情况

一、中药资源调查历史情况

根据国务院常务会议作出"对全国中药资源进行系统的调查研究，制订发展规划"的决定，国家经济贸易委员会于 1983 年下达了关于开展全国中药资源普查的通知，并由当时的国家中医药管理局、农牧渔业部、卫生部、对外经济贸易部、林业部、中国科学院、国家统计局联合下达了《全国中药资源普查方案》。根据党中央、广东省委省政府的有关部署，海南行政区部分地区的中药资源普查工作，从 1984 年成立机构起，至 1986 年 7 月全面结束。1984 年 4 月，在广东省海南行政区党委、区政府的直接领导下和广东省中药资源普查办公室的帮助下，海南行政区成立了中药普查领导小组和办公室。此次普查共组织野外普查人员 274 人。十多个市县除做了全面的概况调查外，还选择具有代表性的 90 个区域进行了重点的野外普查，普查面积占全区的 48%。此次普查一共查出海南行政区中草药 503 种，其中植物药 167 科 432 种，动物药 57 种，矿物药 14 种；共采集腊叶标本 378 种 8684 份，药材标本 375 种，其中具有蕴藏量的品种达 254 种；纠正了 40 种易混淆品种与无用品种；收集民间单方验方 100 种；制订了区域中药资源保护与利用规划。

1987 年 4 月到 1990 年 5 月在"七五"国家科技攻关项目支持下，华南热带作物科学研究院热带作物栽培研究所对海南岛作物种质资源进行考察，3 年来基本摸清了海南岛药材种质资源的种类、分布、生境等。共搜集药材资源近 1400 种，隶属于 180 科、790 属，其中蕨类植物 28 科 29 属 46 种（按秦仁昌系统排列）；裸子植物 7 科 8 属 14 种（按郑万钧系统排列）；被子植物 150 科 753 属 1324 种（按恩格勒系统排列），被子植物中双子叶植物 125 科 612 属 1096 种，单子叶植物 25 科 136 属 228 种。保存种质 450 种，制作腊叶标本 4000 余份。海南岛药材种质资源编目中，详细阐述了每一种质资源的中文名、学名、药名、采集地点、生长环境、主要性状、采收季节、药用部位、功能主治等信息。

二、第四次中药资源普查工作概况

根据国家中医药管理局第四次全国中药资源普查试点工作办公室及海南省中药资源普查工作领导小组的总体部署，2012 年 6 月启动了海南岛 18 个市县的中药资源普查工作，2018 年 7 月启动了三沙市中药资源普查工作，普查内容包括野生药用植物资源、栽培药用植物资源、黎药资源、动物药、海洋药、大宗南药资源调查；工作内容涉及样方调查，普遍调查，腊叶标本采集、鉴定与保存，药材样品采集、鉴定与保存，种子收集与保存，影音资料收集，中药材市场调查，传统知识调查等。

海南省成立以海南省政府主管副省长为组长的省中药资源普查工作领导小组，成员包括省卫生厅（现省卫生健康委员会）、省科学技术厅、省林业厅（现省林业局）、省海洋与渔业厅、省农业农村厅、省发展和改革委员会、省财政厅、省食品药品监督管理局、省农垦总局及 19 个市县等相关部门主管领导，共 33 人。海南省中药资源普查工作领导小组办公室由 11 个相关成员单位组成，共 15 人。海南省中药资源普查技术专家委员会，主要由中药和药检、林、农、植物等相关领域专家，参与过第三次全国中药资源普查的老专家，各相关省厅局总工程师，海南省各相关主要科研机构、大专院校及与中医药相关的中央驻琼科研院所权威专家等 22 人组成。

中国医学科学院药用植物研究所海南分所、海南大学、海南师范大学、海南医学院、中国热带农业科学院、海南香树沉香产业股份有限公司等全省主要的中医药科研院所、企业及专家成立 11 支普查队，其中包括 7 支植物药普查队和 4 支专项普查队，共有普查队员 203 人。

三、第四次中药资源普查主要成果

此次中药资源普查工作范围覆盖海南岛 18 个市县（目前三沙市的中药资源普查正在进行中）所有乡镇，共实地调查 652 块样地、3260 套样方套、19560 个样方；调查野生药用原植物 2402 种、动物药 94 种、民间传统医药知识 222 份、海洋药 252 种、民间调查数据 274 份，收集腊叶标本 22774 份、药材标本 2097 份、照片 107120 张，完成大宗芳香南药沉香、降香 18 个试点市县的调查工作。此次普查发现新种 1 个、中国新记录种 1 个、海南省新记录种 11 个，物种信息详见本章附 I；编撰专著 7 部，其中 5 部已出版，发表论文 31 篇，并形成海南省中药资源普查报告 1 份；工作开展以来获得海南省科学技术进步奖一等奖 1 项，农业部、科学技术部神农中华农业科技奖一等奖 1 项；同时，建成了国家级、地方系列资源平台，详见本章附 II。此次普查共培养了 40 名专业人员及 80 名骨干普查人员，建立了百余人的海南省中药资源研究和工作人才队伍，培养专业从事南药资源研究的副教授和博士 30 多人，包括：全国中药特色技术传承人才 2 人，科学技术部重点领域首批创新团队 1 个，国家"万人计划"科技领军人才及全国先进科技工作者 1 人，海南省先进科技工作者 2 人。

四、第三次和第四次中药资源普查比较

海南第三次和第四次中药资源普查时间间隔近 30 年，由于普查区域、普查技术及普查手段均不相同，因此，两次普查之间的普查数据、普查成果差别较大。调查区域上，第三次中药资源普查主要针对当时的汉区进行普查工作，本次中药资源普查涉及海南省全部市县，此次范围比第三次普查区域多 11 个市县（三沙市的中药资源普查正在进行中）。普查内容上，第三次中药资源普

查有矿物药普查，此次未开展此项普查；而此次开展的近海海洋药及传统医药知识调查，第三次中药资源普查未开展。此次中药资源普查物种比第三次中药资源普查物种增加2000多种，分析原因有三。①普查区域增加，第四次中药资源普查增加的海南岛中部、南部多山，中药资源极为丰富。②随着近年来物种间的传播，各地物种均有不同程度的增加。③随着调查的不断深入及学科发展，发现了很多之前未发现药用价值的中药资源。

虽然此次中药资源普查比第三次中药资源普查物种增加很多，但野生珍稀濒危药用植物资源面临着严重问题，白木香、降香等因其收藏价值较高导致野生资源濒临枯竭，龙血树、荔枝、牛大力、胆木、地不容、鸡血藤等因其具有保健价值或药用价值而被大量采挖，野生资源难得一见，只有少数保护区偶有零星分布。由于长期的乱砍滥伐，部分植被被破坏，生态环境日益恶化；随着城市化进程及土地开发的加速，野生动物资源也难见踪迹，沙生、水生中药资源遭到毁灭性破坏。中药资源保护工作可谓任重而道远。

附 Ⅰ 海南省第四次中药资源普查中发现的新种、新记录种

在海南省第四次中药资源普查过程中，目前共发现新种1个、中国新记录种1个、海南省新记录种11个，简述如下。

1. 新种

海南锥形果 *Gomphogyne hainanensis* X. L. Zheng

  科属名：葫芦科（Cucurbitaceae）锥形果属（*Gomphogyne*）

  采集人：郑希龙

  采集时间：2013年10月25日

  采集地点：海南省保亭黎族苗族自治县毛感乡仙安石林

  鉴定人：郑希龙

2. 中国新记录种

白点天麻 *Gastrodia punctata* Aver.

　　科属名：兰科（Orchidaceae）天麻属（*Gastrodia*）

　　采集人：卢刚

　　采集时间：2013 年 10 月 24 日

　　采集地点：海南省昌江黎族自治县海南霸王岭国家级自然保护区

　　鉴定人：胡爱群、郑希龙

3. 海南省新记录种

（1）通城虎 *Aristolochia fordiana* Hemsl.

　　科属名：马兜铃科（Aristolochiaceae）马兜铃属（*Aristolochia*）

　　采集人：郑希龙、李榕涛

　　采集时间：2013 年 8 月 9 日

　　采集地点：海南省陵水黎族自治县吊罗山

　　鉴定人：郑希龙

（2）**红毛香花秋海棠** *Begonia handelii* var. *rubropilosa*（S. H. Huang & Y. M. Shui）C. I Peng

科属名：秋海棠科（Begoniaceae）秋海棠属（*Begonia*）

采集人：郑希龙、杨海建、李伟杰

采集时间：2016 年 3 月 1 日

采集地点：海南省万宁市南林农场附近

鉴定人：李伟杰

（3）**黑蒴** *Alectra arvensis*（Benth.）Merr.

科属名：玄参科（Scrophulariaceae）黑蒴属（*Alectra*）

采集人：郑希龙、李伟杰

采集时间：2016 年 11 月 29 日

采集地点：海南省白沙黎族自治县元门乡红新村茅岭

鉴定人：郑希龙

（4）**石生鸡脚参** *Orthosiphon marmoritis*（Hance）Dunn

    科属名：唇形科（Lamiaceae）鸡脚参属（*Orthosiphon*）

    采集人：郑希龙、陈沂章

    采集时间：2013 年 10 月 9 日

    采集地点：海南省昌江黎族自治县王下乡三派村附近石灰岩山地

    鉴定人：郑希龙

（5）**密毛长柄山蚂蝗** *Hylodesmum densum*（C. Chen & X. J. Cui）H. Ohashi & R. R. Mill

    科属名：蝶形花科（Fabaceae）长柄山蚂蝗属（*Hylodesmum*）

    采集人：郑希龙、陈沂章

    采集时间：2013 年 10 月 7 日

    采集地点：海南省保亭黎族苗族自治县毛感乡仙安石林

    鉴定人：郑希龙

（6）茴香砂仁 *Etlingera yunnanensis*（T. L. Wu & S. J. Chen）R. M. Smith

科属名：姜科（Zingiberaceae）茴香砂仁属（*Etlingera*）

采集人：郑希龙、李榕涛

采集时间：2014 年 5 月 9 日

采集地点：海南省乐东黎族自治县尖峰岭

鉴定人：李榕涛

（7）灰背清风藤 *Sabia discolor* Dunn

科属名：清风藤科（Sabiaceae）清风藤属（*Sabia*）

采集人：郑希龙、李榕涛

采集时间：2014 年 6 月 20 日

采集地点：海南省琼中黎族苗族自治县，去鹦哥岭主峰的路边

鉴定人：郑希龙

（8）**长脉清风藤** *Sabia nervosa* Chun ex Y. F. Wu

科属名：清风藤科（Sabiaceae）清风藤属（*Sabia*）

采集人：郑希龙、李榕涛

采集时间：2014 年 6 月 20 日

采集地点：海南省琼中黎族苗族自治县，去鹦哥岭主峰的路边

鉴定人：李榕涛

（9）**兜唇带叶兰** *Taeniophyllum pusillum*（Willd.）Seidenf. & Ormerod

科属名：兰科（Orchidaceae）带叶兰属（*Taeniophyllum*）

采集人：郑希龙、卢刚

采集时间：2014 年 3 月 13 日

采集地点：海南省白沙黎族自治县南开乡附近

鉴定人：卢刚

（10）**轮叶孪生花** *Stemodia verticillata* Minod

　　科属名：玄参科（Scrophulariaceae）孪生花属（*Stemodia*）

　　采集人：王清隆、王建荣

　　采集时间：2010 年 7 月 14 日；2011 年 2 月 9 日；2013 年 3 月 11 日

　　采集地点：海南省儋州市、五指山市、陵水黎族自治县

　　鉴定人：王清隆

（11）**四叶山扁豆** *Chamaecrista absus*（L.）H. S. Irwin Barneby

　　科属名：豆科（Fabaceae）山扁豆属（*Chamaecrista*）

　　采集人：王清隆

　　采集时间：2013 年 2 月 21 日

　　采集地点：海南省陵水黎族自治县新村镇九所岭

　　鉴定人：王清隆

附Ⅱ　海南省第四次中药资源普查中中药资源平台建设成果

在海南省第四次中药资源普查工作基础上，建成了国家级及地方中药资源相关平台 5 个，主要如下。

（1）国家南药基因资源库

依托中国医学科学院药用植物研究所南药研发中心建设的国家基本药物所需中药材种质资源库，具备承担全国种质保存的功能，库容量为 20 万份。目前收集种子 116 科 341 属 463 种，共 5302 份，其中包含液氮保存种子 2543 份、DNA 材料 33 份。

（2）海南省中药标本馆

集科研、对外交流、医药文化与科普宣传为一体的综合性中药标本馆，是目前海南省涵盖资源类型最多、最全的中药标本馆。目前有腊叶标本 1.5 万份、浸制标本 50 瓶、药材标本 1000 份。动物药标本共 251 份，海洋药标本共 504 份。

（3）海南省中药材种子种苗检测实验室

位于海南省海口市药谷，依托中国医学科学院药用植物研究所海南分所建设，服务于国家基本药物所需中药材种子种苗繁育基地及全国中药材种子种苗检测，已通过 CMA（中国计量认证）资格认证。

（4）海南省中药资源普查工作成果展示系统

对海南省中药资源种类、分布、蕴藏量、栽培药用植物资源现状、黎药调查情况、海洋药调查情况以及与第三次中药资源普查的数据对比等进行展示，实现了海南省中药资源普查工作各个环节的全方位、多层次的展示。

（5）国家药用植物园体系南药园

位于海南省万宁市兴隆镇，占地 220 亩①，定位于南药种质基因保存、保护研究。目前保存有南药物种 2000 余种，是世界上保存南药物种最多的植物园。

---

① 1 亩 =666.67m²。

第三章

海南省中药资源情况

海南省地处热带地区，拥有典型的热带中药资源。海南省中药资源主要有植物药类、动物药类、矿物药类、海洋药类以及黎药等。海南省第四次中药资源普查数据显示[①]，海南岛共有野生药用原植物 229 科 1104 属 2402 种，其中蕨类植物 24 科 39 属 81 种。

一、海南岛各区域中药资源分布

海南岛北部属北热带季雨林，当地野生中药资源主要有磨盘草 *Abutilon indicum* Sweet、土牛膝 *Achyranthes aspera* L.、草豆蔻 *Alpinia katsumadai* Hayata、穿心莲 *Andrographis paniculata* (Burm. f.) Nees、见血封喉 *Antiaris toxicaria* (Pers.) Lesch.、鸦胆子 *Brucea javanic* (L.) Merr.、决明 *Cassia tora* L.、长春花 *Catharanthus roseus* (L.) G. Don、积雪草 *Centella asiatica* (L.) Urban、三桠苦 *Evodia lepta* Merr.、山芝麻 *Helicteres angustifolia* L.、海金沙 *Lycopodium japonicum* (Thunb.) Sw.、白背叶 *Mallotus apelta* (Lour.) Muell. Arg.、叶下珠 *Phyllanthus urinaria* L.、九节 *Psychotria rubra* (Lour.) Poir.、两面针 *Zanthoxylum nitidum* (Roxb.) DC. 等。栽培的南药种类主要有槟榔 *Areca catechu* L.、胡椒 *Piper nigrum* L.、益智 *Alpinia oxyphylla* Miq.、草豆蔻 *Alpinia katsumadai* Hayata、海南砂仁 *Amomum longiligulare* T. L. Wu、土沉香 *Aquilaria sinensis* (Lour.) Spreng.、降香黄檀 *Dalbergia odorifera* T. C. Chen、高良姜 *Alpinia officinarum* (L.) Willd.、鸡骨草 *Abrus cantoniensis* Hance、山奈 *Kaempferia galanga* L.、广藿香 *Pogostemon cablin* (Blanco) Benth.、肉桂 *Cinnamomum cassia* Presl.、莪术 *Curcuma phaeocaulis* Valeton 等。

海南岛中南部属中热带雨林、季雨林，野生中药资源主要有毛相思子 *Abrus mollis* Hance、草豆蔻 *Alpinia katsumadai* Hayata、大高良姜 *Alpinia galanga* (L.) Willd.、穿心莲 *Andrographis paniculata* (Burm. f.) Nees、天门冬 *Asparagus cochinchinensis* (Lour.) Merr.、黑面神 *Breynia fruticosa* (L.) Hook. f.、构树 *Broussonetia papyrifera* (L.) Vent.、鸦胆子 *Brucea javanica* (L.) Merr.、裸花紫珠 *Callicarpa nudiflora* Hook. et Arn.、橄榄 *Canarium album* Raeusch.、决明 *Cassia tora* L.、长春花 *Catharanthus roseus* (L.) G. Don、积雪草 *Centella asiatica* (L.) Urban、薏苡 *Coix lacryma-jobi* L.、姜黄 *Curcuma longa* L.、薯蓣 *Dioscorea opposita* Thunb.、榼藤 *Entada phaseoloides* (L.) Merr.、三桠苦 *Evodia lepta* (Spreng.) Merr.、田基黄 *Grangea maderaspatana* (L.) Poir.、绞股蓝 *Gynostemma pentaphyllum* (Thunb.) Makino、白花蛇舌草 *Hedyotis diffusa* Willd.、山芝麻 *Helicteres angustifolia* L.、枫香树 *Liquidambar formosana* Hance、华南忍冬 *Lonicera confusa* (Sweet) DC.、海金沙 *Lygodium japonicum* (Thunb.) Sw.、白背叶 *Mallotus apelta* (Lour.) Muell. Arg.、楝 *Melia azedarach* L.、木蝴蝶 *Oroxylum indicum* (L.) Kurz、余甘子 *Phyllanthus emblica* L.、叶下珠 *Phyllanthus urinaria* L.、九节 *Psychotria rubra* (Lour.) Poir.、盐肤木 *Rhus chinensis* Mill.、菝葜 *Smilax china* L.、对叶百部

[①]三沙市的中药资源普查正在进行中，其中药资源普查数据尚未作统计。

Stemona tuberosa Lour.、两面针 *Zanthoxylum nitidum* (Roxb.) DC. 等。当地栽培的南药种类主要有槟榔 *Areca catechu* L.、益智 *Alpinia oxyphylla* Miq.、草豆蔻 *Alpinia katsumadai* Hayata、海南砂仁 *Amomum longiligulare* T. L. Wu、土沉香 *Aquilaria sinensis* (Lour.) Spreng.、降香黄檀 *Dalbergia odorifera* T. C. Chen、高良姜 *Alpinia officinarum* (L.) Willd.、鸡骨草 *Abrus cantoniensis* Hance、山柰 *Kaempferia galanga* L.、广藿香 *Pogostemon cablin* (Blanco) Benth.、肉桂 *Cinnamomum cassia* Presl 等。由国外引进栽培的进口南药有 22 种，如丁香 *Eugenia anomatica* Thunb.、肉豆蔻 *Myristica fragrans* Houtt.、爪哇白豆蔻 *Amomum compactum* Soland ex Maton.、马钱子 *Strychnos nux-vomica* L.、檀香 *Santalum album* L.、藤黄 *Garcinia hanburyi* Hook. f.、儿茶 *Acacia catechu* (L.) Willd.、苏木 *Caesalpinia sappan* L.、泰国大风子 *Hydnocarpus anthelminthica* Pierr. ex Gagnep.、胖大海 *Sterculia lychnophora* Hance.、锡兰肉桂 *Cinnamomum zeylanicum* Bl.、越南安息香 *Styrax tonkinensis* (Pierre) Craib ex Hartw.、阿拉伯胶树 *Acacia senegal* (L.) Willd. 等。

山区野生中药资源主要有巴戟天 *Morinda officinalis* How、降香黄檀 *Dalbergia odorifera* T. C. Chen、土沉香 *Aquilaria sinensis* (Lour.) Spreng.、龙血树 *Dracaena cambodiana* Pierre ex Gagnep.、见血封喉 *Antiaris toxicaria* (Pers.) Lesch.、海南萝芙木 *Rauvolfia verticillata* (Lour.) Baill. var. *hainanensis* Tsiang、海南粗榧 *Cephalotaxus hainanensis* Li、无患子 *Sapindus mukorossi* Gaertn.、钩藤 *Uncaria macrophylla* (Miq.) Miq. ex Havil.、木蝴蝶 *Oroxylum indicum* (L.) Kurz、救必应 *Ilex rotunda* Thunb.、构棘 *Cudrania cochinchinensis* (Lour.) Kudo et Masam.、海南地不容 *Stephania hainanensis* H. S. Lo et Y. Tsoong、海南美登木 *Maytenus hainanensis* (Merr. et Chun) C. Y. Cheng、毛冬青 *Ilex pubescens* Hook. et Arn.、无根藤 *Cassytha filiformis* L.、土牛膝 *Achyranthes aspera* L.、裸花紫珠 *Callicarpa nudiflora* Hook. et Arn. 等。

湿草地野生中药资源主要有茅膏菜 *Drosera peltata* Smith var. *multisepala* Y. Z. Ruan、锦地罗 *Drosera burmanni* Vahl、地胆草 *Elephantopus scaber* L.、积雪草 *Centella asiatica* (L.) Urban、天胡荽 *Hydrocotyle sibthorpioides* Lam.、香附子 *Cyperus rotundus* L. 等。

沿海平原野生中药资源主要有蔓荆 *Vitex trifolia* L.、翼核果 *Ventilago leiocarpa* Benth.、海刀豆 *Canavalia maritima* (Aubl.) Thou.、黄荆 *Vitex negundo* L.、粉叶轮环藤 *Cyclea hypoglauca* (Schauer) Diels 等。

海岸及海岸潮间带滩涂上红树林中的药用植物主要有角果木 *Ceriops tagal* (Perr.) C. B. Rob.、木榄 *Bruguiera gymnorrhiza* (L.) Poir.、柱果木榄 *Bruguiera cylindrica* (L.) Bl.、红茄 *Solanum integrifolium* Poir.、银叶树 *Heritiera littoralis* Dryand.、海榄雌 *Avicennia marina* (Forsk.) Vierh.、老鼠簕 *Acanthus ilicifolius* L.、海杧果 *Cerbera manghas* L.、海漆 *Excoecaria agallocha* L.、玉蕊 *Barringtonia racemosa* (L.) Spreng.、黄槿 *Hibiscus tiliaceus* L.、桐棉 *Thespesia populnea* (L.) Soland. ex Corr.、榄李 *Lumnitzera racemosa* Willd. 和海桑 *Sonneratia caseolaris* (L.) Engl. 等。

二、海南岛各市县野生中药资源情况

海南岛野生中药资源分布较多的地区有万宁、陵水、琼海等市县，各市县调查中药资源种类见表1。海南省第四次中药资源普查数据显示，220种重点野生中药资源品种的资源蕴藏量达169.87万吨，其中较为丰富的有白茅、楝、九节、荔枝、三桠苦、白背叶、苍耳、粗叶榕、簕欓花椒、薏苡、余甘子、白花蛇舌草、青葙、草豆蔻、木贼、木棉、蓖麻、海金沙、山芝麻等，均有上万吨或近万吨的蕴藏量。有蕴藏量记录的中药资源，屯昌有99种，琼海69种，万宁57种，陵水55种，东方47种，昌江45种，文昌45种，乐东40种，儋州38种，三亚16种，保亭39种，定安31种，琼中28种，白沙24种，澄迈23种，海口19种，临高16种。重点中药资源品种分布点符合海南岛实际情况，屯昌、琼海、万宁、陵水等属于海南岛中药资源分布较为丰富的地区。中药资源蕴藏量调查情况见表2。

表1　海南岛各市县野生中药资源情况

市县	科数	属数	种数	市县	科数	属数	种数
海口	88	230	287	临高	98	273	363
乐东	76	155	177	陵水	164	507	736
东方	67	156	181	琼海	143	489	729
白沙	126	318	419	琼中	113	256	342
保亭	126	374	599	三亚	127	420	660
昌江	67	145	180	屯昌	131	401	590
澄迈	80	230	281	万宁	162	598	914
儋州	116	339	457	文昌	142	425	630
定安	124	364	530	五指山	123	364	545

表2　220种海南岛常见中药资源蕴藏量

药用植物名	拉丁学名	分布市县	蕴藏量 /t
黄蜀葵	*Abelmoschus manihot* Medicus	琼中	2.18
广州相思子	*Abrus cantoniensis* Hance	儋州	302.22
毛相思子	*Abrus mollis* Hance	昌江、琼海、万宁、文昌、乐东、五指山、东方、陵水	1904.60
磨盘草	*Abutilon indicum* Sweet	文昌、屯昌	0.90
土牛膝	*Achyranthes aspera* L.	琼海、定安、文昌	110.19
牛膝	*Achyranthes bidentata* Blume.	琼海	79.08
石菖蒲	*Acorus tatarinowii* Schott	保亭	6.25
铁线蕨	*Adiantum capillusveneris* L.	定安、屯昌	0.69
八角枫	*Alangium chinense* Harms	万宁、陵水、屯昌	418.76
合欢	*Albizia julibrissin* Durazz.	屯昌	0.18
红背山麻杆	*Alchornea trewioides* (Benth.) Muell. Arg.	定安、屯昌	29.32
海芋	*Alocasia macrorrhiza* (L.) Schott	文昌、屯昌	109.84
大高良姜	*Alpinia galanga* (L.) Willd.	屯昌、昌江、琼海	124.61
草豆蔻	*Alpinia katsumadai* Hayata	昌江、东方、乐东、临高、陵水、万宁、三亚、屯昌、文昌	13124.71

续表

药用植物名	拉丁学名	分布市县	蕴藏量 /t
高良姜	*Alpinia officinarum* Hance	昌江、东方、琼海、屯昌、文昌、白沙、儋州	1696.58
海南假砂仁	*Amomum chinense* Chun ex T. L. Wu	琼中	48.44
白豆蔻	*Amomum kravanh* Pierre ex Gagnep.	屯昌	0.11
海南砂仁	*Amomum longiligulare* T. L. Wu	儋州	7984.04
穿心莲	*Andrographis Paniculata* (Burm. f.) Nees	乐东、万宁、三亚、文昌、东方、昌江	804.01
番荔枝	*Annona squamosa* L.	文昌	0.63
见血封喉	*Antiaris toxicaria* (Pers.) Lesch.	海口、文昌、万宁	1829.31
山楝	*Aphanamixis polystachya* (Wall.) R. N. Parker	定安	2.50
古山龙	*Arcangelisia gusanlung* H. S. Lo	保亭	43.73
朱砂根	*Ardisia crenata* Sims	琼海、琼中	88.63
蓟罂粟	*Argemone mexicana* L.	琼海	43.06
马兜铃	*Aristolochia debilis* Sieb. et Zucc.	屯昌	12.88
黄花蒿	*Artemisia annua* L.	昌江、琼海	78.14
天门冬	*Asparagus cochinchinensis* (Lour.) Merr.	昌江、东方、乐东、琼海、万宁、陵水、三亚、儋州	6714.25
多刺天门冬	*Asparagus myriacanthus* (Lour.) Merr.	文昌	0.02
颠茄	*Atropa belladonna* L.	澄迈、琼海、海口、临高	108.97
岗松	*Baeckea frutescens* L.	琼海	425.00
铁包金	*Berchemia lineata* (L.) DC	琼海、儋州	758.99
光枝勾儿茶	*Berchemia polyphylla* Wall. ex Laws var. *leioclada* Hand.-Mazz.	万宁	2120.65
艾纳香	*Blumea balsamifera* (L.) DC.	昌江	90.92
黑面神	*Breynia fruticosa* (L.) Hook. f.	东方、屯昌、文昌、定安	24.15
构树	*Broussonetia papyrifera* (L.) Vent.	昌江、东方、保亭、屯昌、陵水	65.09
鸦胆子	*Brucea javanic* (L.) Merr.	昌江、东方、乐东、澄迈、海口、临高、琼海、万宁、三亚、文昌、儋州、保亭、屯昌	7953.76
木豆	*Cajanus cajan* (L.) Millsp.	屯昌、陵水	301.67
杜虹花	*Callicarpa formosana* Rolfe	琼海、屯昌	127.84
裸花紫珠	*Callicarpa nudiflora* Hook. et Arn.	屯昌、东方、乐东、万宁、儋州、保亭	4668.68
长叶紫珠	*Callicarpa longifolia* Lam.	定安	2.84
红厚壳	*Calophyllum inophyllum* L.	定安、文昌	15.32
橄榄	*Canarium album* Raeusch.	乐东、陵水、万宁、儋州、琼中、琼海、东方	7559.75
美人蕉	*Canna indica* L.	屯昌	0.79
决明	*Cassia obtusifolia* L.	昌江、东方、海口、临高、万宁、琼海、保亭、定安、白沙、陵水、澄迈、乐东	731.98
无根藤	*Cassytha filiformis* L.	定安、屯昌	0.41
长春花	*Catharanthus roseus* (L.) G. Don	昌江、澄迈、临高、琼海、东方、万宁、文昌	3554.61
青葙	*Celosia argentea* L.	海口、昌江、乐东、东方、陵水、琼海、万宁、保亭、定安、儋州	17238.11
积雪草	*Centella asiatica* (L.) Urban	东方、昌江、乐东、万宁、琼海、陵水、屯昌、保亭、临高	791.36
鹅不食草	*Centipeda minima* (L.) A. Br. et Aschers.	东方、屯昌、乐东、陵水	1832.09

药用植物名	拉丁学名	分布市县	蕴藏量 /t
阴香	*Cinnamomum burmannii* (C. G. et Th. Nees) Bl.	澄迈、保亭	1906.19
樟	*Cinnamomum camphora* (L.) Presl.	乐东、陵水	328.07
黄樟	*Cinnamomum porrectum* (Roxb.) Kosterm.	琼海	135.64
大青	*Clerodendrum cyrtophyllum* Turcz.	屯昌、东方、定安、文昌	211.48
赪桐	*Clerodendrum japonicum* (Thunb.) Sweet	屯昌	0.57
薏苡	*Coix lacrymajobi* L. var. *mayuen* (Roman.) Stapf	屯昌、琼海、保亭、昌江、澄迈、儋州	23821.21
鸭跖草	*Commelina communis* L.	昌江、三亚、东方、乐东、陵水	178.06
猪屎豆	*Crotalaria pallida* Ait.	屯昌	0.17
巴豆	*Croton tiglium* L.	昌江、乐东、东方	23.34
构棘	*Cudrania cochinchinensi* (Lour.) Kudo et Masam.	万宁	183.64
姜黄	*Curcuma longa* L.	屯昌、琼海、儋州、保亭、东方	657.15
菟丝子	*Cuscuta chinensis* Lam.	东方	32.46
狗牙根	*Cynodon dactylon* (L.) Pars.	东方	0.09
莎草	*Cyperus rotundus* L.	万宁	14.78
白花曼陀罗	*Datura metel* L.	屯昌、昌江、乐东、东方、万宁、临高、儋州、定安	1427.96
广金钱草	*Desmodium styracifolium* (Osbeck) Merr.	琼海、琼中、定安	278.65
假鹰爪	*Desmos chinensis* Lour.	屯昌	0.02
常山	*Dichroa febrifuga* Lour.	琼中	155.70
薯蓣	*Dioscorea opposita* Thunb.	东方、保亭、乐东、屯昌	27.68
扁豆	*Dolichos lablab* L.	陵水	75.20
锦地罗	*Drosera burmannii* Vahl	定安、文昌	1.32
栎叶槲蕨	*Drynaria quercifolia* (L.) J. Smith	昌江、陵水	5.60
鳢肠	*Eclipta prostrate* L.	东方、乐东、万宁、儋州、琼中、保亭、白沙	6605.67
地胆草	*Elephantopus scaber* L.	琼海、文昌、屯昌	183.00
白花地胆草	*Elephantopus tomentosus* L.	屯昌	0.05
一点红	*Emilia sonchifolia* (L.) DC.	昌江、东方、乐东、海口、琼海、万宁、儋州、屯昌、陵水、琼中、白沙	8795.28
榼藤子	*Entada phaseoloides* (L.) Merr.	昌江、陵水、万宁、保亭、三亚、琼海	3784.52
木贼	*Equisetum hiemale* L.	儋州、白沙、昌江	11375.15
谷精草	*Eriocaulon buergerianum* Koern.	万宁、琼海、儋州、屯昌	1501.37
海南狗牙花	*Ervatamia hainanensis* Tsiang	屯昌	3.96
丁公藤	*Erycibe obtusifolia* Benth.	琼海、万宁、三亚	3080.68
飞机草	*Eupatorium odoratum* L.	屯昌、文昌	14.69
飞扬草	*Euphorbia hirta* L.	东方、文昌、琼海、万宁、保亭、琼中、白沙	1432.94
三桠苦	*Evodia lepta* Merr.	昌江、东方、乐东、澄迈、海口、陵水、琼海、儋州、定安、保亭、琼中、白沙	49256.04
粗叶榕	*Ficus hirta* Vahl	昌江、东方、乐东、陵水、白沙、儋州、琼中、屯昌、文昌	27034.97
对叶榕	*Ficus hispida* L. f.	定安、屯昌、澄迈	241.30
薜荔	*Ficus pumila* L.	澄迈、海口、陵水、屯昌	2651.11

药用植物名	拉丁学名	分布市县	蕴藏量 /t
千斤拔	*Flemingia philippinensis* Merr. et Rolfe	东方、乐东、屯昌	58.20
白饭树	*Flueggea virosa* Roxburgh	屯昌	2.32
赤芝	*Ganoderma lucidum* (Leyss. ex Fr.) Karst.	琼中	12.87
紫芝	*Ganoderma sinense* Zhao,Xu et Zhang	三亚、保亭	8.67
黑叶小驳骨	*Gendarussa ventricosa* (Wall. ex Sims) Nees	儋州	58.22
小驳骨	*Gendarussa vulgaris* Nees	昌江、三亚、陵水	322.97
木棉	*Gossampinus malabaricum* DC.	东方、昌江、海口、琼中、保亭、文昌、定安、临高	10963.65
田基黄	*Grangea maderaspatana* (L.) Poir.	昌江、琼海、陵水、保亭	25.45
绞股蓝	*Gynostemma pentaphyllum* (Thunb.) Makino	琼中	674.97
牛筋果	*Harrisonia perforata* (Blanco) Merr.	屯昌	5.84
广花耳草	*Hedyotis ampliflora* Hance	屯昌	1.51
耳草	*Hedyotis auricularia* L.	文昌、屯昌	0.47
白花蛇舌草	*Hedyotis diffusa* Willd.	昌江、乐东、东方、琼海、万宁、陵水、儋州、五指山、屯昌	18346.73
山芝麻	*Helicteres angustifolia* L.	东方、海口、澄迈、文昌、琼海、陵水、万宁、儋州、琼中、定安、屯昌、保亭	9408.71
千年健	*Homalomena occulta* (Lour.) Schott	屯昌	1.51
地耳草	*Hypericum japonicum* Thunb. ex Murray	乐东、文昌	19.10
大叶冬青	*Ilex latifolia* Thunb.	保亭	359.13
铁冬青	*Ilex rotunda* Thunb.	保亭	602.03
白茅	*Imperata cylindrica* (L.) Beauv. var. *major* (Nees) C. E. Hubb. ex Hubb et Vaughan	东方、乐东、昌江、海口、定安、文昌、万宁、陵水、儋州、琼海、澄迈、白沙	564214.49
五爪金龙	*Ipomoea cairica* (L.) Sweet	屯昌	1.54
厚藤	*Ipomoea pes-caprae* (L.) Sweet	文昌	1.27
灯心草	*Juncus effusus* L.	陵水	11.73
黑老虎	*Kadsura coccinea* (Lem.) A. C. Smith	屯昌	0.29
山柰	*Kaempferia galanga* L.	琼中	1153.33
马缨丹	*Lantana camara* L.	文昌、屯昌	1.34
益母草	*Leonurus japonicus* Houtt.	屯昌、定安、白沙	1818.10
蜂巢草	*Leucas aspera* (Willd.) Link	昌江、东方、乐东、海口、陵水、琼海、万宁、保亭、澄迈	1343.72
小叶乌药	*Lindera aggregata* (Sims) Kosterm. var. *playfairii* (Hemsl.) H. B. Cui	万宁	305.55
山胡椒	*Lindera glauca* (Sieb. et Zucc.) Bl.	屯昌	0.10
母草	*Lindernia crustacea* (L.) F. Muell	屯昌	0.12
枫香树	*Liquidambar formosana* Hance	澄迈、陵水、万宁、儋州、保亭	8960.24
荔枝	*Litchi chinensis* Sonn.	陵水、琼海、万宁、文昌、白沙、澄迈	66466.88
山鸡椒	*Litsea cubeba* (Lour.) Pers.	万宁、三亚、陵水、昌江、东方、琼海	854.37
华南忍冬	*Lonicera confusa* (Sweet) DC.	儋州、琼中	408.78

续表

药用植物名	拉丁学名	分布市县	蕴藏量 /t
淡竹叶	*Lophatherum gracile* Brongn.	万宁、琼海、陵水、三亚、屯昌、文昌、儋州、琼中、白沙	1095.40
水龙	*Ludwigia adscendens* (L.) Hara	屯昌	0.12
草龙	*Ludwigia hyssopifolia* (G. Don) Exell	屯昌	0.22
石松	*Luffa cylindrica* Thunb.	定安	0.26
海金沙	*Lycopodium japonicum* (Thunb.) Sw.	昌江、东方、乐东、海口、文昌、屯昌、三亚、儋州、万宁、琼海、临高、琼中、陵水	9498.93
白背叶	*Mallotus apelta* (Lour.) Muell. Arg.	海口、陵水、万宁、琼海、儋州、琼中、定安、文昌、白沙、临高	43673.21
白楸	*Mallotus paniculatus* (Lam.) Muell. Arg.	文昌	3.61
花叶竹芋	*Maranta bicolor* Ker-Gawl.	屯昌	0.02
通泉草	*Mazus japonicus* (Thunb.) O. Kuntze	屯昌	0.21
楝	*Melia azedarach* L.	昌江、乐东、东方、海口、文昌、陵水、琼海、万宁、白沙、儋州、保亭、琼中、临高、澄迈	476909.03
破布叶	*Microcos paniculata* L.	屯昌	0.65
大管	*Micromelum falcatum* (Lour.) Tanaka	屯昌	1.23
美丽崖豆藤	*Millettia speciosa* Champ.	琼海、万宁、陵水、保亭、定安	1907.43
含羞草	*Mimosa pudica* L.	文昌、屯昌、定安	18.96
巴戟天	*Morinda officinalis* How	琼海、乐东、琼中	1556.75
桑	*Morus alba* L.	昌江	1.04
九里香	*Murraya exotica* L.	琼海、万宁、昌江、文昌、陵水	7157.70
玉叶金花	*Mussaenda pubescens* Ait. f.	屯昌、文昌	7.21
夹竹桃	*Nerium indicum* Mill.	屯昌	0.16
麦冬	*Ophiopogon japonicus* (L. f.) Ker-Gawl.	屯昌	0.18
仙人掌	*Opuntia stricta* (Haw.) Haw. var. *dillenii* (Ker-Gawl.) Benson	屯昌	0.71
木蝴蝶	*Oroxylum indicum* (L.) Kurz	陵水、万宁、琼海、保亭、五指山	906.32
酢浆草	*Oxalis corniculata* L.	屯昌	0.22
鸡矢藤	*Paederia scandens* (Lour.) Merr.	屯昌、文昌	0.68
垂穗石松	*Palhinhaea cernua* (L.) Franco et Vasc.	陵水	73.36
紫苏	*Perilla frutescens* (L.) Britt.	屯昌、定安、儋州	171.03
石仙桃	*Pholidota chinensis* Lindl.	陵水	21.15
余甘子	*Phyllanthus emblica* L.	昌江、东方、乐东、琼海、白沙、儋州、五指山、保亭、临高、澄迈、陵水	22529.99
叶下珠	*Phyllanthus urinaria* L.	屯昌、保亭、万宁、琼海、陵水、临高、海口、澄迈、乐东、东方、昌江	2033.27
排钱树	*Phyllodium pulchellum* (L.) Desv.	定安、屯昌	0.76
酸浆	*Physalis alkekengi* L.	屯昌	0.08
苦玄参	*Picria felterrae* Lour.	白沙	871.50
风藤	*Piper kadsura* (Choisy) Ohwi	陵水、万宁	669.56
大叶蒟	*Piper laetispicum* C. DC.	保亭	27.40
胡椒	*Piper nigrum* L.	定安、琼海、屯昌	22.18
车前	*Plantago asiatica* L.	屯昌	91.14

续表

药用植物名	拉丁学名	分布市县	蕴藏量 /t
白花丹	*Plumbago zeylanica* L.	屯昌、文昌	0.41
鸡蛋花	*Plumeria rubra* L. cv. Acutifolia	澄迈	1.62
广藿香	*Pogostemon cablin* (Blanco) Benth.	临高	1.91
火炭母	*Polygonum chinense* L.	屯昌、定安	21.22
水蓼	*Polygonum hydropiper* L.	陵水、琼海、屯昌、儋州	2302.39
何首乌	*Fallopia multiflora* (Thunb.) Harald.	琼海	75.18
杠板归	*Polygonum perfoliatum* L.	琼海、屯昌	45.69
马齿苋	*Portulaca oleracea* L.	乐东、昌江、琼海、万宁	138.73
崖姜蕨	*Pseudodrynaria coronans* (Wall. ex Mett) Ching	白沙、乐东、陵水、保亭	710.15
番石榴	*Psidium guajava* L.	屯昌	5.81
九节	*Psychotria rubra* (Lour.) Poir.	白沙、东方、海口、澄迈、陵水、琼海、万宁、儋州、屯昌、文昌、乐东、保亭	105294.89
半边旗	*Pteris semipinnata* L.	屯昌、文昌	4.89
野葛	*Pueraria lobata* (Willd.) Ohwi	白沙、三亚、乐东	244.83
使君子	*Quisqualis indica* L.	陵水、琼海、三亚	107.76
萝芙木	*Rauvolfia verticillata* (Lour.) Baill.	屯昌	0.76
桃金娘	*Rhodomyrtus tomentosa* (Ait.) Hassk.	屯昌	1.28
盐肤木	*Rhus chinensis* Mill.	琼海、儋州、琼中、白沙	1604.29
蓖麻	*Ricinus communis* L.	屯昌、琼海、万宁、五指山、儋州	9979.44
茜草	*Rubia cordifolia* L.	琼中、白沙	155.96
接骨草	*Sambucus chinensis* Lindl.	屯昌、琼海	49.21
檀香	*Santalum album* L.	屯昌	0.97
草珊瑚	*Sarcandra glabra* (Thunb.) Nakai	陵水、琼海	1599.00
翠云草	*Selaginella uncinata* (Desv.) Spring	定安	12.69
半枫荷	*Semiliquidambar cathayensis* H. T. Chang	白沙	1.37
千里光	*Senecio scandens* Buch. Ham. ex D. Don	五指山	6.02
黄花稔	*Sida acuta* Burm. f.	屯昌	0.03
豨莶	*Siegesbeckia orientalis* L.	澄迈、海口、琼海、万宁、保亭、文昌、琼中	206.49
菝葜	*Smilax china* L.	琼海、定安、万宁、保亭、屯昌	432.77
光叶菝葜	*Smilax glabra* Roxb.	陵水、万宁、琼海、东方、儋州、琼中	2202.71
牛茄子	*Solanum surattense* Burm. f.	万宁	27.48
假烟叶树	*Solanum verbascifolium* L.	屯昌、文昌	1.81
光叶密花豆	*Spatholobus harmandii* Gagnep.	保亭	295.80
尖瓣花	*Sphenoclea zeylanica* Gaertn.	琼海	892.50
假马鞭	*Stachytarpheta jamaicensis* (L.) Vahl	屯昌	0.60
对叶百部	*Stemona tuberosa* Lour.	万宁、琼海、保亭、陵水	1356.38
海南地不容	*Stephania hainanensis* H. S. Lo et Y. Tsoong	乐东	1.03
小叶地不容	*Stephania succifera* H. S. Lo et Y. Tsoong	屯昌	0.08
独脚金	*Striga asiatica* (L.) O. Kuntze	昌江、万宁	1.19
土人参	*Talinum paniculatum* (Jacq.) Gaertn.	屯昌	0.03
桑寄生	*Taxillus chinensis* (DC.) Danser	昌江、东方、万宁、文昌	1268.71

续表

药用植物名	拉丁学名	分布市县	蕴藏量 /t
中华青牛胆	*Tinospora sinensis* (Lour.) Hoogl.	琼海、万宁、保亭	776.67
飞龙掌血	*Toddalia asiatica* (L.) Lam.	定安	5.62
络石	*Trachelospermum jasminoides* (Lindl.) Lem.	保亭、屯昌	36.26
蒺藜	*Tribulus terrestris* L.	东方	36.43
大叶钩藤	*Uncaria macrophylla* Wall.	乐东	0.43
钩藤	*Uncaria rhynchophylla* (Miq.) Miq. ex Havil.	三亚	3.97
挖耳草	*Utricularia bifida* L.	乐东	0.09
紫玉盘	*Uvaria microcarpa* Champ. ex Benth.	屯昌	0.83
马鞭草	*Verbena officinalis* L.	澄迈、白沙、陵水	419.13
黄荆	*Vitex negundo* L.	昌江、东方、乐东	505.31
牡荆	*Vitex negundo* L. var. *cannabifolia* (Siebold & Zucc.) Hand. Mazz.	琼海	21.07
蔓荆	*Vitex trifolia* L.	东方、昌江	19.86
单叶蔓荆	*Vitex trifolia* L. var. *simplicifolia* Cham.	乐东、澄迈、临高、琼海、万宁	3991.42
蟛蜞菊	*Wedelia chinensis* (Osbeck) Merr.	屯昌	0.38
了哥王	*Wikstroemia indica* (L.) C. A. Mey.	屯昌、文昌	16.25
倒吊笔	*Wrightia pubescens* R. Br.	屯昌	7.81
苍耳	*Xanthium sibiricum* Patrin ex Widder	屯昌、昌江、东方、琼海、万宁、陵水、澄迈	43403.11
簕欓花椒	*Zanthoxylum avicennae* (Lam.) DC.	万宁、陵水	24068.30
两面针	*Zanthoxylum nitidum* (Roxb.) DC.	昌江、乐东、海口、临高、陵水、琼海、万宁、保亭、三亚、屯昌、儋州、白沙、琼中	6762.71
珊瑚姜	*Zingiber corallinum* Hance	陵水	3647.63
姜	*Zingiber officinale* Rosc.	万宁	665.23
红球姜	*Zingiber zerumbet* (L.) Smith	儋州	201.73

三、海南岛各市县栽培中药资源情况

截至 2013 年年底，17 种主要栽培中药资源的面积如下：槟榔 136 万亩、胡椒 32.97 万亩、益智 7.52 万亩、白木香 2.19 万亩、降香黄檀 1.99 万亩、胆木 0.53 万亩、广藿香 0.1 万亩、裸花紫珠 0.89 万亩、牛大力 0.56 万亩、温郁金 0.15 万亩、高良姜 0.43 万亩、砂仁 0.07 万亩、艾纳香 0.03 万亩、灵芝 0.01 万亩、铁皮石斛 0.08 万亩、谷精草 0.01 万亩、龙血树 0.06 万亩，栽培面积合计 183.6 万亩。槟榔为四大南药之首，为海南省传统种植品种，因槟榔鲜果价格居高不下，种植面积不断增加。益智因价格稳定，种植管理粗放，可在林下种植，种植面积也在不断增加，是当地政府用于扶贫的重要种苗来源物质之一。白木香、降香黄檀因具有多种用途，种植面积成倍增加。牛大力因其保健作用，广受消费者喜爱，种植规模也在不断扩大，也是当地政府扶贫用种苗的重要来源之一。胡椒是传统的中药资源，也是调味品，因管理难度大、病虫害防治存在不足及价格波动大等问题，种植面积逐渐减少。

根据《海南统计年鉴2014》，槟榔、益智、胡椒的种植面积及产量见表3～表5。

表3 2013年槟榔种植面积及产量

市县	面积/km²	总产量/t	市县	面积/km²	总产量/t
万宁	181.83	32596	乐东	36.18	12430
琼海	153.21	38943	文昌	18.19	5318
琼中	106.61	22977	五指山	16.27	2348
屯昌	95.71	17613	海口	16.14	3287
定安	78.61	18879	白沙	6.77	1824
保亭	53.98	15592	儋州	3.26	435
三亚	53.44	27180	东方	0.57	184
陵水	45.07	10923	昌江	0.45	2
澄迈	42.47	12747	临高	0.07	51

表4 2013年益智种植面积及产量

市县	面积/km²	总产量/t	市县	面积/km²	总产量/t
三亚	1.09	161	琼中	26.86	1929
五指山	3.69	1917	保亭	4.51	855
琼海	0.10	56	陵水	4.87	756
万宁	1.91	332	白沙	5.67	940
屯昌	1.36	249	澄迈	0.04	8

表5 2013年胡椒种植面积及产量

市县	面积/km²	总产量/t	市县	面积/km²	总产量/t
万宁	23.05	6014	乐东	0.33	77
琼海	71.04	11938	文昌	64.07	11133
琼中	1.68	448	五指山	1.29	266
屯昌	3.81	778	海口	32.04	4312
定安	14.05	2951	白沙	0.68	110
保亭	0.16	46	儋州	2.02	470
陵水	0.09	0	临高	0.50	72
澄迈	4.96	1150			

注：陵水为新增种植区，没有产出。

根据海南省中药资源普查数据，海南岛各市县降香黄檀以琼中、昌江、乐东栽培面积较大，但昌江、琼中、五指山、澄迈、定安、三亚等地育苗量较大，具体情况见表6。

表6 2013年降香黄檀栽培情况

市县	株数/株	面积/亩	市县	株数/株	面积/亩
屯昌	16028	155	定安	72280	203
琼中	1059920	10616	保亭	8800	95
临高	3006	26	五指山	96350	365
琼海	47300	713	陵水	20000	40
乐东	216400	1820	万宁	1895	7
儋州	8000	30	文昌	1950	16
白沙	13380	113	三亚	65650	536
澄迈	140000	510	海口	27810	73
昌江	377200	4222	东方	18000	360

根据海南省中药资源普查数据，海南岛各市县白木香栽培情况见表7。

表7 2013年白木香栽培情况

市县	株数/株	面积/亩	市县	株数/株	面积/亩
屯昌	167328	1068	保亭	15400	110
琼中	512131	2972	五指山	243500	1460
儋州	580980	4449	东方	46500	380
昌江	27790	2009	乐东	363000	5233
白沙	11180	62	陵水	6700	56
万宁	83842	480	文昌	29140	178
澄迈	49800	300	海口	151405	1006
临高	13600	88	琼海	68100	648
定安	193428	1152	三亚	28260	210

四、黎药资源情况

海南省第四次中药资源普查数据显示，专项队在三亚、琼中、东方、陵水、五指山、保亭、乐东、昌江、白沙9个市县21个镇59个村，共走访了73位当地有名的草医，在黎族主要聚居区调查民间传统医药知识222份，收集黎族民间验方36个（主要用于治疗外伤、骨折、蛇咬伤等），获得民间调查数据151份。本次调查统计海南岛黎族药用植物资源及栽培药材389种，隶属于112科302属，其中蕨类植物12科12属15种，裸子植物2科2属2种，被子植物97科288属372种。

五、海洋中药资源情况

海南省第四次中药资源普查数据显示，东方－临高沿岸区域有海洋动物药58种、海洋植物药6种；陵水－三亚沿岸区域有海洋动物药53种、海洋植物药5种、海洋矿物药1种；琼海－万宁沿岸区域有海洋动物药57种、海洋植物药5种；文昌沿岸区域有海洋动物药50种、海洋植物药9种。此次共调查海南岛沿岸区域海洋中药资源70种，其中海洋动物药58种，海洋植物药

11 种，海洋矿物药 1 种。

六、市场流通中药材情况

海南省第四次中药资源普查数据显示，海南省还未形成大规模中药材交易市场，有少量小规模中药材收购点或季节性单品种中药材收购点，主要在琼中、文昌、屯昌、白沙、五指山、定安、保亭、儋州等地区，主要收购的中药材有益智、牛大力、灵芝、降香、沉香、香附子、相思叶、布渣叶、香漏斗叶、草豆蔻、海南砂仁、紫珠叶、鸦胆子、荜茇、白花羊蹄甲、鸡骨香、长春花、磨盘草子、高良姜、山柰等 20 多个品种，年收购量在 248.12t 左右。海南岛各市县收购中药材情况见表 8。

表 8　海南岛各市县收购中药材情况

市县	收购种类	收购数量 /t	市县	收购种类	收购数量 /t
文昌	18	486.24	琼中	4	57.70
屯昌	2	121.50	儋州	8	19.20
定安	2	2.60	白沙	1	40.00
五指山	2	3.40	保亭	1	0.05

海南省中药资源特点及区划

一、海南省各区域中药资源各具特色

海南省各区域中药资源各具特色，根据地形地貌有山地雨林中药资源、丘陵山地中药资源、低丘陵台地中药资源。山地雨林中药资源，主要分布于海南岛中部、东部和西南部海拔 500m 以上的低山、海拔 800m 以上的中山，包括琼中、白沙、五指山、乐东西南部、万宁南部、陵水北部等地区，植被为沟谷雨林、山地雨林和季雨林，土壤为砖红壤性红壤或黄壤。丘陵山地中药资源，垂直分布上属海南岛第二环形阶梯，主要分布于海南岛中部、西南部和东南部以及东北部部分地区海拔 250~500m 的高丘陵低山，包括屯昌、琼中、昌江、乐东、琼海、万宁西北部、保亭西南部，以及定安、澄迈的部分山区。低丘陵台地中药资源，此区生态环境遍及海南岛各县海拔 250m 以下的低丘台地，分布范围最广，面积最大。根据植被和地形又可分为低丘台地草原中药资源和沿海平原中药资源。另外，滨海沙滩中药资源分布于沿海沙滩地，大多海拔不足 10m，生境干热，太阳辐射强烈，土壤盐分高。海滩红树林中药资源，是一种热带海滩的特殊生境类型。

二、海南省珍稀濒危野生中药资源种类多

海南岛是我国唯一具有岛屿型热带雨林的物种基因库，分布着特殊的植被类型和独特的珍稀植物种类，海南省珍稀濒危植物共有 512 种，隶属于 86 科 254 属。其中，海南省特有植物 137 种，占海南省珍稀濒危植物总数的 26.9%。海南岛珍稀濒危植物中，被《国家重点保护野生植物名录（第一批）》收录的种类有 48 种（含 10 种海南省特有植物），其中，Ⅰ级重点保护植物 9 种，Ⅱ级重点保护植物 39 种，主要包括七指蕨 *Helminthostachys zeylanica* (L.) Hook.、海南苏铁 *Cycas hainanensis* C. J. Chen、海南油杉 *Keteleeria hainanensis* Chun et Tsiang、华南五针松 *Pinus kwangtungensis* Chun ex Tsiang、伯乐树 *Bretschneidera sinensis* Hemsl.、铁凌 *Hopea exalata* W. T. Lin、青梅 *Vatica mangachapoi* Blanco、山铜材 *Chunia bucklandioides* Chang、半枫荷 *Semiliquidambar cathayensis* Chang、油丹 *Alseodaphne hainanensis* Merr.、缘毛红豆 *Ormosia howii* Merr. et Chun、油楠 *Sindora glabra* Merr. ex de Wit、石碌含笑 *Michelia shiluensis* Chun et Y. F. Wu、海南风吹楠 *Horsfieldia hainanensis* Merr.、海南紫荆木 *Madhuca hainanensis* Chun et How、海南梧桐 *Firmiana hainanensis* Kosterm.、蝴蝶树 *Heritiera parvifolia* Merr.、海南椴 *Hainania trichosperma* Merr.、苦梓 *Gmelina hainanensis* Oliv.、珊瑚菜 *Glehnia littoralis* Fr. Schmidt ex Miq. 等，它们多数都在保护区中得到保护。被《濒危野生动植物种国际贸易公约附录》收录的种类有 270 多种（含 5 种海南省特有植物），其中，兰科有 260 种；被《世界自然保护联盟濒危物种红色名录》

收录的种类有 85 种。

三、海南省中药资源区划

海南省素有我国"南药之乡"的美誉，也是著名的"四大南药"槟榔、益智、砂仁、巴戟天的主产区，其中，槟榔全省种植面积超过 150 万亩以上，益智种植面积超过 5 万亩。胡椒、牛大力、沉香、降香的种植面积均在万亩以上，广藿香、裸花紫珠、胆木、铁皮石斛、灵芝、莪术、海南假砂仁、高良姜等也在大面积种植。随着海南省中医药产业的不断发展，作为源头的中药材种植变得愈发重要，而中药资源区划是指导中药材生产的关键。根据地形地貌做到农、林、牧、渔与药的紧密结合，因地制宜，统筹安排，结合第三次中药资源普查中的中药资源区划，最大限度地发挥海南省的自然资源优势，将海南省的中药材生产做大、做强，从而服务于海南省中医药产业的发展。

（一）北部平原区

包括海口、定安、澄迈、临高、文昌、儋州等地。本区属琼北沿海平原，地势平缓，耕地连片。土壤以玄武岩为母质的砖红壤为主，有机质含量为 2% 左右，坡度在 8° 以下，可耕地较多。年均气温 23℃，大于 10℃ 积温 8600~8700℃，年降雨量 1400~1900mm。本区发展南药生产的优点是土地资源丰富，易耕作，温度高；缺点是干旱，风大，春旱季长。应选择有利地形，种植喜高温、耐旱、抗风的中药材品种，或选择耐阴性品种在林下生产。选择品种有沉香、降香、牛大力、槟榔、广藿香、铁皮石斛、蔓荆子、砂仁、山奈、长春花、益智、穿心莲、魔芋、莪术、高良姜等。海边可进行海马、珍珠、牡蛎等的养殖。

（二）中部、中南部丘陵区

包括五指山、琼中、白沙、屯昌、定安、澄迈南部、儋州东南部、三亚北部、万宁西部、乐东中东部等地。本区地形以丘陵台地为主，地势南高北低，由低山丘陵逐步过渡为低丘陵台地，地形起伏大，小环境气候差异大。有砖红壤、赤红壤、黄壤等，总的土壤肥力中等，黄壤、赤红壤、铁质砖红壤肥力较高。年均气温 23~24℃，大于 10℃ 积温 8300~8600℃，最冷月均温度 17℃，西部年降雨量 1600~1800mm，中东部一般 1800~2000mm，个别地区达 2000mm 以上。本区是海南省南药生产发展区，优点是雨量充沛，热量充足，土地肥沃，适合种植各种南药，土地资源丰富，发展潜力大；缺点是冬天有短期低温，也容易受台风影响。本区可重点发展槟榔、沉香、降香、铁皮石斛、牛大力、益智、胆木、裸花紫珠、高良姜、檀香、肉桂、吐鲁香、依兰香、草豆蔻、白豆蔻、阴香、香荚兰、巴戟天、忧遁草、灵芝、天门冬等。

（三）东部平原区

包括琼海东部、万宁东部、文昌南部、陵水东部等地。本区背山面海，地势平缓，台地平原较多，土地利用率高。土壤以砖红壤为主，土壤肥力中等。年均气温 23~24.5℃，大于 10℃的积温在 8200℃以上，极端低温为 7℃，年降雨量 2000mm 左右。本区发展南药的优点是温度较高，降雨充沛，阳光充足；缺点是台风频繁，不利于生产。适合种植槟榔、胡椒、益智、广藿香、蔓荆子、降香、薄荷、铁皮石斛、益母草、山柰、仙人掌、肾茶、香附子、长春花、忧遁草、牛大力、巴戟天、海南砂仁、丁香、罗勒、肉桂等。本区海洋中药资源也较为丰富，可养殖海马、珍珠、牡蛎等。

（四）东南部丘陵台地

包括三亚、陵水、保亭、五指山、乐东等地。本区地形复杂，低山、高丘陵较多，还有中山地形，植被保存较好，森林覆盖率较高，是海南省野生、珍稀中药材的主要分布区。土壤以赤红壤、黄壤为主，湿润肥沃，腐殖质含量高。年均气温 23.2℃，年降雨量 2500mm 左右。热带气候明显。本区是海南省发展药材种植的最佳区域，优势是雨量充沛、热量足，无寒流影响或影响较小，土壤肥沃，如肉豆蔻、丁香只能在此区生长较好；缺点是山地多，耕地面积小。本区在原始森林地带应加强资源保护，通过保护区建设保护中药资源，生产上在发展道地药材的同时，大力发展国内外引种药材，如肉豆蔻、丁香、爪哇白豆蔻、安息香、檀香、吐鲁香、苏木、古柯、印度马钱、锡兰肉桂等，其他有降香、沉香、益智、牛大力、胆木、裸花紫珠、灵芝、肾茶、铁皮石斛、肉桂、槟榔等。

（五）西部地区

包括儋州、临高、东方西部及乐东西部等地。本区地处西部沿海平原。土壤以砖红壤为主，肥力较差。年降雨量 900~1200mm，且集中于 9~10 月份，旱季长，年均气温 24℃左右，大于 10℃积温 8500~8900℃。高温、干旱、蒸发量大、土壤薄、风大是本区的生境特点，本区条件较差，发展南药较为困难，应种植耐干旱且适于沿海红壤土生长的高良姜、广藿香、香茅、肾茶、香露兜、丁香罗勒、仙人掌、蔓荆子等，还可利用沿海养殖等。

（六）西南地区

包括乐东西南部、三亚西北部等地。本区地处西部沿海平原。土壤以砖红壤为主。年降雨量 1200~1500mm，旱季较长，年均气温 24℃左右，大于 10℃积温 8700~9200℃。本区高温，干旱，蒸发量大，应种植耐干旱且适于沿海红壤土生长的高良姜、广藿香、香茅、香露兜、仙人掌、鸦胆子、草豆蔻、肾茶、玫瑰、铁皮石斛、降香、肉桂等，还可种植蔓荆子及利用沿海养殖等。

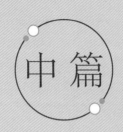

中篇

海南省道地
中药资源
⋯⋯

瑞香科 Thymelaeaceae 沉香属 Aquilaria

白木香 *Aquilaria sinensis* (Lour.) Gilg.

| 中 药 名 | 沉香（药用部位：含有树脂的木材）

| 药材别名 | 蜜香、栈香、沉水香、琼脂、白木香、莞香

| 道地沿革 |

　　本草典籍中有关沉香产地质量信息的描述不是很多，《天香传》云："窦、化、高、雷，中国出香之地也，比海南者优劣不侔甚矣。"《杨文公谈苑》云："岭南雷州及海外琼崖山中多香树，山中夷民斫采卖与人。"《本草衍义》云："沉之良者，惟在琼、崖等州，俗谓之角沉。"《本经逢原》云："产海南者色黄，锯处色黑，俗谓铜筋铁骨者良。"蔡绦《铁围山丛谈》云："占城不若真腊，真腊不若海南黎峒。黎峒又以万安黎母山东峒者，冠天下，谓之海南沉，一片万钱。"范成大《桂海虞衡志》云："黎峒出者名土沉香，或曰崖香。虽薄如纸者，入水亦沉。万安在岛东，钟朝阳之气，故香尤酝藉，土人亦自难得。"由此可见，在众多文献中，海南沉香的品质被公认为是最好的，且海南一直被认作道地药材产区。

白木香林

| 植物形态 |

　　乔木，高 5~15m，树皮暗灰色，几平滑，纤维坚韧；小枝圆柱形，具皱纹，幼时被疏柔毛，后逐渐脱落，无毛或近无毛。叶革质，圆形、椭圆形至长圆形，有时近倒卵形，长 5~9cm，宽 2.8~6cm，先端锐尖或急尖而具短尖头，基部宽楔形，上面暗绿色或紫绿色，光亮，下面淡绿色，两面均无毛，侧脉每边 15~20，在下面更明显，小脉纤细，近平行，不明显，边缘有时被稀疏的柔毛；叶柄长 5~7mm，被毛。花芳香，黄绿色，多朵，组成伞形花序；花梗长 5~6mm，密被黄灰色短柔毛；萼

筒浅钟状，长 5~6mm，两面均密被短柔毛，5 裂，裂片卵形，长 4~5mm，先端圆钝或急尖，两面被短柔毛；花瓣 10，鳞片状，着生于花萼筒喉部，密被毛；雄蕊 10，排成 1 轮，花丝长约 1mm，花药长圆形，长约 4mm；子房卵形，密被灰白色毛，2 室，每室 1 胚珠，花柱极短或无，柱头头状。蒴果果梗短，卵球形，幼时绿色，长 2~3cm，直径约 2cm，顶端具短尖头，基部渐狭，密被黄色短柔毛，2 瓣裂，2 室，每室具有种子 1，种子褐色，卵球形，长约 1cm，宽约 5.5mm，疏被柔毛，基部具有附属体，附属体长约 1.5cm，上端宽扁，宽约 4mm，下端呈柄状。花期春、夏季，果期夏、秋季。

白木香花

白木香果实

白木香种子

| 野生资源 |

一、生态环境

生长于海拔 20~1200m 的山地雨林、杂木林、灌丛中，以中海拔地区为主。

二、分布区域

野生白木香分布于海南各地（除海口以外）。

三、蕴藏量

在利益的驱使下，现代人们对沉香的开采过度，使得野生沉香资源受到了严重破坏，濒临灭绝！

▎栽培资源▎

一、栽培历史

进入 21 世纪，随着我国对沉香种植产业加大扶持力度，广东、海南已经成为我国重要的沉香产区，在传统道地药材产区的基础上，形成了我国沉香产区的新格局，划分为"莞香""海南沉香"两大产区。

"莞香"产区：位于广东的中南部，地理区域包括东莞、中山、电白、高州、化州等地，随着沉香价值的上升，其产区有全省延伸的趋势，所产的沉香被称为"莞香"。初步估计广东省种植白木香的面积已超过 40 万亩。

"海南沉香"产区：主要分布在海南岛中南部，因为野生白木香树资源丰富，再加上现在香民采伐时保护意识的增强，海南至今仍是我国野生沉香最主要的产地。据估计，国内 95% 以上的野生沉香仍然来自海南。进入 21 世纪以后，在政府的引导和扶持下，海南沉香种植业迅速发展，第四次全国中药资源普查数据显示，海南省白木香的种植数量已达到 500 万株。

二、栽培区域

白木香的人工种植遍布海南各地，主要集中在海南中南部及西部，包括琼中、白沙、儋州、屯昌、昌江、万宁、澄迈、临高、琼海、定安等地区。

我国白木香树的适宜栽培区位于东经 97°24′ 至 122°2′，北纬 24° 以南区域。该区域年均温 23℃ 左右，最高温 36.5℃，最低温 4.7℃。年均降雨量 1400~1700mm，有明显的干、湿季之分，且干季时间长达半年或更久。白木香对土壤要求不高，具有抗瘠的特性，野生分布在瘠薄黏土上，生长缓慢，但木材坚实，香味浓厚，容易结香；土层深厚、肥沃湿润的土壤，反而不利于结香。具体生境要求如下。

温度：适宜生长的气候条件，年均温 20℃ 以上，最高温 37℃，最低温 3℃，在低温霜冻地区也能生长。

水分：喜湿润，耐干旱，年均降雨量 1500~2000mm。

阳光：幼株喜阴，荫蔽度以 40%~60% 为宜；成株喜阳，只有充足的光照，才能使其正常开花结果和结出高质量的沉香。

三、栽培面积与产量

白木香树在中国南部5个省区适宜种植，分别是海南全省和广东、广西、云南、福建四省南部。第四次全国中药资源普查的数据显示，我国有近3000万株的沉香种植量，但由于野生沉香的流通渠道不明确，导致各地产量并不明朗。近年来，随着通体结香技术的进步和推广，沉香的产量较为稳定，平均每株树的沉香产量能达到1kg左右。

四、栽培技术

（一）育苗选地整地

1.选地整地　苗圃地应选地势比较平坦、土层深厚、肥沃、排水良好、靠近水源、有一定林木遮荫的砂壤土地块。

2.苗床准备　在平整的圃地上，松土作苗床，其上铺垫"黄心土30%＋火烧土20%＋干净河沙50%"三合一的混合土，或厚10~12cm的干净细沙，播种前进行土壤消毒。

（二）选种育苗

1.选种　选择干形通直、生长健壮、无病虫害、正常开花结实的优良植株作为采种母树。采种母树树龄以10~15年为宜。

2.采种　白木香果实为蒴果，成熟时间为5月底至6月中旬。当果皮颜色由绿转为黄白，果实自然开裂，种子呈棕褐色时即可采收。采种宜晴天进行，用高枝剪剪下果枝，摘取成熟果实；或搭梯子上树采摘。

3.种子处理　果实采收后在阴凉处铺平，经1~2天大部分果实自动开裂后，即可用手剥开果皮将种子取出，未开裂且无法捏开的果实则丢弃不用。种子不耐储藏，应随采随播。临时储藏条件为：选用手握成团、手松即散的湿沙与种子以3∶1的比例搅匀，置于25℃左右的阴凉处摊开，存放不得超过2周。

4.播种期　通常5月底至6月中旬。

白木香采种

5. 播种方法 将种子均匀撒播于床面上，播种量为每平方米 200 粒左右，播种后用木板将种子轻压入土，播后覆盖约 1cm 的火烧土或细沙，覆土厚度以不见种子外露为度，再覆盖一层薄稻草或其他农作物秸秆。

6. 苗床管理 种子播种后或出苗后移栽于营养袋中，保持苗土的湿润和一定的荫蔽；定期追肥，小苗长出真叶 2~3 片时，采用 1∶10~1∶15 的人畜粪水或 0.2% 复合肥水溶液淋施即可，在种子出苗整齐后 1 个月内，及时间苗、补苗。播种 15~20 天后，幼苗长出 2~3 对真叶，苗高 5~8cm 时，可分床移植入袋。

白木香苗床育苗

白木香袋装苗

（三）移栽定植

1.选地　适宜种植在低海拔山地、丘陵以及路边阳处疏林中,可选择排水良好的避风向阳缓坡、丘陵。

2.整地　将地面树木、杂草砍除,就地晒干覆盖物。在山地、丘陵地区种植白木香,依地形地势修筑等高梯田,视坡度大小开挖宽面或窄面梯田,在梯田上平整土地;平地时可采取全垦或穴垦式进行。

3.定植

（1）种植时间。以在春季或温暖多雨季节种植为宜,时间应选阴天或雨过天晴的下午;有灌溉条件的地区可随时种植。

（2）种植密度。株行距一般为 2m×3m,每亩种植 111 株。

（3）种植方法。播种苗:在起苗时,要深锄,尽量带土团。营养袋苗:种植时去除营养袋,剪去过长的主根和大部分叶片,把苗放在植穴正中,根要舒展,分层填土压实、踩紧,淋足定根水,最后覆层松土或覆盖杂草给予保湿,以后酌情淋水,直到幼苗成活为止。

（四）田间管理

1.除草松土　在幼龄期 1~2 年内,每 1~2 个月除草松土 1 次。3~4 年期内每季度除草松土 1 次。第 5 年以后,每年雨季结束前除草松土 1 次或砍除株行间的小灌木并连根挖起。将清除的杂草铺盖在根际周围,干后翻埋入土,增加有机质。

2.施肥　种植 1 年内以施水肥为主,用 1:10 人畜粪水或 0.2% 复合肥水溶液淋施。种植的第 2~5 年内,每季度每株每次穴施有机肥 2~5kg 或生物菌肥 100~150g;当进入造香期,可在每年雨季结束前,穴施有机肥 7.5~10kg 或生物菌肥 0.5~1kg 混合高氮三元复合肥 150~200g。

3.间作　幼龄期需要一定的荫蔽,在种植白木香前 2 个月可种植高秆绿肥作物如木豆、山毛豆等;种植白木香后可间种高秆速生农作物如玉米等,作为白木香的前期荫蔽树;当白木香成林封行后,可间种喜阴药材如益智、红豆蔻、草蔻等以充分利用自然资源,既可调节白木香的生长环境,又可增加经济收入。

4.修剪　白木香是主干结香的树种,通过修剪可以促进主干生长,有利于结香。适时修剪,修剪时把下部的分枝、病虫枝修剪掉,保持主干通直,方便人工造香操作。

5.灌溉与排水　在白木香定植缓苗期、幼龄生长期以及旱季,要及时喷灌,保持土壤湿润。在雨季来临前要检查排水系统,修补环山排水沟,及时排除积水,做好水土保持工作。

（五）病虫害及其防治

1.病害防治

（1）幼苗枯萎病。此病发生于苗床,可致幼苗枯萎死亡。在排水不良、旧土育苗、幼苗密集时易发病。播种前消毒苗床,合理密植;发病初期及时拔除病株烧毁,并使用 20% 敌克松

1000~1500 倍溶液或 50% 多菌灵 800 倍溶液浇淋土壤 2~3 次，每次间隔 7~10 天。

（2）炭疽病。危害叶片，初发为褐色小点，后扩散为圆形至不规则形斑，有些病斑呈轮纹状，严重时叶片脱落。阴雨潮湿、露水大时会加速病害的发生。发病初期喷 80% 炭疽福灵 600~700 倍溶液或 75% 百菌清 400~600 倍溶液 2~3 次，每次间隔 7~10 天。

2. 虫害防治

（1）白木香黄野螟。白木香黄野螟幼虫咬噬叶片，在食料不足时，也啃食树皮，致植株生长不良。冬季浅翻土，清除枯枝败叶和杂草，消灭越冬蛹；虫害发生时，可反复用 90% 结晶敌百虫或 50% 杀螟腈 1000 倍溶液喷树冠及林下地面。

（2）卷叶虫。幼虫吐丝将叶片卷起，蛀食叶肉，常发生于春、秋季之间。发现卷叶应及时剪除，集中深埋或烧毁；虫害卷叶前或卵初孵化期用 25% 杀虫脒 500 倍溶液进行喷洒，每 5~7 天 1 次，连续 2~3 次。

（3）天牛。幼虫吸食木质部，受害严重时可致树干枯死。可利用人工捕杀卵块和幼虫的方法进行防治。

（4）金龟子。成虫常在抽梢和开花期危害幼芽、嫩梢、花朵。可利用人工捕杀、生物防治、诱杀等方法进行防治。

白木香黄野螟危害

白木香黄野螟成虫

白木香黄野螟幼虫

白木香树采挖

五、采收加工

（一）采收

在树干离地 30~50cm 处锯断，挖出树根，锯成原木运回干燥场地。运回的原木（包括树干、树枝和树根），除有特殊用途以外，应趁新鲜剥除树皮（或根皮）。用尖头刀纵向划开树皮（或根皮），继续用尖头刀或砍刀将树皮完全剥除，露出白色木质部。搭架，将剥除树皮（或根皮）的原木，层层架空码放阴干。略倾斜可沥出树内的积水。将干燥后的树干、树枝用台锯锯成 50~150cm 的段木。

（二）加工

树根根据大小、长短及用途确定是否锯成段。首先观察段木的横断面，大致确定黑色结香层外白木层的厚度，然后用砍刀将段木周围的白木劈除，至接近结香层，得到木坯。用铲刀将木坯中靠近沉香面的白木铲除，直至可见颜色较深的木材，内隐约可见结香层，得到香坯。用钩刀小心地将香坯中镶嵌的白木丝尽可能钩除，直至露出深色、油状的结香层，得到香块。将经过精剖获得的香块，用砍刀纵向劈开数块，将中间的腐木用铲刀小心剔除，再用钩刀小心钩除色深、较软的朽木，直至较硬的沉香层。根据生产需求再切成合适大小，得到香片。

白木香树搬运

劈砍去杂

白木香树截段 铲除白边

钩出沉香

沉香成品

成品入库

药材性状

沉香呈不规则棒状、片状或盔帽状。表面褐色，常有黑色、黄色交错的纹理，稍有光泽。入水下沉、半沉水或浮水。质坚实，难折断，破开面灰褐色。有特殊香气，味苦。燃烧时有油渗出，香气较白木香浓烈。白木香呈不规则块状、片状及小碎块状，有的呈盔帽状，大小不一。表面凸凹不平，淡黄白色，有黑褐色与黄色相间的斑纹，并有加工刀痕，偶见孔洞，孔洞及凹窝表面多呈朽木状。质较坚硬，不易折断，断面呈刺状，棕色，有特殊香气，味苦。燃烧时有油渗出，发出浓烟，香气浓烈。

品质评价

以色黑、紧实、质地坚实、具有沉香的特殊香气、燃烧时香气浓烈并有油渗出者为佳。

市场信息

一、商品规格

目前沉香的市场商品分为一等、二等、统货、野生四种规格。分级区别在于黄白色木部在结香面的大小、断面、燃烧烟雾及气味，如沉香一等黄白色木部在结香面不超过 10%，断面刺状，燃烧有浓厚黑色烟雾，无木质味；沉香二等黄白色木部在结香面超过 10%，断面刺状，燃烧有黑色或青色烟雾，有木质味；统货燃烧气芳香，燃烧冒油；野生沉香具黑褐色树脂与黄白色木部相间的斑纹，断面不平整，气芳香，燃烧冒油。

二、价格信息

沉香的价格，野生沉香和人工结香沉香差异较大。品质较好的野生沉香价格高昂，并非一般消费者可以接受。品质较低的板头、壳子等，跟人工结香沉香价格类似。沉香主要分为药用和香料用，药用沉香对品质要求不高，相对价格比较低，通常为 500~800 元 / 千克；香料用沉香的价格，根据沉香的含油量和品相，1kg 可从 1000 元至数万元不等。

三、收购量、年销量

市场上沉香的来源较为混杂，有真有假，有野生有人工，有国产有进口，且绝大多数没有经过正规渠道进入市场，导致收购量数据统计困难。仅根据医药市场的销售量，大致可以判断每年沉香的用量在 300t 左右。

四、易混（伪）品等

在中国的沉香物种中，白木香与云南沉香易混。结合本草中有关植物性状描述和产地的记载，从物种角度来看，历代应用的沉香是瑞香科沉香属植物白木香（*Aquilaria sinensis*）这个种。这两种沉香性状特征相似，但白木香蒴果质地稍薄，果皮干时不皱缩；种子被白色绢毛或无毛，先端具长喙，基部附属体较长，约 1.5cm，比种子长，叶较宽，先端急尖。而云南沉香蒴果质地稍厚，果皮在干时皱缩；种子密被黄色绢毛，先端钝，基部附属体较短，长 0.8~1cm，几与种子等长；叶较窄，先端尾状渐尖。国外沉香属特种也存在易混淆的问题，目前利用 DNA 条形码技术能够准确地鉴定沉香物种。

│功能主治│

具有行气止痛、温中止呕、纳气平喘的功效。用于胸腹胀闷疼痛、胃寒呕吐呃逆、肾虚气逆喘急等证。

│用法用量│

1.5~4.5g，入煎剂宜后下。

│腊叶标本│

一、采集信息

采集号：YHJ20151216003

采集人：杨海建

采集时间：2015 年 12 月 16 日

采集地点：海南省万宁市

二、鉴定信息

科名：瑞香科

学名：*Aquilaria sinensis* (Lour.) Spreng.

种中文名：土沉香

鉴定人：杨海建

鉴定时间：2015 年 12 月 16 日

土沉香腊叶标本

│传统知识│

在传统应用中，沉香多以复方入药，通过理气、益肾等方法达到降逆、平喘、补肾、去心腹痛、通便等功效。《本经逢原》云"沉水香专于化气，诸气郁结不伸者宜之。温而不燥，行而不泄，扶脾达肾，摄火归原。主大肠虚秘，小便气淋，及痰涎血出于脾者，为之要药。凡心腹卒痛、霍乱中恶、气逆喘急者，并宜酒磨服之；外命门精冷，宜入丸剂。同藿香、香附，治诸虚寒热；同丁香、肉桂，治胃虚呃逆；同紫苏、白豆蔻，治胃冷呕吐；同茯苓、人参，治心神不足；同川椒、肉桂，治命门火衰；同广木香、香附，治强忍入房，或过忍尿，以致胞转不通；同苁蓉、麻仁，治大肠虚秘。昔人四磨饮、沉香化气丸、滚痰丸用之，取其降泄也；沉香降气散用之，取其散结导气也；黑锡丸用之，取其纳气归元也。但多降少升，久服每致矢气无度，面黄少食，虚证百出矣"，道出了沉香在使用时的功效。

│资源利用与可持续发展│

一、资源利用

1.保健产品　近年来，沉香作为矫味剂被添加到酒、茶叶中。沉香具有一定的益肾助阳作用，添加到酒中可以降低酒的烈性，起到一定的保健作用。沉香具有安神的作用，和茶叶混合泡茶饮，能起到安神、助眠、理气的效果。

2. 日化产品　除作为传统药材和现代医药原料外，沉香还是熏香品、化妆品行业的重要原料。沉香作为熏香制品的原料应用历史悠久，从汉朝开始就作为高端香料被一些贵族品香人士所持有。沉香挥发油作为名贵的定香剂被添加到化妆品中，能够调和诸多香气，是许多名贵香水等化妆品的重要组成成分之一。

3. 其他产品　沉香的香气持久、厚重，添加到烟草中可以改善烟草的味道。此外，沉香挥发油一直被用作礼佛的圣物，沉香也被制作成佛珠、佛像等以驱虫辟邪，被世人持有和供奉，一直以来被尊为五大宗教中的至宝。

4. 相关资源开发研究　白木香树只有含树脂的木材作为药用，其他部位如叶、树枝、不含树脂的木材均被视作废物处理，造成资源的大量浪费。对沉香叶药用价值的开发研究，使得可以充分利用资源，变废为宝，扩大沉香的药用部位。有研究报道称，沉香叶具有和沉香相类似的药理活性；沉香叶中含有的挥发油、黄酮等多种成分具有抗炎、镇痛的功效；沉香叶具有促进肠道蠕动的功效；沉香叶含有黄酮类成分如芫花素和木犀草素，具有止咳平喘的功效；沉香叶含有 2α-羟基熊果酸和丹参酮，具有降血糖作用。目前沉香叶的作用机制还在研究阶段，尚无完善的医药产品面世。另外，白木香树不含树脂的木材具有一定的纤维性，可压缩造纸。

二、资源可持续发展

历史上我国的白木香（即国产沉香）资源十分丰富，其野生种群主要分布在北纬 24° 以南的山区和丘陵，其中尤以海南、广东、台湾的天然沉香最负盛名，广西、福建、云南、贵州等亦有分布。但随着药材价格不断攀升所带来的掠夺式砍伐和移栽，各地的野生白木香种群已极为罕见。此外，自然繁殖率低、生境受破坏以及病虫害等因素也是造成野生白木香资源匮乏的重要原因。1987 年，白木香被列为我国珍稀濒危Ⅲ级保护植物；1992 年，《中国植物红皮书》将其列为"易危"品种；1999 年，白木香被载入《国家重点保护野生植物名录》，并列为国家二级重点保护植物；2003 年，白木香被载入《广东省珍稀濒危植物图谱》；2005 年 1 月，包含白木香在内的沉香属全部物种均被列入《濒危野生动植物种国际贸易公约》附录Ⅱ。

为保护环境，保证沉香资源的可持续发展，满足中医药产业的发展需求，需做好如下工作：①实现野生资源的科学保护与合理利用的有机结合；②大力发展人工种植基地建设，提高栽培沉香的结香质量；③加强规范化规模化生产和综合利用技术研究，提高生产技术和综合利用水平；④将资源利用、树种保护、生态治理和农民脱贫致富相结合，调动企业和农民参与资源保护和利用的积极性。

蝶形花科 Fabaceae 黄檀属 Dalbergia

降 香 *Dalbergia odorifera* T. Chen

| **中 药 名** | 降香（药用部位：树干和根的干燥心材）

| **药材别名** | 黄花梨

| **道地沿革** |

从历代本草记载看，降香似有多种来源，《海药本草》载："生南海山中及大秦国。"《证类本草》载："出黔南。"至《本草纲目》，产地则更加扩大，除提到"番降"外，"今广东、广西、云南、汉中（今陕西）、施州（今湖北恩施）、永顺（今广东云浮）、保靖（今湖南）及占城（今四川茂县）、安南、渤泥、流球诸地皆有之。"《植物名实图考长编》载："李时珍谓云南及两广、安南、峒谿诸出有此香，则降真香故滇产也。云南志：降真香，元江州出。按香木色灰白气亦淡，价极贱。朱辅溪蛮丛笑云：鸡骨香即降香，本出海南，今溪峒僻处所出者，似是而非，劲瘦不甚香。周达观真腊记云：降香出丛林中，番人多费砍斫之功，乃树心也。其外白皮后八九寸或五六寸，焚之气劲而远。"至民国时期，陈存仁的《中国药学大辞典》谓"降香即降真香之简称"也，并附有降香药材图。历版《中国药典》收载的降香为植物降香 *Dalbergia odorifera* T. Chen 树干和根的干燥心材。

首先，可以肯定降香的来源之一是进口降香，历代本草称降真香，来自大秦国（古代中国史书对罗马帝国的称呼），大食国（今阿拉伯地区），交趾、占城、安南（均为今越南），暹罗（今泰国），三佛齐（今苏门答腊），渤泥，琉球等东南亚诸地。这些地方可能是出产地，也可能是集散地。本草中还提出中国者与番降不同。其次，历史上曾将称作降真香的芸香科植物山油柑作为国产降香的基原。云南志："降真香，元江州出。按香木色灰白气亦淡，价极贱。"据考证，云南、两广、两湖均不产降香。《本草纲目》中所载"似是而非者"与《植物名实图考长编》中所载"按香木色灰白气亦淡"者应当是一直被误称为降真香的芸香科植物山油柑。它的生长区域正如《本草纲目》中记载的分布较广，北纬 25° 以南地区均有分布，包括我国南方诸省区以及一些热带国家和地区。然而据文献资料报道，山油柑木材浅黄褐色或黄白色，心材、边材无区别，质轻，气干密度约 0.5g/cm³，都与降香药材性状大相径庭，故将山油柑作降（真）香显然是失误。直到 1993 年，《云南中药资源名录》才在山油柑条下附注："过去误作降真香（降香）。"此外，国产降香的基原是蝶形花科植物降香。《本草品汇精要》载："降真香有二种，枝叶未详，出于番中者紫色，坚实而香为上；出于广南者，淡紫不坚而少香，为次。"明代《格古要论》记载："花梨木出南番、广东，紫红色，与降真香相似，亦有香。其花有鬼面者可爱，花粗而色淡者低。"清代屈大均所著的《广东新语》记载："海南五指之山，为文木渊薮，众香之大都。其地为离，诸植物皆离之木，故多文，又离香而坎臭，故诸木多香。"又，"海南文木有曰'花榈'者，色紫红，微香，其文有鬼面者可爱，以多如狸斑，又名'花狸'。老者文拳曲，嫩者文直。其节花圆润如钱，大小相错，坚理密致，价尤重，往往寄生树上，黎人方能识取。产文昌、陵水者与降真香相似。"《光绪崖州志》记载："花梨，紫红色，与降真香相似，气最辛香，质坚致。"清代乾隆版《陵水县志》记载："花梨木，紫红色，与降真香相似，有微香，产黎山中。"这些文献提到的与降真香相似，均指海南产的降香；与进口降香相似，即《中国药典》收载的国产降香基原植物降香。

│ 植物形态 │

乔木，高 10~15m；除幼嫩部分、花序及子房略被短柔毛外，全株无毛；树皮褐色或淡褐色，粗糙，有纵裂槽纹。小枝有小而密集的皮孔。羽状复叶长 12~25cm；叶柄长 1.5~3cm；托叶早落；小叶（3~）4~5（~6）对，近革质，卵形或椭圆形，长（2.5~）4~7（~9）cm，宽 2~3.5cm，复叶顶端的 1 小叶最大，往下渐小，基部 1 对长仅为顶小叶的 1/3，先端渐尖或急尖，钝头，基部圆或

降香林

阔楔形；小叶柄长 3~5mm。圆锥花序腋生，长 8~10cm，直径 6~7cm，分枝呈伞房花序状；总花梗长 3~5cm；基生小苞片近三角形，长 0.5mm，副萼状小苞片阔卵形，长约 1mm；花长约 5mm，初时密集于花序分枝顶端，后渐疏离；花梗长约 1mm；花萼长约 2mm，下方 1 萼齿较长，披针形，其余的阔卵形，急尖；花冠乳白色或淡黄色，各瓣近等长，均具长约 1mm 的瓣柄，旗瓣倒心形，连柄长约 5mm，上部宽约 3mm，先端平截，微凹缺，翼瓣长圆形，龙骨瓣半月形，背弯拱；雄蕊 9，单体；子房狭椭圆形，具长柄，柄长约 2.5mm，胚珠 1~2。荚果舌状长圆形，长 4.5~8cm，宽 1.5~1.8cm，基部略被毛，顶端钝或急尖，基部骤然收窄与纤细的果颈相接，果颈长 5~10mm，果瓣革质，对种子的部分明显突起，状如棋子，厚可达 5mm，有种子 1（~2）。

降香种子

降香花

降香心材

| 野生资源 |

一、生态环境

多生长于海拔600m以下的低丘陵或平原等地区的山坡疏林、林边及村旁，植被类型为阔叶林，土壤为砖红壤、黄壤。

二、分布区域

主要分布于海南西部、西南部以及南部的东方、昌江、乐东、白沙和三亚，海南北部的海口琼山区也有零星分布。

三、蕴藏量

按第四次全国中药资源普查计算方法统计，海南野生降香资源蕴藏量为200万株。

| 栽培资源 |

一、栽培历史

据《海药本草》记载"生南海山"（古代南海即海南），可见海南是降香的道地产区，且品种优良。

二、栽培区域

根据历代本草和史料记载，降香的道地产区为海南，主要分布于海南中部和南部，常见于白沙、东方、乐东、三亚等中海拔地区。现在广东、广西、福建及云南等省区有引种栽培。

三、栽培面积与产量

2017年栽培降香的面积为上万亩，约200万株，但成材较少，基本没有产量。

四、栽培技术

（一）苗圃地选择和建设

应选择交通便利、地势平坦、靠近水源、排灌方便的平地或缓坡地作为苗圃地。苗圃地一般分为3个功能区：播种区、容器育苗区和扦插育苗区。荫棚以水泥柱、钢管或竹竿等作为支架，高2.5~3m，支柱纵向间距4m，横向间距2.8m，长度和宽度因地形、地势而定。播种区搭设两层遮阳网，上层遮光度为70%，下层距离苗床60cm处搭设遮光度为50%的遮阳网，且可移动；容器育苗区和扦插育苗区搭设一层遮阳网，遮光度为70%左右；受阳光直射的荫棚四周也需悬挂遮光度为70%的遮阳网。采用条形竹片在扦插苗床上搭建小拱棚，距床面高45cm，每隔80cm呈弓状插一条竹片，然后上面罩厚0.5~0.8mm的白色塑料薄膜。

（二）选种育苗

1.实生苗培育　优先选择东方、昌江、白沙、乐东、三亚、海口石山区域的降香传统种源区，选用优质母树林采种。选择树龄15~20年、生长健壮、无病虫害的植株作为采种母树。每年11~12月，当荚果果皮由青绿色变为黄褐色至棕褐色时即可采收。采种宜于晴天进行，用枝剪剪下果枝，摘取成熟荚果，阳光下晾干至用手揉搓能去除果翅。去果翅处理好的带荚壳种子用塑料袋密封。在常温下储藏期不宜超过半年，低温冷藏（5℃以下）储藏期不宜超过1年。

（1）播种。播种时期：选择在开春天气回暖后播种。热带地区可随采随播。

播种床准备：松土平整，苗床宽80cm，其上铺垫"黄心土30%+火烧土20%+干净河沙50%"三合一的混合土，或干净细沙，厚10~12cm，播种前进行土壤消毒，具体土壤处理药剂按照《容器育苗技术》（LY 1000）附录C执行。播种前种子用0.2%~0.5%高锰酸钾溶液消毒15~30分钟，接着用清水清洗2次，再用50℃温水浸种24小时，期间换水1~2次，捞出摊在沥水器皿中，常温下晾至种子之间不粘粒即可播种。

播种方式及密度：采用撒播或点播的方式播种。将种子播到消毒好的苗床上，播种密度以每平方米去果翅带荚壳种子150粒为宜。播种后，覆盖1cm厚的细沙，再覆盖一层薄稻草或其他农作物秸秆。播种后，雾状淋水，晴天早晚各淋水1次。雨天应及时排除苗圃积水。

（2）移苗。基质及容器规格：降香一般采用塑料薄膜容器袋育苗。以装填基质后容器的直径和高度来表示规格，一般规格为6cm×9cm或10cm×15cm，容器中、下部需打6~8个直径为0.4~0.6cm的小孔，小孔间距2~3cm。育苗基质采用重壤土加0.5%过磷酸钙混合配制而成。或根据各地实际情况，灵活选配适用基质。为预防苗木发生病虫害，基质要严格进行消毒。基质消毒药剂使用方法按照LY 1000附录C执行。基质在装填前含水量以10%~15%为宜。装满压实，将装好基质的容器整齐摆放到苗床上，容器上口要平整一致。苗床周围用土培好，容器间孔隙用细土填实。

移苗前准备：待苗出土，子叶转绿，真叶开始长出（在发芽后20~30天），幼苗高5~7cm时，挑出健壮芽苗，即可分批移苗上袋。移栽前1~2天，将苗床和容器基质淋透水。

起苗移栽：移苗时应用移植锹或竹签起苗，集中一小把，对齐根颈部，保留4~5cm的主根，沾上用50mg/L ABT3生根粉配制好的黄泥浆，待栽。移苗时，用竹签或木棒在床面上插一个深度适中的小洞，捏住小苗根颈上部将芽苗植入小洞中，要求根舒展达底、苗正紧实。防止窝根、浅植和吊颈。选择晴天早晚或阴天进行，移植深度掌握在根颈以上0.5~1cm，每个容器移1~2株苗。

（3）苗期管理。遮荫：荫棚中移苗后，每天早晚揭开苗床上方50%的遮阳网，一周后撤去。

淋水与排水：苗木移栽当天，要及时用雾状喷头分2~3次浇透水。移栽后15天内，每天雾状喷水2~3次。1个月后抽梢生长，则按大田育苗的要求适时适量浇水即可。圃地发现有积水应立即排除，做到内水不积、外水不淹。

除草：掌握"除早、除小、除了"的原则，做到床面、容器和步道上无杂草。人工除草选择阴雨天或晴天早晚进行，在基质湿润时连根拔除，防止松动苗根。化学除草剂除草，按照《育苗技术规程》（GB 6001）附录D执行。

施肥：遵循"勤施、薄施、少量多次"的原则，坚持以有机肥为主、化学肥为辅和施足基肥、适当追肥。出苗 10 天后，喷施 0.2% 的磷酸二氢钾溶液。移苗 2 周后，每隔 10~15 天以 5% 的有机肥或 0.2% 的复合肥溶液追肥 1 次。傍晚进行，每次施肥后要喷洒 1 次清水浇叶洗苗。肥料使用应符合《肥料合理使用准则　通则》（NY/T 496）的要求。

查苗、补苗：移苗一周后进行查苗、补苗。

其他管理措施：育苗期发现容器内基质下沉，须及时填满。为防止苗根穿透容器，在苗高 15cm 以上时，可移动容器进行重新排列并截断伸出容器外的根系，出圃前一般修根 1~2 次。

（4）苗木出圃。分苗：依据苗高、地径分苗，重新按高低排放。

炼苗：出圃前 30 天内停止施肥，减少水肥供应。出圃前 2 周移动苗木，出圃时喷洒杀菌剂，以防苗木带病下地。

出圃规格：按照《降香黄檀培育技术规程》（LY/T 2120）的苗木质量分级，应选择地径 ≥ 0.4cm、苗高 ≥ 30cm、苗茎充分木质化、无病虫害的苗出圃造林。

（5）育苗周期。整个育苗期长 6~8 个月。

2. 扦插苗培育

（1）插条选择。按照 GB 6001 的要求，选用幼年或壮年树上当年生长健壮、节间距离较短的主轴枝或从根部萌生的当年生长健壮的萌芽条，直径为 1cm 左右，剪成长约 15cm 的插条。切取插条时，每根插条上要保证有 3 个以上的芽眼，上切口为平面，下切口剪成平滑的马蹄形（约 45°）。

（2）扦插时期。冬、春两季。

（3）扦插基质。将红壤土、河沙和椰糠按 2：2：1 的比例混合，搅拌均匀后作为扦插基质，扦插前 1 周先对基质进行消毒，即用 500 倍液的 0.1% 高锰酸钾溶液和 1500 倍液的 50% 辛硫磷乳油均匀喷洒，每平方米苗床约用 9L 药液，彻底晒干后装入营养袋。

（4）插条处理。扦插前，插条基部用浓度为 50mg/L 的 ABT1 或 ABT2 生根粉溶液浸泡，深度为 3cm，时间 2~3 小时。

（5）扦插前准备。扦插前 1~2 天，将基质淋透水。

（6）扦插方法。采用竹签或木棒引洞，插条深入苗床或容器基质为插条的 1/3，插后将周围的土稍加压实。如当天不能及时扦插，可临时将插条用水浸泡或湿土埋存。扦插后搭建拱棚，覆盖透明塑料薄膜保温保湿。

（7）扦插苗管理。温湿度管理：拱棚内湿度应保持在 85%~95%，温度保持在 25~28℃。采用间歇喷雾法保湿，在前 2 个月内每天喷雾 15~18 次，2 个月后每天喷雾 13~15 次，每次喷雾 2~3 分钟。温度高于 28℃时，增加喷雾次数和时间，并推迟盖塑料膜的时间；基质湿度过大时，应及时通风、控水、防止腐烂。

插条管理：扦插 15 天左右开始萌芽，适当摘除基部新梢；待 30 天左右根系长出后，萌条约 10cm 时选留 1 条，逐日减少喷水次数，增加通风次数，并由掀窄缝通风到掀宽缝通风；再过 10~15 天后逐渐撤除塑料棚膜。当苗高 30cm 左右时，即可拆除遮阳网进行全光育苗。

除草：在扦插苗木成活后的 30~35 天开始除草，此后每隔 15 天左右进行 1 次。

施肥：待长根后，每隔 10~15 天以 5% 的有机肥或 0.2% 的复合肥溶液施肥 1 次，傍晚进行，施肥后及时用清水冲洗幼苗叶面。肥料使用应符合 NY/T 496 的要求。

消毒：为防止插条感染病菌，每周喷 500 倍的 75% 百菌清可湿性粉剂或 500 倍的 50% 多菌灵可湿性粉剂杀菌剂 1 次。

（8）扦插苗出圃。萌条高 ≥ 30cm、充分木质化、无病虫害的扦插苗，即可出圃造林。

（三）移栽定植

1. 整地与种植　整地：在造林地建降香园时，以穴状或带状整地为宜。荒山应先将灌木杂树等全部砍除，然后挖穴；坡度较大的造林地尽可能采用环山带状整地，以减少水土流失；平缓的坡地或岩石较多的造林地采用穴状整地；平地则可采取全垦。

挖穴：挖穴应在定植前 1 个月进行。植穴规格为 50cm×50cm×40cm。挖穴时，做好砍杂除杂、炼山等工作。坡度大于 25° 的应开等高种植带。

基肥：挖好植穴后，在开始栽植前先回填表土，同时配合投放基底肥。每穴投放复合肥 100g、钙镁磷肥 100g、过磷酸钙 200g，结合回填土混合均匀后回穴，等待苗栽植其上。

种植：一般在雨季初、中期，以 5~8 月的阴雨天为宜。以密植为宜，在水肥条件好的造林地，采用 3m×3m 或 3m×2.5m 的株行距；在土地不太肥沃、雨水偏少的地区，多采用 3m×2m 或 2m×2m 的株行距种植。

2. 种植方法　按种苗级别分小区定植。栽植时，将种苗放入穴中，去除营养袋并保持土团不松散；使苗身正直、根系舒展；适当深栽，避免露出地径基部。回填土应略高于穴面呈小丘形，以免积水烂根；淋足定根水，以后酌情淋水，直到幼苗成活为止。

（四）抚育管理

造林后初期生长较慢，且主干柔软，冠小而稀疏，易被灌木、杂草及藤蔓压抑和缠绕，影响生长和干形，应加强砍杂、除蔓、松土、扩穴、施肥等田间管理工作。具体包括以下方面。

1. 淋水　定植初期旱天以每天早晚淋水 1 次为宜，直到幼苗成活为止。

2. 补植　种植 1 个月后，及时补种缺株，确保林相整齐。

3. 松土施肥　造林后要加强幼株抚育管理。前期为促进幼树生长发育，前 4 年每年定时结合锄草、松土、扩穴等管理工作 2~3 次，且每株施农家肥 2~3kg 或复合肥 200g 2 次，第 5~6 年每年抚育 1 次。冬季要加强防范冻害、动物损害。每年除草、松土、覆盖、施肥 2 次。

4. 修枝整形　降香分枝较低，侧枝粗壮，需注意修剪分枝，培育优良干形。但一年生幼林不宜过早、过分剪秃所有侧枝。随着时间的推迟，幼林逐渐长高，才逐步向上修剪，有助于幼林的生长和根系的发展。造林后1~3年用木棍、竹竿扶直定干并修剪影响主干生长的部分侧枝，培育主干。

5.合理间作　种植前期应考虑间种短期具有较好经济价值的药材品种或农作物，如青蒿、穿心莲、山枝子、花生、蕃茨等，后期可间种林下经济作物，如益智、高良姜、凉粉草等，形成多层次、多品种的立体结构，提高经济效益和生态效益。

降香栽培

（五）主要病虫害防治

农药安全使用按《农药安全使用标准》（GB 4285）、《农药合理使用准则》（GB/T 8321）中有关的农药使用准则和规定执行。具体防治措施如下。

1.病害防治

（1）黑痣病。苗木及幼树期均有发生，一般危害叶片、小枝及果荚等，发病初期先在叶片上产生褐色小斑点，逐渐扩大汇合，并变黑色，重者连成一片，几乎覆盖整个叶面。在海南，每年6~7月病害严重，造成叶片枯黄、早期落叶。发病较重的造林地可在新叶发出后每隔半个月喷1∶1∶100的波尔多液2~3次。

（2）炭疽病。苗木及幼树均感染，常侵害叶片，严重者也危害嫩枝，海南各地均有发生。可于发病初期每隔15天喷1次1∶1∶100的波尔多液；秋冬季节或起苗前彻底剪除和收集枯枝病叶烧毁。

2. 虫害防治

（1）瘤胸天牛。幼林和树木均可受到伤害，被害后的幼树往往风倒或枯死，较大的树生长受到影响。其成虫于 2 月初出现，3~4 月间为盛期，取食嫩枝树皮。可于成虫活动盛期，摇动树木或用竹竿触之落地加以捕杀。卵及幼虫初期都易发现，也可用人工捕杀；或者用 90% 敌百虫、50% 辛硫磷、敌克松 300~400 倍液以兽用注射器从虫孔注入，然后用黏泥围封孔口。

（2）尺蠖。成虫于 4 月上旬出现，产卵于叶片上。5 月中旬是幼虫危害盛期，主要危害嫩叶。可用人工捕杀或敌百虫 1000 倍液进行防治。

五、采收与初加工

降香在生长 7~8 年后开始形成心材，当心材形成以后，一年四季均可进行采收。即把树干砍伐后，剔除外皮和边材（即白木）留取心材包装即可。为保护降香资源，也可收集制造木器所剩下的边角料，以及挖取伐木后留下的树头和树根，去外皮和白木，阴干，作为药材降香。

降香药材初加工

| 药材性状 |

降香心材呈长条形或不规则碎块状。表面紫红色或褐色，质地坚实，有致密的纹理，有油性。气香，味微苦。

药材市场上的降香

| 品质评价 |

主要包括性状、鉴别、浸出物、含量测定等几个方面，其中，采用薄层色谱法对降香的甲醇提取物进行真伪鉴定，并规定乙醇浸出物不少于 8.0%，挥发油含量不得少于 1.0%。现代降香质量控制标准的研究：对于降香含量测定方法的研究，《中国药典》中记载有以挥发油成分橙花叔醇为标准的质量测定方法，其他文献报道多以橙花叔醇为对照品，采用气相色谱法或者气相色谱 – 质谱联用法测定含量，用高效液相色谱法测定其含量的报道很少。降香入药部位多数是挥发油或挥发油加水提液，由于降香生物活性成分未明，没有对应的对照品，目前含降香中成药的含量测

定方法，多集中于对中成药中其他药材化学成分的含量测定，而对中成药中降香的含量测定只限于测定挥发油中的橙花叔醇，未见降香中其他化学成分，特别是黄酮类成分的含量测定方法的报道。

| 市场信息 |

一、商品规格

药材市场主要分为海南、广东、广西及越南的块状、粉末、刨花等规格。

二、价格信息

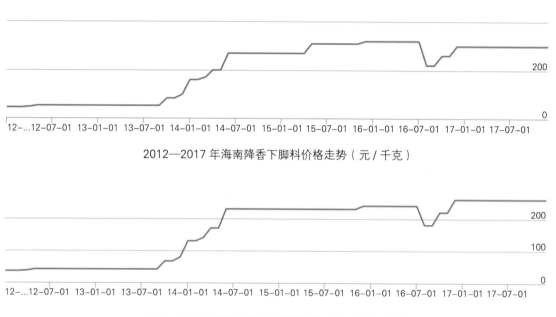

2012—2017 年海南降香下脚料价格走势（元 / 千克）

2012—2017 年越南降香下脚料价格走势（元 / 千克）

| 功能主治 |

味辛，性温。归肝、脾经。具有行气活血、止痛止血的功效。用于脘腹疼痛、肝郁胁痛、胸痹刺痛、跌仆损伤、外伤出血。

| 用法用量 |

9~15g，后下。外用适量，研细末敷患处。

| 腊叶标本 |

一、采集信息

采集号：YHJ20151216009

采集人：杨海建

采集时间：2015 年 12 月 16 日

采集地点：海南省万宁市

二、鉴定信息

科名：蝶形花科

学名：*Dalbergia odorifera* T. chen

种中文名：降香

鉴定人：杨海建

鉴定时间：2015 年 12 月 16 日

| 传统知识 |

（1）降香具有疗折伤金疮、止血定痛、消肿生肌的作用。

（2）降香具有降血压、降血脂及舒筋活血的作用。用降香木屑泡水，可降血压、降血脂。

| 资源利用与可持续发展 |

一、资源利用

除作为传统药材和现代医药原料外，降香心材还是我国 5 属 8 类 34 种珍贵红木品种

降香腊叶标本

之一，其心材质地坚实耐腐、纹理细密美观、香气持久，是贵重家具和雕刻工艺品的上等材料。此外，降香具有芳香气味，是高级的香料植物，心材提取的降香油还可用作香料中的定香剂，能使其他易于挥发的精油香味更稳定和持久。其他相关资源的开发利用：降香只有含心材的木材作为药用，其他部位如叶可做茶饮用。

二、资源保护和可持续发展

降香主要分布于我国海南省，现广东种植面积也较大，广西、福建也有零星引种，由于降香木材珍贵，生长周期长，人为过度砍伐严重，造成野生资源濒临灭绝，保护现有的降香种质资源成为亟待解决的问题，降香已被《国家重点保护野生药材物种名录》列为二级保护植物，被《中国植物红皮书》列为二级保护植物。降香作为上等木材十分珍贵，近年来人为的过度砍伐已经造成降香野生资源濒临灭绝。降香作为我国独特的树种，开展其资源保护和可持续发展十分必要。

（一）资源保护

通过建立降香就地保护区，加强现有降香资源保育与管理。在降香资源分布集中的地区，如东方、乐东、白沙等地建立降香野生保护区。同时，加大对降香保护的相关政策、法规的宣传工作，提高当地社区群众的保护意识和自觉性，确保降香野生林能得以保存繁衍。制订降香保护管理规划，应积极发挥乡规民约的作用，借鉴社区共管和社区保护区的管理思路和模式，成立社区共管

组织或委员会，让当地的村民参与到保护区保护管理工作中来。

（二）资源发展

通过与原产地的自然条件比较，开展引种种植的研究工作。生长情况和适应性调查结果表明，降香具有较强的适应性和速生性，但温度、海拔和坡向等环境因子仍在较大程度上限制着降香的引种推广。目前已在广东、广西、福建等地成功引种降香，并大面积种植。在保护现有降香资源的基础上，扩大种质资源的收集和保存，加快筛选优良品种，加大无性繁殖研究力度。科学选择适宜的种植区域，保证降香心材的产量和质量；大力研发速生丰产的高效降香栽培技术，结合降香生长周期长的特点，合理套种，长短结合；同时，注重发展降香深加工，推动降香相关产业的发展。

| 棕榈科 | Palmae | 槟榔属 | *Areca*

槟 榔
Areca catechu L.

| **中 药 名** | 槟榔（药用部位：种子），大腹皮（药用部位：果皮）

| **药材别名** | 槟榔子、大腹子、宾门、仁频等

| **道地沿革** |

  槟榔最早出现在文献《上林赋》中，名"仁频"。而作为药材被收录则是在李当之的《药录》，时称为"宾门"。关于槟榔品种产地古代文献记载基本一致，多数文献记载其产于海南。《本草纲目拾遗》记载，"槟榔今药肆所市者，形扁而圆大，乃大腹子，俗名雌槟榔。广东文昌县出者，名文昌子，尖小者，名主赐槟榔，状如鸡心，内有锦纹，又名鸡心槟榔，即雄槟榔也"。海南于1988年建省，在此之前历史上曾长期归属于广东省，而广东文昌县即现在的海南文昌市。槟榔被《名医别录》列入中品，谓："味辛温，无毒，主消谷逐水，除痰癖，杀三虫，伏尸，疗寸白，生海南。"《本草经集注》载："此有三四种：出交州，形小而味甘；广州以南者，形大而味涩；核亦有大者，

槟榔林

名猪槟榔，作药皆用之。又小者，南人名蒳子，俗人呼为槟榔孙，亦可食。"《本草图经》谓："槟榔生南海，今岭外州郡皆有之。"《宝庆本草折衷》载："李当之云一名宾门。生南海，即广地。及东海、昆仑、岭外、交、夔州。味辛、甘、苦、涩，温，无毒。"

| 植物形态 |

多年生高大乔木。茎直立，胸径10~15cm，高5~15m，有明显的环状叶痕。叶簇生于茎顶，长1.3~2m，羽片多数，两面无毛，狭长披针形，羽片长30~60cm，宽2.5~4cm，上部的羽片合生，顶端有不规则齿裂。雌雄同株，花序多分枝，花序轴粗壮压扁，分枝曲折，长25~30cm，上部纤细，着生1列或2列雄花，而雌花单生于分枝的基部；雄花小，无梗，通常单生，很少成对着生，萼片卵形，长不到1mm，花瓣长圆形，长4~6mm，雄蕊6，花丝短，雌蕊3，退化，线形；雌花较大，萼片卵形，花瓣近圆形，长1.2~1.5cm，雄蕊6，退化，合生；子房长圆形。果实长圆形或卵球形，长3~5cm，初始绿色，老熟变橙黄色，中果皮厚，纤维质。种子卵形，基部平截，胚乳嚼烂状，胚基生。花期3~8月，果期6月至翌年1月。

槟榔花序

槟榔果实

槟榔果实

野生资源

一、生态环境

分布于气候湿润多雨、海拔 1800m 以下的原始森林中。

二、分布区域

主要分布于海南五指山、琼中、昌江和白沙。

三、蕴藏量

海南野生槟榔资源蕴藏量较少。

栽培资源

一、栽培历史

《三辅黄图》中记载，汉武帝平定南越后，移植各种奇花异草于上林苑，其中便有槟榔上百株，但槟榔作为一种热带植物，难以适应北方气候，最终以失败告终。这说明两千多年前即有槟榔种植的记载。《齐民要术》中提到：槟榔"性不耐寒，不得北植，必当遐树海南"。由此推算槟榔在我国的种植至少也有 1500 年的历史了。

宋代以前我国的槟榔产量并不高，上层人士消费的槟榔多由东南亚藩属国进贡而来。《元丰九域志》中提到，宋代由琼州府（海南）进贡的槟榔仅 1000 颗，而由藩属国进贡的槟榔达750kg。

《岭外代答》记载，宋代海南最初种植槟榔多集中在五指山一带，种植规模较大，各地来岛贩卖槟榔的商人络绎不绝，广州官司每年所收槟榔税达数万缗。《大明一统志》中记载，到了明代，槟榔的种植已从五指山向四周扩展，琼州府每年进贡槟榔由定安、琼山、临高、文昌、澄迈 5 县分摊，这几个县集中在海南东北部，其他地区没有摊派。

1952 年，海南槟榔种植约 1.58 万亩，产量为 1158t，此后受政策和进口槟榔价格便宜等因素的影响，槟榔产业发展缓慢，到 1980 年，海南槟榔种植面积仅增加到 1.68 万亩，但产量却下降较多，仅有 579t。

1983 年，随着湖南地区槟榔加工和销售的兴起，海南的槟榔种植面积开始逐渐增长，到 1985 年，槟榔种植面积已达 4.97 万亩，年产量为 2150t。1992 年，海南槟榔种植面积已经达到 17.7 万亩，产量 8371t。

海南槟榔种植的高峰期是从 2001 年开始，当时全省种植面积为 44.8 万亩，年产量超过 4×10^4t，此后槟榔种植面积以每年 10% 左右的速度增长，到 2016 年全省种植面积高达 165 万亩，年产鲜果超过 1×10^6t。

二、栽培区域

主要在我国海南省和台湾省种植最多，云南河口和西双版纳、广东徐闻和电白、广西东兴等地有少量种植。除台湾省外，海南的槟榔种植面积和产量均占全国总量的 95% 以上，是绝对主产区。槟榔在海南全省均有种植，但西部地区相对高温干旱的气候造成槟榔产量较低，种植面积较小，在白沙县、东方市和儋州市有少量种植。大面积种植主要集中在东部的琼海市、万宁市和陵水县，中部的屯昌县、琼中县和五指山市，北部的文昌市和澄迈县。

三、栽培面积与产量

2016 年种植面积超过 165 万亩，年鲜果产量超过 1×10^6t。

四、栽培技术

（一）选地整地

苗圃地宜选择靠近水源、有一定树木遮荫、肥沃疏松、排水良好的沙质壤土或壤土，经深耕细耙后起畦。种植地宜选择海拔 300m 以下的丘陵南坡、山谷或河岸两旁背风的地方。如坡度较大，应按水平带状整地，带宽 3m，带面向内倾斜，带内侧挖一条蓄水沟，沟宽 30cm，深 25~30cm。整地后按株行距 2m×3m 挖穴，穴为 60cm×60cm×50cm，待植。

（二）选种育苗

选种：由于黄化病是毁灭性病害，要严禁从槟榔黄化病疫区内选种、育苗或培育种苗。一般选择树龄 15~30 年的槟榔树作为留种树，树体生长健壮，茎干粗壮，叶片青绿且在 8 片以上，花序长而下垂，果枝节间长，分枝多，有 3~5 个花序结果，产量高而且稳定，果穗选择结果大而且均匀的第 2 或第 3 个果穗。

催芽：果实采摘后，应放置在阳光下晒 1~2 天，以利于种子发芽。随后进行堆积催芽处理，在荫蔽的树下或通风荫棚内，地面铺一层沙，果实堆成 20cm 高的小堆，盖上稻草，厚度以不见果实为度，每天淋水 1 次，保持湿润，温度在 35℃ 左右，经 7~10 天，外果皮开始腐烂，及时打开稻草，去除槟榔果实，用水冲洗干净，再次放置于阳光下晒 1~2 天，经常翻动，提高发芽温度，保证发芽整齐。然后再重新堆放、盖稻草，淋水。18~28天后，每天定时剥开果皮检查，如有白色芽点出现，即可取出进行育苗。

育苗：苗圃地按株行距30cm×30cm开穴，施入基肥。每穴放入1粒催过芽的种子，覆土3~5cm，经压实后，盖上稻草，淋水保湿。1个月左右，小苗陆续出头，定期进行苗期管理，每20天酌量施入氮磷钾复合肥1次，及时除草、松土，待苗长出5~6片叶后便可定植。

槟榔催芽

槟榔育苗

（三）移栽定植

选择经过 1~2 年培育、根茎粗大、高 60~100cm、叶片在 5~6 片的健康苗进行移栽种植。种植规格为株距 2~2.5m，行距 2.5~3m，每亩种植 100~110 株。种植时间选择雨季来临前的 5~6 月比较合适，若需其他时间种植，可选择春季 3~4 月、秋季 8~10 月进行。种植前先挖种植穴，低湿地种植槟榔要起垄，种植穴挖在垄上，垄不宜太深，10cm 即可；旱地种植穴要稍大，规格为上口宽 60cm，下口宽 50cm，深 40cm，挖穴时将表土和地下土分开堆放，回穴时先回表土，再将地下土和农家肥混匀填入，种后浇足定根水，其后半个月根据土壤墒情浇水 1~2 次。

（四）田间管理

在开垦种植地时，留适当的树木作为荫蔽树，或在移栽初期间种一些经济作物，使种植地有一定的植物覆盖或荫蔽度，防止幼苗因高温生长不良或死亡。槟榔植株成活后，每年结合除草进行松土 3~4 次，由于槟榔根发生在树干基部，裸露在地面，好气性较强，在阳光照射下常常枯死，结合松土进行培土可促进植株生长，成龄树也是如此。

施肥：幼龄树对氮素需求较多。施肥时以氮肥为主，适当施用磷、钾肥。槟榔开花前，每年每株可施堆肥或塘泥 5~10kg，混合磷肥 0.2~0.3kg 作为基肥。施肥时在树冠两侧开挖 30cm 深的施肥穴，把肥施入后覆土。追肥在中耕除草后进行，年追肥 3~4 次。种植后 1~3 年，年施肥量为尿素、氯化钾各 0.2kg，过磷酸钙 0.3kg 或氮磷钾复合肥 0.3~0.4kg。施肥时，先挖深度为 10~15cm 的肥穴，施肥后覆土。种植后 4~6 年，年施肥量为尿素、氯化钾各 0.3kg，过磷酸钙 0.5kg，或氮磷钾复合肥 0.5kg，结果前一年应加大氯化钾的用量，每次 0.2kg。成龄树应以磷钾肥为主，氮肥辅助，一年施肥 2~3 次，开花前施肥在 1~2 月施入，施厩肥或绿肥 10~15kg，氯化钾 0.2kg，或氮磷钾复合肥 0.2kg；果肥在 6~9 月施入，厩肥或绿肥适量，尿素 0.2kg，氯化钾 0.2kg，或氮磷钾复合肥 0.3kg，冬季也可再施肥 1 次，厩肥或绿肥适量，磷肥 0.5~1kg，氯化钾 0.2kg，或氮磷钾复合肥 0.2kg。

（五）病虫害及其防治

槟榔黄化病：由植原体翠菊黄化组引起的、危害槟榔叶片的一种植原体病害，是海南槟榔种植区的主要病害之一。槟榔黄化病短距离传播通过媒介昆虫，植原体存在于媒介昆虫（叶蝉和蜡蝉）的唾液腺组织内，随昆虫取食植株而传播；远距离传播主要靠带病种苗的调运。带病种苗移栽后 1~2 年内不表现症状，当植原体积累到一定程度后黄化病症状才显现；媒介昆虫取食发病植株后终生带菌，转移取食后即传播黄化病至其他植株。在症状上，秋冬季节由于降水少、温度低，叶片黄化现象更明显。感染黄化病后外观表现为叶片黄化，产量逐渐减少，直至绝收。针对黄化病要加强田间管理，严禁从病区调运种苗，进行检疫措施，防止黄化病传入。及时清理病死株并焚烧。发病较轻时可采取树干打孔注射四环素进行防治；在槟榔抽新叶期间，喷施氰戊菊酯（速灭杀丁）、溴氰菊酯（敌杀死）等药液进行刺吸式口器害虫的防治，消灭黄化病传播媒介。栽培管理上，增施磷肥和含镁肥可以减轻病害症状，提高产量。

槟榔黄化病症状

炭疽病：由胶孢炭疽菌引起的，危害槟榔叶、花、果的一种真菌病害。它是在槟榔种植区普遍发生的一种病害。发病后，叶片初期出现暗绿色、水渍状小斑点，随后发展为圆形、椭圆形或不规则形的褐色或灰褐色病斑，病斑长 0.3~20cm，后期病部形成云纹状波纹，上面密布小黑点（分生孢子盘）。重病叶变褐枯死，破碎。危害叶鞘后，绿色叶鞘受害形成长椭圆形至不规则形褐色病斑，继而扩大为宽 10cm、长 30~40cm 的大病斑，引起所属叶片变黄枯死，病斑继续向茎干内和顶部嫩叶扩展，可导致植株树冠枯萎，最后死亡。花穗发病时，首先在雄花的花轴上表现出黄化，很快扩展至整个花轴，引起花穗变褐，雌花脱落。果实发病时出现圆形或椭圆形、褐色凹陷病斑，引起果实腐烂。刚定植的小苗发病后，叶片变淡黄色，严重者导致整株死亡，重病区发病达 70%以上，死亡率达 30%。为预防槟榔炭疽病的发生，要加强槟榔园管理，合理施肥，促使植株生长健壮，抗病能力增强。苗圃要保持通风透光、降低湿度。合理做好田园卫生，清除槟榔园内的病死叶片和落地的花枝、果实等，将病组织带出园区做无害处理。在发病初期用 1%波尔多液喷雾保护，每隔 15 天喷施 1 次，连续喷 2~3 次，或用 70% 甲基硫菌灵可湿性粉剂 1000~1500 倍液、80% 代森锌可湿性粉剂 600~800 倍液喷雾防治。0.2% 的丙环唑、0.25% 的代森锰锌、福美锌、苯来特等药剂都能有效控制此病的发生。

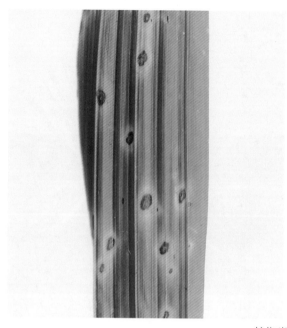

槟榔炭疽病症状

细菌性条斑病：由野油菜黄单胞杆菌槟榔致病变种引起的、危害槟榔叶部的一种细菌性病害。该病害主要危害叶片，也能侵染叶鞘，在裂片上常见的症状是宽 1~4mm、长 5~10mm、暗绿色至浅褐色的水渍状条斑，条斑穿透叶片两面，沿叶脉扩展，扩展部位半透明，数个短条斑可汇成长条斑。在有利于病害发展的条件下，同一裂片可出现许多细长的暗绿色水渍状条斑，条斑长度通常有十至数十厘米。病斑后期深褐色，稍凹陷，黄晕明显，在潮湿条件下病斑背面出现浅黄色菌脓。在叶鞘上的症状通常是暗绿色近圆形的水渍状斑，病斑可深达叶鞘内层。切取病变组织在显微镜

槟榔细菌性条斑病症状

下观察，均可见切口处有大量细菌从薄壁组织涌出。此病全年均可发生，发病最适宜温度为月平均 18~26℃，在雨量大、持续时间长、高湿度情况下病害发展迅速，台风是该病害流行的主导因素，病害流行期通常为 8 月至翌年 2 月，若雨季或台风提前，则病害流行期也相应提前。正常情况下，幼苗和结果槟榔树发病较轻，2~6 龄槟榔树发病较重。针对此病，培育或选种无病健壮种苗，加强槟榔园田间管理，排除积水，合理施肥，及时清除田间病死株及其残体，进行深埋或烧毁，发病初期喷施 1% 波尔多液或 500mg/kg 农用链霉素或四环素，每 2 周喷施 1 次。有发病史的槟榔园，在台风过后及时使用药剂喷施预防。

红脉穗螟：红脉穗螟主要危害槟榔的花和幼果，在槟榔佛焰苞未打开之前，成虫将卵产于佛焰苞缝隙，佛焰苞打开之后，成虫将卵产于花梗、苞片、花瓣内侧等缝隙或皱褶处，在小果上侧产于果蒂部位。少量成虫还可将卵产于心叶。幼虫孵化后即可由着卵部位蛀入取食危害。卵大都多粒聚产，或多卵块产于一花苞，因此，常见幼虫集中危害槟榔的花穗，一个花苞常有几十头甚至几百头幼虫，危害程度取决于虫的数量，虫量少时花穗部分被害，部分仍可结果；虫量多时整个花被蛀食一空，颗粒无收。结果期以幼果和中果受害尤重，一个被害果常有 1 或 2 个幼虫蛀食，果仁大都全部被吃光，果内充满虫粪，最后果实干枯。当果实较大而不易蛀入时，幼虫啃食果皮，使其流胶或形成木栓化硬皮，影响果实外观和质量。幼虫危害心叶时，轻者影响槟榔正常生长，重者可使其整株死亡。针对该虫害首先要做到清理果园，槟榔果实收获末期和花开初期（12 月至翌年 3 月）的园林清理工作极为重要，在这一时期，果实采摘后，园区中往往留下大量带虫的废弃果实，应结合园区清理将其集中处理，使废弃果中的幼虫无法继续存活，或者使其中的蛹羽化为成虫后无法飞出繁殖后代，以减少虫害再次发生的虫源基数。其次是利用天敌防治，自然界中

槟榔红脉穗螟症状

存在红脉穗螟的天敌，在一定程度上可起到防治效果，也可释放人工饲养的扁股小蜂进行生物防治，效果更佳。槟榔花盛开期（3~6 月）是红脉穗螟最容易大量发生和危害的时期，此时应经常对槟榔种植园的虫害情况进行巡查，如果发现虫害较多时，应及早采取措施。大田中槟榔花穗受害的程度不一，若发现有的花穗被害较为严重且已无法结果时，应当将其摘除集中处理；若是花穗部分被害，部分尚能结果，应采用生物农药喷雾加以防治。

椰心叶甲：该虫最早是危害椰子的重要害虫，在 2002 年后开始在槟榔上爆发成灾，由于缺少天敌制约，扩展迅速，主要危害槟榔心叶，使受害槟榔出现心叶枯萎、干枯和落花落果等现象，最终导致槟榔树死亡，是槟榔毁灭性的害虫。防治上可使用椰甲清粉剂挂包于槟榔心叶上进行防治，效果较好，但操作不便。也可释放天敌寄生蜂椰心叶甲啮小蜂进行防治，操作简单，防效较长，效果较好。

槟榔椰心叶甲症状

五、采收加工

（一）采收

一般采收分 2 个时期。第 1 个时期，7~12 月采收青果，加工成槟榔干或大腹皮。以采收长椭圆形或椭圆形、茎部带宿萼、剖开内有未成熟瘦长形种子的青果加工成槟榔干或大腹皮为佳品。第 2 个时期，1~4 月采收熟果，加工成榔玉。以采收圆形或卵形、橙黄色或鲜红色、剖开内有饱满种子的成熟果实加工成榔玉为佳品。

（二）加工

将果实纵剖成半，剥下果皮，晒干，打松干燥即可，此为大腹皮。将成熟果实晒 1~2 天，然后放在烤灶内用干柴火慢慢地烤干，7~10 天后取出待冷，砸果取榔玉再晒 1~2 天即可。一般 100kg 鲜果可加工成榔玉 17~19kg。

槟榔加工

| 药材性状 |

　　槟榔呈扁球形或圆锥形，高 1.5~3.5cm，底部直径 1.5~3cm。表面淡黄棕色或淡红棕色，具稍凹下的网状沟纹，底部中心有圆形凹陷的珠孔，其旁有 1 明显疤痕状种脐。质坚硬，不易破碎，断面可见棕色种皮与白色胚乳相间的大理石样花纹。气微，味涩、微苦。果皮晒干后为药材大腹皮，种子药材名为榔玉。

大腹皮　　　　　　　　　　　　　　　榔玉

▎市场信息▎

目前海南种植槟榔有 2 个品种，海南本地种和台湾种。而台湾种主要外销至台湾，种植面积也较少，主要还是海南本地种较多，占到总产量的 95% 以上。

我国南方少数地区有食用槟榔的习俗，以湖南和海南两省居多，槟榔年产量的 99% 以上被当成嗜好品食用，不足 1% 的槟榔当作药用或开发其他产品，所以槟榔的价格也逐年升高，2016 年各大药材市场的价格多集中在 13~18 元 / 千克，基本与市场食用槟榔价格一致。2016 年鲜槟榔的产销量在 1×10^6t 以上。

▎功能主治▎

味苦、辛，性温。归胃、大肠经。有驱虫消积、下气行水的功效，属驱虫药。

▎用法用量▎

用量 3~9g，煎服。用于绦虫病、蛔虫病、姜片虫病、虫积腹痛、积滞泄痢、里急后重、水肿脚气、疟疾。

▎腊叶标本▎

一、采集信息

采集号：469021-299

采集人：岳亚飞

采集时间：2012 年 11 月 10 日

采集地点：海南省定安县黄竹乡

二、鉴定信息

科名：棕榈科

学名：*Areca catechu* L.

种中文名：槟榔

鉴定人：黄世满

鉴定时间：2013 年 10 月 30 日

▎传统知识▎

槟榔具有杀虫、消食、除痰等功用，药用价值突出，是古代社会不可或缺的药材之一。岭南地区被喻为"瘴疬之地"，当地居民对槟榔尤为重视，槟榔在其日常生活中占

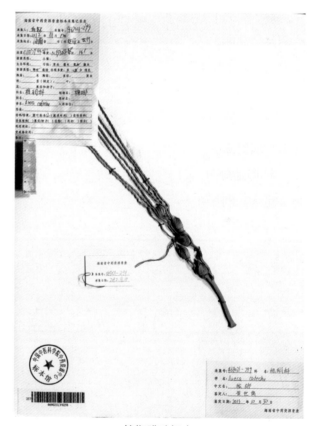

槟榔腊叶标本

有重要地位。无论是在婚丧嫁娶礼俗中，还是在社会交际方面，槟榔在古代都是贵重物品。

民国时期，槟榔习俗呈现衰减之势，曾被视为"瘴疠之地"的岭南地区经过多年发展后无论在物质还是思想上都发生了较大改变。同时，随着西药的传入，人们开始重新审视槟榔的药用价值，其在治疗或预防寄生虫病、细菌性传染病方面的功效远不及近现代的西药。而进入 21 世纪后，槟榔又逐渐开始作为一种嗜好品流行起来。槟榔中含有的槟榔碱成分容易让人上瘾，类似香烟的作用。槟榔开始脱离了最初人们用其防虫治病的初衷，而且食用人群越来越多，导致槟榔的种植面积逐年增加，产量也不断创新高。

资源利用与可持续发展

目前，槟榔的利用主要有食用和药用两方面，而食用槟榔的数量远远超过药用。槟榔虽是一种常用中药，但大部分并没有进入药材市场，而用于鲜食或加工成槟榔干供咀嚼。槟榔已成为仅次于尼古丁、酒精和咖啡因的第四大嗜好品。由于槟榔的纤维粗糙，长期咀嚼可能会造成口腔黏膜纤维化，故槟榔被认为是造成口腔疾病的重要诱因。传统槟榔的食用安全问题备受关注，而充分利用槟榔资源，挖掘其药用、食用、保健价值，解决槟榔精加工、综合利用的难题，对于促进热带地区农业经济发展、槟榔产业的可持续发展都具有重要意义。

槟榔籽含有的油脂是具有开发价值的功能性油脂，其中的亚油酸、油酸等脂肪酸对人体有重要的生理功能，可作为保健食品和药品的原料。槟榔籽提取物具有较强的抗氧化活性，因此可以开发为天然抗氧化剂或防腐剂。海南现有的槟榔加工基本是槟榔干初加工企业，缺少规模化、标准化的综合加工厂。在槟榔综合开发、有效成分提取及利用等产业化发展方面技术落后，没有形成完整的产业链，限制了槟榔产业的发展。槟榔在海南大多是农户分散种植；存在平均产量偏低、槟榔种质资源混杂、没有进行科学选育、管理技术不规范等一系列问题。

槟榔是海南的第二大经济作物，开发好这一资源对促进海南的经济发展和提高农民经济收入意义重大。利用槟榔提取槟榔碱，为医药产业提供有效的制药原料；针对国内外槟榔市场消费以食用鲜果或干果为主的单一现状，应积极开发槟榔口腔保健系列产品进行替代，比直接食用更科学、卫生，同时，避免传统咀嚼方法中槟榔粗纤维、卤水等可能存在的致癌风险。

姜科 Zingiberaceae 山姜属 Alpinia

益 智
Alpinia oxyphylla Miq.

| 中药名 | 益智（药用部位：果实）

| 药材别名 | 益智仁、益智子、摘艼子

| 道地沿革 |

益智在我国已有 1700 多年的使用历史。早在晋代，顾微的《广州记》中描述益智"叶如囊荷，茎如竹箭"。晋代（公元 304 年）稽含《南方草木状》也对益智的形态特征和用途做了描述："益智二月花，连着实，五六月熟。其子如笔头而两头尖，长七八分，杂五味中，饮酒芬芳，亦可盐曝及作粽食。子从心中出，一枚有十子。子内白滑，四破去之，取外皮，蜜煮为参，味辛。"唐代（公元 739 年）陈藏器编著的《本草拾遗》记载："益智出昆仑及交趾国，今岭南郡往往有之。治遗精虚漏，小便余沥，益气安神，补不足，利三焦，调诸气，夜多小便者，取二十四枚碎，入盐同煎服，止呕哕。"宋代（公元 974 年）《开宝本草》记载："味辛，温，无毒。主遗精虚漏，小便余沥，益气安神，补不足，安三焦，调诸气。"明代（公元 1552 年）《本草纲目》对益智的功效和产区进行了如下描述："治冷气腹痛，及心气不足，梦泄，赤浊，热伤心系，吐血、血崩。脾主智，此物能益脾胃故也，与龙眼名益智义同。按苏轼记云：海南产益智，花实皆长穗，而分为三节。观其上中下节，以候早中晚禾之丰凶；大丰则皆实，大凶皆不实，罕有三节并熟者。其为药只治水，而无益于智，其得此名，岂以其知岁耶？是此也。"由此可见，益智在我国历史上重要的医学文献中均有记载，这表明益智为我国常用中药材，使用历史悠久，药用价值较高。

中华人民共和国成立以前，益智原料均来自野生，于 20 世纪五六十年代开始种植益智，80 年代发展到高峰期，80 年代末海南种植益智的面积达 30 多万亩，也是迄今为止该种种植面积的鼎盛时期。益智除入药外，也被加工成食品、保健品等，其挥发油被开发成化妆品、日用品等，应用范围越来越广。随着益智需求量的不断增加，益智的种植面积也不断扩大。在海南，益智被大面积推广种植，广东、广西也开始人工栽培。特别是近几年，在海南，益智作为扶贫的重要物种和发展林下经济的首选物种被大力推广，种植面积已从 2012 年约 15 万亩增加至当前近 30 万亩。无论是历史记载，还是当前的实际产量、产品质量和销售情况，均证实海南是益智的主产区。

| 植物形态 |

益智为多年生草本，株高 1~3m，茎丛生，根茎短，长 3~5cm。叶片披针形，长 25~35cm，宽

3~6cm，顶端渐狭并具尾尖，基部近圆形，边缘具脱落性小刚毛，叶柄短；叶舌膜质，2 裂，长 1~2cm，稀更长，被淡棕色疏柔毛。总状花序在花蕾时全部包藏在帽状总苞片中，开花时整个脱落，花序轴被极短的柔毛；小花梗长 1~2mm；小苞片极短，膜质，棕色；花萼筒状，长 1.2cm，一侧开裂至中部，先端具 3 裂齿，外被短柔毛；花冠管长 8~10cm，花冠裂片长圆形，长约 1.8cm，后

益智植株、花、果实及种子

方的 1 枚稍大，白色，外被疏柔毛；侧生退化雄蕊钻状，长约 2mm；唇瓣倒卵形，长约 2cm，粉白色而具红色脉纹，先端边缘皱波状；花丝长 1.2cm，花药长约 7mm，子房密被柔毛。蒴果，鲜时球形，干时纺锤形，长 1.5~2cm，宽约 1cm，被短柔毛，果皮上有隆起的维管束线条，顶端有花萼管的残迹；种子不规则扁圆形，被深棕色假种皮。花期 1~3 月，果期 4~6 月。

｜野生资源｜

一、生态环境

生长于海拔不高于 800m 的雨林中，生长在温暖湿润的山坡、溪边及沟谷内，乔木为常绿阔叶林，土壤为砂壤土。

二、分布区域

分布于海南三亚、昌江、白沙、万宁、琼中、儋州、澄迈、琼海、东方等地，广东、广西和云南有少量分布。

三、蕴藏量

根据第四次全国中药资源普查计算方法统计，海南全省野生益智资源的蕴藏量不足 1t。

｜栽培资源｜

一、栽培历史

据资料记载，20 世纪 60 年代以前益智的商品供应全部依赖野生。伴随着益智需求量的增大和野生资源的不断减少，20 世纪 60 年代起，逐步开展了人工栽培。1973 年，海南的湾岭、和平、太平（今吊罗山）等地人工种植益智 152 亩，1975 年收获干果 4.15t。20 世纪 80 年代，中国内地益智经常出口至中国香港、中国台湾、韩国、日本及东南亚等国家和地区，其市场处于供求偏紧状态，使海南益智大量扩种。海南统计年鉴数据显示：由于 20 世纪 80 年代大量扩种益智，1987 年，全海南的益智种植面积约为 38 万亩，1991 年，益智鲜果产量近 3791t，加上往年库存，市场上的益智严重超出市场需求量，致使 1991 年益智仁干果最低跌至 3 元 / 千克。随后，益智种植面积骤减为 14 万亩。此后的几年内海南益智产业一直处于低迷状态，至 20 世纪 90 年代中期，我国的益智种植面积仅留存了约 4 万亩，年总产量也只有约 1200t。1997 年是益智产业恢复关键的一年，益智价格上调至 18 元 / 千克，有了较大幅度的上扬，种植面积和产量又开始逐渐增加。进入 21 世纪以来，海南益智产业稳步发展，海南统计年鉴数据显示，2015 年海南栽培的益智中丰产期的益智面积约 12 万亩，折合干果 2610t。2016 年与 2017 年每年以 5 万亩的速度增加，截至目前种植总面积已超过 25 万亩，进入丰产期的益智约 15 万亩。

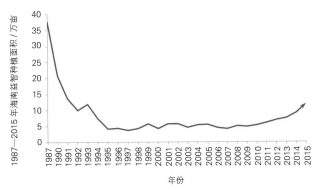

1987—2015 年海南益智的栽培面积情况

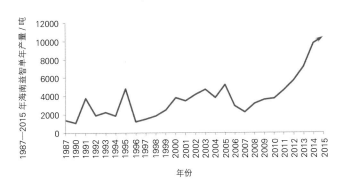

1987—2015 年海南益智单年产量情况

注：上图根据 2005 年、2011 年及 2016 年海南统计年鉴数据整理

二、栽培区域

海南益智适宜栽培区的生态环境如表 9 所示。

表 9　海南益智适宜栽培区及其生态环境

类型	种植区域	海拔 /m	年降水量 /mm	气温	其他信息
最适宜种植区	保亭北部、五指山东部及北部、琼中大部、陵水和万宁西部、屯昌南部、白沙东部、琼海西南部等	< 800	2400~2800	年均气温 23℃ 左右，最低温 ≥ 15℃，最高温 ≤ 38℃	橡胶林、槟榔林或次生林下，红壤土、砂壤土均可
适宜种植区	三亚北部、五指山南部、屯昌北部、琼海西部、万宁西部、白沙及昌江部分地区等	< 600	2000~2400	年均气温 20℃ 以上，或最低温 ≥ 10℃，最高温 ≤ 38℃	橡胶林、槟榔林或次生林下，红壤土、砂壤土或壤土
次适宜种植区	定安、文昌、东方、乐东等市县	< 500	1500~2000	年均气温 18℃ 左右，最低温 ≥ 0℃，最高温 ≤ 40℃	经济林或次生林，砂壤土或壤土

三、栽培面积与产量

2017 年益智的种植面积为 25 万 ~30 万亩，其中进入丰产期的益智 15 万亩，年产益智干果 1000~1500t。

四、规范化栽培技术

栽培技术包括种苗繁育技术和种植技术两部分。不同经济林地内种植益智的情况如下页图所示。

适宜益智种植的林地类型（A. 槟榔林；B. 橡胶林；C. 胆木林；D. 次生林）

（一）益智种苗繁育技术

1. 实生苗繁育技术

（1）采种。

1）采种母株选择。选择排灌方便、土壤肥沃、无污染、高产的益智种植园。在园内选择生长旺盛、健壮、长势基本一致、无病虫害、已生长 5~10 年进入丰产期的植株。

2）采种时期。于 5 月下旬至 6 月中旬采收成熟果实。

3）采收方法。

a. 果实采收。选择已变软、果皮泛黄、无病虫害的成熟果实。将果穗用长 35cm 左右、口径 10cm 的 20 目尼龙网袋套住，从果穗基部折断，将采收的果实按每份约 10kg 的量放于容积较大的 20 目尼龙网袋内，置于阴凉处。

b. 果实处理。将果实放置 3~7 天后，果皮变黑、腐烂，以轻捏果实能挤出种子为宜。对不易腐烂的果实，可压破种皮，取出种子。

c. 种子调制。装袋：将收集的种子，按每份约 300g 的量装入棉布袋内，棉布袋口径 15cm，深度 20cm，扎紧袋口。揉搓：反复揉搓棉布袋内的种子，揉搓力度以能搓掉种子表面的果肉又不伤及种子为宜，每次揉搓约 3 分钟。清洗：种子揉搓后，用清水冲洗揉搓掉的果肉、果皮及漂浮的干瘪种子，重复 2~3 次，至种子表面无果肉、基本无杂质为止。晾干：将洗净的种子平摊于阴凉通风处，晾干种子表面水分，备用。

d. 种子储藏。晾干后的种子最好及时催芽、播种。若不能及时播种应将种子盛装在 60 目的尼龙网袋内，并将网袋置于含水量为 70% 左右的湿沙内，在 4℃ 条件下保存，储藏期不宜超过 3 个月。

（2）苗圃地选择与建设。

1）苗圃地选择。

a. 地块选择。选择海拔 600m 以下、地势平坦或为坡度不大于 10° 的缓坡、避风、排灌方便、交通便利的地块。

b. 土壤条件。土层深度 30cm 以上，土质疏松，微酸性至中性沙土或砂壤土。

c. 环境质量。环境空气质量应符合《环境空气质量标准》（GB 3059）中的二级标准，土壤质量应符合《土壤环境质量标准》（GB 15618）中的二级标准，灌溉水质量应符合《农田灌溉水质标准》（GB 5084）中的旱作灌溉水质标准。

2）苗圃地规划。苗圃地内修建必要的主干道、支道和区间小道，苗圃地分为催芽圃和育苗圃。

3）苗圃建设。

a. 荫棚搭建。棚架：以水泥柱、钢管或竹竿做棚架，高度 2~2.5m，长度和宽度因地形、地势而定。遮阳网：荫棚顶部和四周覆盖遮光度为 70% 的遮阳网，四周遮阳网高度可调。排灌设施：荫棚内安装喷灌溉设施及排水设施。

b. 催芽圃。整地：将催芽圃内的杂草清除干净，整平，起宽 1m、高 10cm 的畦，两畦间留宽 40cm 的排水沟，在畦面铺一层无毒农用塑料膜。基质消毒：以沙土或清洗干净的粗沙做基质，将基质暴晒 2~3 天，每立方米基质均匀掺拌 10% 的噻唑膦颗粒剂 12~15g 杀灭根结线虫。使用前 1 天，每平方米畦面均匀喷洒 0.1% 的高锰酸钾溶液和 1000 倍液百菌清溶液各 2000ml 对基质进行消毒。铺设催芽床：将基质均匀铺于畦上，厚度 8~10cm，做成催芽床。

c. 育苗圃。清除育苗圃内的杂草，平整地块，每隔 1m 挖宽 40cm 的排水沟，做成高 5cm 的育苗畦。在荫棚内临时搭设一层遮光度为 50% 的遮阳网，距畦面 30cm 以上。育苗圃规模可根据育苗量及地形而定。

（3）种子催芽。

1）种子处理。新鲜种子应先置于 4℃ 环境中冷藏 24 小时以上，取出，置于 35℃ 恒温清水中浸泡 2 小时，晾干表面水分后播种；已于 4℃ 下储藏的种子，取出后直接用 35℃ 恒温清水浸泡 2 小时，晾干表面水分后播种。

2）播种。6 月中旬至 8 月下旬为适宜播种期，播种时将种子均匀地撒播或条播在整理好的催芽床表面，每平方米用种量为 100~150g/m²。播种后，在畦面上先覆盖已消毒的沙土或细沙，厚度为 1~2cm，再覆盖湿润的椰糠，厚度为 1~2cm，并以洒水的方式浇透水，避免强力冲击畦面。

3）管理。

a. 排灌。在整个催芽过程中应保持基质湿润，干旱时可每天浇水 1~2 次，早上或傍晚洒水。雨水过多时应在催芽床上搭设塑料小拱棚，雨停时及时揭去小拱棚，催芽圃内不可积水。

b. 通风。气温较高时应注意通风，一般中午通风 3~4 小时，通风时将荫棚两侧的遮阳网拉高，距地面约 1m。

c. 除草及畦面整理。及时拔除催芽床上的杂草，拔草时应避免带出幼苗。对雨水冲刷导致不平整的畦面应及时填补基质，保持催芽床平整、整洁。

（4）容器苗培育。

1）基质配制。粉碎的椰糠和砂壤土按体积比 1：1 均匀混合，每立方米混合物均匀混入市售有机肥（如羊粪、鸡粪）100kg 和复合肥（绿聚能硫酸钾复合肥、氨基酸生态肥等）10kg，做成基质。

2）装填基质。将处理好的基质装满口径 8~10cm、深 12~15cm 的育苗袋。

3）摆放。把育苗袋排放在育苗畦上，每排 10~15 个，摆放后在畦的四周培土，高 5~10cm。

4）移苗。催芽圃内幼苗高约 7cm 时开始移苗。选择晴天下午 5 点之后或阴天移苗，取苗时，从畦的边缘将基质清除，轻轻拔出或铲出种苗，尽量保证根系完整，不可水洗根系，应随移随栽。先将育苗袋内的基质湿润，再用削尖的竹签在基质中打洞，深度为 3~5cm，将种苗栽入洞内，填补基质，轻轻压实。每个育苗袋栽种苗 1 株，栽种后及时以洒水的方式浇透水。

5）查苗补苗。移苗后每 3 天检查 1 次种苗成活情况，将死亡、患病的种苗连同育苗袋一起清除，重新栽种。

6）苗圃管理。

a. 排灌。在育苗过程中基质湿度应保持在 70% 左右，干旱时每天浇水 1~2 次。雨水较多时应及时排水，不可积水。

b. 除草。拔除育苗袋和苗圃内的杂草，拔草时应避免带出益智苗，应始终保持苗圃整洁。

c. 培土。除草后对畦四周进行适当的培土，高 5~10cm。

d. 光照调节。幼苗栽种后 3 个月内应使用临时遮阳网，在阴雨天或光照强度较低时可揭去临时遮阳网，3 个月后可不再使用临时遮阳网。

e. 通风。气温较高时应注意通风。

f. 填补基质。育苗袋内的基质下沉或减少时，应及时填补基质。

g. 施肥。施肥原则：幼苗期施肥原则是少量多次，以施用生根壮苗肥为主，施肥种类和方法符合 NY/T 496 的规定。施肥方法：幼苗栽种 2 个月后开始施肥，以喷施为主，选择晴天傍晚喷施。可喷施尿素及磷酸二氢钾混合液，浓度分别为 0.3% 和 0.2%，每 7 天喷施 1 次，连续施肥 7~10 次。

（5）病虫害防治。根据病虫害发生的规律，遵循预防为主、综合防治的原则。以农业防治为主，辅以生物、物理、机械防治，尽量减少化学农药防治的次数，优先使用生物农药，化学农药宜选用高效、低毒、低残留的农药种类，并遵循最低有效剂量原则，农药使用应参照 GB 4285 和 GB/T 8321（所有部分）执行。常见病虫害及防治方法如表 10 所示。

表 10　益智育苗阶段主要病虫害种类、防治时期及防治方法

病虫害名称	防治时期	防治方法
立枯病	出芽后至出圃前	避免苗圃积水，适当透光，培育壮苗，及时拔除患病植株。20% 的叶枯唑可湿性粉剂 400 倍液，喷施 2~3 次，每 7 天喷施 1 次。应以预防为主，化学防治时农药稀释倍数不可过低
叶枯病	出芽后至出圃前	避免苗圃积水，适当通风透光，培育壮苗，及时拔除患病植株。50% 的咪鲜胺锰盐可湿性粉剂 800~1000 倍液或 50% 的多菌灵可湿性粉剂 800~1000 倍液，喷施 3~5 次，每 3 天喷施 1 次。及时喷药，稀释倍数不可过低，并拔除病情严重的植株
根结线虫	整个育苗期	基质暴晒 2~3 天，施足基肥；合理使用肥料，培育壮苗。施 10% 噻唑膦颗粒剂 1~2g 或 0.5% 的阿维菌素颗粒剂 1~2g，每隔 60 天施药 1 次，连施 2 次
姜弄蝶	育苗中后期	清除枯叶残株，集中烧毁；在幼虫初发期及时摘除虫苞，杀死虫体。90% 的敌百虫乳剂 800~1000 倍液，连喷 2~3 次，每 7 天喷施 1 次；或喷施 4.5% 的氯氰菊酯乳剂 1000 倍液 1~2 次，间隔 7 天

（6）出圃。

1）炼苗。出圃前 15 天开始炼苗，炼苗时将种苗连同育苗袋移至其他育苗畦上，不再施肥，并减少浇水次数。

2）出圃。种苗高约 40cm、每丛不低于 3 个分蘖、质量符合《益智　种苗》（NY/T 1474）的要求时即可出圃。

2. 分株苗繁育技术　苗圃地选择与建设同实生苗繁育。不同之处仅在于育苗容器规格，分株苗所需的育苗容器直径 12~15cm，高 8~10cm。

（1）分株苗采集。选择健壮、无病虫害、分蘖旺盛、种植 4~8 年的植株，距地表 10cm 处剪掉地上 5 片叶以上的分蘖，保留不足 5 片叶片的新分蘖，将植株根系及块茎整体挖出，将块茎分割成不同大小的种茎，每个种茎有 2~3 个分蘖。

（2）种茎处理。

1）配制泥浆水。采挖地表下 50cm 非耕作层黏土，与清水按体积比 1∶3 混合均匀，并加入 30% 甲霜恶霉灵水剂和市售生根剂，按其说明书与泥浆水混匀。

2）浸泡种茎。将种茎置于泥浆水中浸泡 3~5 秒，取出，并尽早育苗。

（3）种苗培育。

1）装容器苗。将育苗容器先装入部分基质，高度为育苗容器的 1/2，将种茎装入育苗容器，用基质装满育苗容器，轻轻压实，并浇透水。

2）摆放。将容器苗整齐摆放于畦面，畦面四周培土，高度不超过育苗高度的 2/3，并拍实。

不同生长阶段的益智苗（A. 刚出土幼苗；B. 两片叶种苗；C. 培育袋装苗；D. 出圃苗）

（4）田间管理及病虫害防治。田间管理及病虫害防治同培育实生苗。

（二）益智种植技术

1. 种植园选择

（1）环境条件。选择年均温不低于 20℃、年降雨量不低于 2000mm、荫蔽度为 50%~75% 的避风区域建园。以土壤湿润、地势平坦或坡度不大于 25° 的经济林或次生林为佳。其中，灌溉水应符合 GB 5084 中二级标准的规定，环境空气质量应符合 GB 3095 中二级标准的规定。

（2）土壤条件。土壤肥沃、疏松、排水良好、富含腐殖质的红壤土或砂壤土，土壤 pH5.4~6.5。土壤质量应符合 GB 15618 中二级标准的规定。

2. 园地准备

（1）园地规划。种植园内除种植区域外还应包括通道、水肥池、排灌设施等辅助设施。

1）通道。根据林地类型进行合理规划。若为规则的经济林种植园，则可采用已有通道，也可修建一条宽 3~4m 的主道，贯穿整个种植园，支道通常为多条，宽 2m 左右，贯穿不同种植区域，一端与主道相连，并与多个种植行相接。若种植园为次生林，主道宽 3~4m，贯穿整个林地，建于种植园中间或一侧，种植园内每隔 10m 修建一条宽 3m 左右的支道，并与主道相连。

2）水肥池。每 0.04~0.05km² 建造 1 个水肥池，每个水肥池容积 15~20m³，选择地势最高处建设，水肥池与供水系统和灌溉系统相连。

3）排灌设施。规则的经济林类种植园可安装灌溉设施，不规则的次生林种植园可不安装。灌溉设施包括供水系统和灌溉系统。供水系统包括水泵和供水管，水泵和供水管与水肥池相连，供水管直径通常为 10~12cm，或根据实际情况确定供水管规格。灌溉系统包括主水管、支水管和滴灌管，主水管与水肥池相连，根据地块情况确定主水管的走向和位置，一般在地块中心位置横穿地块，主水管直径为 10cm 左右。支管与主水管相连，连接处安装控水开关，支管直径约为 6cm，走向与种植行走向垂直，沿种植行安装滴灌管与支水管相连，连接处安装控水开关。

4）种植区。即种植益智的区域。该区域在种植前需进行整地、施肥、起垄等处理。

（2）种植园建设。

1）整地。定植前 30~60 天整地，将种植园内的杂草、小灌木、石头等杂物清除干净后，深翻约 30cm，打碎土块，整平。

2）施基肥。选用有机肥或腐熟的农家肥，与过磷酸钙按重量比 10∶1 混匀后撒施在耕地表面，与土壤混合均匀，整平，肥料用量 2kg/m²。

3）种植规格。根据乔木行间距宽度确定种植益智的行数，可按以下规格种植。

乔木行间距 5m 左右，种植 1 行益智。

乔木行间距 7m 左右，种植 2 行益智。

乔木行间距 9m 左右，种植 3 行益智。

不规则次生林，种植穴距乔木距离 2m 以上，株距 2m。

4）起垄。将益智种植在高垄上，每垄种 1 行益智。起宽 1m、高 15cm 的垄，在垄一侧或两侧留宽 20cm、深 20cm 的排水沟；若种植 2 行或多行益智，则相邻两垄间留 1m 宽的操作通道。不规则的次生林可不起垄，将拟种植处周围 1m² 范围的土壤深翻 30cm，整平，并按上述"2）"施入肥料。

5）其他设施建设。在种植前，修建完成必需的通道，根据种植区面积修建完成一定数量的水肥池、灌溉系统及排水系统等。

3. 定植

（1）定植时期。一般在 3~5 月定植，也可在 9~10 月。

（2）配制泥浆水。采挖地表下 50cm 非耕作层黏土，与清水按体积比 1∶3 混合均匀，并加入 30% 甲霜恶霉灵（甲霜灵 5%，恶霉灵 25%）水剂和市售生根剂，按其说明书与泥浆水混匀。

（3）种苗修剪与处理。选择株高 30cm 以上及不少于 3 个分蘖的种苗。将种苗上高于 50cm、长势较弱或有病虫害的分蘖剪去，将种苗连同基质在泥浆水中浸泡 3~5 秒，取出。

（4）定植方法。种植前先在拟种植处挖出稍大于育苗容器的穴，去掉育苗容器，将种苗连同基质种植于穴内，覆土，并轻轻压实，株距 2m，种后及时浇透水。

4. 田间管理

（1）水分管理。保持种植地块土壤湿润，出现干旱时要及时浇水，一般在上午 10 点之前或下午 5 点之后浇水，土壤相对湿度应保持在 65%~75%。刚定植后和花果期如遇干旱，应适当增加浇水量和浇水次数，湿度稍高于营养生长期，但不可出现积水。积水时则要及时排水。

（2）光照调节。定植后 3 个月内若光照较强则应临时搭设遮阳网，在上午 10 点至下午 3 点期间太阳直晒的地块均需搭设遮阳网，在种植行上方 1m 处搭设遮光率为 75% 的临时小拱棚，植株进入生长旺盛期后可不遮荫。对长时间荫蔽度较低的区域应及时补种乔木。荫蔽度应始终保持在 50%~75%，荫蔽度过高时需适当修剪乔木枝条。

（3）除草与松土。定植 2 年内的种植园应及时拔除植株周围的杂草，铲除垄边、操作通道及其他区域的杂草。除草后及时松土，松土时应避免伤及益智根系。

进入收获期的种植园，每年 6~7 月果实采收后及 11~12 月花芽分化、孕穗期间，应及时松土、除草，松土宜浅，不宜靠近植丛，贴近植株的杂草应用手拔除，其他地方的杂草可铲除，不应施用除草剂。

（4）修剪。营养生长阶段，应及时剪掉枯萎、折断及有病虫害危害的分蘖，分蘖过多时也可剪掉部分分蘖，每年每丛植株的结果分蘖数不应超过 30 个。

果实采收期，应将结果的分蘖从基部 10cm 处剪下，同时将不健壮、折断及有严重病虫害危害的分蘖剪掉。

（5）培土与施肥。培土和施肥一般在除草松土后进行。种植后至结果前应适当多施复合肥（N∶P∶K=15∶15∶15），在植株距基部周围 10cm 处穴施，深 10cm 左右，用量 10g/株，每年施肥 2 次。也可利用水肥一体化系统每 2 个月喷施 1 次 0.3% 的复合肥溶液。

对进入结果期的益智，应以有机肥为主，辅以施用磷钾肥；每年 4~5 月及 11~12 月每株施有机肥 1kg、复合肥 10g、磷酸二氢钾 5g，穴施为宜。根据植株长势，在果实收获后可酌情施用微量元素肥料和磷酸二氢钾等。

（6）保花保果。每年的 11 月至翌年 1 月，在花苞形成期，叶面喷施 0.4% 的磷酸二氢钾，每 5 天喷 1 次，连喷 4 次。在花苞开放期，于下午或傍晚喷施 0.5% 硼酸或 3% 过磷酸钙溶液，每 7 天喷施 1 次，连喷 6~8 次。

（7）查苗、补苗。定植后 2 个月内每周检查 1 次种苗成活情况，拔除病苗和死苗，及时补种新苗。对产果益智则在每年 7~8 月检查 1 次植株生长情况，及时挖出患病、死亡植株或长势较弱的植株，补种新苗。

5. 主要病虫害防治

（1）防治原则。按照"预防为主、综合治理"的方针，通过科学管理、合理施肥等措施改善益智园的生态环境，维护益智园良好的生态系统，增强益智对病虫害自然抵抗和控制的能力。以营林防治为基础，加强病虫害预测预报，及时、准确地进行防治。以生物防治、物理防治和农业防治为主，辅以必要的化学防治，科学、经济、安全、有效地控制病虫害，将益智园的病虫害控制在合理范围内，达到优质、丰产、稳产的目的。对化学防治所用农药的施用应按《农药安全使用规范》（NY/T 1276）和 GB/T 8321（所有部分）的要求执行。

（2）主要病害种类。主要病害有立枯病、根结线虫病、根腐病、轮纹叶枯病等。其防治方法参照表 11 执行。

表 11　益智主要病害及防治方法

名称	危害部位	防治时期	化学防治	其他防治
立枯病	叶	苗期	1∶1∶100 波尔多液，或 25% 多菌灵可湿性粉剂 500 倍液，或 70% 甲基硫菌灵可湿性粉剂 1000 倍液，在发病初期，每隔 7~10 天喷药 1 次，连续喷药 2~3 次，最后 1 次喷施距采收期不少于 7 天	铲除杂草，通风透光，严重时，挖出病株烧毁
根结线虫病	根	幼苗期	0.5% 阿维菌素颗粒剂 1000 倍液，于播种前穴施	轮作；播种前翻土暴晒，铲除苗圃内外杂草，施用净肥
根腐病	根茎	苗期	用 1% 硫酸铜溶液进行土壤消毒，苗面喷施 25% 甲霜灵可湿性粉剂 500 倍液加 25% 多菌灵可湿性粉剂 500 倍液防治，每隔 7 天喷施 1 次，连续 3 次	及时开沟排水，适当增加光照和通风；发病初期，拔除病株，撒上石灰消毒杀菌
轮纹叶枯病	叶	整个生长周期	喷施 75% 百菌清可湿性粉剂 1000 倍液或 65% 代森锌可湿性粉剂 800 倍液，每隔 7~10 天喷 1 次，连续 3 次，最后 1 次喷施距采收期不少于 5 天	施足肥料，排除积水，及时除草通风透气，适当遮荫

（3）主要害虫种类。桃蛀螟危害最为严重，其他害虫有姜弄蝶、益智秆蝇、地老虎等，防治方法参照表 12 执行。

表 12　益智主要害虫及防治方法

名称	危害部位	防治时期	化学防治	其他防治
桃蛀螟	成熟果实	5 月中旬至果实收获	在成虫期用 50% 杀螟松乳剂 1000 倍液或 50% 辛硫磷乳油 1000 倍液或 25% 溴氰菊酯乳油 5000 倍液等喷施全株	人工捕捉害虫，或用诱光灯吸引并捕获成虫
姜弄蝶（苞叶虫）	叶	5~9 月	90% 敌百虫可溶性粉剂 800 倍液或 25% 爱卡士乳油 900 倍液或 20% 杀灭菊酯乳剂 2000 倍液。每隔 5~7 天喷施 1 次，连续 2~3 次，最后 1 次喷施距采收期不少于 5 天	清除枯叶残株，集中烧毁；及时摘除虫苞并杀死虫体，保护天敌赤眼蜂
益智秆蝇（蛀心虫）	茎、叶	6~8 月	90% 敌百虫可溶性粉剂 900 倍液或 2% 阿维菌素乳剂 1500 倍液，或 50% 灭蝇胺可湿性粉剂 1500 倍液，每隔 5 天喷施 1 次，连续 2~3 次，最后 1 次喷施距采收期不少于 5 天	深翻土壤
地老虎	茎、叶、花、果实	3 月下旬至 5 月初，或 10~11 月	50% 辛硫磷乳油 1000 倍液喷洒苗间及根际附近的土壤。或用 90% 敌百虫可溶性粉剂按 1∶100 的比例拌米糠等做成毒饵诱杀幼虫	清除杂草，在缺苗植株附近人工挖土杀虫；成虫期用黑光灯诱捕

6. 采收与初加工　5 月下旬到 6 月下旬大部分果皮发黄时即可采收，选择晴天采收，将果穗整个剪下或折下，除去果柄，晒干或在不高于 60℃的烘箱中烘干。将干燥的果实用塑料布内衬的口袋盛装，存放于通风、干燥、阴凉处。

益智种植模式及果实产地加工

（A.林下种植模式；B.荫棚种植模式；C.果实；D.去梗果实；E.晾晒果实；F.晒干果实）

| 药材性状 |

本品椭圆形，两端略尖，长 1.2~2cm，直径 1~1.3cm，表面棕色或灰棕色，有纵向凸凹不平的突起棱线 13~20，顶端有花被残基，基部常存果梗。果皮薄而稍韧，与种子紧贴，种子集结成团，中有隔膜将种子团分为 3 瓣，每瓣有种子 6~11。种子呈不规则的扁圆形，略有钝棱，直径约 3mm，表面灰褐色或灰黄色，外被淡棕色膜质的假种皮；质硬，胚乳白色。有特异香气，味辛、微苦。

海南为益智的道地产区，全国约 90% 的益智产自海南，其中，海南保亭北部、五指山北部、琼中大部，陵水西部、屯昌南部、万宁西部等地区为益智的核心产区。每年 5~6 月为益智收获期，鲜果用于加工成果脯、蜜饯等，该类益智尚未成熟，果皮绿色，种子白色或略黑，果皮硬、脆，果肉无甜味。一般采收时期为 5 月上旬至下旬，采收通常及时运输或冷藏运输，保持果实新鲜。

用于入药的益智果实一般在采收时果皮应出现黄色斑块，或大部分变为黄色，或果皮为浅黄绿色，果实软，果肉有甜味，果实香气浓，较辣。采收时不可过早，容易导致抢青采收，药材质量欠佳，较晚采收则果实脱落严重，影响产量，此外，随果实成熟度增加，虫蛀程度也随之增加。采收时期为 5 月下旬至 6 月下旬，由于海南不同地区环境差异大，南部热带地区益智成熟稍早，而山区湿度较大、温度稍低的地区如保亭什玲镇八村、抄寨及周边地区，或海拔较高的地区如五指山市水满乡水满新村及周边地区成熟期略晚，具体采收果实时间根据果实成熟情况而定。采收后及时晒干或烘干，若处理不当则导致果实发霉，干燥后的果实出现黑色、霉变等，影响品质和外观。

益智果实去掉杂质和果皮为益智仁，取益智仁照盐水炙法（《中国药典》通则 0213）炒干，得盐益智仁。盐益智仁：呈不规则扁圆形，略有钝棱，直径约 3mm，外表棕褐色至黑褐色，质硬，胚乳白色。有特殊香气，味辛、微咸。

| 品质评价 |

以颜色棕色或灰棕色、果实大、种子团大、无虫蛀、无霉变、气味浓者为佳。

| 市场信息 |

一、益智流通现状

广东、广西和云南虽有益智的分布，但所产益智品质不如海南，海南产的益智果皮薄、益智仁多、挥发油含量高，而《中国药典》对于益智的标准是以海南产的益智挥发油为参考。广东、广西和云南所产益智果皮厚、益智仁少，多被当地用于制作益智果脯、调味品等，以及用于化妆品原材料，较少用于药材。

改革开放前，只有各地的中药材公司销售益智，流通渠道单一；中药材市场放开后，流通渠道逐步多元化。目前，海南益智的购销渠道主要有 4 种：①由分散在琼中、五指山、陵水、儋州和白沙等县（市）的个体收购商收购，然后销往广西玉林中药材市场（过去也有少量销往湛江药材市场）；②药材市场的销售商直接来海南收购；③药材公司收购；④一些制药厂家直接收购。上述 4 种渠道中，以前两种渠道为主。各收购商在主产区收购益智，一部分鲜果运往食品加工厂加工成食品，收购商主要采购干果，将干果运往广西玉林中药材市场和广东清平中药材市场，最后经由中药材市场销往全国各地药材市场、饮片加工厂或食品加工厂等，也销往其他国家。

二、益智价格

海南统计年鉴数据显示：20 世纪 80 年代末益智价格在 35 元 / 千克，在高价格的利益驱动下海南大量扩种益智，1987 年全海南的益智种植面积约 38 万亩，1991 年，益智鲜果产量近 3791t，致使 1991 年益智仁干果最低跌至 3 元 / 千克，益智当年种植面积骤减为 14 万亩。此后的几年内海南益智产业一直处于低迷状态，至 20 世纪 90 年代中期，我国的益智种植面积仅留存了约 4 万亩，年总产量也只有约 1200t。1997 年是益智产业恢复关键的一年，益智价格上调至 18 元 / 千克，有了较大幅度的上扬。进入 21 世纪以来，海南益智产业稳步发展，至 2008 年以来益智价格逐年增加，由 15 元 / 千克上升至 2016 年的 90 元 / 千克，2017 年为 75 元 / 千克，价格稍有回落。

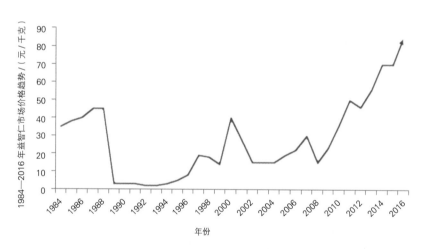

1984—2016 年益智仁市场价格趋势

注：根据历史资料及实地调研数据整理

| 功能主治 |

益智味辛，性温。归脾、肾经。具有暖肾固精缩尿、温脾止泻摄唾之功效。用于治疗肾虚遗尿、小便频数、遗精白浊、脾寒泄泻、腹中冷痛、口多唾涎等证。

| 用法用量 |

益智仁或盐益智仁用时捣碎，煎服。用量：3~10g。

｜腊叶标本｜

一、采集信息

采集号：4690300116

采集人：海南中药资源普查队

采集时间：2013 年 12 月 11 日

采集地点：海南琼中县红毛镇什寒村

二、鉴定信息

科名：姜科

学名：*Alpinia oxyphylla* Miq.

种中文名：益智

鉴定人：李榕涛

鉴定时间：2013 年 12 月 11 日

益智腊叶标本

｜资源利用与可持续发展｜

一、研究现状

现代药理研究表明，益智以果实入药，其主要药用成分是挥发油，含量为 0.7%~1.18%。精油含蒎烯、1,8-桉叶素、樟脑、姜烯、姜醇、益智酮甲、益智酮乙、益智醇等。用原子吸收光谱法测定益智果实中锌、铜、铁、锰、镍、钴、镁、钙 8 种元素的含量，结果表明，锰含量高于其他补阳药（巴戟天、补骨脂等）平均含量的 7~8 倍；锌含量亦高于其他 48 种补益药的平均含量。而锌、锰元素影响垂体分泌促性腺素，这与临床上用益智暖肾、涩精的功效相吻合。研究还表明，益智酮甲具有增强心肌收缩力的作用；益智水提物和氯仿提取物有催眠、镇痛作用，能提高心肌耐缺氧能力，促进免疫和造血功能，升高血小板和白细胞，抑制菌类对数生长期时的生长，破坏菌体的细胞结构，最终抑制大肠杆菌生长。此外，益智对动脉血管平滑肌和子宫平滑肌有舒张作用。体外试验表明对肿瘤细胞的抑制率达 70%~90%。

益智果实中含有丰富的维生素 B_1、维生素 B_2、维生素 C、维生素 E 等，其风干果实中含有大量的总糖、还原糖、粗纤维、粗蛋白、8 种必需氨基酸、11 种非必需氨基酸、粗脂肪等，这说明益智具有开发成新型食品的巨大潜力。

此外，益智果、益智叶可以蒸馏提油，作为"益智健胃片""仁丹"等中成药的主要原料。此外，已从益智果实、果壳中分离出 100 多种成分，发现其挥发油中不含对人体有害的黄樟醚等物质，而含多种留香持久的芳香成分。所以，益智除药用外，还是具有极高开发价值的香料植物。

二、产品

目前以益智果实为原料加工的产品主要有以下一些种类。

（一）益智干果

目前，主要的益智产品是成熟鲜果采摘后直接晒干或低温烘干得到的益智干果。海南正常年份的益智干果产量为 1500t，近两年益智产量有所下降，年产均 1000t，并且持续下降，主要原因是野生益智植株衰老，并且人工栽培技术落后、管理粗放。而益智干果年市场总需求量为 2000t 左右，其中用作中药材原料的有 300t，用作食品香料的有 600t，用于生产保健酒的约 200t，出口东南亚与日本 300t，其他用途 600t 左右，供求矛盾十分突出。

（二）益智中药饮片及中成药

现有益智中药饮片即《中国药典》收载的益智仁及盐益智仁。全国有 30 家制药企业生产近 20 种含益智的中成药，据不完全统计，产值超过 10 亿元。主要有：①缩泉丸 / 胶囊（补肾缩尿，用于肾虚小便频数、夜卧遗尿等证，有 9 家企业生产）；②益智温肾十味丸（祛肾寒、利尿，用于肾寒肾虚、腰腿痛、尿闭、肾结石等证，有 4 家企业生产）；③萆薢分清丸（分清化浊、温肾利湿，用于肾不化气、清浊不分、小便频数、时下白浊，有 6 家企业生产）；④参茸蛤蚧保肾丸（温肾补虚，用于肾虚腰痛、夜尿频多、病后虚弱、头晕眼花、疲倦乏力，有 1 家企业生产）；⑤固肾定喘丸（温肾纳气、健脾利水，用于脾肾虚型及肺肾气虚型的慢性支气管炎、肺气肿、先天性哮喘、老人虚喘，有 1 家企业生产）；⑥妇宝金丸（妇宝金丹，养血调经、舒郁化滞，用于气虚血寒、肝郁不舒引起的经期不准、行经腹痛、赤白带下、两肋胀痛、倦怠食少，有 1 家企业生产）。

（三）益智休闲食品

益智休闲食品主要是益智鲜果的粗加工食品，比如凉果、蜜饯、腌菜等。据调查，20 世纪七八十年代，在海南万宁、定安等市县曾经出现益智凉果 / 果脯厂。20 世纪 90 年代起，广东省阳江市开始出现益智凉果 / 果脯厂。目前，广东省阳江市是主要的益智食品加工和消费地区，益智系列休闲食品主要有九制益智、甜酸益智、糖沙益智、蜜饯益智等，每瓶售价在 12~30 元。目前，阳江市每年生产益智休闲食品约消耗 100 余吨益智鲜果，产值约 1 亿元。

（四）益智酒及调味品

近两年来，益智酒、益智香辣酱等产品也逐渐尝试着进入市场。

三、益智可持续发展

益智为"四大南药"之一，主产于海南，为海南道地药材，是林下经济发展的重点品种，也是当前用于精准扶贫工作的重要品种。

（一）制订发展规划，合理发展益智产业

益智作为我国重要的中药资源及海南特色南药资源，应大力发展。在全国范围内选择适宜区

域进行合理发展，重点发展道地益智。首先制订益智发展规划，在规划指导下分步骤、分区域、分重点、分方向逐步发展益智产业。着重在道地产区进行规范化种植，生产优质原料，加大益智全产业链中相对落后的环节的技术研究与投入，建设规范的种植基地和加工厂房，形成发达的信息及运输网络，开发多形态、多领域和多功能的产品，塑造知名品牌，最终实现益智的可持续发展。

（二）完善益智种植技术，生产优质药材

虽然海南益智种植业有60多年的历史，但主要由农民分散种植，多数种植地仍处于半野生状态，规模化、标准化生产程度低。虽然已根据《中药材生产质量管理规范》（GAP），制定了《益智规范化生产标准操作规程》（SOP），对益智生产的适宜条件、品种、育苗、栽培管理、病虫害防治、采收加工、质量标准、包装、贮藏与运输做了详尽的描述，但是此规范仍需要推广应用，大部分药农对益智的种植和管理仍存在许多问题，致使益智单产低，药材质量参差不齐，未能充分发挥其经济效益。对于益智产品也缺乏严格的分级标准，不同成熟度和品质的干果混杂在一起，有的甚至还参有蛀果和霉果，将影响益智产业的可持续发展。

（三）加大研发力度，开发高附加值产品

益智多方面的药理作用和药食同源特性决定了益智适合用于研制普通食品，且潜力巨大。用益智制作的食品不仅口感好，更具有一定的保健作用。以往益智常被加工成果脯、蜜饯、凉果或茶品，但未形成良好的经济效益及社会效益。近年来，用益智开发成的香辣酱、益智酒等产品，得到了消费者的好评，带来了一定的经济效益，但这远远不足以充分利用和挖掘益智的附加值，优质、良效的功能性食品还有待开发。

随着人们生活水平的不断提高，人们成熟的理性消费和主动保健意识不断增强，益智产品的综合研发将为开发大健康产业带来巨大的商机。目前对于益智的利用只停留在益智仁的利用上，对益智叶、益智根茎等部位的利用尚未起步，对于益智资源的综合利用力度不够，若投入相关研究工作，以进一步加强益智相应的基础研究和应用开发，提高益智果实及茎、叶的附加值，则将大力推进益智产业发展。

现代药理研究表明，益智仁有强心、抗癌、抗过敏、抗衰老、镇静镇痛、 益智健脑等多方面药理作用。根据功能分离出相应的一种、多种或一类化学成分单体或功能性成分，将之开发成药品、保健品、食品或其他工业产品，提高原料附加值，广泛应用于日常生活及保健中。

（四）形成全产业链条，推动可持续发展

建立标准化种苗生产基地和标准化种植基地，实现药材标准化生产，保证药材产量和品质。建立完善的流通网络，缩短采收至加工的时间间隔，确保及时采收与加工。根据需要开展相应产品的研发与生产，生产出极具特色的产品。并通过品牌建设，塑造益智产品品牌，提高益智药材知名度。多渠道建立销售网络，实现益智原料及产品畅销国内外。通过标准化生产基地建设、流通网络建设、产品开发、品牌塑造及销售网络建设，形成益智产业链，推动益智规模化和规范化发展。

　　益智作为我国重要的中药材及海南特有南药资源，应大力发展。要做好益智发展规划，解决关键生产技术难题，建立完善的流通网络和销售平台，开发多个高附加值产品，塑造益智产品品牌，以推动益智产业健康发展。

下 篇

海南省中药
资源各论

苔藓植物

真藓科 Bryaceae 真藓属 Bryum

真 藓
Bryum argenteum Hedw.

| 中 药 名 | 真藓（药用部位：植物体）

| 植物形态 | 植物体密集丛生，银白色、灰绿色。茎高约 1cm，单一或基部分枝。叶紧密，覆瓦状排列，阔卵形，具细长的毛状尖；叶边全缘，常内曲；中肋粗，突出叶尖。叶细胞薄壁，上部细胞白色透明，近于菱形，基部细胞呈长方形。蒴柄红色，直立。孢蒴近于长梨形，下垂，褐红色。蒴齿两层。孢子球形，有疣。

| 分布区域 | 产于海南各地。亦分布于中国各地，为世界广布种。

| 资　　源 | 生于住房周围和低山土坡及薄土岩面或火烧后的林地，喜沙质含氮较多的黏土。

真藓

| 采收加工 | 全年均可采收，洗净，晒干。

| 药材性状 | 本品多干缩，银灰绿色，有银白色光泽。茎单一或基部分枝，纤细，长约1cm，基部有紫红色假根。叶紧密，覆瓦状排列，宽卵形，长约1mm，宽约0.6mm，全缘，常内曲，先端具无色的小尖；中肋明显，突出叶尖；叶片的1/4~1/3上部细胞无叶绿体，白色透明。蒴柄紫红色，长1~2cm；孢蒴近于长梨形，紫褐色，下垂。质柔韧，易碎。气微，味淡。

| 功能主治 | 味甘、微涩，性凉；无毒。清热解毒，止血。用于细菌性痢疾、黄疸、鼻窦炎、痈疮肿毒、烫火伤、衄血、咯血。

真藓科 Bryaceae 大叶藓属 *Rhodobryum*

暖地大叶藓 *Rhodobryum giganteum* Par.

| 中 药 名 | 一把伞（药用部位：植物体）

| 植物形态 | 植物体较大，鲜绿色或褐绿色。茎直立，具明显的横生根茎。茎下部的叶片小，鳞片状，紧密贴茎部，顶叶大，簇生如花苞状，倒卵形或舌形，长 15~20mm，宽 4~5mm，具短尖，边缘有分化，上部有细齿，成双列，下部有时背卷；中肋长达叶尖。叶细胞上部六边形，叶基长方形，壁薄。雌雄异株。蒴柄紫红色，直立，多个直出；孢蒴圆柱形，下垂，褐色；蒴齿两层；蒴盖凸形，有短喙。孢子球形，黄棕色。

| 分布区域 | 产于海南各地。亦分布于中国江苏、浙江、湖南、广东、贵州、云南等地。

暖地大叶藓

| 资　　源 | 生于潮湿林地或溪边碎石缝中，常见。

| 采收加工 | 夏、秋季采收，晒干或鲜用。

| 药材性状 | 本品多干缩，绿色或褐绿色，略见光泽。茎长 4~7cm，具横生根茎。茎下部叶鳞片状，紫红色，紧密贴茎；顶叶大，簇生如莲座状，长倒卵形或长舌形，长 15~20mm，宽 4~5mm，边缘上部有细齿。蒴柄红黄色；孢蒴下垂。气微，味稍苦、辛。

| 功能主治 | 味辛、苦，性平。养心安神，清肝明目。用于心悸怔忡、神经衰弱、目赤肿痛、冠心病、高血压等。

地钱科 Marchantiaceae 地钱属 Marchantia

地 钱 *Marchantia polymorpha* L.

| 中 药 名 | 地钱（药用部位：叶状体）

| 植物形态 | 叶状体暗绿色，宽带状，多回二歧分叉，长 5~10cm，宽 1~2cm，边缘微波状，背面具六角形，整齐排列的气室分隔，每室中央具 1 烟囱型气孔，孔口边细胞 4 列，呈十字形排列。腹面鳞片紫色；假根平滑或带花纹。雌雄异株。雄托盘状，波状浅裂，精子器埋于托筋背面；雌托扁平，先端深裂成 9~11 指状裂瓣；孢蒴生于托的指腋腹面。叶状体背面前端常生有杯状的无性芽孢杯，内生胚芽，行无性生殖。

| 分布区域 | 产于海南各地。亦分布于中国各地。

| 资 源 | 生于阴湿的土坡或湿石及潮湿墙基，常见。

地钱

| 采收加工 | 夏、秋季采收，洗净，鲜用或晒干。

| 药材性状 | 叶状体呈皱缩的片状或小团块。湿润后展开呈扁平阔带状，多回二歧分叉，表面暗褐绿色，可见明显的气孔和气孔区划。下面带褐色，有多数鳞片和成丛的假根。气微，味淡。

| 功能主治 | 味淡，性凉。清热利湿，解毒敛疮。用于湿热黄疸、疮痈肿毒、毒蛇咬伤、水火烫伤、骨折、刀伤。

泥炭藓

泥炭藓科 Sphagnaceae 泥炭藓属 Sphagnum

泥炭藓 *Sphagnum palustre* L.

| 中 药 名 |

泥炭藓（药用部位：植物体）

| 植物形态 |

植物体枝条纤长，黄绿色或黄白色，高8~20cm。茎及枝表皮细胞具多数螺纹及水孔。茎叶舌形，平展，长1~2mm，宽0.8~0.9mm，叶细胞无螺纹；枝叶阔卵圆形，内凹，先端兜状内卷，绿色，细胞在叶片横切面呈狭长三角形，偏于叶片腹面。雌雄异株。精子器球形，集生于雄株头状枝或短枝先端，每一苞叶叶腋间生1个；颈卵器生于雌株头状枝丛的雌器苞内；孢蒴球形或卵形，成熟时棕栗色，具小蒴盖。

| 分布区域 |

产于海南琼中、乐东、五指山等地。亦分布于中国东北、华东、中南和西南等地区。

| 资　源 |

生于水湿环境及沼泽地带。全年均生长。适于高山带的湿冷环境。

| 资　　源 | 生于林下湿地、树干上、腐木上，及岩石表面的腐殖质上。全年均可见。

| 采收加工 | 全年均可采收，洗净晒干或晒干研末，过筛，消毒备用。亦可鲜用。

| 药材性状 | 本品为数株丛集成片状，绿色或暗绿色，微有光泽。分离后每株呈扁平状，茎长可达 4cm，不规则分枝，背叶和腹叶两侧斜生，呈扁平 2 列，紧贴茎上，湿润展平后，叶基部长卵形，上部阔披针形，渐尖，中肋 2，甚短或缺，叶缘褐色；蒴盖圆锥形，具长喙，蒴齿具横纹。气微，味淡。

| 功能主治 | 味淡，性凉。止血敛疮。用于外伤出血。

疣冠苔科 Aytoniaceae 石地钱属 Reboulia

石地钱 *Reboulia hemisphaerica* (L.) Raddi

| 中药名 | 石地钱（药用部位：叶状体）

| 植物形态 | 叶状体扁平带状，二歧分叉，长 2~4cm，宽 0.5~0.7cm，先端心形。背面深绿色，亚革质，无光泽。气孔单一型，突出，由 5~6 列细胞构成。气室呈不明显的六角形，无隔丝。腹面紫红色；两侧各有 1 列呈覆瓦状排列的紫色鳞片；沿中轴着生多数假根。雌雄同株。雄托无柄，贴生于叶状体背面中部，呈圆盘状。雌托生于叶状体先端，托柄长 1~2cm，托顶半球形，绿色，4 瓣裂，每瓣腹面有 2 无色透明的总苞。孢蒴圆球形，黑色，成熟后自顶部 1/3 处盖裂。

石地钱

| 分布区域 | 产于海南各地。亦分布于中国各地，为世界广布种。

| 资　　源 | 多生于较干燥的石壁、土坡和岩隙土上，常见。

| 采收加工 | 夏、秋季采收，洗净，鲜用或晒干。

| 药材性状 | 叶状体呈皱缩的片状或小团块。湿润后展开呈扁平带状，多回二歧分叉，表面紫红色，下面深绿色，有多数鳞片和成丛的假根。气微，味淡。

| 功能主治 | 味淡、涩，性凉。清热解毒，消肿止血。用于疮疥肿毒、烫火伤、跌打肿痛、外伤出血。

真 菌

伞菌科 Agaricaceae 灰球菌属 Bovista

小灰球菌 *Bovista pusilla* (Batsch) Pers.

| 中 药 名 | 小马勃（药用部位：子实体）

| 植物形态 | 担子果小型；近球形，直径 2~4cm；幼时白色，后为土黄色或浅茶色，无不孕基部；具根状菌索；包被 2 层，外包被由细小易脱离的颗粒组成，内包被薄而光滑，成熟时先端开一小口；内部蜜黄色至浅茶色。担孢子直径 3~4μm，球形，浅黄色，壁表近光滑。

| 分布区域 | 产于海南各地。

| 资   源 | 生于草坪、草地或林边地上，常见，野生资源量较大。

小灰球菌

｜采收加工｜

夏、秋季子实体成熟时及时采收，除去泥沙，晒干或 50~60℃烘干。

｜药材性状｜

子实体近球形，直径 2~4cm，顶部有小口；表面土黄色至淡茶褐色，无不孕基部；包被 2 层，外包被由易于脱落的一层细小的颗粒所组成，内包被薄而平滑。气微，味淡。

｜功能主治｜

味辛，性平；无毒。消肿解毒，止血，清肺利喉。

｜附　　注｜

本种的异名为小马勃 *Lycoperdon pusillum* Batsch。

伞菌科 Agaricaceae 秃马勃属 Calvatia

紫色秃马勃 Calvatia lilacina (Berk. & Mont.) Henn.

| 中 药 名 | 马勃（药用部位：子实体）

| 植物形态 | 担子果中等至大型，宽 5~12cm，高 8~15cm，长梨形或陀螺形；幼时白色，后为淡紫堇色至污褐色；不孕基部发达；包被 2 层，薄膜质，外部污褐色，光滑或有斑纹，内部紫色，成熟后顶部开裂，呈块状开裂。担孢子直径 5.5~7.5μm，近球形，灰紫色，壁表有小刺。

| 分布区域 | 产于海南各地。

| 资　　源 | 生于草坪、草地或林边地上，常见，野生资源量较大。

紫色秃马勃

| **采收加工** | 夏、秋季子实体成熟时及时采收，除去泥沙，晒干或 50~60℃烘干。

| **药材性状** | 子实体呈陀螺形，或压成扁圆形，直径 5~12cm，不孕基部发达；包被薄，2 层，紫褐色，粗皱，有圆形凹陷，外翻，上部常裂成小块或已部分脱落。孢体紫色。体轻泡，有弹性，用手捻后有大量孢子飞扬。气微，味淡。

| **功能主治** | 味辛，性平；归肺经。清肺利咽，解毒止血。用于咽喉肿痛、咳嗽失音、吐血衄血、诸疮不敛。

鸟巢菌科 Nidulariaceae　黑蛋巢菌属 Cyathus

隆纹黑蛋巢菌 Cyathus striatus (Huds.) Willd.

| 中 药 名 |　鸟巢菌（药用部位：子实体）

| 植物形态 |　担子果小型；包被酒杯状，高 0.8~1.2cm；外包被有粗毛，黄褐色至褐色，粗毛脱落后可见纵褶纹，内侧表面灰色至褐色，有明显的纵条纹；包被内的小包扁圆形，直径 1.5~2mm，由菌丝索固定于包被中，黑色，表面有一层淡褐色薄膜。担孢子（13~20）μm×（8~11）μm，长椭圆形或近卵形，无色，壁表光滑。

| 分布区域 |　产于海南各地。

| 资　　源 |　生于阔叶林、针阔混交林中枯枝或落叶上，少见，野生资源量小。

隆纹黑蛋巢菌

| 采收加工 |

夏、秋季采收子实体，去除杂质，晒干或
50~60℃烘干。

| 药材性状 |

包被酒杯状，高 0.8~1.2cm，直径 0.6~0.8cm；
外表面密被棕黄色至深棕黄色粗毛，毛脱落后，
上部纵条纹明显可见；内侧灰色至褐色，具明
显的平行纵纹；小包扁圆，直径 1.5~2mm，黑色，
其表面有一层淡色而薄的外膜。

| 功能主治 |

味微苦，性温。健胃止痛。用于胃气不通、消
化不良。

小皮伞科 Marasmiaceae 小皮伞属 Marasmius

硬柄小皮伞 *Marasmius oreades* (Bolton) Fr.

| 中 药 名 | 杂蘑（药用部位：子实体）

| 植物形态 | 群生，可形成蘑菇圈。担子果小型；菌盖直径 2~5cm，初扁半球形，后平展，或中部稍凸，浅褐色至淡土黄色，光滑，边缘平滑或稍有条纹；菌肉白色，薄；菌褶离生，稀，白色，具小菌褶；菌柄长 4~7cm，直径 0.2~0.4cm，中生，近圆柱形，浅褐色，被绒毛。担孢子（8~10）μm×（4~6）μm，椭圆形，无色透明，壁表光滑。

| 分布区域 | 产于海南各地。

| 资　　源 | 多生于草地或草坪上，多见，野生资源量较大。

硬柄小皮伞

| 采收加工 |

夏、秋季采收子实体，去除杂质，晒干或50~60℃烘干。

| 药材性状 |

菌盖近半球形至平展，有时中部稍凸，直径2~5cm；表面浅土黄色或浅褐色，边缘波状，具不明显条纹；菌褶离生，稀而宽，近白色，具小菌褶；菌柄长 4~7cm，直径 0.2~0.4cm，近圆柱形，实心。质韧。气香，味淡。

| 功能主治 |

味微咸，性温。逐风散寒，舒筋活络。用于腰腿疼痛、手足麻木、筋络不舒。

类脐菇科 Omphalotaceae　香菇属 Lentinula

香 菇 *Lentinula edodes* (Berk.) Pegler

| 中 药 名 | 香菇（药用部位：子实体）

| 植物形态 | 单生、群生至丛生。担子果中等至大型；菌盖直径 5~10cm，初扁半球形，成熟后中部微突起至近平展，浅褐色、红褐色至深褐色，上被绒毛状鳞片，边缘内卷；菌褶近离生，密，白色，具小菌褶；菌幕丝膜状，近白色或稍具淡紫色调，易消失；菌柄长 1.5~5cm，直径 0.5~1.8cm，中生至稍偏生，近圆柱形；柄表淡褐色，被鳞片；菌环丝膜状，易消失。担孢子（5.5~6.5）μm×（2.5~3.5）μm，椭圆形，无色透明，壁表光滑；担子果各部位均具锁状联合。

| 分布区域 | 产于海南陵水、保亭、琼中、白沙、五指山、乐东、东方、昌江等地。

香菇

| 资　源 |

生于海拔较高的阔叶林腐木上，少见，野生资源量小。

| 采收加工 |

在秋、冬及春季,菌盖边缘尚未完全展开时采收，去除杂质，晒干或 50~60℃烘干。

| 药材性状 |

菌盖扁半球形，或平展，直径 5~10cm；表面褐色或深褐色，上覆浅褐色或褐色鳞片，具不规则裂纹；菌肉近白色或浅褐色；菌褶近白色或浅褐色；菌柄中生或稍偏生，近圆柱形或稍扁，稍弯曲，柄基部稍膨大，实心；柄表常有鳞片，白色至浅褐色。半肉质。气浓郁，味淡。

| 功能主治 |

味甘，性平；归肝、胃经。扶正补虚，健脾开胃,祛风透疹,化痰理气,解毒,抗癌。用于正气衰弱、神倦乏力、纳呆、消化不良、贫血、佝偻病、高血压、高脂血症、慢性肝炎、盗汗、小便不禁、水肿、麻疹透发不畅、荨麻疹、毒菇中毒、肿瘤。

| 附　注 |

本种的异名为 *Lentinus edodes* (Berk.) Singer。

光柄菇科 Pluteaceae 小包脚菇属 Volvariella

草 菇
Volvariella volvacea (Bull. ex Fr.) Singer

| 中 药 名 | 草菇（药用部位：子实体）

| 植物形态 | 担子果中等至大型；菌盖直径5~16cm，近半球形，后平展且中部稍突起；盖表干，灰色至灰褐色，中部色较深，具有辐射状条纹；菌肉白色；菌褶离生，白色，后变粉红色，稍密，宽，具小菌褶；菌柄长5~15cm，直径0.8~1.5cm，近圆柱形，白色或稍带黄色，光滑，实心；菌托较大，苞状，厚，污白色至灰黑色。孢子印粉红色。担孢子（6~8.5）μm×（4~5.5）μm，椭圆形，淡红色，壁表光滑。

| 分布区域 | 产于海南海口。

| 资　　源 | 人工栽培，但产量不大。

草菇

| 采收加工 |

当菌蕾露出地表，将破裂形成子实体前即可采收，切成两半，晒干或 50~60℃烘干。

| 药材性状 |

完整者菌盖近半球形或平展，中部微突起，直径 5~16cm；盖表灰色或灰黑色，有暗色纤毛，形成辐射状条纹；菌肉松软，黄白色；菌褶较密而宽，具小菌褶，白色或粉红色；菌柄长 5~15cm，直径 0.8~1.5cm，近圆柱形，黄白色或淡黄色，实心；菌托较大，厚，苞状，污白色，上缘黑褐色。质脆，易碎。气香，味特异。

| 功能主治 |

味甘，性寒。清热解暑，补益气血，降压。用于暑热烦渴、体质虚弱、头晕乏力、高血压。

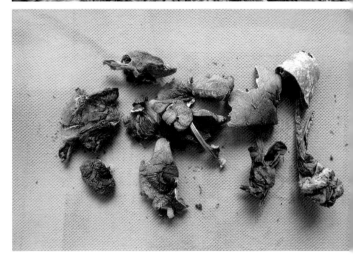

裂褶菌科 Schizophyllaceae 裂褶菌属 Schizophyllum

裂褶菌 *Schizophyllum commune* Fr.

裂褶菌

| 中 药 名 |

树花（药用部位：子实体）

| 植物形态 |

担子果一年生。多群生，通常呈覆瓦状叠生或连生。担子果小型；菌盖扇状、肾形或掌状，常放射状分裂或不分裂，长可达 3cm，宽可达 5cm，基部厚度可达 0.3cm；上表面被灰白色绒毛；下表面假褶状。担孢子（5~5.5）μm×（2~3）μm，圆柱形至腊肠形，无色透明，壁表光滑；担子果各部位均具锁状联合。

| 分布区域 |

产于海南各地。

| 资　　源 |

生于腐木上，常见，野生资源量较大。

| 采收加工 |

全年均可采收，去除杂质，晒干或 50~60℃烘干。

┃药材性状┃

子实体无菌柄；菌盖卷缩，直径 1~3cm；表面白色或灰白色，有绒毛，边缘反卷，呈瓣裂，裂瓣边缘波状；菌肉薄，近白色；菌褶狭窄，从基部辐射而出，白色或灰白色。革质。气微，味淡。

┃功能主治┃

味甘，性平；归脾经。滋补强身，止带。用于体虚气弱、带下。

木耳科 Auriculariales 木耳属 Auricularia

毛木耳 *Auricularia polytricha* (Mont.) Sacc.

| 中 药 名 | 木耳（药用部位：子实体）

| 植物形态 | 群生或覆瓦状叠生。担子果中等至大型；肉质或胶质，有弹性；中部凹陷，盘形、杯状、碗状、碟状、耳壳状或漏斗状，长可达 8cm，宽可达 10cm，厚可达 2mm；上表面棕褐色至黑褐色，具灰白色的绒毛，中部常收缩成短柄状，与基质相连；边缘锐，波状，通常上卷；下表面着生子实层，平滑，灰褐色、深褐色至黑色。担孢子（11.5~14）μm×（5~6）μm，腊肠形，无色，壁表光滑；担子果各部位均具锁状联合。

| 分布区域 | 产于海南各地。

毛木耳

| 资　源 |

生于树桩或腐木上，常见，野生资源量较大。

| 采收加工 |

夏、秋季采收子实体，去除杂质，晒干或
50~60℃烘干。

| 药材性状 |

子实体呈不规则块片状，多皱缩，大小不等；
上表面黑褐色或紫褐色，绒毛浓密、较长；子
实层面色较淡。软骨质。用水浸泡后膨胀，棕
褐色，柔润，微透明，有滑润的黏液。气微，
味淡，嚼之有韧性。

| 功能主治 |

味甘，性平；归肺、脾、大肠、肝经。补气养血，
润肺止咳，止血，降压，抗癌。用于气虚血亏、
肺虚久咳、咯血、衄血、血痢、痔疮出血、妇
女崩漏、高血压、眼底出血、宫颈癌、阴道癌、
跌打伤痛。

| 附　注 |

根据《中华本草》记载，木耳来源于木耳（黑木
耳）*Auricularia heimuer* F. Wu, B. K. Cui & Y. C.
Dai、毛木耳 *A. polytricha* (Mont.) Sacc. 或皱木耳
A. delicata (Mont. ex Fr.) Henn.。海南分布有毛
木耳和皱木耳，其中毛木耳的资源较多。

木耳科 Auriculariales 木耳属 *Auricularia*

皱木耳 *Auricularia delicata* (Mont. ex Fr.) Henn.

| 中 药 名 | 木耳（药用部位：子实体）

| 植物形态 | 群生，胶质。担子果小型；幼时杯状，后期盘状，长 2~6cm，宽 1~3cm，厚 0.5~1cm，边缘平坦或波状；不孕面黄褐色至深褐色，平滑，疏生无色绒毛；子实层面凹陷，有明显的皱褶并形成网格，紫红褐色，浅黄褐色至黄褐色。担孢子（10~13）μm×（5~6）μm，圆柱形，稍弯曲，无色，壁表光滑。

| 分布区域 | 产于海南陵水、保亭、琼中、白沙、五指山、乐东、东方、昌江等地。

| 资　　源 | 生于阔叶林中腐木上，少见，野生资源量小。

皱木耳

| 采收加工 |

同"毛木耳"。

| 药材性状 |

子实体呈不规则块片状，多皱缩，大小不等；不孕面乳黄色至红褐色，疏生绒毛；子实层面有明显网格状皱缩。软骨质。气微，味淡。

| 功能主治 |

参见"毛木耳"。

木耳科 Auriculariales 木耳属 Auricularia

毡盖木耳 *Auricularia mesenterica* (Dicks.) Pers.

| 中 药 名 | 毡盖木耳（药用部位：子实体）

| 植物形态 | 常群生或覆瓦状叠生。担子果中等至大型；柔软，胶质或肉质，有弹性；子实体半圆形、贝壳形或不规则形，直径 4~10cm，厚 1.5~4mm；边缘波状，稍有浅裂。上表面浅棕色至棕黄色，后期褐色至黑褐色，密被短绒毛；下表面着生子实层，黄褐色至深褐色，光滑或有脊状隆起。担孢子（14~17）μm×（5.5~6.5）μm，近圆柱形，或弯曲成腊肠形，无色，壁表光滑。

| 分布区域 | 产于海南陵水、保亭、琼中、白沙、五指山、乐东、东方、昌江等地。

毡盖木耳

| 资　源 |

生于阔叶林腐木上，少见，野生资源量小。

| 采收加工 |

夏、秋季采收子实体，去除杂质，晒干或
50~60℃烘干。

| 药材性状 |

子实体呈不规则块片状，大小不等。上表面褐
色至黑褐色，具短绒毛；子实层面黄褐色、深
褐色至黑色。质脆，易碎。用水浸泡后可恢复
成新鲜时的形态及质地。气微，味淡。

| 功能主治 |

味甘，性平。抗肿瘤。用于恶性肿瘤。

牛肝菌科 Boletaceae 粉末牛肝菌属 Pulveroboletus

黄粉末牛肝菌 *Pulveroboletus ravenelii* (Berk. & M. A. Curtis) Murrill

| 中 药 名 | 黄蘑菇（药用部位：子实体）

| 植物形态 | 担子果小型至中等；菌盖直径 5~7cm，初为扁半球形，后渐平展，表面覆盖着一层黄色粉末；菌肉白色，受伤后变为蓝色；菌管在菌柄周围下陷而呈离生状态，浅黄色，受伤后变为蓝色；管口多角形；菌柄长 2~7cm，直径 0.5~1cm，中生，近圆柱形，幼时被黄色粉末，上部有菌环，容易消失，基部菌丝白色。担孢子（7~10）μm×（4.5~5）μm，长椭圆形至椭圆形，浅黄褐色至黄褐色，壁表光滑。

| 分布区域 | 产于海南陵水、保亭、琼中、白沙、五指山、乐东、昌江、东方等地。

黄粉末牛肝菌

| 资　源 |

生于阔叶林或针叶林地上，常见，野生资源量
较大。

| 采收加工 |

夏、秋季采收子实体，去除杂质，晒干或
50~60℃烘干。

| 药材性状 |

菌盖半球形或平展，直径 5~7cm；表面覆盖有
柠檬黄色粉末；菌肉较厚；菌管层浅黄色或暗
褐色；菌柄长 2~7cm，直径 0.5~1cm，近圆柱形，
内部黄色，实心，近上部可见蛛丝状菌环。气微，
味淡。

| 功能主治 |

味微咸,性温;有毒。祛风散寒,舒筋活络,止血。
用于风寒湿痹、腰膝疼痛、肢体麻木、外伤出血。

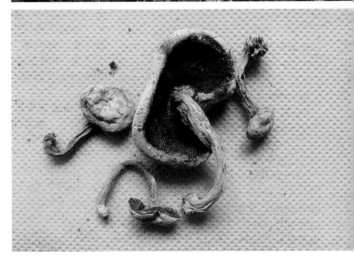

硬皮马勃科 Sclerodermataceae 豆马勃属 *Pisolithus*

彩色豆马勃 *Pisolithus arhizus* (Scop.) Rauschert

| 中 药 名 | 豆包菌（药用部位：子实体）

| 植物形态 | 担子果中等至大型；直径 5~15cm，不规则球形至扁球形，不孕性基部缩小成柄状；包被 1 层，薄膜质，光滑，易碎，初期米黄色，后变为浅锈色，最后变为青褐色，成熟时上部成片开裂脱落；内部有无数豆粒状小包，幼时白色，渐变为橙黄色，最后变为褐色，不规则多角形，小包内含担孢子。担孢子直径 8~10μm，球形，褐色，壁表有刺。

| 分布区域 | 产于海南各地。

彩色豆马勃

|资　源|

生于阔叶林或针叶林地上，常见，野生资源量较大。

|采收加工|

夏、秋季采收子实体，去除杂质，晒干或50~60℃烘干。

|药材性状|

子实体呈不规则球形或扁球形，直径 5~15cm，基部收缩成柄状；包被淡锈色至青褐色，光滑，上部呈片状剥落，膜质，易碎；孢体黑黄色或暗褐色，充满无数小包；小包呈不规则扁多角形，黄色至褐色，外露后显粉性。

|功能主治|

味辛,性平。止血,解毒消肿。用于胃及食管出血、外伤出血、冻疮流水、流脓。

硬皮马勃科 Sclerodermataceae 硬皮马勃属 Scleroderma

多根硬皮马勃 *Scleroderma polyrhizum* (J. F. Gmel.) Pers.

| 中 药 名 | 硬皮马勃（药用部位：子实体）

| 植物形态 | 担子果小型至中等；近球形至扁球形，直径 4~9cm；表面初期浅黄白色，后为浅土黄色，常有龟裂状或斑状鳞片，成熟后开裂成星状，裂片反卷；基部具假根状白色菌索；包被 1 层，厚而坚硬；孢体成熟后暗褐色。担孢子直径 6.5~12μm，球形，褐色，壁表有小疣，常相连成不完整的网纹。

| 分布区域 | 产于海南各地。

| 资　　源 | 生于阔叶林或针叶林地上，常见，野生资源量较大。

多根硬皮马勃

| 采收加工 |

夏、秋季采收子实体，去除杂质，晒干或50~60℃烘干。

| 药材性状 |

子实体近球形，直径 4~9cm，或开裂成星芒状，基部有菌丝盘或呈多束根状；包被浅黄色至浅土黄色，厚 1~2mm，表面有龟裂纹或鳞片。质坚硬。孢体暗褐色，粉性。

| 功能主治 |

味辛，性平。清热利咽，解毒消肿，止血。用于咽喉肿痛、疮疡肿毒、冻疮流水、痔疮出血、消化道出血、外伤出血。

鸡油菌科 Cantharellaceae 鸡油菌属 Cantharellus

鸡油菌 *Cantharellus cibarius* Fr.

| 中 药 名 | 鸡油菌（药用部位：子实体）

| 植物形态 | 担子果中等至大型；菌盖平展至漏斗形，直径 7~13cm；表面浅黄褐色、杏黄色至橙黄色，边缘波状；菌肉黄色或黄白色；菌褶延生，窄，分叉，不等长，具横脉，白色或黄白色；菌柄长 4~9cm，直径 1.5~2.5cm，中生，近圆柱形，鲜黄带橙色或白带黄褐色，光滑。担孢子（7.5~10.5）μm×（5.5~6.5）μm，椭圆形，无色，壁表光滑；菌丝具锁状联合。

| 分布区域 | 产于海南陵水、保亭、琼中、白沙、五指山、乐东、昌江、东方等地。

鸡油菌

| 资　源 |

生于阔叶林或针叶林地上,少见,野生资源量小。

| 采收加工 |

夏、秋季采收子实体，去除杂质，晒干或
50~60℃烘干。

| 药材性状 |

子实体呈喇叭形，菌盖直径 7~13cm；盖表杏黄
色或蛋黄色；边缘波状或瓣裂，内卷；菌肉黄色；
菌褶窄而厚，延生，具横脉；菌柄长 4~9cm，
直径 1.5~2.5cm，杏黄色，光滑，实心。肉质。
气微，味淡。

| 功能主治 |

味甘，性平；归肝经。明目，润燥，益肠胃。
用于夜盲症、结膜炎、皮肤干燥。

锈革孔菌科 Hymenochaetaceae　纤孔菌属 Inonotus

环区桑黄 *Sanghuangporus zonatus* (Y. C. Dai & X. M. Tian) L. W. Zhou & Y. C. Dai

| 中 药 名 | 桑黄（药用部位：子实体）

| 植物形态 | 担子果多年生，木栓质；菌盖半圆形或圆形，长可达 12cm，宽可达
7cm，厚可达 3cm；菌盖表面灰黑色至黑褐色，具同心环纹或环沟，
有细绒毛，后期光滑；菌肉锈褐色，厚达 2cm；孔口表面褐色至暗
褐色；管口圆形；菌管金黄褐色，分层不明显，长达 1cm。担孢子
（3.5~4）μm×（2.8~3.2）μm，宽椭圆形，浅黄色，壁厚，壁表光滑。

| 分布区域 | 产于海南陵水、保亭、琼中、白沙、五指山、乐东、昌江、东方等地。

| 资　　源 | 生于阔叶林腐木上，少见，野生资源量小。

环区桑黄

| **采收加工** | 全年均可采收子实体，去除杂质，晒干或 50~60℃烘干。

| **药材性状** | 子实体无柄；菌盖半圆形或圆形，长可达 12cm，宽可达 7cm，厚可达 3cm；上表面灰黑色至黑褐色，具同心环纹或环沟；孔口表面褐色至暗褐色；菌肉锈褐色；菌管金黄褐色。木质。

| **功能主治** | 味微苦，性寒。止血，活血，化饮，止泻。用于血崩、血淋、脱肛泻血、带下、经闭、癥瘕积聚、癖饮、脾虚泄泻。

| **附　　注** | 中国民间作为桑黄使用的有高山纤孔菌 *Inonotus alpinus* Y. C. Dai & X. M. Tian、鲍姆纤孔菌 *I. baumii* (Pilát) T. Wagner & M. Fisch.、小孔忍冬纤孔菌 *I. lonicericola* (Parmasto) Y. C. Dai、桑黄纤孔菌 *I. sanghuang* Sheng H. Wu, T. Hatt. & Y. C. Dai、瓦宁纤孔菌 *I. vaninii* (Ljub.) T. Wagner & M. Fisch.、锦带花纤孔菌 *I. weigelae* T. Hatt. & Sheng H. Wu、环区桑黄 *Sanghuangporus zonatus* (Y. C. Dai & X. M. Tian) L. W. Zhou & Y. C. Dai，以及火木层孔菌 *Phellinus igniarius* (L. ex Fr.) Quel. 等种类。海南分布有环区桑黄。

鬼笔科 Phallaceae 鬼笔属 Phallus

长裙竹荪 *Phallus indusiatus* Vent.

| 中 药 名 | 竹荪（药用部位：子实体）

| 植物形态 | 担子果单生或群生；中等大小；菌蕾球形至倒卵形，表面污白色至淡污粉色，基部有分枝或不分枝的根状菌索。菌盖钟形，顶部平截并开口，高 2.5~4.5cm，宽 2.5~4.5cm，表面有网状突起；产孢组织着生于菌盖表面，暗绿褐色至橄榄褐色，恶臭；菌裙网状，白色，从菌盖下垂至菌柄基部，网眼多角形、近圆形或不规则形；菌柄长 9~16cm，直径 3~5cm，中生，近圆柱形，中空，白色，向上渐细；菌托鞘状蛋形，白色至褐色，高 3.5~5.5cm，宽 3~5cm。担孢子（3~4）μm×（1~2）μm，椭圆形，无色透明，壁表光滑。

| 分布区域 | 产于海南各地。

长裙竹荪

| 资　　源 |

生于草坪、草地或林地边，少见，野生资源量小。有人工栽培，但产量小。

| 采收加工 |

菌蕾破壳开伞至成熟的时间为 2.5~7 小时，成熟后即开始萎缩。因此，当长裙竹荪开伞，菌裙下沿伸至菌托，孢子胶质将开始自溶时（子实体已成熟），即可采收。用手指握住菌托，将子实体轻轻扭动拔起，小心地放进篮子，切勿损坏菌裙，影响质量。子实体采收后，随即除去菌盖和菌托，以免黑褐色的孢子胶汁污染菌柄和菌裙。然后将子实体插到晒架的竹签上晒干。

| 药材性状 |

子实体压扁呈长条形、海绵状，长 10~20cm，表面白色至黄白色；菌盖钟形，白色，有明显多角形网格，先端平，具穿孔；菌裙从菌盖下垂达 10cm 以上，黄白色，具多角形网眼；菌柄压扁呈圆柱状，基部直径 3~5cm，向上渐细，白色；菌托多已去除。体轻，柔韧不易折断，断面中空，壁海绵状。气香，味淡。

| 功能主治 |

味甘、微苦，性凉。补气养阴，润肺止咳，清热利湿。用于肺虚热咳、喉炎、痢疾、白带、高血压、高脂血症；也用于抗肿瘤的辅助治疗。

鬼笔科 Phallaceae 鬼笔属 Phallus

黄裙竹荪 *Phallus multicolor* (Berk. & Broome) Cooke

| 中 药 名 | 黄裙竹荪（药用部位：子实体）

| 植物形态 | 担子果单生或群生；菌盖覆钟状至圆锥状，直径 2~3.5cm，高 2.5~4.5cm，橙黄色，有不规则网格，上有青褐色、黏稠的孢体，稍有臭味，先端平截且有一穿孔；菌裙网状，柠檬黄至橘黄色，下垂长达 6~10.5cm，网眼多角形；菌柄长 10~17cm，直径 1~3cm，中生，近圆柱形，中空，白色至黄白色；菌托白色至淡紫色。担孢子（3~4.5）μm×（1.5~2）μm，长椭圆形，无色透明，壁表光滑。

| 分布区域 | 产于海南各地。

黄裙竹荪

| 资　　源 |

生于草坪、草地或林地边，常见，野生资源量较大。

| 采收加工 |

夏、秋季采收子实体，洗净，鲜用或晒干。

| 药材性状 |

子实体长条形，长 5~16cm，表面黄白色至橘黄色；菌盖钟形，长 2.5~4.5cm，宽 2~3.5cm，橘黄色，有显著的网格状凹穴，先端平，中央具穿孔；菌裙长 6~10.5cm，橘黄色，网眼多角形；菌柄黄白色或浅橘黄色，海绵状，中空，直径 1~3cm；菌托淡紫色。质柔韧。气香，味淡。

| 功能主治 |

有微毒。燥湿杀虫。用于足癣湿烂、瘙痒。

拟层孔菌科 Fomitopsidaceae 硫磺菌属 Laetiporus

硫磺菌 *Laetiporus sulphureus* (Bull.) Murrill

| 中 药 名 | 硫磺菌（药用部位：子实体）

| 植物形态 | 担子果一年生；多群生，偶尔单生，常覆瓦状叠生。中等至大型；菌盖（3~8）cm×（3~10）cm，厚0.5~1.5cm，半圆形或近扇形，肉质，老后干酪质；表面有微细绒毛或光滑，有皱纹，无环带，柠檬黄色或鲜橙色，后期褪色；边缘薄，波状至瓣裂；菌肉白色或浅黄色，厚0.4~1.6cm；菌管长1~5mm；孔口表面硫磺色，后期褪色，管口角形。担孢子（5~7）μm×（4~5.5）μm，卵形至椭圆形，无色，壁表光滑。

| 分布区域 | 产于海南陵水、保亭、琼中、白沙、五指山、乐东、昌江、东方等地。

硫磺菌

| 资　　源 |

生于阔叶林倒木上，少见，野生资源量小。

| 采收加工 |

全年均可采收子实体，去除杂质，晒干或50~60℃烘干。

| 药材性状 |

子实体无柄；菌盖半圆形，长可达 10cm，宽可达 8cm，厚可达 1.5cm；菌盖表面柠檬黄色、橙红色或色淡，有毛或无毛，有皱纹，边缘波状或瓣裂；孔口表面硫磺色或色淡，管口角形。质硬而脆。气微，味淡。

| 功能主治 |

味甘，性温。益气补血。用于气血不足、体虚、衰弱无力。

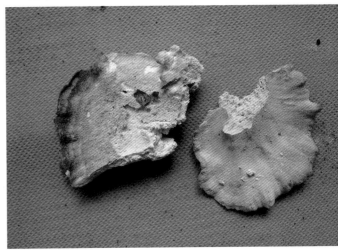

灵芝科 Ganodermataceae 假芝属 Amauroderma

皱盖假芝 *Amauroderma rude* (Berk.) Torrend

| 中 药 名 | 黑芝（药用部位：子实体）

| 植物形态 | 担子果一年生，多生于阔叶树桩旁边的地下腐根上。有柄；木栓质；菌盖近圆形或近肾形，长可达 9cm，宽可达 11cm，厚可达 1.5cm；菌盖表面灰褐色或褐色，无漆样光泽，有明显的纵皱和同心环纹；菌孔表面灰白色，受伤后迅速变为血红色，后变为黑褐色至黑色；管口近圆形；菌管灰黑色至黑色。菌柄长 6~13cm，直径 0.3~1.3cm，多偏生，偶有中生，近圆柱形，似念珠状，常弯曲，与菌盖同色，下部似假根状。担孢子（8~11）μm×（8~9.5）μm，近球形，双层壁，外壁无色透明，光滑，内壁淡黄褐色或近无色，有微小刺或小刺不清楚。

| 分布区域 | 产于海南各地。

皱盖假芝

│资　源│

生于阔叶林中，少见，野生资源已近枯竭。

│采收加工│

夏、秋季采收子实体，去掉泥沙，晒干或
50~60℃烘干。

│药材性状│

菌盖肾形或近圆形，直径 3~9cm，厚
4~7mm；菌盖表面灰褐色或褐色，具细微
绒毛，有放射状深皱纹和不明显的环纹，边
缘锐；孔口表面近白色或黑褐色；菌柄长
6~13cm，直径 0.3~1cm，偏生，近圆柱形，
弯曲，与菌盖同色，柄表有细微绒毛。木栓
质。气微，味淡。

│功能主治│

味淡，性平。益肾，利尿，消积。用于急慢
性肾炎、消化不良。

│附　注│

根据《中华本草》记载，黑芝来源于皱盖假
芝 *Amauroderma rude* (Berk.) Torrend 或假芝 *A.
rugosum* (Blume & T. Nees) Torrend。海南两
种都有分布。

灵芝科 Ganodermataceae 假芝属 Amauroderma

假 芝
Amauroderma rugosum (Blume & T. Nees) Torrend

| 中 药 名 | 黑芝（药用部位：子实体）

| 植物形态 | 担子果一年生，多生于阔叶林中的地下腐木上。有柄，木栓质；菌盖近圆形、近肾形或半圆形，长可达 7cm，宽可达 10cm，厚可达 1.5cm；菌盖表面暗褐色至黑褐色或黑色，无漆样光泽，有明显的纵皱和同心环纹；孔口表面灰白色，受伤后迅速变为血红色，后变为黑褐色至黑色；管口近圆形；菌管暗褐色或深褐色；菌柄长 2~12cm，直径 0.2~1.4cm，侧生或偏生，近圆柱形，往往弯曲，与菌盖同色，光滑，有假根。担孢子（9~12）μm×（7~10）μm，近球形，双层壁，外壁无色透明，光滑，内壁淡黄褐色或近无色，有微小刺或小刺不清楚。

假芝

| 分布区域 |

产于海南各地。

| 资　源 |

生于阔叶林中，少见，野生资源已近枯竭。

| 采收加工 |

同"皱盖假芝"。

| 药材性状 |

菌盖近圆形、近肾形或半圆形，直径 2~8cm，厚 0.3~1cm；表面青褐色、深棕灰色或灰黑色，具细微绒毛或光滑，有同心环纹及不明显的放射状皱纹；管口面暗褐色；菌柄光滑，有假根。硬木栓质。气微，味淡。

| 功能主治 |

同"皱盖假芝"。

灵芝科 Ganodermataceae 灵芝属 Ganoderma

树舌灵芝 *Ganoderma applanatum* (Pers.) Pat.

| 中 药 名 | 树舌（药用部位：子实体）

| 植物形态 | 无柄，木栓质到木质；菌盖马蹄形、半圆形至不规则形，（5~28）cm×
（8~50）cm，厚 2~4cm；菌盖表面灰褐色至锈褐色，无漆样光泽，
自中心向边缘具层叠状的同心环纹；孔口表面污白色，受伤变
褐色，老后呈褐色至暗褐色；管口近圆形，菌管褐色。担孢子
（7~9）μm×（4~6）μm，卵圆形、椭圆形或先端平截，双层壁，
外壁透明，光滑，内壁淡褐色，有小刺或小刺不清楚。

| 分布区域 | 产于海南各地。

树舌灵芝

| 资　　源 |

生于阔叶树树干、木桩或腐木上，少见，野生资源已近枯竭。

| 采收加工 |

夏、秋季采收子实体，去除杂质，晒干或50~60℃烘干。

| 药材性状 |

子实体无柄；菌盖半圆形，长 8~50cm，宽5~28cm，厚约 3cm；表面无光泽，灰色或褐色，有同心环带及大小不等的瘤状突起；边缘薄，圆钝；孔口表面污黄色或暗褐色，管口近圆形；纵切面可见菌管一层至多层。木质或木栓质。气微，味微苦。

| 功能主治 |

味微苦，性平。消炎抗癌。用于咽喉炎、食管癌、鼻咽癌。

灵芝科 Ganodermataceae 灵芝属 Ganoderma

灵 芝 *Ganoderma lingzhi* Sheng H. Wu, Y. Cao & Y. C. Dai

| 中 药 名 | 灵芝孢子粉（药用部位：孢子），灵芝（药用部位：子实体）

| 植物形态 | 担子果一年生，单生至群生；中等大小，木栓质；菌盖直径 5~18cm，大小变化较大，肾形、半圆形至近圆形，表面凹凸不平，深黄褐色、红褐色至深朱红色，具同心环纹，表面光滑，具漆样光泽；菌肉上部分浅黄褐色，下部分泥土黄色，具暗黑色条带；孔口初时白色，成熟时硫磺色，受伤时褐色至暗褐色。菌柄长 5~20cm，直径 0.8~2.5cm，偏生至近侧生，近圆柱形，朱红褐色，具漆样光泽。担孢子（9~11）μm×（5.5~7）μm，椭圆形，成熟时一端平截，黄棕色，双层壁，外壁光滑，内壁淡褐色，有显著小刺。

| 分布区域 | 产于海南琼中、五指山等地。

灵芝

| 资　　源 | 人工栽培，但产量小。 |

| 采收加工 | 灵芝孢子粉：当菌盖边缘的白色消失，不再生长时，灵芝开始进入孢子弹射期，此时可以开始收集孢子，方法有二。①用塑料做成的薄膜圆筒套入灵芝菌盖，下端扎紧在菌柄上，这样弹射的孢子就能收集在圆筒内；②在灵芝菌柄基部铺 1 层长、宽各 25~30cm 的洁净塑料薄膜， |

薄膜中部剪开围住菌柄基部，之后将白卡纸或油光纸裁剪成（55~65）cm×（20~25）cm 的纸块，围成筒状，用订书机订连，筒径比灵芝菌盖直径大 2~4cm 为宜，套住灵芝后，上面再盖方形的硬纸板，盖板与灵芝体间留 5cm 以上空间。弹射的孢子落在采收器后，要及时收回，防止孢子在潮湿的环境下堆积腐坏。如果要加工成破壁的孢子粉，可采用超微粉碎等方法打破灵芝孢子的细胞壁，一般破壁率达到 95% 以上的质量较好。灵芝：①夏、秋季野外采收子实体时，可在菌盖边缘白色消失、不再生长时，从菌柄下端拧下或用刀切下整个子实体，去除杂质，晒干或 50~60℃烘干；②栽培的灵芝，可在孢子粉收集之后，从菌柄下端拧下或用刀切下整个子实体，去除杂质，晒干或 50~60℃烘干。

| 药材性状 | 灵芝孢子粉：①不破壁孢子粉，粉末状，黄褐色、褐色或深褐色，容易沾手，在显微镜下，可见孢子大小为（9~11）μm×（5.5~7）μm，椭圆形，一端平截，褐色，双层壁，外壁光滑，内壁淡褐色，有显著小刺；②破壁孢子粉，粉末状，常有结块的现象，颜色较不破壁孢子粉深，在显微镜下，可见孢子的孢壁结构解体，孢子无完整结 |

构，有时呈块状。灵芝：菌盖半圆形或肾形，直径 5~18cm，厚约 2cm，皮壳硬坚，初黄色，渐变为红褐色，有光泽，具环状棱纹及辐射状皱纹，边缘薄而平截，常稍内卷；菌肉近白色至淡褐色；菌盖下表面菌肉白色至浅棕色，由无数细密管状菌管构成，菌管内有担子及担孢子；菌柄偏生至近侧生，长 5~20cm，直径约 1.5cm，表面红褐色至紫褐色，有漆样光泽。坚硬木栓质。气微，味微苦。

| 功能主治 | 灵芝孢子粉：无毒。益气补虚，养心安神，保肝护肾。用于慢性肝病、失眠、糖尿病、免疫力低下；同时用于癌症病人的辅助治疗。灵芝：味甘，性平。归肺、心、脾经。益气血，安心神，健脾胃。用于虚劳、心悸、失眠、头晕、神疲乏力、久咳气喘、冠心病、硅沉着病、肿瘤。

| 附　　注 | ①根据《中国药典》（2015 年版），灵芝来源于赤芝 *Ganoderma lucidum* (Curtis) P. Karst 或紫芝 *G. sinense* J. D. Zhao, L. W. Hsu & X. Q. Zhang。赤芝在中国分布广泛，现已规模化人工栽培。但有学者研究认为，在中国赤芝所使用的拉丁学名并不正确，其真正的学名是 *Ganoderma lingzhi* Sheng H. Wu, Y. Cao & Y. C. Dai，而不是模式产地为欧洲的 *Ganoderma lucidum* (Curtis) P. Karst。有学者建议 *G. lingzhi* 的中文名为"灵芝"，而 *G. lucidum* 的中文名为"亮盖灵芝"，本书接受这一建议。灵芝与亮盖灵芝在形态上较为相似，不同点在于，灵芝成熟时菌管孔口硫磺色，菌肉具暗黑色条带；而亮盖灵芝成熟时菌管孔口白色，菌肉不具暗黑色条带。②在海南，灵芝有小规模的栽培，紫芝在野外则有分布，弯柄灵芝 *G. flexipes* Pat. 在民间也当作"灵芝"使用。

灵芝科 Ganodermataceae　灵芝属 Ganoderma

紫 芝

Ganoderma sinense J. D. Zhao, L. W. Hsu & X. Q. Zhang

| 中 药 名 | 灵芝（药用部位：子实体）

| 植物形态 | 担子果一年生，有柄，木栓质到木质；菌盖半圆形、近圆形或近匙形，（2.5~10）cm×（2~8）cm，厚 0.5~1.2cm；菌盖表面紫褐色、紫黑色至近黑色，有漆样光泽，具明显或不明显的同心环纹；孔口表面初为近白色，受伤变褐色，后为浅褐色、褐色到深褐色；管口近圆形；菌管褐色、深褐色或灰褐色；菌柄长 6~20cm，直径 0.6~1cm，侧生、背侧生或偏生，近圆柱形，与菌盖同色，有漆样光泽。担孢子（9~14）μm×（6.5~8.5）μm，卵圆形，先端脐突或稍平截，双层壁，外壁无色透明，光滑，内壁淡褐色，具明显小刺。

紫芝

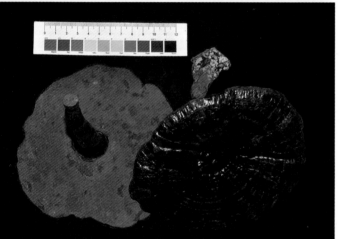

| 分布区域 |

产于海南陵水、保亭、琼中、白沙、五指山、乐东、昌江、东方等地。

| 资　源 |

生于阔叶林中，少见，野生资源已近枯竭。

| 采收加工 |

夏、秋季采收子实体，去除杂质，晒干或50~60℃烘干。

| 药材性状 |

子实体形态与灵芝相似，主要区别为菌盖与菌柄的表面呈紫黑色或褐黑色；菌肉与菌管均为锈褐色。气微，味微苦。

| 功能主治 |

同"灵芝"。

| 附　注 |

近年来，随着野生灵芝价格的不断攀升，紫芝被掠夺式采摘，在野外已经非常罕见，因此，对其进行有效的保护已经迫在眉睫。

灵芝科 Ganodermataceae 灵芝属 *Ganoderma*

弯柄灵芝 *Ganoderma flexipes* Pat.

| 中 药 名 | 灵芝（药用部位：子实体）

| 植物形态 | 担子果一年生，多生于阔叶林或竹林中的地下腐木上。有柄，木栓质；
菌盖近扇形、半圆形至近圆形，（2~3.5）cm×（2.5~4.5）cm，厚
0.5~1.5cm；菌盖表面红褐色或紫褐色，有漆样光泽，具同心环纹；
孔口表面白色或近白色，受伤变褐色；管口近圆形；菌管褐色；菌柄
长 5~14cm，直径 0.5~1cm，背侧生或背生，与菌盖同色或色较深，有
漆样光泽，常粗细不等并多弯曲。担孢子（8.5~11.5）μm×（6~8）μm，
卵圆形，先端多脐突，少数稍平截，双层壁，外壁无色透明，光滑，
内壁淡褐色，无小刺或小刺不清楚。

弯柄灵芝

分布区域

产于海南陵水、保亭、琼中、白沙、五指山、乐东、昌江、东方等地。

资　源

生于阔叶林或竹林中,少见,野生资源已近枯竭。

采收加工

夏、秋季采收子实体,去除杂质,晒干或50~60℃烘干。

药材性状

子实体有柄;菌盖近扇形、半圆形至近圆形,大小较其他灵芝属的种类都小,(2~3.5)cm×(2.5~4.5)cm,厚0.5~1.5cm;菌盖表面红褐色,有漆样光泽,具同心环纹;孔口表面近白色或褐色;管口近圆形;菌管褐色;菌柄长5~14cm,直径0.5~1cm,背侧生或背生,与菌盖同色或色较深,常粗细不等,多弯曲。木栓质。气微,味微苦。

功能主治

同"灵芝"。

附　注

弯柄灵芝在海南民间习称"竹灵芝"或"灵芝王"。近年来,随着野生灵芝价格的不断攀升,弯柄灵芝被掠夺式采摘,在野外已经十分罕见,因此,对其进行有效的保护已经迫在眉睫。

灵芝科 Ganodermataceae 灵芝属 *Ganoderma*

热带灵芝 *Ganoderma tropicum* (Jungh.) Bres.

| 中 药 名 | 热带灵芝（药用部位：子实体）

| 植物形态 | 担子果一年生，无柄，木栓质到木质；菌盖半圆形、近扇形、近肾形或近漏斗形，有时呈不规则形或在大菌盖上面有小菌盖形成，（2.5~9）cm×（4~15）cm，厚 0.5~2cm，表面红褐色、紫褐色或紫红色，有似漆样光泽；孔口表面浅黄色；管口近圆形。担孢子（8.5~11.5）μm×（5.5~7）μm，卵圆形或近椭圆形，先端稍平截，双层壁，外壁无色透明，光滑，内壁淡褐色，有小刺。

| 分布区域 | 产于海南各地。

热带灵芝

| 资　　源 |

常生于豆科等树木的茎干基部或板根上,少见,野生资源已近枯竭。

| 采收加工 |

夏、秋季采收子实体, 去除杂质, 晒干或50~60℃烘干。

| 药材性状 |

子实体无柄; 菌盖肾形或半圆形, 直径2.5~8cm, 厚约6mm; 表面红褐色或紫红褐色, 有似漆样光泽, 具同心环纹或皱纹; 边缘钝圆, 波状或浅瓣状; 孔口表面白色或浅褐色; 管口近圆形。木栓质, 质轻。气微, 味微苦。

| 功能主治 |

味微苦,性平。滋补,强壮,抗肿瘤。用于冠心病、肿瘤。

多孔菌科 ▏ Polyporaceae ▕ 蜂窝孔菌属 ▏ *Hexagonia*

毛蜂窝孔菌 *Hexagonia apiaria* (Pers.) Fr.

| 中 药 名 | 龙眼梳（药用部位：子实体）

| 植物形态 | 子实体韧革质至韧木栓质；无柄；菌盖半圆形、扇形至肾形，
（2.5~12）cm×（4~18）cm，厚 4~6mm；表面暗褐色，有不明显的同
心环纹，上覆明显的深色粗毛；菌肉锈褐色；孔口表面褐色，渐呈青
灰色；管口大，角形、蜂巢状；菌管灰白色。担孢子（17~22）μm×
（7~9）μm，椭圆形，无色，壁表光滑。

| 分布区域 | 产于海南各地。

毛蜂窝孔菌

| 资　　源 |

常生于老龙眼树（*Dimocarpus longan* Lour.）的枝干上，常见，野生资源量较大。

| 采收加工 |

全年可采收子实体，去除杂质，晒干或50~60℃烘干。

| 药材性状 |

子实体无柄；菌盖扁平，肾形，长径 4~18cm，短径 2.5~12cm，厚 4~6mm；表面暗褐色，有粗毛，具不明显的环纹及放射状皱纹，边缘薄，锈褐色；孔口表面棕褐色，管口大，多角形，蜂窝状；菌管内灰白色。韧木栓质。气微，味淡。

| 功能主治 |

味微苦、涩，性微温。理气止痛，健胃。用于胃脘痛、消化不良。

多孔菌科 Polyporaceae 密孔菌属 *Pycnoporus*

朱红密孔菌 *Pycnoporus cinnabarinus* (Jacq.) P. Karst.

| 中 药 名 | 朱砂菌（药用部位：子实体）

| 植物形态 | 子实体无柄，木栓质；单生至覆瓦状叠生，偶有半平伏而反卷；菌盖半圆形至扇形，（2~5）cm×（2~9）cm，厚0.5~1.5cm；表面朱红色，上覆微细绒毛或光滑，稍有皱纹，无环纹，后期稍平滑，橙红色、污红色渐褪至淡红色或淡红褐色；菌肉厚1~1.5mm，淡红色至橙红色；孔口表面朱红色、橙红色或暗红色，后呈黑色；管口圆形至多角形；菌管长4~8mm，与菌肉同色。担孢子（4~5.5）μm×（2~2.5）μm，圆柱形，无色，壁表光滑。

| 分布区域 | 产于海南各地。

朱红密孔菌

| 资　　源 | 生于树桩或腐木上，常见，野生资源量较大。 |

| 采收加工 | 全年可采收子实体，去除杂质，晒干或 50~60℃烘干。 |

| 药材性状 | 子实体无柄；菌盖扁半圆形或扇形，基部狭小，长 2~8cm，宽 2~4cm，厚 0.5~1cm；表面朱红色，有或无毛，微有皱纹；管口表面橙红色、朱红色或黑色；管口圆形或多角形。木栓质。气微，味淡。 |

| 功能主治 | 味微辛、涩，性温。解毒除湿，止血。用于痢疾、咽喉肿痛、跌打损伤、痈疽疮疖、痒疹、伤口出血。 |

多孔菌科 Polyporaceae 栓孔菌属 Trametes

毛栓孔菌 *Trametes hirsuta* (Wulfen) Lloyd

| 中 药 名 |

蝶毛菌（药用部位：子实体）

| 植物形态 |

担子果一年生，无柄，单生或覆瓦状叠生；菌盖扁平，半圆形或扇形，有时近圆形，长可达 5cm，宽可达 12cm，厚可达 6mm；菌盖表面乳白色，被硬毛和厚绒毛，有明显的同心环带和环沟；菌肉乳白色，厚达 5mm；孔口表面初期乳白色，后浅乳黄色至灰褐色；管口多角形，1mm 3~4 个；菌管长可达 8mm，奶油色、乳黄色至深褐色。担孢子（4~6）μm×（1.8~2.2）μm，圆柱形，无色，壁表光滑。

| 分布区域 |

产于海南各地。

| 资　　源 |

生于阔叶树倒木和树桩上，常见，资源量较大。

| 采收加工 |

全年可采收子实体，去除杂质，晒干或 50~60℃烘干。

毛栓孔菌

| **药材性状** | 子实体无柄；菌盖贝壳形或半圆形，长 1.5~10cm，宽 1.5~5cm，厚约 0.6cm；菌盖表面奶油色、浅棕黄色至灰褐色，有毛并具同心环纹，边缘色较深；孔口表面灰白色或灰褐色，管口圆形或多角形，1mm 3~4 个。革质。气微，味淡。

| **功能主治** | 祛风除湿，清肺止咳，祛腐生肌。用于风湿疼痛、肺热咳嗽、疮疡脓肿。

多孔菌科 Polyporaceae 栓孔菌属 *Trametes*

东方栓孔菌 *Trametes orientalis* (Yasuda) Imazeki

| 中 药 名 | 白鹤菌（药用部位：子实体）

| 植物形态 | 子实体无柄，木栓质；半平伏至平伏而反卷，常呈覆瓦状叠生，有时左右相连；菌盖半圆形、近贝壳形或近圆形，（3~10）cm×（4~18）cm，厚 2~8mm；菌盖表面米黄色、红褐色或灰褐色，有细绒毛，后脱落至光滑，常有浅褐色、浅灰褐色至深灰褐色的同心环纹或较宽的同心环棱，并有放射状皱纹，近基部有灰褐色的小疣突，有时基部狭小呈柄状；菌肉白色，质韧；孔口表面近白色至淡黄色或淡锈色；管口圆形，1mm 2~4 个；菌管白色，单层，长 2~4mm。担孢子（7~8）μm×（2.5~3）μm，长椭圆形，稍弯曲，无色，壁表光滑。

东方栓孔菌

|分布区域|

产于海南各地。

|资　　源|

生于腐木或树桩上，常见，野生资源量较大。

|采收加工|

全年可采收子实体，去除杂质，晒干或50~60℃烘干。

|药材性状|

子实体无柄；菌盖半圆形或近贝壳形，长3~16cm，宽 2~8cm，厚 1.5~7mm；菌盖表面米黄色，具细毛或无毛，有浅棕灰色或深棕灰色的环纹及较宽的同心环棱，并有放射状皱纹；孔口表面近白色或浅锈色；管口圆形，1mm 约3 个。木栓质。气微，味淡。

|功能主治|

味微辛，性平。祛风除湿，清肺止咳。用于风湿痹痛、肺结核、支气管炎、咳嗽痰喘。

多孔菌科 Polyporaceae　栓孔菌属 *Trametes*

云芝栓菌 *Trametes versicolor* (L.) Lloyd

| 中 药 名 | 云芝（药用部位：子实体）

| 植物形态 | 担子果一年生，无柄，近革质或革栓质。常覆瓦状叠生，平展或稍反卷；菌盖半圆形、贝壳状、扇形或不规则形，（1~8）cm×（1~10）cm，厚 1~4mm；菌盖表面被细绒毛，颜色多样，黑灰色、棕灰色、棕褐色或黄褐色，具明显的同心环带或环纹；边缘薄而锐，有时具一条白色边缘带，完整或破裂，波浪状；菌肉白色，菌盖毛层和菌肉间有一薄层黑色带；孔口表面白色，高低不平；管口多角形至近圆形；菌管烟灰色至灰褐色。担孢子（4.5~7）μm×（1.5~2.5）μm，圆柱形，无色，壁表光滑。

| 分布区域 | 产于海南各地。

云芝栓菌

| 资　　源 |

生于阔叶树枯枝上，少见，野生资源量小。

| 采收加工 |

全年可采收子实体，去除杂质，晒干或50~60℃烘干。

| 药材性状 |

子实体无柄，平展或略反卷；单个呈扇形、半圆形或贝壳形，常数个叠生成覆瓦状；大小不等，厚 1~3cm；菌盖表面密生灰、褐、蓝、紫黑等颜色的绒毛，构成多色的狭窄同心环带；孔口表面灰褐色、黄棕色或浅黄色；管口角形。革质，不易折断。断面菌肉白色。气微，味淡。

| 功能主治 |

味甘、淡，性微寒；归肝、脾、肺经。健脾利湿，止咳平喘，清热解毒，抗肿瘤。用于慢性活动性肝炎、肝硬化、慢性支气管炎、小儿痉挛性支气管炎、咽喉肿痛、多种肿瘤、类风湿关节炎、白血病。

红菇科 Russulaceae　**红菇属** *Russula*

灰肉红菇 *Russula griseocarnosa* X. H. Wang, Zhu L. Yang & Knudsen

| 中 药 名 | 大红菇（药用部位：子实体）

| 植物形态 | 担子果单生至群生，中等至大型。菌盖直径 9~16cm，中央稍凹陷，深红色，表皮易撕离；边缘常有黑红色的同心暗纹，无棱纹；菌肉浅灰色；菌褶直生，白色，成熟后常带灰色调，边缘带红色，密，不分叉；菌柄长 6~10cm，直径 1.5~3cm，近等粗，玫瑰红色，内部浅灰色。担孢子（8~10）μm×（6.5~8）μm，近球形至椭圆形，表面具高大的刺状纹饰。

| 分布区域 | 产于海南陵水、保亭、琼中、白沙、五指山、乐东、昌江、东方等地。

| 资　　源 | 生于阔叶林地上，少见，野生资源量小。

灰肉红菇

| 采收加工 |

夏、秋季采收子实体，去除杂质，晒干或50~60℃烘干。

| 药材性状 |

菌盖扁半球形，或平扁而中央下凹，直径9~16cm；表面红色或暗红色，边缘粉红色，平滑或有微细绒毛，有同心暗纹；菌肉灰白色；菌褶密，白色或浅赭黄色；菌柄长6~10cm，直径1.5~3cm，近圆柱形，白色或带粉红色。气微，味淡。

| 功能主治 |

味甘，性微温。养血，逐瘀，祛风。用于血虚萎黄、产后恶露不尽、关节酸痛。

| 附　注 |

灰肉红菇主要分布于中国热带、亚热带地区，过去常误定为欧洲的正红菇 *Russula vinosa* Lindblad。

红菇科 Russulaceae 红菇属 *Russula*

变绿红菇 *Russula virescens* (Schaeff.) Fr.

| 中 药 名 | 青头菌（药用部位：子实体）

| 植物形态 | 担子果小型至中等。菌盖直径3.5~10cm，幼时近半球形，中心常稍凹陷，成熟后平展，中心具浅凹陷，表面裂为小块状，绿色至灰绿色，湿时黏；菌肉白色；菌褶白色，直生，不甚密；菌柄长 4~6cm，直径 1.5~2cm，中生，近圆柱形，白色。担孢子（6~8）μm×（5.5~7）μm，近球形，无色，壁表具离散之小疣，疣间偶有细连线。

| 分布区域 | 产于海南陵水、保亭、琼中、白沙、五指山、乐东、昌江、东方等地。

变绿红菇

| 资　　源 |

生于阔叶林地上，少见，野生资源量小。

| 采收加工 |

夏、秋季采收子实体，去除杂质，晒干或50~60℃烘干。

| 药材性状 |

菌盖扁球形，或平展且中央稍下凹，直径3.5~10cm；表面暗绿色或灰绿色，具深绿色斑状龟裂，边缘有条纹；菌肉白色；菌褶较密，有分叉，白色；菌柄长4~6cm，直径1.5~2cm，近圆柱形，白色，实心或松软。

| 功能主治 |

味甘、微酸，性寒。清肝明目，理气解郁。用于肝热目赤、目暗不明、妇女肝郁内热、胸闷不舒。

| 离褶伞科 | Lyophyllaceae | 蚁巢伞属 | *Termitomyces* |

真根蚁巢伞 *Termitomyces eurrhizus* (Berk.) R. Heim

| 中 药 名 | 鸡枞（药用部位：子实体）

| 植物形态 | 担子果中等至大型。菌盖直径5~20cm，初期圆锥形，后平展至边缘上翘，中央有明显的斗笠状突起，盖表近光滑，浅灰褐色、灰褐色或浅褐色，菌盖边缘往往呈撕裂状；菌肉白色，较厚；菌褶白色，老后具粉红色调，近离生至弯生，密，具小菌褶；菌柄长5~16cm，直径1~2cm，近圆柱形，柄表浅褐色或灰白色，菌肉白色；基部稍膨大且延伸形成10~30cm长的假根，假根向下渐细，表面黑褐色，末梢与地下白蚁巢相连。孢子印粉红色；担孢子（7~8.5）μm×（4.5~5.5）μm，椭圆形，光滑，无色。

| 分布区域 | 产于海南陵水、保亭、琼中、白沙、五指山、乐东、昌江、东方等地。

真根蚁巢伞

| 资　源 |

常生于林边上，少见，野生资源量小。

| 采收加工 |

夏、秋季可采收，用刀割取子实体，即菌盖和菌柄，勿挖取假根及白蚁巢，以免对野生资源造成破坏；之后去除杂质，晒干或50~60℃烘干。

| 药材性状 |

菌盖圆锥状或平展，直径可达16cm，中央有显著的斗笠状突起，盖表深褐色、灰褐色或黄褐色，菌盖边缘往往呈撕裂状。菌肉较厚，近白色。菌褶密，具小菌褶，白色或带黄色。菌柄长5~16cm，直径1~2cm，白色或灰白色，有时可见黑褐色假根，假根长可达25cm。气浓香，味淡。

| 功能主治 |

味甘，性平；归脾、胃、大肠经。健脾和胃，疗痔。用于脘腹胀满、消化不良、精神疲乏、痔疮。

| 附　注 |

真根蚁巢伞的学名为 *Termitomyces eurrhizus*，但过去的文献中，多使用 *Collybia albuminosa* (Berk.) Petch 或 *T. albuminosus* (Berk.) R. Heim，现在研究表明，*C. albuminosa* 和 *T. albuminosus* 均属于 *Macrolepiota albuminosa* (Berk.) Pegler的异名。因此，对名称混乱的问题，应予以纠正。

银耳科 Tremellaceae 银耳属 Tremella

银 耳 *Tremella fuciformis* Berk.

| 中 药 名 | 银耳（药用部位：子实体）

| 植物形态 | 担子果小型至中等，宽 3~8cm，高 1~3cm，胶质，柔软而有弹性，光滑，淡黄色、黄色至橙黄色；基部着生于木材上。担孢子（10~15）μm×（7~12）μm，近球形至宽椭圆形，无色，壁表光滑。

| 分布区域 | 产于海南陵水、保亭、琼中、白沙、五指山、乐东、昌江、东方等地。

| 资　　源 | 常生于阔叶林的枯枝或倒木上，少见，野生资源量小。

| 采收加工 | 当耳片开齐停止生长时，应及时采收，清水漂洗 3 次后，及时晒干或 50~60℃烘干。

银耳

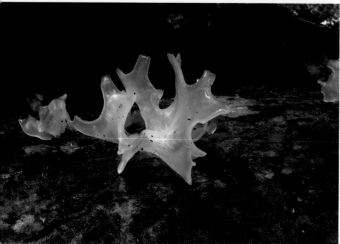

| 药材性状 |

子实体由数片至 10 余片薄而多皱褶的瓣片组成，呈菊花形、牡丹花形或绣球形，直径 3~7cm；表面白色或近黄色，光滑，有光泽，基蒂黄褐色。角质，硬而脆。浸泡水中膨胀，有胶质。气微，味淡。

| 功能主治 |

味甘、淡，性平；归肺、胃、肾经。滋补生津，润肺养胃。用于虚劳咳嗽、痰中带血、津少口渴、病后体虚、气短乏力。

蕨类植物

松叶蕨科 Psilotaceae 松叶蕨属 Psilotum

松叶蕨 *Psilotum nudum* (L.) Beauv.

| 中 药 名 | 石刷把（药用部位：全草）

| 植物形态 | 小型蕨类，附生树干上或岩缝中。根茎横行，圆柱形，褐色，仅具假根，二叉分枝。地上茎直立，无毛或鳞片，绿色，下部不分枝，上部多回二叉分枝；枝三棱形，绿色，密生白色气孔。叶二型，散生；不育叶鳞片状三角形，无脉，长2~3mm，宽1.5~2.5mm，先端尖，草质；孢子叶二叉形。孢子囊单生在孢子叶腋，球形，2瓣纵裂，常3个融合为三角形的聚囊，直径约4mm，黄褐色。孢子肾形，极面观矩圆形，赤道面观肾形。

| 分布区域 | 产于海南三亚、乐东、昌江、白沙、五指山、陵水、万宁、琼中、南沙群岛、西沙群岛等地。亦分布于中国华南其他区域、华东、西南，北达陕西南部。热带及亚热带其他地方也有分布。

松叶蕨

| 资　　源 |

通常附生于大树树干上或生于岩石缝中,少见。

| 采收加工 |

全年均可采收，洗净，晒干或鲜用。

| 药材性状 |

全草呈绿色。茎二叉分枝，干后扁缩，具棱，直径 2~3mm。叶极小，三角形；孢子叶阔卵形，二叉。孢子囊生于叶腋，球形，乳白色，纵裂为 2 瓣。气微，味淡、微辛。以色绿、完整者为佳。

| 功能主治 |

味甘、辛、涩，性温；无毒；归心、肝、胃经。活血止血，通经，祛风除湿，利关节。用于风湿痹痛、坐骨神经痛、妇女经闭、吐血、跌打损伤、风疹。

| 附　　注 |

①本种为古代子遗植物，被认为是现有最古老的蕨类植物之一。②嫩枝中含松叶蕨苷，具有抗癌作用。

石杉科 Huperziaceae **石杉属** Huperzia

蛇足石杉 *Huperzia serrata* (Thunb. ex Murray) Trev.

| **中 药 名** | 千层塔（药用部位：全草）

| **植物形态** | 多年生土生植物。茎直立或斜生，高 10~30cm，中部直径 1.5~3.5mm，枝连叶宽 1.5~4cm，二至四回二叉分枝，枝上部常有芽胞。叶螺旋状排列，疏生，平伸，狭椭圆形，向基部明显变狭，通直，基部楔形，下延，有柄，先端急尖或渐尖，边缘平直不皱曲，有粗大或略小而不整齐的尖齿，两面光滑，有光泽，中脉突出明显，薄革质。孢子叶与不育叶同形；孢子囊生于孢子叶的叶腋，两端露出，肾形，黄色。

| **分布区域** | 产于海南昌江、白沙等地。中国除西北地区部分省区、华北地区外亦有分布。亚洲其他国家、太平洋地区、大洋洲、中美洲以及俄罗斯也有分布。

蛇足石杉

| 资　　源 |

生于海拔 400~1400m 的林下潮湿处，少见。

| 采收加工 |

夏末秋初采收全草，去泥土，晒干。

| 药材性状 |

茎方柱形，表面紫色或黄紫色，有纵沟纹，具柔毛；质坚硬，折断面纤维性，黄白色，中内有白色的髓。叶多脱落或破碎，完整者展平后呈卵圆形或卵状披针形，长 2.5~5cm，中部宽 1~8mm，基部楔形或呈柄状，边缘有粗尖锯齿，仅具中脉。搓碎后有强烈香气，味辛，有清凉感。以茎细、无根者为佳。

| 功能主治 |

味辛、甘、微苦，性平、温、凉；有小毒；归肺、大肠、肝、肾经。退热，除湿，消瘀，止血。用于肺炎、肺痈、劳伤吐血、痔疮便血、白带、跌打损伤；外用治痈疖肿毒、毒蛇咬伤、烫火伤。

| 附　　注 |

①本种最重要的识别特征为它的叶边缘具粗齿。分子证据显示本种的种内多样性丰富，形态上种内区别不明显，有待进一步研究。
②在《中国植物志》英文修订版（*Flora of China*，以下简称 FOC）和《中国石松类和蕨类植物》中，整个石杉科植物都被并入石松科（Lycopodiaceae）中。

石杉科 Huperziaceae | 马尾杉属 Phlegmariurus

龙骨马尾杉

Phlegmariurus carinatus (Desv. ex Poir.) Ching

龙骨马尾杉

| 中 药 名 |

大伸筋草（药用部位：全草）

| 植物形态 |

中型附生蕨类。茎簇生，成熟枝下垂，一至多回二叉分枝，长达 1m 左右，枝较粗，枝连叶绳索状。叶螺旋状排列，但扭曲呈二列状。营养叶密生，针状，紧贴枝上，强度内弯，基部楔形，下延，无柄，有光泽，先端渐尖，近通直，向外张开，背面隆起呈龙骨状，中脉不显，坚硬，全缘。孢子囊穗顶生。孢子叶卵形，基部楔形，先端尖锐，具短尖头，中脉不显，全缘。孢子囊生于孢子叶腋，藏于孢子叶内，不显，肾形，2 瓣开裂，黄色。

| 分布区域 |

产于海南三亚、乐东、昌江、陵水、万宁、琼中等地。亦分布于中国广东、广西、台湾、云南。越南、泰国、老挝、柬埔寨、菲律宾、马来西亚、新加坡、印度、日本及大洋洲也有分布。

| 资　源 |

附生于海拔 200~700m 的山脊、山谷、丘陵密林中石上或树干上，偶见，资源量小。

| 采收加工 |

全年可采。扎成小把，阴干。不宜直晒或火烘。

| 药材性状 |

干燥全草青绿色，细长，多分枝，质柔软光滑，略有光亮，鳞叶排列紧密，不刺手，多无根部；如有根部残留，则可见黄白色或灰白色的绵毛。以青色、干爽、长条者为佳。

| 功能主治 |

味辛，性温；归肝、肾经。祛风除湿，消肿止痛。用于跌打损伤、肌肉痉挛、筋骨疼痛、风湿关节痛、肥大性脊柱炎、类风湿关节炎。

| 附　　注 |

①在《中国石松类和蕨类植物》中，马尾杉属被并入石杉属（*Huperzia*），置于石松科。本种学名修订为 *Huperzia carinata* (Desv. ex Poir.) Trev.。但在 FOC 中，马尾杉属依然是独立的属。②本种不育叶呈针状，孢子囊穗藏于孢子叶内，明显不同于其他具二型叶的种类。

石杉科 Huperziaceae 马尾杉属 Phlegmariurus

福氏马尾杉 *Phlegmariurus fordii* (Baker) Ching

| 中 药 名 | 麂子草（药用部位：全草）

| 植物形态 | 中型附生蕨类。茎簇生，成熟枝下垂，一至多回二叉分枝，长 20~30cm，枝连叶宽 1.2~2cm。叶螺旋状排列，但因基部扭曲而呈二列状。营养叶（至少植株近基部叶片）抱茎，椭圆状披针形，基部圆楔形，下延，无柄，无光泽，先端渐尖，中脉明显，革质，全缘。孢子囊穗比不育部分细瘦，顶生。孢子叶披针形或椭圆形，基部楔形，先端钝，中脉明显，全缘。孢子囊生在孢子叶腋，肾形，2 瓣开裂，黄色。

福氏马尾杉

| **分布区域** | 产于海南五指山、琼中（黎母山）、白沙（鹦哥岭）等地。亦分布于中国广东、广西、云南、贵州、江西、福建、台湾、浙江。越南、日本也有分布。 |

| **资　源** | 生于海拔200~1500m疏林中的树干或石上，野生资源量小。 |

| **采收加工** | 全年可采，去净杂质、泥沙，扎成小把，阴干。不宜直晒或火烘。 |

| **药材性状** | 干燥全草青绿色，细长。 |

| **功能主治** | 味苦，性凉。祛风通络，消肿止痛，清热解毒。用于关节肿痛、四肢麻木、跌打损伤、咳喘、热淋、毒蛇咬伤。 |

| **附　注** | 本种植株下部的叶片抱茎，为其识别特征。在《中国石松类和蕨类植物》中，马尾杉属被并入石杉属，置于石松科。本种学名被修订为 *Huperzia fordii* (Baker) R. D. Dixit. |

石杉科 Huperziaceae 马尾杉属 Phlegmariurus

广东马尾杉 *Phlegmariurus guangdongensis* Ching

| 中 药 名 | 广东马尾杉（药用部位：全草）

| 植物形态 | 中型附生蕨类。茎簇生，直立而略下垂，一至三回二叉分枝，长23~36cm，主茎直径4mm，枝连叶扁平或近扁平，不为绳索状。叶螺旋状排列，明显为二型。营养叶斜展，阔披针形，基部楔形，下延，无柄，无光泽，先端渐尖，背面扁平，中脉明显，革质，全缘。孢子囊穗顶生，长线形，长8~14cm。孢子叶卵状，排列稀疏，先端尖，中脉明显，全缘。孢子囊生在孢子叶腋，肾形，2瓣开裂，黄色。

| 分布区域 | 产于海南昌江（霸王岭）、东方、琼中（黎母山）等地。亦分布于中国广东。

广东马尾杉

| **资　　源** | 附生于海拔 400~1000m 的林下树干或岩壁，偶见。

| **采收加工** | 全年可采，去净杂质、泥沙，扎成小把，阴干。

| **药材性状** | 干燥全草青绿色，细长。

| **功能主治** | 暂无资料表明本种在医药方面的应用，但该属植物多具舒筋活络的功能，本种或许有相似的作用，有待进一步研究。

| **附　　注** | 本种不育叶阔披针形，基部楔形，无柄。在《中国石松类和蕨类植物》中，马尾杉属被并入石杉属，置于石松科。本种学名被修订为 *Huperzia guangdongensis* (Ching) Holub.。

石松科 Lycopodiaceae 藤石松属 Lycopodiastrum

藤石松 *Lycopodiastrum casuarinoides* (Spring) Holub ex Dixit

| 中 药 名 | 舒筋草（药用部位：全草）

| 植物形态 | 大型土生植物。地下茎长而匍匐；地上主茎木质藤状，伸长攀缘达数米，圆柱形，直径约2mm，具疏叶。不育枝柔软，黄绿色，圆柱状，枝连叶宽约4mm，多回不等位二叉分枝；叶螺旋状排列，但叶基扭曲使小枝呈扁平状，密生，中脉不明显，草质。能育枝柔软，红棕色，小枝扁平，多回二叉分枝；孢子囊穗每6~26个一组生于多回二叉分枝的孢子枝先端，排列成圆锥形，具直立的总柄和小柄，弯曲，长1~4cm，直径2~3mm，红棕色；孢子叶阔卵形，覆瓦状排列，长2~3mm，宽约1.5mm，先端急尖，具膜质长芒，边缘具不规则钝齿，厚膜质；孢子囊生于孢子叶腋，内藏，圆肾形，黄色。

藤石松

分布区域

产于海南各地。亦分布于中国华南其他区域，以及湖南、江西、福建、台湾、贵州、云南、四川。亚洲及其他热带、亚热带地区也有分布。

资 源

生于海拔 350~1200m 的山顶疏林或灌木林中，野生资源量较小。

采收加工

全年可采，以 9 月后采带有孢子囊者为佳。去净泥土，鲜用或晒干。

药材性状

鲜品圆柱形，不育枝圆柱形，叶螺旋状排列，多回不等位二叉分枝；能育枝红棕色，多回二叉分枝；孢子囊穗生于多回二叉分枝的孢子枝先端。干燥后黄绿色至黄棕色。

功能主治

味微甘，性平；归肝、肾经。祛风除湿，舒筋活血，明目，解毒。用于风湿痹痛、腰肌劳损、跌打损伤、月经不调、盗汗、结膜炎、夜盲症、水火烫伤、疮疡肿毒。

附 注

藤石松原为藤石松属唯一的种，但在《中国石松类和蕨类植物》中，本种被并于石松属，修订后学名为 *Lycopodium casuarinoides* Spring.。FOC 中藤石松属仍为独立的属。

石松科 Lycopodiaceae 石松属 *Lycopodium*

石 松 *Lycopodium japonicum* Thunb. ex Murray

| 中 药 名 | 伸筋草（药用部位：全草）

| 植物形态 | 多年生土生植物。匍匐茎地上生，细长横走，二至三回分叉，绿色，被稀疏的叶；侧枝直立，多回二叉分枝，稀疏。叶螺旋状排列，密集，上斜，披针形或线状披针形，基部楔形，下延，无柄，先端渐尖，具透明发丝，边缘全缘，草质。孢子囊穗不等位着生（即小柄不等长），直立，圆柱形，长达 2~8cm，具 1~5cm 长的长小柄；孢子叶阔卵形，长 2.5~3mm，宽约 2mm，先端急尖，具芒状长尖头，边缘膜质，啮蚀状，纸质；孢子囊生于孢子叶腋，略外露，圆肾形，黄色。

石松

| **分布区域** | 产于海南乐东、昌江、五指山、保亭、陵水、万宁、琼中、儋州、琼海等地。亦分布于中国各地。中南半岛国家、日本，以及南亚诸国也有分布。 |

| **资 源** | 生于海拔 100~1500m 的山地疏林、岩石旁或溪边酸性土壤中，少见，野生资源量较少。 |

| **采收加工** | 夏、秋季茎叶茂盛时采收，除去杂质，洗净，切段，干燥。 |

| **药材性状** | 匍匐茎呈细圆柱形，略弯曲，长可达 2m，直径 1~3mm，其下有黄白色细根；直立茎作二叉状分枝。叶密生茎上，螺旋状排列，皱缩弯曲，线形或针形，长 3~5mm，黄绿色至淡黄棕色，无毛，先端芒状，全缘，易碎断。质柔软，断面皮部浅黄色，木质部类白色。无臭，气微，味淡。 |

| **功能主治** | 味微苦、辛，性温；归肝、脾、肾经。祛风除湿，舒筋活络。用于关节酸痛、屈伸不利。 |

| **附 注** | ①本种分枝间的角度是一极不稳定的特征，叶形也稍有变化，可以为线形，也可以略宽，这与生境密切相关。本种叶片全缘，每个孢子枝有孢子囊穗 3~8 个，不等位着生。②同属植物垂穗石松 *Palhinhaea cernua* (L.) Vasc. et Franco（*Lycopodium cernuum* L.）功能主治类似，江西等地作伸筋草入药。 |

石松科 Lycopodiaceae 垂穗石松属 Palhinhaea

垂穗石松
Palhinhaea cernua (L.) Vasc. et Franco

| 中 药 名 | 灯笼草、铺地蜈蚣（药用部位：全草）

| 植物形态 | 中型至大型土生植物，主茎直立，圆柱形，光滑无毛，多回不等位二叉分枝；主茎上的叶螺旋状排列，稀疏，钻形至线形，长约4mm，宽约0.3mm，纸质。侧枝上斜，多回不等位二叉分枝；侧枝及小枝上的叶螺旋状排列，密集，略上弯，钻形至线形，长3~5cm，宽约0.4cm，基部下延，无柄，先端渐尖，边缘全缘，表面有纵沟，光滑，中脉不明显，纸质。孢子囊穗单生于小枝先端，短圆柱形，成熟时通常下垂，淡黄色，无柄；孢子叶卵状菱形，覆瓦状排列，先端急尖，尾状，边缘膜质，具不规则锯齿；孢子囊生于孢子叶腋，内藏，圆肾形，黄色。

垂穗石松

| 分布区域 |

产于海南三亚、乐东、白沙、五指山、保亭、陵水、万宁、儋州、澄迈、琼海等地。亦分布于中国华南其他区域，以及湖南、江西、福建、云南、四川。亚洲其他热带及亚热带地区也有分布。

| 资　源 |

生于海拔 1300m 以下的阳光充足、潮湿的酸性土壤上，十分常见，野生资源量较大。

| 采收加工 |

夏季采收，连根拔起，去净泥土，晒干。

| 药材性状 |

上部多分枝，长 30~50cm，或已折成短段，直径 1~2mm，表面黄色或黄绿色。叶密生，线状钻形，长 3~5cm，黄绿色或浅绿色，全缘，常向上弯曲，质薄，易碎。枝顶常有孢子囊穗，矩圆形或圆柱形，长 5~15mm，无柄，常下垂。气微，味淡。

| 功能主治 |

味苦、辛，性平；归肝、脾、肾经。祛风除湿，舒筋活血，止咳，解毒。用于风寒湿痹、关节酸痛、皮肤麻木、四肢软弱、黄疸、咳嗽、跌打损伤、疮疡、烫伤。

| 附　注 |

① FOC 将本种置于石松属（*Lycopodium*），修订后学名为 *Lycopodium cernuum* L.。但在《中国石松类和蕨类植物》中，本种被置于小石松属

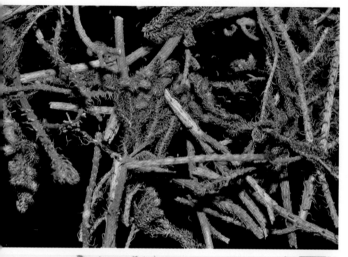

（*Lycopodiella*），学名为 *Lycopodiella cernuum* (L.) Pic. Serm.。②《植物名实图考》：本种为调和筋骨之药；小儿煎水作汤浴，不生疮毒，不受湿痒。《陆川本草》：本种清肝，明目，消炎，解毒，止血。③在四川、浙江、江西等地，本种与石松（*Lycopodium japonicum* Thunb. ex Murray）的全草同等使用，均称为伸筋草。④黎药（雅毫仁：此名为黎药名，下同）：全草 20~30g，水煎服，治疗肾结石、腰骨神经痛、坐骨神经痛。

卷柏科 Selaginellaceae 卷柏属 Selaginella

薄叶卷柏 *Selaginella delicatula* (Desv.) Alsron

| **中 药 名** | 薄叶卷柏（药用部位：全草）

| **植物形态** | 土生，直立或近直立，基部横卧，高 35~50cm，基部有游走茎。主茎自中下部羽状分枝，不呈"之"字形，无关节，禾秆色。叶（不分枝主茎上的除外）交互排列，二型，草质，表面光滑，边缘全缘，具狭窄的白边，不分枝主茎上的叶排列稀疏。主茎上的腋叶明显大于分枝上的。孢子叶穗紧密，四棱柱形，单生于小枝末端；孢子叶一形，宽卵形，边缘全缘，具白边，先端渐尖；大孢子叶分布于孢子叶穗中部的下侧。大孢子白色或褐色；小孢子橘红色或淡黄色。

| **分布区域** | 产于海南三亚、乐东、昌江、白沙、保亭、陵水、万宁、儋州等地。

薄叶卷柏

亦分布于中国华南其他区域，以及湖南、江西、福建、台湾、浙江、湖北。越南、缅甸、印度也有分布。

| **资　　　源** | 生于海拔 200~800m 的山地林下潮湿处，十分常见，野生资源量较大。

| **采收加工** | 全年均可采收，鲜用或晒干。

| **药材性状** | 全草卷缩成团，须根多数。茎呈圆柱形，长 20~40cm，直径约 1mm，上部分枝，表面黄绿色，质脆，易断；叶二型，背、腹各 2 列，皱缩卷曲，腹叶长卵形，明显内弯，背叶长圆形，两侧稍不等。有时可见顶生的孢子囊穗。无臭，味淡。茎顶干后变黄褐色。

| **功能主治** | 味苦、辛，性寒。清热解毒，活血，祛风。用于肺热咳嗽或咯血、肺痈、急性扁桃体炎、乳腺炎、眼结膜炎、漆疮、烫火伤、月经不调、跌打损伤、小儿惊风、麻疹、荨麻疹。

| **附　　　注** | 本种植株直立；侧枝上小枝排列成整齐的一回羽状，顶部干后不变黑，主茎细弱，易与本属其他种相区别。

卷柏科 Selaginellaceae 卷柏属 *Selaginella*

深绿卷柏 *Selaginella doederleinii* Hieron

| **中 药 名** | 石上柏（药用部位：全草）

| **植物形态** | 土生，近直立，基部横卧，高 25~45cm，无匍匐根茎或游走茎。叶全部交互排列，二型，纸质，表面光滑，边缘不为全缘；中叶不对称或多少对称，边缘有细齿，先端具芒或尖头，覆瓦状排列，基部楔形或斜近心形。侧叶不对称，排列紧密或相互覆盖，先端平、近尖或具短尖头，具细齿，覆盖小枝，上侧基部边缘不为全缘，边缘有细齿，基部下侧略膨大，下侧边近全缘，基部具细齿。孢子叶穗紧密，四棱柱形；孢子叶一型，卵状三角形，先端渐尖，龙骨状；孢子叶穗上大小孢子叶相间排列，或大孢子叶分布于基部的下侧。大孢子白色，小孢子橘黄色。

深绿卷柏

| 分布区域 | 产于海南三亚、乐东、昌江、五指山、陵水、琼中、琼海。亦分布于中国华南其他区域，以及湖南、江西、福建、台湾、浙江、贵州、云南、四川。越南、日本也有分布。

| 资　　源 | 生于海拔 200~850m 的山地林下潮湿处，十分常见，野生资源量较大。

| 采收加工 | 全年均可采收，洗净，鲜用或晒干。

| 药材性状 | 全草深绿色，主茎自近基部羽状分枝，无关节，禾秆色。叶交互排列，二型，侧叶不对称，覆盖小枝，孢子叶穗四棱柱形，孢子叶一型，龙骨状，大小孢子叶相间排列。大孢子白色，小孢子橘黄色。

| 功能主治 | 味甘、微苦、涩，性凉。清热解毒，祛风除湿。用于咽喉肿痛、口赤肿痛、肺热咳嗽、乳腺炎、湿热黄疸、风湿痹痛、外伤出血。

| 附　　注 | 黎药（簸力）：全草捣烂敷，治疗关节痛。

卷柏科 Selaginellaceae　卷柏属 *Selaginella*

异穗卷柏
Selaginella heterostachys Baker

| 中 药 名 | 异穗卷柏（药用部位：全草）

| 植物形态 | 土生或石生草本。直立或匍匐，直立能育茎高 10~20cm。叶全部交互排列，二型，草质，表面光滑，无虹彩，边缘不为全缘，不具白边。中叶不对称，分枝上的中叶卵形或卵状披针形。侧叶不对称，上侧基部扩大，加宽，覆盖小枝，基部边缘有细齿，下侧基部圆形，具细齿。孢子叶穗紧密，单生于小枝末端；孢子叶明显二型，倒置，上侧的孢子叶卵状披针形或长圆状镰形，边缘具缘毛或具细齿，上侧的孢子叶具孢子叶翼，孢子叶翼达叶尖，边缘具短睫毛或细齿，下侧的孢子叶卵状披针形，边缘具缘毛，先端具长尖头，龙骨状，脊上具睫毛；大孢子叶分布于孢子叶穗上下两侧的基部，或大小孢子叶相间排列。大孢子橘黄色，小孢子橘黄色。

异穗卷柏

| 分布区域 | 产于海南东方、五指山、保亭、琼中等地。亦分布于中国华南其他区域，以及湖南、江西、福建、台湾、浙江、安徽、贵州、云南、四川、重庆、甘肃、河南。越南、日本也有分布。 |

| 资　　源 | 生于海拔 200~1800m 的林下岩石山上，偶见。 |

| 采收加工 | 夏、秋季采收，晒干或鲜用。 |

| 药材性状 | 茎匍匐，长约50cm。叶二型，在枝两侧及中间各2行；侧叶斜卵形，长 2.5~4mm，宽 1.5~2mm，基部不相等，先端长渐尖或呈芒状，边缘有不明显的白色膜质狭边及小齿。孢子囊穗单生小枝先端，少为2个，长 0.6~1.5cm；孢子叶二型；侧叶较小，宽卵形，长 1.5~2mm，宽 0.8mm，先端突尖呈尾状，膜质；中叶较大，卵形，长 2.5~3mm，宽约 1mm，先端渐尖，薄纸质。大孢子囊近球形，生在囊穗基部；小孢子囊近球形，生在囊穗基部以上。 |

| 功能主治 | 味微涩，性凉。解毒，止血。用于蛇咬伤、外伤出血。 |

| 附　　注 | 本种识别特征为孢子叶穗上下压扁，上侧孢子叶较大，下侧的较小，中叶基部不为心形，边缘具细齿。 |

卷柏科 Selaginellaceae 卷柏属 *Selaginella*

兖州卷柏 *Selaginella involvens* (Sw.) Spring

| **中 药 名** | 兖州卷柏（药用部位：全草）

| **植物形态** | 多年生草本，直立，高 15~35（~65）cm，具一横走的地下根茎和游走茎，其上生鳞片状淡黄色的叶。主茎禾秆色。叶（不分枝主茎上的除外）交互排列，二型，纸质或多少较厚，表面光滑，边缘不为全缘，略一形。中叶多少对称，边缘有细齿，先端具芒或尖头，基部平截或斜或一侧有耳，边缘具细齿。侧叶不对称。孢子叶穗紧密，四棱柱形，单生于小枝末端；孢子叶一型，卵状三角形，边缘具细齿，先端渐尖，锐龙骨状；大小孢子叶相间排列，或大孢子叶位于中部的下侧。大孢子白色或褐色，小孢子橘黄色。

兖州卷柏

| 分布区域 | 产于海南乐东、保亭、白沙、三亚、昌江、东方、陵水、琼中等地。亦分布于中国华南其他区域，以及湖南、台湾、湖北、云南、四川、西藏、陕西等地。越南、缅甸、尼泊尔也有分布。

| 资　　源 | 生于海拔 300~900m 的山地林下潮湿处，常见。

| 采收加工 | 全年均可采收，晒干或鲜用。

| 药材性状 | 主茎自中部向上羽状分枝，不呈"之"字形，无关节，禾秆色。叶交互排列，二型，表面光滑，不分枝主茎上的叶略一形，绿色，在主茎基部与横走根茎上为黄色，长圆状卵形或卵形，鞘状，背部不呈龙骨状或略呈龙骨状，边缘有细齿。大孢子白色或褐色，小孢子橘黄色。

| 功能主治 | 味淡、微苦，性凉；归肺、肝、脾经。清热利湿，止咳，止血，解毒。用于湿热黄疸、痢疾、水肿、淋证、痰湿咳嗽、咯血、吐血、便血、崩漏、外伤出血、乳痛、瘰疬、痔疮、烫伤。

| 附　　注 | 本种分布较广，植株较矮，主茎直立，叶一型，茎枝光滑，呈淡黄色或禾秆色。

卷柏科 Selaginellaceae 卷柏属 *Selaginella*

黑顶卷柏 *Selaginella picta* A. Braun ex Baker

| 中 药 名 | 黑顶卷柏（药用部位：全草）

| 植物形态 | 土生，直立或近直立，基部横卧。主茎自近基部开始呈羽状分枝，先端黑褐色，有时分枝的基部叶变黑褐色。叶交互排列，二型，草质，表面光滑，边缘全缘，略具白边。中叶不对称，分枝上的中叶斜长圆形，排列紧密，背部不呈龙骨状，先端渐尖或尾尖，基部斜，略近心形。侧叶不对称，分枝上的侧叶镰形，略向上，排列紧密，先端近急尖，基部上侧不扩大，不覆盖小枝，基部下侧略膨大，基部全缘。孢子叶穗紧密，四棱柱形；孢子叶一型，卵状三角形；大孢子叶分布于孢子叶穗中部或基部的下侧。大孢子褐色，小孢子淡黄色。

黑顶卷柏

| 分布区域 | 产于海南乐东、五指山、保亭、陵水、琼中等地。亦分布于中国广西、江西、台湾、云南、西藏。越南、泰国、老挝、柬埔寨、缅甸、印度东北部也有分布。 |

| 资　　源 | 生于海拔 450~1000m 的密林隐蔽处，少见，野生资源量小。 |

| 采收加工 | 全年均可采收，去净泥土，晒干。 |

| 药材性状 | 主茎自近基部开始呈羽状分枝，无关节，绿色或禾秆色，主茎先端黑褐色，有时分枝的基部叶变黑褐色，一回羽状分枝，顶部干后变黑。 |

| 功能主治 | 味涩，性平。凉血解毒，止痛。用于麻疹、痢疾、咯血、吐血、外伤出血、胸痛、胃痛、跌打损伤。 |

| 附　　注 | 本种识别特征为植株直立，主茎粗，侧枝上小枝排列成整齐的一回羽状，顶部干后变黑，易与本属其他种相区分。 |

垫状卷柏 *Selaginella pulvinata* (Hook. et Grev.) Maxim.

| 中 药 名 | 垫状卷柏（药用部分：全草）

| 植物形态 | 土生或石生，旱生复苏植物，呈垫状。根托只生于茎的基部，根多分叉，密被毛，和茎及分枝密集形成树状主干。叶全部交互排列，二型，叶质厚，相互重叠，斜升，边缘撕裂状。分枝上的腋叶对称，卵圆形至三角形，边缘撕裂状并具睫毛。小枝上的叶覆瓦状排列，先端具芒，并外卷。侧叶不对称，小枝上的叶矩圆形，略斜升，先端具芒，边缘全缘。孢子叶穗紧密，四棱柱形，单生于小枝末端；孢子叶一型；大孢子叶分布于孢子叶穗下部、中部或上部的下侧。大孢子黄白色或深褐色，小孢子浅黄色。

垫状卷柏

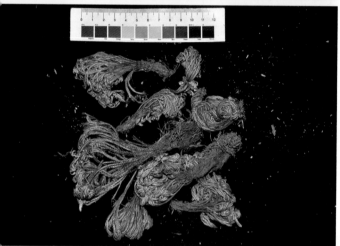

分布区域

产于海南昌江、保亭、白沙等地。亦分布于中国各地。越南、泰国、印度北部、日本、朝鲜半岛、蒙古、俄罗斯西伯利亚等地也有分布。

资　源

生于海拔 1000~1800m 的石灰岩上，少见，野生资源量小。

采收加工

秋季采收，剪去须根，去净泥土，晒干。

药材性状

须根多散生。中叶（腹叶）两行，卵状披针形，直向上排列。叶片左右两侧不等，内缘较平直，外缘常因内折而加厚，呈全缘状。

功能主治

味辛、性平；归肝、心经。活血止血。用于经闭、癥瘕、跌打损伤；炒制用于咯血、吐血、便血、尿血、脱肛、经血过多、创伤出血、子宫出血。

附　注

①本种与同属植物卷柏 Selaginella tamariscina (P. Beauv.) Spring 功能相当。②孕妇忌服。

■ 卷柏科 ■ *Selaginellaceae* ■ 卷柏属 ■ *Selaginella*

卷 柏 *Selaginella tamariscina* (P. Beauv.) Spring

| 中 药 名 | 卷柏（药用部位：全草）

| 植物形态 | 土生或石生，复苏植物，呈垫状。茎自中部开始羽状分枝或不等二叉分枝，无关节，禾秆色或棕色，二至三回羽状分枝，小枝稀疏，规则。叶全部交互排列，二型，叶质厚，表面光滑，边缘不为全缘，具白边，覆瓦状排列，边缘有细齿。中叶不对称，覆瓦状排列，先端具芒，外展或与轴平行，基部平截。侧叶不对称，略斜升，相互重叠，先端具芒，基部上侧边缘不为全缘，呈撕裂状或具细齿，下侧边近全缘，反卷。孢子叶穗紧密，四棱柱形，单生于小枝末端；孢子叶一型，卵状三角形，边缘有细齿，先端有尖头或具芒。大孢子浅黄色，小孢子橘黄色。

卷柏

分布区域

产于海南乐东、东方、保亭、昌江等地。亦分布于中国各地。菲律宾、印度、日本、朝鲜半岛、俄罗斯西伯利亚也有分布。

资　源

生于海拔 500~1500m 的石灰岩上，少见，野生资源量小。

采收加工

全年均可采收，但以春季采色绿质嫩者为佳。采后剪去须根，酌留少许根茎，去净泥土，晒干。

药材性状

卷缩似拳状，长 3~10cm。枝丛生，扁而有分枝，绿色或棕黄色，内向卷曲，枝上密生鳞片状小叶，叶先端具长芒。中叶（腹叶）两行，卵状矩圆形，斜向上排列，叶缘膜质，有不整齐的细锯齿；侧叶（背叶）背面的膜质边缘常呈棕黑色。基部残留棕色至棕褐色须根，散生或聚生成段干状。质脆，易折断。气微，味淡。以绿色、叶多、完整不碎者为佳。

功能主治

味辛，性平；归肝、心经。活血通经。用于经闭痛经、跌打损伤。

附　注

①孕妇忌服。②卷柏炭：取净卷柏，照炒炭法炒至表面焦黑色。卷柏炭化瘀止血，用于吐血、崩漏、便血、脱肛。

卷柏科 Selaginellaceae 卷柏属 *Selaginella*

翠云草
Selaginella uncinata (Desv.) Spring

| 中 药 名 | 翠云草（药用部位：全草）

| 植物形态 | 土生，主茎先直立而后攀缘状，无横走地下茎。主茎自近基部羽状分枝。叶全部交互排列，二型，草质，表面光滑，具虹彩，边缘全缘，明显具白边。主茎上的腋叶明显大于分枝上的，肾形，或略心形；分枝上的腋叶对称，宽椭圆形或心形。中叶不对称，主茎上的中叶明显大于侧枝上的，侧枝上的中叶卵圆形。侧叶不对称，主茎上的侧叶明显大于侧枝上的，分枝上的侧叶长圆形，外展，紧接。孢子叶穗紧密，四棱柱形，单生于小枝末端；孢子叶一型，卵状三角形，边缘全缘，具白边，龙骨状。大孢子灰白色或暗褐色，小孢子淡黄色。

| 分布区域 | 产于海南陵水、万宁、琼海、海口等地。亦分布于中国广东、广西、香港、湖南、江西、福建、浙江、安徽、湖北、重庆等地。

翠云草

| 资　　源 |

生于海拔 50~1200m 的林下，十分常见。

| 采收加工 |

全年均可采收，洗净，晒干或鲜用。

| 药材性状 |

全草长 20~50cm。茎纤细，灰黄色，有浅沟，节上有根。叶片略皱缩，黄绿色或浅绿色，主茎叶片较大，斜卵圆形，不对称；非主茎的叶片呈卵状椭圆形，两侧近对称，先端有孢子叶囊，淡黄色，呈尖状，触之有刺手感。质柔软。气微，味微苦。以茎枝柔嫩、叶多、色绿者为佳。

| 功能主治 |

味淡、微苦，性凉。清热利湿，解毒，止血。用于黄疸、痢疾、泄泻、水肿、淋病、筋骨痹痛、吐血、咯血、便血、外伤出血、痔漏、烫火伤、蛇咬伤。

| 附　　注 |

①本品青绿苍翠，重重碎蹙，或匍匐在地，或倒悬山石，俨若翠钿云翘，故名翠云草。又若翠色鸟羽，故名翠羽草。翠云草叶色青翠碧蓝，秀丽悦目，在中国及外国的园圃有栽培以供观赏。②黎药（运干浩）：全草6~9g，水煎服，治疗肺病吐血；全草7.5g，水煎服，治疗淋病；全草煎水洗，治疗腿脚抽筋；单味炖鸡肝或猪肝食，治疗肝血虚头痛。

木贼科 Equisetaceae 木贼属 *Equisetum*

笔管草
Equisetum ramosissimum Desf. subsp. *debile* (Roxb. ex Vauch.) Hauke

| **中 药 名** | 驳骨草（药用部位：全草）

| **植物形态** | 大中型植物。根茎直立和横走，黑棕色，节和根密生黄棕色长毛或光滑无毛。枝一型，绿色，成熟主枝有分枝，但分枝常不多。主枝有脊 10~20，脊的背部弧形，有一行小瘤或有浅色小横纹；鞘筒短，下部绿色，顶部略为黑棕色；鞘齿 10~22，狭三角形，上部淡棕色，膜质，早落或有时宿存，下部黑棕色，革质，扁平，两侧有明显的棱角，齿上气孔带明显或不明显。侧枝较硬，圆柱状，有脊 8~12，脊上有小瘤或横纹；鞘齿 6~10，披针形，较短，膜质，淡棕色，早落或宿存。孢子囊穗短棒状或椭圆形，先端有小尖突，无柄。

笔管草

分布区域

产于海南三亚、乐东、昌江、白沙、五指山、保亭、澄迈等地。亦分布于中国广东、广西、湖南、江西、江苏、安徽、贵州、四川、陕西等地。南亚至东南亚也有分布。

资　　源

生于海拔 0~1800m 的山地、花岗岩、水旁、路旁向阳处，十分常见，野生资源量较大。

采收加工

秋季选择体大者采挖，洗净，鲜用或晒干。

药材性状

茎淡绿色至黄绿色，长约 50cm，有细长分枝，表面粗糙，有纵沟，节间长 5~8cm，中空。叶鞘呈短筒状，紧贴于茎，鞘肋背面平坦，鞘齿膜质，先端钝头，基部平截，有一黑色细圈。气微，味淡。

功能主治

味甘、微苦，性微寒；归肺、肝、脾、大肠经。明目，清热，利湿，止血。用于目赤胀痛、翳膜遮睛、淋病、黄疸型肝炎、尿血、崩漏。

附　　注

①黎药（雅寸福）：全草 30~60g，水煎服，用于骨折、尿路感染、感冒咳嗽、胆结石。②笔管草和原亚种节节草（*Equisetum ramosissimum*）的区别在于主枝较粗；幼枝的轮生分枝不明显；鞘齿黑棕色或淡棕色。

七指蕨科 Helminthostachyaceae 七指蕨属 *Helminthostachys*

七指蕨
Helminthostachys zeylanica (L.) Hook.

| 中 药 名 | 入地蜈蚣（药用部位：根茎或全草）

| 植物形态 | 根茎肉质，横走，有很多肉质的粗根。靠近顶部生出一或两枚叶，叶柄为绿色，草质，基部有两片长圆形淡棕色的托叶；叶片由三裂的营养叶片和一枚直立的孢子囊穗组成，自柄端彼此分离；营养叶片几乎是三等分，每分由一枚顶生羽片（或小叶）和在它下面的 1~2 对侧生羽片（或小叶）组成，略具短柄，但各羽片无柄；叶薄草质，无毛，干后为绿色或褐绿色，中肋明显，侧脉分离，密生，纤细，斜向上，1~2 次分叉，达于叶边。孢子囊穗单生，通常高出不育叶，直立；孢子囊环生于囊托，细长圆柱形。

七指蕨

分布区域

产于海南白沙、五指山、万宁、琼海、儋州等地。亦分布于中国广西、台湾、云南。泰国、缅甸、菲律宾、马来西亚、印度北部、斯里兰卡、印度尼西亚、日本、澳大利亚等也有分布。

资　源

生于湿润林下，偶见，野生资源量小。

采收加工

夏、秋季采挖，洗净，切段，晒干或鲜用。

功能主治

味苦、微甘，性凉；归肺、肝经。清肺化痰，散瘀解毒。用于咳嗽、哮喘、咽痛、跌打肿痛、痈疮、毒蛇咬伤。

附　注

①在 FOC 和《中国石松类和蕨类植物》中，本种被置于瓶尔小草科，学名为 *Helminthostachys zeylanica* (L.) Hook.。②在中国，本种因被过度采收用于传统医学以及生境被破坏，已经成为珍稀濒危物种，被列为国家二级保护植物。③在南洋各地，本种植物的嫩叶作蔬菜用，根作补剂。在自然界中，本种的叶片均指向天空呈杯形，中央抽出一枚直立的孢子囊穗，甚为美观。

瓶尔小草科 Ophioglossaceae　带状瓶尔小草属 *Ophioderma*

带状瓶尔小草 *Ophioderma pendula* Presl

| 中 药 名 |

蛇蕨（药用部位：全草）

| 植物形态 |

附生植物。根茎短而有很多的肉质粗根。叶
1~3，下垂如带状，往往为披针形，无明显
的柄，单叶或顶部二分叉，质厚，肉质，无
中脉，小脉多少可见，网状，网眼为六角形
而稍长，斜列。孢子囊穗生于营养叶的近基
部处或中部，从不超过叶片的长；孢子囊多
数，每侧 40~200；孢子四边形，无色或淡乳
黄色，透明。

| 分布区域 |

产于海南陵水、万宁。亦分布于中国台湾。
亚洲其他热带地区、印度尼西亚、澳大利亚、
夏威夷、马达加斯加也有分布。

| 资　　源 |

附生于雨林中树干上，偶见。

| 采收加工 |

春、夏季采挖带根全草，去泥土，洗净，晒
干或鲜用。

带状瓶尔小草

|药材性状|

叶带状，单叶或顶部二分叉，孢子囊穗生于营养叶的近基部处或中部。气微，味淡。

|功能主治|

消肿，止痛，清热解毒。用于毒蛇咬伤、疔疮肿毒等证。

|附　注|

在 FOC 和《中国石松类和蕨类植物》中，本种被置于瓶尔小草属（*Ophioglossum*），学名为 *Ophioglossum pendulum* L.。

瓶尔小草科 Ophioglossaceae 瓶尔小草属 Ophioglossum

狭叶瓶尔小草 *Ophioglossum thermale* Kom.

| 中 药 名 |

一支箭（药用部位：带根全草）

| 植物形态 |

根茎细短，直立，有一簇细长不分枝的肉质根，向四面横走如匍匐茎，在先端生出新植株。叶单生或 2~3 叶同自根部生出，纤细，绿色或下部埋于土中，呈灰白色；营养叶为单叶，每梗一片，无柄，倒披针形或长圆倒披针形，具不明显的网状脉，但在光下则明晰可见。孢子叶自营养叶的基部生出，柄长5~7cm，高出营养叶；孢子囊穗狭线形，先端尖；孢子灰白色，近于平滑。

| 分布区域 |

产于海南东方。亦分布于中国华南其他区域、华东、西南、华北、东北。朝鲜、日本、俄罗斯（远东地区）也有分布。

| 资　源 |

生于海拔 120m 的水库边坡地上，偶见。

| 采收加工 |

春、夏季采挖带根全草，去泥土，洗净，晒干或鲜用。

狭叶瓶尔小草

| **药材性状** | 总叶柄长 3~6cm。营养叶披针形或倒披针形、狭椭圆形，长 2~5cm，宽 0.3~1cm，先端渐尖，基部渐狭，无柄，草质，网脉不明显。 |

| **功能主治** | 味苦、甘，性微寒；归肝经。清热解毒，活血祛瘀。用于痈肿疮毒、疥疮、毒蛇咬伤、烫火伤、瘀滞腹痛、跌打损伤。 |

| **附　注** | ①本种是郑希龙和潘雅书于 2009 年 8 月在东方市江边乡进行植物考察时发现的海南新记录植物。②本种在海南偶见，目前仅在东方市江边乡大广坝水库岸边有发现，数量稀少。③海南是本种分布的最南界，对于研究蕨类植物的区系、起源与演化具有一定的参考价值。 |

瓶尔小草科 Ophioglossaceae 瓶尔小草属 *Ophioglossum*

瓶尔小草 *Ophioglossum vulgatum* L.

| **中 药 名** | 瓶尔小草（药用部位：全草）

| **植物形态** | 根茎短而直立，具一簇肉质粗根，如匍匐茎一样向四面横走，生出新植株。叶通常单生，深埋土中，下半部为灰白色，较粗大。营养叶为卵状长圆形或狭卵形，先端钝圆或急尖，基部急剧变狭并稍下延，无柄，微肉质到草质，全缘，网状脉明显。孢子叶较粗健，自营养叶基部生出；孢子穗长 2.5~3.5cm，宽约 2mm，先端尖，远超出于营养叶之上。

| **分布区域** | 产于海南乐东、陵水、白沙、万宁、保亭等地。亦分布于中国广东、江西、福建、台湾、湖北、贵州、云南、四川、西藏、陕西南部。亚洲其他热带和亚热带地区也有分布。

瓶尔小草

| 资 源 | 生于林下，常见。

| 采收加工 | 夏、秋季采收，洗净，晒干或鲜用。

| 药材性状 | 全体卷缩状。根茎短，根多数，肉质，具纵沟，深棕色。叶通常 1，总柄长 9~20cm。营养叶从总柄基部以上 6~9cm 处生出，皱缩，展开后呈卵状长圆形或狭卵形，长 3~6cm，宽 2~3cm，先端钝或稍急尖，基部楔形下延，微肉质，两面均淡褐黄色，叶脉网状。孢子叶线形，自总柄先端生出。孢子囊穗长 2.5~3.5cm，先端尖。孢子囊排成 2 列，无柄。质柔韧，不易折断。气微，味淡。

| 功能主治 | 味甘，性微寒；归肺、胃经。清热凉血，解毒镇痛。用于肺热咳嗽、肺痈、肺痨吐血、小儿高热惊风、目赤肿痛、胃痛、疔疮痈肿、蛇虫咬伤、跌打肿痛。

| 附 注 | 本种不育叶为卵状长圆形，基部下延为长楔形，易与本属其他植物相区别。

观音座莲科 Angiopteridaceae 观音座莲属 Angiopteris

福建观音座莲 *Angiopteris fokiensis* Hieron.

| 中 药 名 | 马蹄蕨（药用部位：根茎）

| 植物形态 | 植株高大，高 1.5m 以上。根茎块状，直立，下面簇生有圆柱状的粗根。叶柄粗壮，干后褐色。叶片宽广，宽卵形，互生，狭长圆形，基部不变狭，奇数羽状；小羽片对生或互生，具短柄，披针形，渐尖头，基部近截形或几圆形，顶部向上微弯，下部小羽片较短，顶生小羽片分离，有柄，和下面的同形，叶缘全部具有规则的浅三角形锯齿。叶脉开展，下面明显，一般分叉，无倒行假脉。叶为草质，上面绿色，下面淡绿色，两面光滑。孢子囊群棕色，长圆形，由 8~10 孢子囊组成。

福建观音座莲

|分布区域|

产于海南乐东、保亭、陵水、琼中、儋州。亦分布于中国广东、香港、广西、湖南、江西、福建、浙江、湖北、贵州、云南、四川。日本也有分布。

|资　源|

生于花岗岩山地、路旁、山谷阴处、疏林下,少见。

|采收加工|　全年均可采收,洗净,去须根,切片,晒干或鲜用。

|功能主治|　味微苦,性凉。归心、肺经。清热凉血,祛瘀止血,镇痛安神。用于跌伤肿痛、肺燥出血、崩漏、乳痈、疟腮、痈肿疔疮、风湿痹痛、产后腹痛、心烦失眠、毒蛇咬伤。

|附　注|　在 FOC 和《中国石松类和蕨类植物》中,观音座莲科均作为观音座莲属(*Angiopteris*)置于合囊蕨科(Marattiaceae)中。

紫萁科 Osmundaceae 紫萁属 Osmunda

宽叶紫萁 *Osmunda javanica* Bl.

| **中 药 名** | 宽叶紫萁（药用部位：根茎）

| **植物形态** | 植株高大，高达 2m。叶一型，但羽片为二型；叶柄坚硬，有光泽，干后为淡棕色；叶片阔长圆形，一回羽状，下部的对生，长逾 22cm，宽 2~2.5cm，渐尖头，全缘或波状。叶脉两面隆起，粗健，二至三回分歧。叶为坚革质，光滑，多少有光泽，干后为棕绿色。中部或中部以上的几对羽片能育，线形（有时仅上部能育，而基部阔而不育），主脉两侧羽裂成许多卵圆形或长圆形的孢子囊小穗，背面满布暗棕色的孢子囊群。

宽叶紫萁

| 分布区域 | 产于海南五指山、陵水等地。亦分布于中国广西、贵州、云南。越南、泰国、缅甸、马来群岛、印度南部也有分布。 |

| 资　　源 | 生于海拔 1600m 的常绿混交林下，偶见，野生资源量少。 |

| 采收加工 | 秋、冬季采收，洗净，去须根与叶柄，晒干或鲜用。 |

| 药材性状 | 根茎呈圆柱形，一端钝圆，另一端较尖，稍弯曲。外表黄棕色，其上密被叶柄残基及须根。 |

| 功能主治 | 味苦，性寒。归肝经。清热解毒，祛风，杀虫。用于痈疖、腮腺炎、肠寄生虫病、漆疮。 |

| 附　　注 | 本种在中国不常见，为本属最高大之种，羽片长逾 20cm，宽约 2.5cm 。 |

紫萁科 Osmundaceae 紫萁属 *Osmunda*

华南紫萁 *Osmunda vachellii* Hook.

| 中 药 名 | 华南紫萁（药用部位：根茎及叶柄的髓部）

| 植物形态 | 植株高达 1m，挺拔。根茎直立，粗肥，成圆柱状的主轴。叶簇生于顶部；柄棕禾秆色，略有光泽，坚硬；叶片长圆形，一型，但羽片为二型，一回羽状；羽片近对生，斜向上，有短柄，披针形或线状披针形，向两端渐变狭，基部为狭楔形，下部的较长，向顶部稍短，顶生小羽片有柄，全缘，或向先端略为浅波状。叶为厚纸质，两面光滑，干后绿色或黄绿色。下部数对羽片能育，生孢子囊，羽片紧缩为线形，宽仅 4mm，中肋两侧密生圆形的分开的孢子囊穗，深棕色。

| 分布区域 | 产于海南昌江、白沙、五指山、陵水、万宁等地。亦分布于中国广东、广西、香港、福建、贵州、云南等地。

华南紫萁

| 资　源 |

生于草坡上和溪边荫处酸性土壤上，常见。

| 采收加工 |

全年均可采收，去须根、绒毛，晒干或鲜用。

| 药材性状 |

根茎呈圆柱形，一端钝圆，另一端较尖，稍弯曲。外表黄棕色，其上密被叶柄残基及须根，无鳞片。气微，味微苦、涩。

| 功能主治 |

味微苦、涩，性平；归肺、肝、膀胱经。清热解毒，祛湿舒筋，驱虫。用于流行性感冒、痄腮、痈肿疮疔、妇女带下、筋脉拘挛、胃痛、肠道寄生虫病。

| 附　注 |

本种的识别特征为不育叶一回羽状，全缘，能育叶生于叶的基部。

瘤足蕨科 Plagiogyriaceae 瘤足蕨属 Plagiogyria

华东瘤足蕨 *Plagiogyria japonica* Nakai

| 中 药 名 | 华东瘤足蕨（药用部位：根茎）

| 植物形态 | 根茎短粗直立或为高达 7cm 的圆柱状的主轴。叶簇生；不育叶的柄长 12~20cm 或稍长，横切面为近四方形；叶片长圆形，羽状；羽片 13~16 对，互生，披针形，或通常为近镰刀形，基部的不缩短或略短，无柄，近圆楔形，下侧楔形，分离，上侧略与叶轴合生，略上延，几对羽片的基部为短楔形，几分离，向顶部的略缩短，合生，但顶生羽片特长，与其下的较短羽片合生；叶边有疏钝的锯齿，向先端锯齿较粗。中脉隆起，两侧小脉明显，二叉分枝，极少为单脉，直达锯齿。叶为纸质，两面光滑。能育叶高，与不育叶相等或过之，柄远较长；羽片紧缩成线形，宽约 3cm。

华东瘤足蕨

| **分布区域** | 产于海南乐东。亦分布于中国广东、广西、湖南、福建、浙江、江苏、安徽、贵州、四川、台湾。印度、日本、朝鲜也有分布。 |

| **资　　源** | 生于林下的沟内，偶见。 |

| **采收加工** | 全年均可采挖，洗净，去须根与叶柄，晒干或鲜用。 |

| **功能主治** | 味微苦，性凉；归肺、肝经。清热解毒，消肿。用于流行性感冒、风热头痛、跌打伤痛。 |

| **附　　注** | 本种的识别特征为先端 1 枚合生羽片和下部的羽片同形，叶片为渐尖头，下部几对为镰刀形，先端以下的边缘为全缘，顶部 1 枚羽片不比下部侧生羽片长。 |

里白科 Gleicheniaceae 芒萁属 Dicranopteris

大芒萁 *Dicranopteris ampla* Ching et Chiu

| 中 药 名 | 大芒萁（药用部位：嫩苗及髓心）

| 植物形态 | 植株高 1~1.5m。根茎横走，粗，红棕色，被棕色毛，成簇伏生。叶远生，柄圆柱形，暗棕色；叶轴三至四回二叉分枝；芽苞卵形，顶钝，缘具不规则的粗牙齿；除末回叶轴外，在各回分枝处两侧均有一对托叶状的大的羽片；末回羽片披针形或长圆形，顶渐尖，基部上侧稍变狭，篦齿状深裂几达羽轴。中脉下面突起，侧脉明显，每组 5~7 分枝，小脉并行，直达叶缘。叶近革质，上面深绿，下面灰绿色。孢子囊群圆形，沿中脉两侧为不规则的 2~3 列，生于每组的基部上侧和下侧小脉弯弓处，由 7~15 孢子囊组成。

大芒萁

| **分布区域** | 产于海南昌江、白沙、陵水、保亭等地。亦分布于中国广西西部、云南南部。越南北部也有分布。 |

| **资　　源** | 生于海拔 600~1400m 的灌丛、路旁，少见。 |

| **采收加工** | 春、夏季采收，洗净，晒干或鲜用。 |

| **功能主治** | 味微甘、涩，性平；归肝经。解毒，止血。用于蜈蚣咬伤、鼻出血、外伤出血。 |

| **附　　注** | ①FOC 中描述大芒萁（*Dicranopteris ampla*）和大羽芒萁（*Dicranopteris splendida*）的区别在于前者裂片边缘具圆齿，有时羽裂。②《中国石松类和蕨类植物》中大芒萁被归并成大羽芒萁，修订后本种学名为 *Dicranopteris splendida* (Hand.-Mazz.) Tagawa。 |

里白科 Gleicheniaceae　芒萁属 Dicranopteris

芒　萁
Dicranopteris dichotoma (Thunb.) Berhn.

| 中 药 名 | 芒萁（药用部位：嫩叶及叶柄、根茎）

| 植物形态 | 植株通常高 45~90（~120）cm。根茎横走，密被暗锈色长毛。叶远生；叶轴一至二（三）回二叉分枝，一回羽轴被暗锈色毛，渐变光滑，二回羽轴腋芽小，卵形，密被锈黄色毛；各回分叉处两侧均各有一对托叶状的羽片，平展，宽披针形，生于二回分叉处的羽片较小；末回羽片，披针形或宽披针形，篦齿状深裂几达羽轴；裂片平展，线状披针形，顶钝，常微凹，羽片基部上侧的数对极短，三角形或三角状长圆形，各裂片基部汇合，有尖狭的缺刻，全缘。叶为纸质，下面灰白色，沿中脉及侧脉疏被锈色毛。孢子囊群圆形，一列，着生于基部上侧或上下两侧小脉的弯弓处，由 5~8 孢子囊组成。

芒萁

分布区域	产于海南乐东、东方、万宁、昌江、五指山、保亭、儋州、琼海等地。亦分布于中国华南其他区域，以及湖南、江西、福建、台湾、浙江、湖北、贵州、云南、四川。越南、印度、日本、朝鲜也有分布。
资　　源	生于强酸性土壤的山坡或山脚疏林中，十分常见。
采收加工	全年均可采收，洗净，晒干或鲜用。
药材性状	嫩叶及叶柄：叶卷缩，叶柄褐棕色，光滑，长24~56cm，叶轴一至二回或多回分叉，各分叉的腋间有1休眠芽，密被绒毛，并有1对叶状苞片；末回羽片展开后呈披针形，长16~23.5cm，宽4~5.5cm，篦齿状羽裂，裂片条状披针形，先端长、微凹，侧脉每组有小脉3~5；上表面黄绿色，下表面灰白色。气微，味淡。 根茎：根茎细长，有分枝，粗2.2~5mm，褐棕色，坚硬，木质，被棕黄色毛，具短须根；易折断，断面明显分为2层，外层为棕色皮层，中央为淡黄色中柱。

功能主治	味微苦、涩,性凉;归肝、膀胱经。化瘀止血,清热利尿,解毒消肿。用于妇女血崩、跌打伤肿、外伤出血、热淋涩痛、白带、小儿腹泻、痔瘘、目赤肿痛、烫火伤、毒虫咬伤。
附　注	①本种为酸性土壤的指示植物。②在 FOC 中,本种学名被修订为 *Dicranopteris pedata* (Houttuyn) Nakaike。

里白科 Gleicheniaceae　芒萁属 Dicranopteris

铁芒萁 *Dicranopteris linearis* (Burm.) Underw.

| 中 药 名 | 狼萁草（药用部位：全草）

| 植物形态 | 植株高达 3~5m，蔓延生长。根茎横走，深棕色，被锈毛。叶远生；叶轴五至八回二叉分枝，二回以上的羽轴较短，末回叶轴上面具 1 纵沟；各回腋芽卵形，密被锈色毛，苞片卵形，边缘具三角形裂片，叶轴第一回分叉处无侧生托叶状羽片，其余各回分叉处两侧均有 1 对托叶状羽片，披针形或宽披针形；末回羽片形似托叶状的羽片，篦齿状深裂几达羽轴；裂片平展，披针形或线状披针形，先端钝，微凹，基部上侧的数对极小，三角形，全缘，斜展，每组有小脉 3。叶坚纸质，下面灰白色，无毛。孢子囊群圆形，细小，1 列，着生于基部上侧小脉的弯弓处，由 5~7 孢子囊组成。

铁芒萁

| **分布区域** | 产于海南各地。亦分布于中国广东、云南。越南、泰国、马来群岛、斯里兰卡、印度南部也有分布。 |

| **资　　源** | 生于疏林下、高山、花岗岩、草地、路旁阳处、灌木下，十分常见，野生资源量大。 |

| **采收加工** | 全年均可采收，洗净，去须根与叶柄，将根茎与叶分开，晒干或鲜用。 |

| **药材性状** | 叶卷缩，叶柄褐棕色，光滑，长 24~56cm，叶轴一至二回或多回分叉，各分叉的腋间有 1 休眠芽，密被绒毛，并有 1 对叶状苞片；末回羽片展开后呈披针形，长 16~23.5cm，宽 4~5.5cm，篦齿状羽裂，裂片条状披针形，先端长、微凹，侧脉每组有小脉 3；上表面黄绿色，下表面灰白色。气微，味淡。 |

| **功能主治** | 味苦、甘，性平。止血，接骨，清热利湿，解毒消肿。用于血崩、鼻衄、咯血、外伤出血、跌打骨折、热淋涩痛、白带、风疹瘙痒、疮肿、烫伤、痔瘘、蛇虫咬伤、咳嗽。 |

| **附　　注** | FOC中没有收录铁芒萁（*Dicranopteris linearis*），认为铁芒萁和芒萁（*Dicranopteris pedata*）无法区分，所谓的铁芒萁类群应当归并为芒萁。但《中国石松类和蕨类植物》认为铁芒萁是单独的种。 |

里白科 Gleicheniaceae 里白属 Hicriopteris

中华里白 *Hicriopteris chinensis* (Ros.) Ching

| 中 药 名 | 中华里白（药用部位：根茎）

| 植物形态 | 植株高约 3m。根茎横走，粗约 5mm，深棕色，密被棕色鳞片。叶片巨大，二回羽状；叶柄深棕色，密被红棕色鳞片；羽片长圆形，长约 1m，宽约 20cm；小羽片互生，多数，具极短柄，披针形，先端渐尖，羽状深裂；裂片稍向上斜，互生，50~60 对，披针形或狭披针形，顶圆，常微凹。叶坚质，上面绿色，沿小羽轴被分叉的毛；下面灰绿色，沿中脉、侧脉及边缘密被星状柔毛，后脱落。叶轴褐棕色，初密被红棕色鳞片，边缘有长睫毛。孢子囊群圆形，1 列，位于中脉和叶缘之间，稍近中脉，着生于基部上侧小脉上，由 3~4 孢子囊组成。

中华里白

| 分布区域 |

产于海南五指山、琼中等地。亦分布于中国广东、广西、福建、台湾、贵州、云南、四川。越南也有分布。

| 资　源 |

生于海拔 300~1000m 的山谷溪边林中，常见。

| 采收加工 |

全年均可采挖，洗净，晒干。

| 药材性状 |

根茎略弯，直径 5~7mm；表面深褐色，外皮较皱，叶柄基部及须根上被棕色鳞毛。质坚硬且脆，易折断，断面不整齐，深褐色，散有棕色纤维束和淡黄色分体中柱。气微，味淡后微辛。

| 功能主治 |

味微苦、微涩，性凉。止血，接骨。用于鼻衄、骨折。

| 附　注 |

里白属在 FOC 和《中国石松类和蕨类植物》中的属名为 *Diplopterygium*。因此，本种的学名被修订为 *Diplopterygium chinensis* (Rosenst.) Devol。

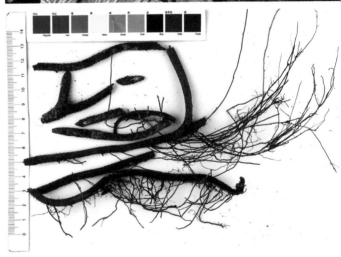

里白科 Gleicheniaceae 里白属 Hicriopteris

光里白

Hicriopteris laevissima (Christ) Ching

| 中 药 名 | 光里白（药用部位：根茎）

| 植物形态 | 植株高 1~1.5m。根茎横走，圆柱形，被鳞片，暗棕色。叶柄绿色或暗棕色，下面圆，上面平，有沟，基部被鳞片或疣状突起，其他部分光滑；一回羽片对生，具短柄（长 2~5mm），卵状长圆形，长 38~60cm，顶渐尖；小羽片 20~30 对，互生，几无柄，狭披针形，向先端长渐尖，羽状全裂；裂片 25~40 对，互生，向上斜展，基部下侧裂片披针形，顶锐尖，基部分离，缺刻尖，边缘全缘，干后内卷。侧脉两面明显，二叉，斜展，直达叶缘。叶坚纸质，无毛，上面绿色，下面灰绿色或淡绿色。叶轴干后缘禾秆色，背面圆，腹面平，有边，光滑。孢子囊群圆形，位于中脉及叶缘之间，着生于上方小脉上，由 4~5 个孢子囊组成。

光里白

分布区域	产于海南乐东等地。亦分布于中国华南其他区域，以及湖南、福建、贵州、四川。日本、越南、菲律宾也有分布。
资　　源	生于海拔 600~1000m 的山谷溪边林中，常见。
采收加工	秋、冬季采收，洗净，去须根及叶柄，晒干。
药材性状	根茎较平直，直径 4~6mm，表面较光滑，暗褐色，有亮棕色大鳞片及多数黑色须根。质坚硬，易折断，断面不平，皮层棕色，中央为淡黄色中柱。气微，味淡后微辛。
功能主治	味微苦、涩，性凉。行气，止血，接骨。用于胃脘胀痛、跌打骨折、鼻衄。
附　　注	里白属在 FOC 和《中国石松类和蕨类植物》中的属名为 *Diplopterygium*。因此，本种的学名被修订为 *Diplopterygium laevissima* (Christ) Nakai。

莎草蕨 *Schizaea digitata* (L.) Sw.

| **中 药 名** | 莎草蕨（药用部位：全草）

| **植物形态** | 根茎短，匍匐，先端被棕色短毛。叶簇生，禾草状；叶片狭线形，向基部逐渐狭细而呈三棱形，柄与叶片几难分辨，叶片无锯齿，有软骨质的狭边，干后常略向背面反卷，仅有主脉 1，明显。叶草质或纸质，两面光滑。能育羽片同不育羽片同形，先端紧缩，其上掌状深裂成 5~15 裂片；裂片长 2~4cm，宽 1mm 左右。孢子囊以两行排列于裂片下面主脉两侧，无毛，棕黄色，几覆盖整个裂片下面。

| **分布区域** | 产于海南万宁、琼海、乐东等地。亦分布于中国广东。越南、缅甸、印度、马达加斯加、热带亚洲到波利尼西亚也有分布。

莎草蕨

| 资　　源 |

生于海拔 200m 的低丘陵干瘠沙壤土疏林下，
偶见。

| 采收加工 |

全年均可采收，洗净，晒干。

| 功能主治 |

味微苦，性凉。清热解毒。用于感冒发热、咽
喉肿痛。

| 附　　注 |

该种目前仅在海南少数地区有发现，种群数量
稀少，应重视对其进行保护和繁殖生物学研究。
本种叶先端为掌状分裂，下面有孢子囊 4 行，
此特征可与本属的另一种分枝莎草蕨 *Schizaea
dichotoma* (L.) Sm. 相区分。

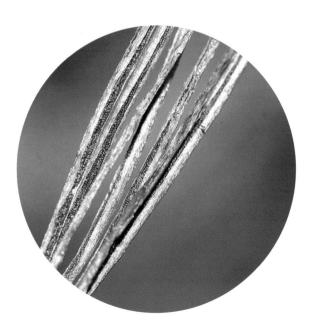

海南海金沙 *Lygodium conforme* C. Chr.

| 中 药 名 | 海南海金沙（药用部位：全草）

| 植物形态 | 植株高达 5~6m。叶轴粗，羽片多数，对生于叶轴的短距上，向两侧平展，距端有一丛红棕色短柔毛。羽片二型；不育羽片生于叶轴下部，先端两侧稍有狭边，掌状深裂几达基部，基部近平截或阔楔形、披针形，侧面各一片常水平开展，其余指向上方。叶缘全缘，有一条软骨质狭边。中脉粗凸，侧脉纤细，分离，明显，略向上斜出，二回叉状分歧，直达叶缘。叶厚，近革质，干后绿色。柄两侧有狭翅，无关节，深裂几达基部；末回裂片通常 3，披针形。孢子囊穗排列较紧密，线形，无毛，褐棕色或绿褐色。

海南海金沙

分布区域	产于海南三亚、乐东、东方、昌江、保亭、万宁等地。亦分布于中国广东、广西、贵州、云南。
资　　源	生于山地、坡地、荫处、密林下，少见。
采收加工	秋季采收，晒干或鲜用。
功能主治	味淡，性寒。清热利尿。用于砂淋、热淋、血淋、水肿、小便不利、痢疾、火眼、风湿疼痛。
附　　注	①本种极似掌叶海金沙 *L. digitatum* Presl，但羽片远较大，裂片较长而阔，干后为绿色，边缘无锯齿而有软骨质的狭边。②在 FOC 和《中国石松类和蕨类植物》中，本种的学名为 *L. circinnatum* (N. L. Burman) Swartz。

海金沙科 Lygodiaceae　海金沙属 Lygodium

曲轴海金沙 *Lygodium flexuosum* (L.) Sw.

| 中 药 名 | 牛抄藤（药用部位：全草）

| 植物形态 | 植株高达 7m。三回羽状；羽片多数，对生于叶轴上的短距上，向两侧平展，距端有一丛淡棕色柔毛。羽片长圆三角形，上面两侧有狭边，奇数二回羽状，一回小羽片 3~5 对，互生或对生，基部一对最大，长三角状披针形或戟形，长尾头，先端无关节，下部羽状；末回裂片有短柄或无柄，无关节，基部一对三角状卵形或阔披针形，基部深心形，短尖头或钝头。顶生的一回小羽片披针形，基部近圆形，钝头。叶缘有细锯齿。中脉明显，侧脉纤细，明显，自中脉斜上，三回二叉分歧，达于小锯齿。小羽轴两侧有狭翅和棕色短毛，叶面沿中脉及小脉略被刚毛。孢子囊穗线形，棕褐色，无毛，小羽片顶部通常不育。

曲轴海金沙

| 分布区域 | 产于海南各地。亦分布于中国华南其他区域，以及湖南、贵州、云南。越南、泰国、印度、马来西亚、澳大利亚也有分布。

| 资　　源 | 生于海拔 800m 以下的山谷、路旁林缘中，常见。

| 采收加工 | 夏、秋季采收，晒干或鲜用。

| 药材性状 | 全草多为把状。茎纤细，缠绕扭曲，长达 1m 以上，禾秆色。多分枝，长短不一。叶三回羽状，叶缘有细锯齿。孢子囊穗线形，棕褐色。体轻，质脆，易折断。气微，味淡。

| 功能主治 | 味甘、微苦，性寒。舒筋通络，清热利湿，止血。用于风湿疼痛、肢体麻木、跌打损伤、尿路感染、泌尿系统结石、水肿、痢疾、疮痈肿毒、小儿口疮、火眼、癣疾、外伤出血。

| 附　　注 | 在很多干旱及开阔地区，本种叶脉和叶片上有相当丰富的毛被，本种和海金沙（*Lygodium japonicum*）很难通过小羽片的情况进行区别。

海金沙科 Lygodiaceae 海金沙属 Lygodium

海金沙 *Lygodium japonicum* (Thunb.) Sw.

海金沙

|中 药 名|

海金沙（药用部位：孢子、地上部分、根及根茎）

|植物形态|

植株高达 1~4m。叶轴上面有 2 狭边，羽片多数，对生于叶轴上的短距两侧，平展。先端有一丛黄色柔毛覆盖腋芽。不育羽片尖三角形，长、宽几相等，同羽轴一样多少被短灰毛，两侧并有狭边，二回羽状；末回裂片短阔，中央一条长 2~3cm，宽 6~8mm，基部楔形或心形，先端钝；向上的一回小羽片近掌状分裂或不分裂，较短，叶缘有不规则的浅圆锯齿。主脉明显，侧脉纤细，从主脉斜上，一至二回二叉分歧，直达锯齿。两面沿中肋及脉上略有短毛。能育羽片卵状三角形，长、宽几相等。二回羽状。一回小羽片 4~5 对，互生，长圆状披针形；二回小羽片 3~4 对，卵状三角形，羽状深裂。孢子囊穗长往往远超过小羽片的中央不育部分，排列稀疏，暗褐色，无毛。

| 分布区域 | 产于海南各地。亦分布于中国华南其他区域,以及湖南、江西、福建、安徽、湖北、贵州、云南、四川、陕西、甘肃。菲律宾、马来西亚、印度、日本、澳大利亚也有分布。 |

| 资　源 | 生于山谷、灌丛、路旁、村边,十分常见。 |

| 采收加工 | 孢子:秋季孢子未脱落时采割藤叶,晒干,搓揉或打下孢子,筛去藤叶。地上部位:夏、秋季采收,除去杂质,鲜用或晒干。根及根茎:8~9 月采挖根及根茎,洗净,晒干。 |

| 药材性状 | 孢子:孢子粉状,棕黄色或黄褐色。质轻滑润,撒入水中浮于水面,加热后则逐渐下沉,燃烧时发出爆鸣及闪光,无灰渣残留。气微,味淡。以色棕黄、体轻、手捻光滑者为佳。地上部位:全草多为把状。茎纤细,缠绕扭曲,长达 1m 以上,禾秆色。多分枝,长短不一。叶对生于短枝两侧,二型,草质皱缩。营养叶尖三角形,二回羽状;一回羽片 2~4 对,互生,卵圆形,长 4~8cm;二回羽片 2~3 对,卵状三角形,掌状 3 裂,裂片短而阔,顶生裂片长 2~3cm;孢子叶卵状三角形,长、宽近等,10~20cm;一回羽片 4~5 对,互生,长圆状披针形,长 5~10cm;二回羽片 3~4 对,卵状三角形。羽片下面边缘有流苏状孢子囊穗,黑褐色。体轻,质脆,易折断。气微,味淡。根及根茎:根茎细长,不规则分枝状,茶梅色,常残留有禾秆色细茎干。根须状,众多,黑褐色,细长,弯曲不直,具细密的纤维根。质硬而韧,略有弹性,较难折断,断面淡黄棕色。气微,味淡。 |

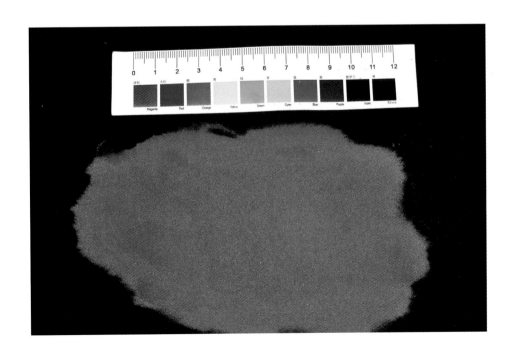

| **功能主治** | 孢子：味甘、淡，性寒。归膀胱、小肠、脾经。利水通淋，清热解毒。用于热淋、血淋、砂淋、白浊、女子带下、水湿肿痛、湿热泻痢、湿热黄疸；还可用于吐血、衄血、尿血及外伤出血。地上部位：味甘，性寒；归膀胱、小肠、肝经。清热解毒，利水通淋，活血通络。用于热淋、石淋、血淋、小便不利、水肿、白浊、带下、肝炎、泄泻、痢疾、感冒发热、咳喘、咽喉肿痛、口疮、目赤肿痛、痄腮、乳痛、丹毒、带状疱疹、水火烫伤、皮肤瘙痒、跌打伤肿、风湿痹痛、外伤出血。根及根茎：味甘、淡，性寒；归肺、肝、膀胱经。清热解毒，利湿消肿。用于肺炎、感冒高热、乙型脑炎、急性胃肠炎、痢疾、急性传染性黄疸型肝炎、尿路感染、风湿腰腿痛、乳腺炎、腮腺炎、睾丸炎、蛇咬伤、月经不调。 |

| **附　注** | 据李时珍《本草纲目》，本种"甘、寒，无毒"。 |

海金沙科 Lygodiaceae   海金沙属 *Lygodium*

小叶海金沙 *Lygodium scandens* (L.) Sw.

| 中 药 名 | 金沙草（药用部位：全草及孢子）

| 植物形态 | 植株蔓攀。叶轴纤细如铜丝，二回羽状；羽片多数，羽片对生于叶轴的距上，先端密生红棕色毛。不育羽片生于叶轴下部，长圆形，奇数羽状，或顶生小羽片有时二叉，小羽片 4 对，互生，柄端有关节，卵状三角形、阔披针形或长圆形，先端钝，基部较阔，心形，近平截或圆形。边缘有矮钝齿，或锯齿不甚明显。叶脉清晰，三出，小脉二至三回二叉分歧，斜向上，直达锯齿。叶薄草质。能育羽片长圆形，通常奇数羽状，三角形或卵状三角形，钝头，长 1.5~3cm。孢子囊穗排列于叶缘，到达先端，5~8 对，线形，黄褐色，光滑。

小叶海金沙

| 分布区域 | 产于海南各地。亦分布于中国华南其他区域，以及湖南、江西、福建、台湾、云南。缅甸、菲律宾、马来西亚、印度也有分布。

| 资　　源 | 生于低海拔山地山谷、疏林、灌丛、路旁，常见。

| 采收加工 | 秋季采收，打下孢子，晒干。

| 药材性状 | 孢子：孢子粉状，棕黄色或黄褐色。质轻滑润，撒入水中浮于水面，加热后则逐渐下沉，燃烧时发出爆鸣声及闪光，无灰渣残留。气微，味淡。以色棕黄、体轻、手捻光滑者为佳。全草：全草多为把状。茎纤细，缠绕扭曲，禾秆色。叶对生于叶轴的距上，先端密生红棕色毛。不育羽片生于叶轴下部，叶薄草质。能育羽片长圆形，孢子囊穗排列于叶缘，到达先端，黄褐色，光滑。

| 功能主治 | 味甘、苦，性寒。清热，利湿，舒筋活络，止血。用于尿路感染、尿路结石、肾炎水肿、肝炎、痢疾、目赤肿痛、风湿痹痛、筋骨麻木、跌打骨折、外伤出血。

| 附　　注 | 在 FOC 和《中国石松类和蕨类植物》中，本种学名被修订为 *Lygodium microphyllum* (Cav.) R. Br.。本种的识别特征为末回小羽片形小，通常为三角形，小柄先端有关节。

华东膜蕨 *Hymenophyllum barbatum* (v. d. B.) HK et Bak.

| **中 药 名** | 华东膜蕨（药用部位：全草）

| **植物形态** | 植株高 2~3m。根茎纤细，丝状，长而横走，暗褐色，疏生淡褐色的柔毛或几光滑，下面疏生纤维状的根。叶远生，丝状，暗褐色，全部或大部分有狭翅，疏被淡褐色的柔毛；叶片卵形，先端钝圆，基部近心形，二回羽裂；羽片长圆形，稍呈覆瓦状，互生，无柄，羽裂几达有宽翅的羽轴；末回裂片线形，斜向上，圆头，边缘有小尖齿。叶为薄膜质，半透明，除叶轴及羽轴上面被疏红棕色短毛外，余均无毛。孢子囊群生于叶片的顶部，位于短裂片上；囊苞长卵形，圆头，先端有少数小尖齿，其基部的裂片稍缩狭。

华东膜蕨

分布区域

产于海南昌江、五指山、陵水、万宁。亦分布于中国广东、江西、湖南、福建、台湾、浙江、安徽。中南半岛国家、印度、日本、朝鲜也有分布。

资　源

生于海拔 800~1000m 的林下阴暗岩石上，偶见。

采收加工

夏、秋季采收，晒干或鲜用。

药材性状

多卷缩成团。根茎纤细，丝状，黑色。叶柄丝状，长 0.5~2cm，被淡褐色柔毛；叶片展开后呈卵形，长 1.5~2.5cm，薄膜质，半透明，淡褐色或鲜绿色。气微，味淡。

功能主治

味微涩，性凉。止血。用于外伤出血。

附　注

华东膜蕨是一个分布广泛、种下变异非常丰富的种，尤其是叶片的大小和囊苞的形状，因此，本种存在很多异名。在 FOC 和《中国石松类和蕨类植物》中，本种的学名为 *Hymenophyllum barbatum* (Bosch) Baker。

膜蕨科 Hymenophyllaceae 蕗蕨属 *Mecodium*

蕗　蕨 *Mecodium badium* (Hook. et Grev.) Cop.

| **中 药 名** | 蕗蕨（药用部位：全草）

| **植物形态** | 植株高 15~25cm。根茎铁丝状，长而横走，褐色，下面疏生粗纤维状的根。叶远生，褐色或绿褐色，无毛，两侧有平直或呈波纹状的宽翅达到或近于叶柄基部；叶片披针形至卵状披针形或卵形，三回羽裂；羽片互生，有短柄，开展，三角状卵形至斜卵形，先端钝，基部斜楔形，密接。叶脉叉状分枝，末回裂片有小脉 1。叶为薄膜质，光滑无毛，细胞壁厚而平直。孢子囊群大，多数，位于全部羽片上，着生于向轴的短裂片先端；囊苞近于圆形或扁圆形。

蕗蕨

分布区域	产于海南昌江、五指山、陵水、万宁。亦分布于中国华南其他区域，以及湖南、江西、福建、湖北、贵州、云南、四川。越南、印度、马来西亚、斯里兰卡、日本、朝鲜也有分布。
资　　源	生于海拔 300~1200m 的山地林下阴湿处石上或树上，常见。
采收加工	全年均可采收，晒干或鲜用。
药材性状	多卷缩成团。根茎纤细，丝状。叶片展开后呈卵形，薄膜质，半透明，淡褐色或鲜绿色。气微，味淡。
功能主治	味微苦、涩，性凉。清热解毒，生肌止血。用于水火烫伤、痈疗肿痛、外伤出血。
附　　注	在 FOC 和《中国石松类和蕨类植物》中，蕗蕨属植物被置于膜蕨属（*Hymenophyllum*）中，修订后本种学名为 *H. badium* Hook. & Grev.。

膜蕨科 Hymenophyllaceae　瓶蕨属 *Vandenboschia*

瓶 蕨 *Vandenboschia auriculata* (Bl.) Cop.

| **中 药 名** | 瓶蕨（药用部位：全草）

| **植物形态** | 植株高15~30cm。根茎长而横走，被黑褐色有光泽的多细胞的节状毛，后渐脱落，叶柄腋间有1密被节状毛的芽。叶远生，沿根茎在同一平面上排成两行，互生，平展或稍斜出；叶柄短，灰褐色，基部被节状毛，无翅或有狭翅；叶片披针形，略为二型；不育裂片狭长圆形，先端有钝圆齿，每齿有小脉1；能育裂片通常缩狭或仅有一单脉。叶脉多回二歧分枝，无毛。叶为厚膜质，无毛，叶轴几无毛。孢子囊群顶生于向轴的短裂片上；囊苞狭管状，长2~2.5mm，口部截形，不膨大并有浅钝齿，其基部以下裂片不变狭或略变狭；囊群托突出。

瓶蕨

| 分布区域 | 产于海南乐东、五指山、琼中、陵水等地。亦分布于中国广东、广西、江西、台湾、浙江、贵州、云南、四川。印度、日本、马来西亚、印度尼西亚、菲律宾等也有分布。

| 资　　源 | 生于海拔500~1800m的溪边树干上或阴湿岩石处，偶见。

| 采收加工 | 夏、秋季采收，晒干或鲜用。

| 药材性状 | 多卷缩成团。根茎纤细，丝状。叶柄短，叶片薄膜质，半透明，淡褐色或鲜绿色。气微，味淡。

| 功能主治 | 味微苦，性平。止血生肌。用于外伤出血。

| 附　　注 | 本种的识别特征为叶柄短，囊苞长管状，叶轴和叶片无毛或几无毛。

膜蕨科 Hymenophyllaceae **瓶蕨属** *Vandenboschia*

漏斗瓶蕨 *Vandenboschia naseana* (Christ) Ching

| 中 药 名 |

漏斗瓶蕨（药用部位：全草）

| 植物形态 |

植株高 25~40cm。根茎长，横走，密被黑褐色多细胞的蓬松节状毛，下面疏生纤维状的根。叶远生，上面有浅沟，基部被节状毛。两侧有阔翅几达基部；叶片阔披针形至卵状披针形，三回羽裂；羽片互生，有短柄，斜向上，三角状斜卵形至长卵状披针形，基部斜楔形，其余的密接；末回裂片很短，长圆线形，钝头或截形，全缘。叶脉多回叉状分枝或亚扇形，无毛，末回裂片有小脉 1~2。叶为膜质至薄草质，无毛。叶轴下部有阔翅，向上翅渐狭，疏被黑褐色的节状毛。孢子囊群生在叶片的上半部，位于二回小羽片的腋间；囊苞管状，直立或稍弯弓，两侧有极狭的翅，其下的裂片缩狭如柄，口部截形并稍膨大；囊群托突出，褐色。

| 分布区域 |

产于海南昌江、五指山、保亭、陵水等地。亦分布于中国广东、贵州、云南、四川、湖南。中南半岛也有分布。

漏斗瓶蕨

| 资　源 |

生于海拔800~1200m的山谷林下阴湿处岩石上，偶见。

| 采收加工 |

全年均可采收，洗净，晒干。

| 药材性状 |

多卷缩成团。根茎纤细，丝状。叶片薄膜质，半透明，淡褐色或鲜绿色。气微，味淡。

| 功能主治 |

味淡、涩，性平。健脾开胃，止血。用于消化不良、外伤出血。

| 附　注 |

FOC 中漏斗瓶蕨 *Vandenboschia naseana* (Christ) Ching 被归并于南海瓶蕨，学名为 *Vandenboschia striata* (D. Don) Ebihara。

蚌壳蕨科 Dicksoniaceae 金毛狗属 Cibotium

金毛狗脊 *Cibotium barometz* (L.) J. Sm.

| **中 药 名** | 狗脊（药用部位：根茎）

| **植物形态** | 根茎卧生，粗大，基部被有一大丛垫状的金黄色绒毛；叶片大，广卵状三角形，三回羽状分裂；下部羽片为长圆形，有柄，互生，远离；一回小羽片互生，开展，有小柄，线状披针形，长渐尖，基部圆截形，羽状深裂几达小羽轴；末回裂片线形，略呈镰刀形，边缘有浅锯齿，向先端较尖，中脉两面突出，但在不育羽片上分为二叉。叶为革质或厚纸质，下面为灰白或灰蓝色，或小羽轴上下两面略有短褐毛疏生；孢子囊群在每一末回能育裂片 1~5 对，生于下部的小脉先端，囊群盖坚硬，棕褐色，横长圆形，两瓣状，内瓣较外瓣小，成熟时张开如蚌壳；孢子为三角状的四面形，透明。

金毛狗脊

| 分布区域 |

产于海南乐东、昌江、白沙、五指山、陵水等地。亦分布于中国华南其他区域，以及湖南、江西、福建、台湾、浙江、湖北、贵州、云南、四川。中南半岛，以及印度也有分布。

| 资　源 |

生于海拔100~1200m的山谷溪边林下，十分常见。

| 采收加工 |

秋、冬季采挖，除去泥沙，干燥；或去硬根、叶柄及金黄色茸毛，切厚片，干燥，为"生狗脊片"；水煮或蒸后，晒至六七成干，切厚片，干燥，为"热狗脊片"。

| 药材性状 |

根茎：呈不规则的长块状，长10~30cm，少数可达50cm，直径2~10cm。表面深棕色，密被光亮的金黄色绒毛，上部有数个棕红色叶柄残基，下部丛生多数棕黑色细根。质坚硬，难折断。气无，味微涩。生狗脊片：呈不规则长条形或圆形纵片状，长5~20cm，宽2~8cm，厚1.5~5mm；周边部整齐，外表深棕色，偶有未去尽的金黄色绒毛；断面浅棕色，近外皮2~5mm处有一突起的棕黄色木质部环纹或条纹。质坚脆，易折断。热狗脊片：全体呈黑棕色，木质部环纹明显。原药材以肥大、质坚实、无空心、外表略有金黄色绒毛者为佳；狗脊片以厚薄均匀、坚实无毛、无空心者为佳。

功能主治

味苦、甘，性温。强腰膝，祛风湿，利关节。用于肾虚腰痛脊强、足膝软弱无力、风湿痹痛、小便过多、遗精、妇女白带过多。

附 注

①本种为国家二级保护植物，属濒危物种，被列入《濒危野生动植物种国际贸易公约》附录二中（CITES Appendix Ⅱ），必须注重对它的保护和可持续利用。②在 FOC 和《中国石松类和蕨类植物》中金毛狗属从蚌壳蕨科中独立出来，成为单独的金毛狗蕨科 Cibotiaceae。③金毛狗脊是著名的传统中药，因其肥大、木质化的根茎被金黄色毛，酷似"金毛狗"而得名，金黄色的毛可以用于止血。

桫椤科 Cyatheaceae　桫椤属 Alsophila

大叶黑桫椤 *Alsophila gigantea* Wall. ex Hook.

| 中 药 名 |　大叶黑桫椤（药用部位：叶）

| 植物形态 |　植株高 2~5m，有主干；叶型大，乌木色，粗糙，疏被头垢状的暗棕色短毛，基部、腹面密被棕黑色鳞片；鳞片条形，光亮，平展；叶片三回羽裂，叶轴下部乌木色，粗糙，向疣渐呈棕色而光滑；羽片平展，有短柄，长圆形，先端渐尖并有浅锯齿，羽轴下面近光滑，疣面疏被褐色毛；小羽片条状披针形，先端渐尖并有浅齿，基部截形，小羽轴上面被毛，下面疏被小鳞片，略斜展，阔三角形，向先端稍变窄，钝头，边缘有浅钝齿；叶脉下面可见，单一；叶为厚纸质，干后疣面深褐色，下面灰褐色，两面均无毛。孢子囊群位于主脉与叶缘之间，排列成"V"字形，无囊群盖，隔丝与孢子囊等长。

大叶黑桫椤

| 分布区域 | 产于海南保亭、陵水、琼中等地。亦分布于中国华南其他区域，以及云南。越南、老挝、泰国、柬埔寨、印度也有分布。

| 资　　源 | 生于低海拔山谷疏林中，偶见。

| 采收加工 | 全年均可采收，鲜用或晒干。

| 功能主治 | 味微涩，性平。祛风除湿，活血止痛。用于风湿关节疼痛、腰痛、跌打损伤。

| 附　　注 | ①本种植物植株高大、形态优美，常用于园林观赏。因环境遭受破坏，加上无限制地采挖野生植株，现本种植物野外分布日益稀少，属濒危品种，已被列为国家二级保护植物。②《中国石松类和蕨类植物》中黑桫椤亚属被升为黑桫椤属 *Gymnosphaera* (Blume)。修订后本种的学名为 *Gymnosphaera gigantea* (Wall.ex Hook.) J. Sm.。FOC 未做此修订，与《中国植物志》（以下简称 FRPS）中一致。

桫椤科 Cyatheaceae 桫椤属 Alsophila

黑桫椤
Alsophila podophylla Hook.

| 中 药 名 | 黑桫椤（药用部位：茎）

| 植物形态 | 植株高 1~3m，有短主干，或树状主干高达数米，顶部生出几片大叶。叶柄红棕色，略光亮，基部略膨大，粗糙或略有小尖刺，被褐棕色披针形厚鳞片；叶片大，一回、二回深裂至二回羽状，沿叶轴和羽轴上面有棕色鳞片，下面粗糙；羽片互生，斜展，长圆状披针形，先端长渐尖，有浅锯齿；叶脉两边均隆起，主脉斜疣，相邻两侧的基部一对小脉（有时下部同侧两条）先端通常联结成三角状网眼，并向叶缘延伸出一条小脉（有时再和第 2 对小脉联结）；叶为坚纸质，干后疣面褐绿色，下面灰绿色，两面均无毛。孢子囊群圆形，着生于小脉背面近基部处，无囊群盖，隔丝短。

黑桫椤

| 分布区域 |

产于海南乐东、昌江、五指山、陵水、琼中等地。亦分布于中国华南其他区域、华东、西南。越南也有分布。

| 资　　源 |

生于水沟，常见。

| 采收加工 |

全年均可采收，鲜用或晒干。

| 功能主治 |

清热，解毒。

| 附　　注 |

《中国石松类和蕨类植物》中黑桫椤亚属被升为黑桫椤属 *Gymnosphaera* (Blume)。本种的学名被修订为 *Gymnosphaera podophylla* (Hook.) Copel。

桫椤科 Cyatheaceae 桫椤属 Alsophila

桫 椤
Alsophila spinulosa (Wall. ex Hook.) R. M. Tryon

| 中 药 名 | 龙骨风（药用部位：茎）

| 植物形态 | 茎干高达 6m 或更高，上部有残存的叶柄，向下密被交织的不定根。叶螺旋状排列于茎先端；茎段端和拳卷叶以及叶柄的基部密被鳞片和糠秕状鳞毛，鳞片暗棕色，两侧有窄而色淡的啮齿状薄边；叶柄通常棕色或上面较淡，连同叶轴和羽轴有刺状突起，背面两侧各有一条不连续的皮孔线，向上延至叶轴；叶片大，长矩圆形，三回羽状深裂；羽片互生，基部一对缩短，二回羽状深裂；叶脉在裂片上羽状分裂；叶纸质；羽轴、小羽轴和中脉上面被糙硬毛，下面被灰白色小鳞片。孢子囊群孢生于侧脉分叉处，靠近中脉，有隔丝，囊托突起，囊群盖球形，膜质；外侧开裂，成熟时反折覆盖于主脉上面。

桫椤

分布区域

产于海南五指山、保亭。亦分布于中国广东、广西、福建、台湾、贵州、云南、四川。越南、泰国、柬埔寨、缅甸、印度、日本也有分布。

资　源

生于低海拔山谷疏林中，偶见。

采收加工

全年均可采收，削去坚硬的外皮，晒干。

药材性状

茎圆柱形或扁圆柱形，直径6~12cm。表面棕褐色或黑棕色，常附有密集的不定根断痕和大型叶柄痕，每一叶柄痕近圆形或椭圆形，直径约4cm，下方有凹陷，边缘有多数排列紧密的叶迹维管束，中间亦有叶迹维管束散在。质坚硬，断面常中空，周围的维管束排成折叠状，形成隆起的脊和纵沟。气微，味苦、涩。

功能主治

味微苦，性平；归肾、胃、肺经。祛风除湿，活血通络，止咳平喘，清热解毒，杀虫。用于风湿痹痛、肾虚腰痛、跌打损伤、小肠气痛、风火牙痛、咳嗽、哮喘、疥癣、蛔虫病、蛲虫病及预防流行性感冒。

附　注

本属植物起源古老，对于研究蕨类植物的系统演化具有重要意义。现属濒危品种，被列为国家二级保护植物。

稀子蕨 *Monachosorum henryi* Christ

| 中药名 | 观音莲（药用部位：全草）

| 植物形态 | 根茎粗而短，斜升。叶簇生，柄长，淡绿色或绿禾秆色，草质，密被锈色贴生的腺状毛，后渐变略光滑；叶片三角状长圆形，四回羽状深裂；羽片互生，几开展，有柄，彼此密接或向上部几呈覆瓦状，基部一对最大，近对生，几平展，长圆形，渐尖头，稍向上弯弓，基部近截形，对称，三回羽状深裂；一回小羽片上先出，密接，有短柄，披针形，呈镰刀状，基部截形，对称，二回深羽裂；二回小羽片平展，斜长圆形，基部不等，下侧楔形，上侧截形，稍为耳形突起，无柄，分离，每片有小脉1，不明显。叶膜质，叶轴及羽轴有锈色腺毛密生。叶轴中部常有1珠芽生于腋间。孢子囊群圆而小，每小裂片1个，近顶生于小脉上，位于裂片的中央。

稀子蕨

| 分布区域 |

产于海南昌江。亦分布于中国广东、广西、湖南、台湾、贵州、云南。越南、日本也有分布。

| 资　　源 |

生于沟谷中林下阴湿处，少见。

| 采收加工 |

全年均可采收，洗净泥沙，切片晒干。

| 药材性状 |

根茎圆柱形，粗短。表面棕色，横断面可见黄白色维管束。叶柄长 25~40cm，直径约 3.5mm，禾秆色，草质，密被锈色的腺状毛；叶片三角状长圆形，长 25~40cm，宽 18~30cm，四回羽状细裂，膜质，褐绿色；叶轴及羽轴有锈色腺毛，叶轴中部以上常有 1~3 珠芽腋生于羽片基部。孢子囊群圆而小，近顶生于小脉上。气微，味微涩。

| 功能主治 |

味微苦，性平。祛风除湿，止痛。用于风湿骨痛、跌打损伤痛、疝气痛。

| 附　　注 |

在 FOC 中，稀子蕨 *Monachosorum henryi* Christ 被修订为 *M. subdigitatum* (Blume) Kuhn。FOC 和《中国石松类和蕨类植物》中稀子蕨属（*Monachosorum*）被置于碗蕨科中。

鳞始蕨科 Lindsaeaceae　鳞始蕨属 *Lindsaea*

团叶鳞始蕨 *Lindsaea orbiculata* (Lam.) Mett.

团叶鳞始蕨

中药名

团叶鳞始蕨（药用部位：全草）

植物形态

根茎短而横走，先端密被红棕色的狭小鳞片。叶近生；叶柄栗色，上面有沟，下面稍圆；叶片线状披针形，一回羽状，下部往往二回羽状；羽片下部各对羽片对生，对开式，近圆形或肾圆形，基部广楔形，外缘圆形，在着生孢子囊群的边缘有不整齐的齿牙，在不育的羽片有尖齿牙；在二回羽状植株上，其基部一对或数对羽片伸出呈线形。叶脉二叉分枝，紧密，下面稍明显，上面不显。叶草质，叶轴禾秆色至棕栗色，有四棱。孢子囊群连续不断呈长线形，或偶为缺刻所中断；囊群盖线形，膜质，有细齿牙，几达叶缘。

分布区域

产于海南三亚、乐东、昌江、五指山、保亭、陵水、万宁、儋州等地。亦分布于中国广东、广西、福建、台湾、贵州、云南、四川。亚洲、大洋洲的热带地区也有分布。

资　源

生于疏林中或草地，十分常见。

| 采收加工 | 夏、秋季采收全草，洗净，鲜用或晒干。

| 药材性状 | 根茎圆柱形，表面密生红棕色狭小的鳞片，其下着生众多灰褐色须根。叶柄长 5~11cm，栗褐色，上面有沟，下面稍圆，光滑；叶片长条状披针形，长 15~20cm，宽 1.5~2cm，一至二回羽状，纸质，灰绿色；叶轴禾秆色，有四棱，羽片有短柄，团扇形，基部内缘凹入，下缘平直，外缘圆而有不整齐的尖齿牙，叶脉多回二叉分枝，扇形；孢子囊群生于小脉先端的连接脉上，靠近叶脉，连续分布；孢子囊盖线形，棕色，有细齿牙。质韧，气微，味淡、微苦。

| 功能主治 | 味苦，性凉。清热解毒，止血。用于痢疾、疮疖、枪弹伤。

| 附 注 | 本种变异非常丰富，并且很有可能为一个复合体。本种的典型类群叶柄长 5~10cm，叶片一回羽状，小羽片圆形或扇形，孢子囊群的边缘全缘，连续。另一种海南鳞始蕨（目前已归并至团叶鳞始蕨）类群，叶柄长 28cm，二回羽状，小羽片长菱形，有二倍体和四倍体两种染色体类型。需进一步对本种展开居群水平的分类学研究。

鳞始蕨科 Lindsaeaceae 双唇蕨属 Schizoloma

双唇蕨 Schizoloma ensifolium (Sw.) J. Sm.

| **中 药 名** | 双唇蕨（药用部位：全草）

| **植物形态** | 植株高40cm。根茎横走，密被赤褐色的钻形鳞片。叶近生；叶片长圆形，一回奇数羽状；羽片4~5对，基部近对生，上部互生，斜展，有短柄或几无柄，线状披针形，长7~11.5cm，基部广楔形，全缘，或在不育羽片上有锯齿，顶生羽片分离，与侧生羽片相似。中脉显著，细脉沿中脉联结成2行网眼，斜长，为不整齐的四边形至多边形，向叶缘分离。叶草质。孢子囊群线形，连续，沿叶缘联结各细脉着生；囊群盖两层，膜质，全缘，里层较外层的叶边稍狭，向外开口。

双唇蕨

| 分布区域 | 产于海南三亚、乐东、昌江、万宁、保亭、澄迈。亦分布于中国广东、台湾、云南南部。亚洲热带各地，以及波利尼西亚、澳大利亚、马达加斯加等也有分布。 |

| 资　源 | 生于林下、溪边湿地，十分常见。 |

| 采收加工 | 夏、秋季采收全草，洗净，鲜用或晒干。 |

| 药材性状 | 根茎圆柱形，表面密生赤褐色钻形鳞片。上方近生多数叶，叶草质，柄短或无；孢子囊群线形，孢子囊盖两层，全缘。气微，味淡。 |

| 功能主治 | 清热除湿。 |

| 附　注 | FOC 和《中国石松类和蕨类植物》中双唇蕨属（*Schizoloma*）植物已经被并至鳞始蕨属。本种修订后学名为剑叶鳞始蕨 *Lindsaea ensifolia* Sw.。 |

鳞始蕨科 Lindsaeaceae 双唇蕨属 Schizoloma

异叶双唇蕨 *Schizoloma heterophyllum* (Dry.) J. Sm.

| 中药名 | 异叶鳞始蕨（药用部位：全草）

| 植物形态 | 植株高 36cm。根茎短而横走，密被赤褐色的钻形鳞片。叶近生；叶片阔披针形或长圆三角形，一回羽状或下部常为二回羽状；羽片基部近对生，上部互生，披针形，长 3~5cm，基部为阔楔形而斜截形，近对称，边缘有啮蚀状的锯齿，向上部的羽片逐渐缩短，但不合生；基部一两对羽片常多少为一回羽状。叶脉可见，中脉显著，侧脉羽状二叉分枝，沿中脉两边各有一行不整齐的多边形斜长网眼。叶草质；叶轴有四棱。孢子囊群线形，从先端至基部连续不断，囊群盖线形，连续不断，全缘，较啮蚀锯齿状的叶缘为狭。

异叶双唇蕨

分布区域	产于海南三亚、昌江、五指山、万宁、儋州、澄迈等地。亦分布于中国广东、香港、广西、福建、台湾、云南。越南、缅甸、菲律宾、马来西亚、印度、斯里兰卡等地也有分布。
资　　源	生于海拔 120~600m 的林下溪边湿地，十分常见。
采收加工	夏、秋季采收全草，去杂质，洗净，鲜用或晒干。

| **药材性状** | 根茎圆柱形，粗约 2mm，表面密生赤褐色钻形鳞片。上方近生多数叶，下方有众多褐色的须根。叶柄四棱形，暗栗色，光滑；叶片阔披针形或矩圆三角形，长 15~30cm，宽 5~15cm，一至二回羽状，草质，淡灰绿色；叶轴有四棱，禾秆色，光滑，羽片披针形，长 3~5cm，不分裂或网状，叶缘有不整齐的短尖锯齿，沿主脉两侧各有一行不整齐的多边形斜长网眼，网眼外的小脉分离，单一或分叉。孢子囊群线形，生于小脉先端的联结脉上，孢子囊盖线形，棕灰色，全缘。气微，味淡。

| **功能主治** | 味淡、苦，性平。利水活血止痛。用于小便不畅、瘀滞疼痛。

| **附　注** | FOC 和《中国石松类和蕨类植物》中双唇蕨属（*Schizoloma*）植物已经被并至鳞始蕨属。本种修订后学名为异叶鳞始蕨 *Lindsaea heterophylla* Dryand.。

鳞始蕨科 Lindsaeaceae **乌蕨属** Stenoloma

乌 蕨 *Stenoloma chusanum* Ching

| **中 药 名** | 大叶金花草（药用部位：全草或根茎）

| **植物形态** | 植株高达 65cm。根茎短而横走，密被赤褐色的钻状鳞片。叶坚草质，近生，叶柄上面有沟，除基部外，通体光滑；叶片披针形，基部不变狭，四回羽状；羽片互生，有短柄，卵状披针形，基部楔形，下部三回羽状；一回小羽片近菱形，基部不对称，楔形，上先出；二回（或末回）小羽片小，倒披针形，先端截形，有齿牙。叶脉上面不显，下面明显，在小裂片上为二叉分枝。孢子囊群边缘着生，每一裂片上 1 或 2，顶生 1~2 细脉上；囊群盖草质，半杯形，宽，与叶缘等长，近全缘或多少啮蚀，宿存。

乌蕨

| 分布区域 | 产于海南三亚、乐东、昌江、白沙、五指山、陵水、万宁、琼中、儋州、文昌等地。亦分布于中国长江以南等地，北达陕西南部。泰国、缅甸、越南、孟加拉国、不丹、印度、日本、韩国，以及太平洋岛屿、非洲也有分布。

| 资　源 | 生于海拔 200~1600m 的山谷路边，十分常见。

| 采收加工 | 夏、秋季挖取带根茎的全草，去杂质，洗净，鲜用或晒干。

| 药材性状 | 根茎粗壮，长 2~7cm，表面密被赤褐色钻状鳞片，上方近生多数叶，下方有众多紫褐色须根。叶柄长 10~25cm，直径 2mm，呈不规则的细圆柱形，表面光滑，禾秆色或基部红棕色，有数条角棱及一凹沟；叶片披针形，三至四回羽状分裂，略皱折，棕褐色至深褐色，小裂片楔形，先端平截或 1~2 浅裂；孢子囊群 1~2，着生于每个小裂片先端边缘。气微，味苦。

功能主治

味微苦，性寒；归肝、肺、大肠经。清热解毒，利湿，止血。用于感冒发热，咳嗽，咽喉肿痛，肠炎，痢疾，肝炎，湿热带下，痈疮肿毒，痄腮，口疮，烫火伤，毒蛇、狂犬咬伤，皮肤湿疹，吐血，尿血，便血，外伤出血。

附　注

FOC 描述称许多 *Odontosoria* 属植物被认为构成了独立的一支，因此 *Odontosoria* 被作为单独的属，在 FOC 和《中国石松类和蕨类植物》中本种的学名为 *Odontosoria chinensis* (L.) J. Sm.。

姬蕨科 Dennstaedtiaceae   鳞盖蕨属 *Microlepia*

边缘鳞盖蕨 *Microlepia marginata* (Houtt.) C. Chr.

| 中 药 名 | 边缘鳞盖蕨（药用部位：嫩叶）

| 植物形态 | 植株高约60cm。根茎长而横走，密被锈色长柔毛。叶远生；叶柄上面有纵沟，几光滑；叶片长圆三角形，羽状深裂，一回羽状；羽片基部对生，上部互生，基部不等，上侧钝耳状，下侧楔形，边缘缺裂至浅裂，小裂片三角形，上部各羽片渐短，无柄。侧脉明显，在裂片上为羽状，到达边缘以内。叶纸质，叶下面灰绿色，叶轴密被锈色开展的硬毛，在叶下面各脉及囊群盖上较稀疏，叶上面也多少有毛，少为光滑。孢子囊群圆形，每小裂片上1~6，向边缘着生；囊群盖杯形，上边截形，多少被短硬毛，距叶缘较远。

边缘鳞盖蕨

分布区域

产于海南东方、昌江、五指山等地。亦分布于中国长江以南各地。越南、尼泊尔、斯里兰卡、日本也有分布。

资　源

生于海拔约 700m 的林下、溪边湿地，常见。

采收加工

6~10 月采收，鲜用或晒干。

药材性状

叶柄长 20~30cm，深禾秆色，有纵沟，几光滑，叶片矩圆三角形，长达 13~25cm，一回羽裂，纸质，绿色，叶两面有短硬毛，羽片披针形，先端渐尖，基部上侧稍呈耳状突起，下侧楔形，边缘近羽裂，裂片三角形，急尖或钝尖，侧脉在裂片上羽状；孢子囊群每小裂片有 1~6，囊群盖浅杯形，棕色，有短硬毛。气微，味淡。

功能主治

味微苦，性寒。用于下肢疖肿。

附　注

在 FOC 和《中国石松类和蕨类植物》中，姬蕨科植物被置于碗蕨科，修订后本种的学名为 *Microlepia marginata* (Panz.) C. Chr.。

姬蕨科 Dennstaedtiaceae　鳞盖蕨属 *Microlepia*

粗毛鳞盖蕨 *Microlepia strigosa* (Thunb.) Presl

| 中 药 名 |　粗毛鳞盖蕨（药用部位：全草）

| 植物形态 |　植株高达 110cm。根茎长而横走，密被灰棕色长针状毛。叶远生；柄下部被灰棕色长针状毛，有粗糙的斑痕；叶片长圆形，二回羽状；小羽片无柄，近菱形，先端急尖，基部不对称，上侧截形，而与羽轴并行，下侧狭楔形，多少下延，上边为不同程度的羽裂，边缘有粗而不整齐的锯齿。叶脉在上侧基部 1~2 组为羽状，其余各脉二叉分枝。叶纸质；叶轴及羽轴下面密被褐色短毛，上面光滑；叶片上面光滑，下面沿各细脉疏被灰棕色短硬毛。孢子囊群小型，每一小羽片上 8~9，位于裂片基部；囊群盖杯形，棕色，被棕色短毛。

粗毛鳞盖蕨

| **分布区域** | 产于海南乐东、昌江、万宁等地。亦分布于中国华南其他区域，以及福建、台湾、浙江、贵州、云南、四川。马来群岛，以及日本也有分布。 |

| **资　源** | 生于林下，常见。 |

| **采收加工** | 夏、秋季采收全草，去杂质，洗净，鲜用或晒干。 |

| **药材性状** | 根茎圆柱形，直径约4mm，表面密生灰棕色长针状毛。叶柄长达50cm，褐棕色，有粗糙的斑痕；叶片矩圆形，长可达60cm，宽15~28cm，二回羽裂，厚纸质，绿色或褐棕色；叶轴、羽轴及叶脉都有短硬毛，羽片条状披针形，有柄，小羽片长1.4~2cm，边缘浅裂或粗钝齿状；孢子囊群生于小脉先端，每一小羽片上8~9，囊群盖半杯形，有棕色短毛。气微，味淡。 |

| **功能主治** | 味微苦，性寒。清热利湿。用于肝炎、流行性感冒。 |

| **附　注** | 在FOC和《中国石松类和蕨类植物》中，姬蕨科植物被置于碗蕨科，修订后本种的学名为 *Microlepia strigosa* (Thunb.) C. Presl。 |

蕨科 Pteridiaceae　蕨属 *Pteridium*

蕨
Pteridium aquilinum (L.) Kuhn var. *latiusculum* (Desv.) Underw. ex Heller

| 中 药 名 | 蕨（药用部位：嫩叶），蕨根（药用部位：根茎）

| 植物形态 | 植株高可达 1m。根茎长而横走，密被锈黄色柔毛，以后逐渐脱落。叶远生；叶片阔三角形或长圆三角形，三回羽状；羽片对生或近对生，斜展，基部一对最大，三角形，二回羽状；小羽片互生，斜展，披针形，先端尾状渐尖，基部近平截，具短柄，一回羽状；裂片长圆形，钝头或近圆头，基部不与小羽轴合生；小羽片与下部羽片的裂片同形，部分小羽片的下部具 1~3 对浅裂片或边缘具波状圆齿。叶脉稠密，仅下面明显。叶干后近革质或革质，上面无毛，下面在裂片主脉上多少被棕色或灰白色的疏毛或近无毛。叶轴及羽轴均光滑，各回羽轴上面均有深纵沟 1，沟内无毛。

蕨

| **分布区域** | 产于海南乐东、昌江、广宁等地。亦分布于中国各地。世界热带及温带地区也有分布。 |

| **资　　源** | 生于海拔 200~830m 的山坡及林缘阳光充足的地方，十分常见。 |

| **采收加工** | 蕨：秋、冬季采收，晒干或鲜用。蕨根：秋、冬季挖取，洗净，晒干。 |

| **功能主治** | 蕨：味甘，性寒；归肝、胃、大肠经。清热利湿，降气化痰，止血。用于感冒发热、黄疸、痢疾、带下、噎膈、肺结核咯血、肠风便血、风湿痹痛。蕨根：味甘，性寒，有毒；归肺、肝、脾、大肠经。清热利湿，平肝安神，解毒消肿。用于发热、咽喉肿痛、腹泻、痢疾、黄疸、白带、高血压、头昏失眠、风湿痹痛、痔疮、脱肛、湿疹、烫伤、蛇虫咬伤。 |

| **附　　注** | FOC 和《中国石松类和蕨类植物》均将蕨科植物置于碗蕨科中。FOC 没有收录本种，《中国石松类和蕨类植物》认为本种为亚种，学名为 *Pteridium aquilinum* (L.) Kuhn subsp. *japonicum* (Nakai) Á. Löve & D. Löve。Tropicos 中将本种视为变种，学名为 *Pteridium aquilinum* var. *latiusculum* (Desv.) Underw. ex A. Heller。 |

蕨科 Pteridiaceae　蕨属 *Pteridium*

毛轴蕨 *Pteridium revolutum* (Bl.) Nakai

| 中 药 名 |

龙爪菜（药用部位：根茎）

| 植物形态 |

植株高达 1m 以上。根茎横走。叶远生；柄上面有纵沟 1，幼时密被灰白色柔毛，老则脱落而渐变光滑；叶片阔三角形或卵状三角形，三回羽状；羽片对生，具柄，长圆形，下部羽片略呈三角形，二回羽状；裂片对生或互生，略斜向上，披针状镰刀形，先端钝或急尖，向基部逐渐变宽，彼此连接，通常全缘；叶片的顶部为二回羽状，羽片披针形；裂片下面被灰白色或浅棕色密毛，干后近革质。叶脉上面凹陷，下面隆起；叶轴、羽轴及小羽轴的下面和上面的纵沟内均密被灰白色或浅棕色柔毛，老时渐稀疏。

| 分布区域 |

产于海南乐东、五指山等地。亦分布于中国广东、广西、湖南、江西、台湾、湖北、贵州、云南、四川、西藏、甘肃、陕西。亚洲热带及亚热带地区也有分布。

毛轴蕨

分布区域	产于海南三亚、乐东、东方、五指山、保亭、陵水等地。亦分布于中国广东、广西、台湾、云南。中南半岛，以及菲律宾、马来西亚、印度尼西亚、印度、斯里兰卡、大洋洲、马达加斯加、牙买加、巴西等热带地区也有分布。
资　　源	生于海拔 250~1500m 稍干的疏阴之地，十分常见。
采收加工	全年均可采挖，洗净，晒干。
药材性状	全草长 70~110cm，根茎密被褐色鳞片。叶柄禾秆色至浅绿色；囊群线形，裂片最先端不育。气微，味淡或稍涩。药材质量以叶多、色绿者为佳。
功能主治	味苦，性寒。收敛止血，止痢。用于痢疾、泄泻、外伤出血。
附　　注	本种易与线羽凤尾蕨 *Pteris linearis* Poir. 混淆，主要区别在于羽轴两侧的网眼狭长，弧形脉两端通常出自裂片主脉的基部，自弧形脉向外有 5~6 条单一小脉。

凤尾蕨科 Pteridaceae 凤尾蕨属 *Pteris*

刺齿半边旗 *Pteris dispar* Kunze

| 中 药 名 | 刺齿凤尾蕨（药用部位：全草）

| 植物形态 | 植株高 30~80cm。根茎斜向上，先端及叶柄基部被黑褐色鳞片，先端纤毛状并稍卷曲。叶簇生，近二型；与叶轴均为栗色，有光泽；叶片卵状长圆形，二回深裂或二回半边深羽裂；顶生羽片披针形，基部圆形，篦齿状深羽裂几达叶轴，裂片阔披针形或线披针形，略呈镰刀状，先端钝或有时急尖，不育叶缘有长尖刺状的锯齿。羽轴上面有浅栗色的纵沟，纵沟两旁有啮蚀状的浅灰色狭翅状的边，侧脉明显，二叉，小脉直达锯齿的软骨质刺尖头。叶干后草质，绿色或暗绿色，无毛。

刺齿半边旗

分布区域

产于海南各地。亦分布于中国华南其他区域、华东，以及湖南、江西、贵州、四川。东南亚及日本、朝鲜也有分布。

资　　源

生于海拔 950m 以下的山谷疏林下，常见。

采收加工

全年均可采收，鲜用或晒干。

药材性状

全草长 30~80cm。根茎先端及叶柄基部被黑褐色鳞片，先端纤毛状并稍卷曲。叶近二型，簇生，不育叶缘有长尖刺状的锯齿。气无，味辛，嚼之有灼舌感。质量以叶片青绿色、带细小根茎者为佳。

功能主治

味苦、涩，性凉；归肝、大肠经。清热解毒，凉血祛瘀。用于痢疾、泄泻、疟腮、风湿痹痛、跌打损伤、痈疮肿毒、毒蛇咬伤。

凤尾蕨科 Pteridaceae 凤尾蕨属 *Pteris*

剑叶凤尾蕨 *Pteris ensiformis* Burm.

| 中 药 名 | 凤冠草（药用部位：根茎或全草）

| 植物形态 | 植株高 30~50cm。根茎细长，斜升或横卧，被黑褐色鳞片。叶密生，二型；柄与叶轴同为禾秆色；叶片长圆状卵形，羽状，羽片上部的无柄，下部的有短柄；不育叶的下部羽片三角形，尖头，常为羽状，小羽片 2~3 对，无柄，长圆状倒卵形至阔披针形，先端钝圆，基部下侧下延下部全缘，上部及先端有尖齿；能育叶的羽片疏离，通常为二至三叉，中央的分叉最长，顶生羽片基部不下延，下部两对羽片有时为羽状，小羽片 2~3 对，狭线形，先端渐尖，基部下侧下延，先端不育的叶缘有密尖齿，下面隆起；侧脉密接，通常分叉。叶干后草质，灰绿色至褐绿色，无毛。

剑叶凤尾蕨

| 分布区域 | 产于海南各地。亦分布于中国华南其他区域、西南，以及湖南、福建、浙江。东南亚及印度、斯里兰卡、波利尼西亚、日本、澳大利亚、斐济也有分布。

| 资　　源 | 生于海拔 1000m 以下的林下、灌丛中，常见。

| 采收加工 | 全年均可采收全草或根茎，洗净，鲜用或晒干。

| 药材性状 | 全草长 30~50cm，质柔弱。根茎有棕色条状披针形鳞片及众多弯曲、纤细的须根。叶二型，丛生；叶柄细长，长 10~20cm，黄绿色，具棱，光滑无毛，一侧可见 1~2 明显凹沟；叶片黄绿色或棕绿色，孢子叶片为一回羽状复叶，下部羽片二至三叉，羽片长条形，长 6~12cm，宽仅 4mm 左右，先端边缘有锯齿或全缘，有黄棕色孢子密布于叶缘；营养叶羽片稍宽，边缘有细锯齿。气微，味淡或稍涩。药材质量以叶多、色绿者为佳。

| 功能主治 |

味苦、微涩，性微寒；归肝、大肠、膀胱经。清热利湿，凉血止血，解毒消肿。用于痢疾、泄泻、黄疸、淋病、白带、咽喉肿痛、痄腮、痈疽、瘰疬、疟疾、崩漏、痔疮出血、外伤出血、跌打肿痛、疥疮、湿疹。

| 附　　注 |

本种是中国热带及亚热带气候区的酸性土指示植物，其生长地土壤的 pH 值为 4.5~5.0。

凤尾蕨科 Pteridaceae　凤尾蕨属 Pteris

全缘凤尾蕨 *Pteris insignis* Mett. ex Kuhn

| 中 药 名 | 全缘凤尾蕨（药用部位：全草）

| 植物形态 | 植株高 1~1.5m。根茎斜升，木质，粗壮，先端被黑褐色鳞片。叶簇生；柄坚硬，深禾秆色而稍有光泽，近基部栗褐色并疏被脱落的黑褐色鳞片；叶片卵状长圆形，一回羽状；羽片线状披针形，先端渐尖，基部楔形，全缘，并有软骨质的边，下部的羽片不育，有长约 1cm 的柄，中部以上的羽片能育，仅有短柄，顶生羽片同形，有柄。叶脉明显，主脉下面隆起，侧脉斜展，两面均隆起，稀疏，单一或从下部分叉。叶干后厚纸质，灰绿色至褐绿色，无光泽，无毛；叶轴浅褐色。孢子囊群线形，着生于能育羽片的中上部，羽片的下部及先端不育；囊群盖线形，灰白色或灰棕色，全缘。

全缘凤尾蕨

| **分布区域** | 产于海南昌江、保亭等地。亦分布于中国广东、广西、湖南、江西、福建、浙江、贵州。越南及马来西亚也有分布。 |

| **资　　源** | 生于海拔250~800m山谷中阴湿的密林下或水沟旁，少见。 |

| **采收加工** | 全年均可采收，洗净，鲜用或晒干。 |

| **药材性状** | 根茎木质，先端被黑褐色鳞片。叶簇生；柄深禾秆色而稍有光泽，近基部栗褐色并疏被脱落的黑褐色鳞片；孢子囊群着生于能育羽片的中上部。气微，味淡或稍涩。 |

| **功能主治** | 味微苦，性凉。清热解毒，活血消肿。用于黄疸、痢疾、血淋、热淋、风湿骨痛、咽喉肿痛、瘰疬、跌打损伤。 |

凤尾蕨科 | Pteridaceae　凤尾蕨属 | *Pteris*

井栏边草 *Pteris multifida* Poir.

| 中 药 名 | 凤尾草（药用部位：全草）

| 植物形态 | 植株高 30~45cm。根茎短而直立，先端被黑褐色鳞片。叶密而簇生，明显二型；不育叶柄禾秆色或暗褐色而有禾秆色的边；叶片卵状长圆形，一回羽状，羽片通常 3 对，无柄，线状披针形，叶缘有不整齐的尖锯齿并有软骨质的边，下部 1~2 对通常分叉，顶生三叉羽片及上部羽片的基部显著下延，在叶轴两侧形成狭翅；能育叶有较长的柄，羽片狭线形，仅不育部分具锯齿，余均全缘，有长约 1cm 的柄，余均无柄，下部 2~3 对通常二至三叉，上部几对的基部长下延，在叶轴两侧形成狭翅。主脉两面均隆起，禾秆色，侧脉明显，单一

井栏边草

或分叉，有时在侧脉间具有或多或少的与侧脉平行的细条纹（脉状异形细胞）。叶干后草质，暗绿色，遍体无毛；叶轴禾秆色，稍有光泽。

| 分布区域 | 海南有分布记录。亦分布于中国华南其他区域、华中、华东、华北，以及陕西、甘肃。越南、菲律宾、日本也有分布。

| 资　　源 | 生于海拔1000m以上的墙壁、井边、石灰岩缝隙或灌丛中，少见。

| 采收加工 | 全年或夏、秋季采收，洗净，晒干。

| 药材性状 | 多扎成小捆。全草长30~45cm，根茎短，棕褐色，下面丛生须根，上面有簇生叶，叶柄细，有棱，棕黄色或黄绿色，长4~30cm，易折断，叶片草质，一回羽状，灰绿色或黄绿色；不育叶羽片宽4~8cm，边缘有不整齐锯齿；能育叶长条形，宽3~6cm，边缘反卷；孢子囊生于羽片下面边缘。气微，味淡或微涩。

| 功能主治 | 味淡、微苦，性寒；归大肠、肝、心经。清热利湿，消肿解毒，凉血止血。用于痢疾、泄泻、淋浊、带下、黄疸、疔疮肿毒、喉痹、乳蛾、淋巴结核、腮腺炎、乳腺炎、高热抽搐、蛇虫咬伤、吐血、衄血、尿血、便血、外伤出血。

凤尾蕨科 Pteridaceae 凤尾蕨属 Pteris

半边旗 *Pteris semipinnata* L.

| 中 药 名 | 半边旗（药用部位：根茎或全草）

| 植物形态 | 植株高 35~80（~120）cm。根茎长而横走，先端及叶柄基部被褐色鳞片。叶簇生，近一型；叶柄连同叶轴均为栗红色，光滑；叶片长圆披针形，二回半边深裂；顶生羽片阔披针形至长三角形，篦齿状，深羽裂几达叶轴，裂片对生，镰刀状阔披针形，基部下侧呈倒三角形的阔翅沿叶轴下延达下一对裂片；侧生羽片对生或近对生，下部的有短柄，向上无柄，半三角形而略呈镰刀状，两侧极不对称，上侧仅有一条阔翅，下侧篦齿状深羽裂几达羽轴，裂片镰刀状披针形，基部一片最长，不育裂片的叶有尖锯齿，能育裂片仅先端有一尖刺或具 2~3 尖锯齿。羽轴下面隆起，上面有纵沟，纵沟两旁有啮蚀状的浅灰色狭翅状的边。侧脉明显，斜上，二叉或二回二叉，小脉通常伸至锯齿的基部。叶干后草质，灰绿色，无毛。

半边旗

来西亚、印度北部、斯里兰卡、日本也有分布。

| 资　　源 |

生于海拔 850m 以下的疏林下阴处、溪边或岩石旁的酸性土壤上，常见。

| 采收加工 |

全草：全年均可采收，全草洗净，鲜用或晒干。
根茎：采挖后，除去叶、须根和鳞叶，洗净，趁鲜切片，干燥。

| 药材性状 |

全草长 35~80cm。根茎短，横生，密被黑褐色鳞片，下有稀疏黑褐色须根。叶片疏生于茎节处，叶柄粗壮而直立，紫褐色至黑色光亮，略具棱；叶片二型，草质，青绿色至淡紫绿色，具有孢子囊的叶片卵状披针形，二回羽状深裂，羽片近三角形，侧生的羽片不对称或近于对生，只半边有羽状分裂，另半边不分裂，下部羽片有短柄，故称为半边旗；无孢子囊的羽片，其裂片有细锯齿；叶片两面无毛，叶脉通常二叉分歧。孢子囊群线形，连续排列于叶缘。气无，味辛，嚼之有灼舌感。质量以叶片青绿色、带细小根茎者为佳。

| 分布区域 |

产于海南昌江、保亭、万宁、琼中、儋州、临高、琼海等地。亦分布于中国广东、广西、湖南、江西南部、福建、台湾、贵州南部、云南南部、四川。越南、老挝、缅甸、泰国、菲律宾、马

| 功能主治 |

味苦、辛，性凉；归肝、大肠经。清热利湿，凉血止血，解毒消肿。用于泄泻、痢疾、黄疸、目赤肿痛、牙痛、吐血、痔疮出血、外伤出血、跌打损伤、皮肤瘙痒、毒蛇咬伤。

▨凤尾蕨科▨ Pteridaceae　▨凤尾蕨属▨ *Pteris*

蜈蚣草 *Pteris vittata* L.

| 中 药 名 |

蜈蚣草（药用部位：全草或根茎）

| 植物形态 |

植株高（20~）30~100（~150）cm。根茎直立，短而粗健，密被蓬松的黄褐色鳞片。叶簇生；柄坚硬，深禾秆色至浅褐色，幼时密被与根茎上同样的鳞片，以后渐变稀疏；叶片倒披针状长圆形，一回羽状；顶生羽片与侧生羽片同形，侧生羽片多数（~40 对），互生或有时近对生，无柄，不与叶轴合生，向下羽片逐渐缩短，基部羽片仅为耳形，中部羽片最长，基部扩大并为浅心形，其两侧稍呈耳形，上侧耳片较大并常覆盖叶轴，不育的叶缘有微细而均匀的密锯齿，不为软骨质。侧脉纤细，单一或分叉。叶干后薄革质，无光泽，无毛；叶轴疏被鳞片。在成熟的植株上除下部缩短的羽片不育外，几乎全部羽片均能育。

| 分布区域 |

产于海南三亚、东方、保亭、临高、万宁等地。亦分布于中国秦岭以南。

| 资　　源 |

生于钙质土或石灰岩上，十分常见。

蜈蚣草

| 采收加工 |

全年均可采收，洗净，鲜用或晒干。

| 药材性状 |

全草长度不一，有的长达 150cm。根茎短，被披针形淡棕色鳞片，下有多数棕褐色的须根。叶自基部丛生，长短不一；叶柄长 10~30cm，棕色；叶片矩圆形至披针形，薄纸质，黄绿色，叶柄、叶轴及羽轴均被线形淡棕色鳞片，余光滑；羽片无柄，线形，先端渐尖，边缘有锐利锯齿，基部截形或心形，稍膨大，有的两侧略呈耳状；先端及中部羽片最长，布于羽片两侧，囊群盖膜质，黄褐色。气微，味淡。质量以叶色青绿者为佳。

| 功能主治 |

味淡、苦，性凉；归肝、大肠、膀胱经。祛风除湿，舒筋活络，解毒杀虫。用于风湿筋骨疼痛、腰痛、半身不遂、跌打损伤、感冒、痢疾、乳痈、蛔虫症、蛇虫咬伤。

| 附　注 |

①本种为钙质土及石灰岩的指示植物，其生长地土壤的 pH 为 7.0~8.0。②长期以来，学者们一直把本种与产于热带美洲的 *Pteris longifolia* L. 混淆在一起。其实二者是不同的两个种，主要的区别是产于美洲的种其羽片基部有关节，而且羽片能脱落。③蜈蚣草在不同环境中的大小和性状差别很大。

中国蕨科 Sinopteridaceae   碎米蕨属 Cheilosoria

碎米蕨 *Cheilosoria mysurensis* (Wall. ex Hook.) Ching et Shing

| 中 药 名 | 碎米蕨（药用部位：全草）

| 植物形态 | 植株高 10~25cm。根茎短而直立，连同叶柄基部密被栗棕色或栗黑色钻形鳞片。叶簇生，基部以上疏被钻形小鳞片，向上直到叶轴栗黑色或栗色，下面圆形，上面有阔浅沟；叶片狭披针形，向基部变狭，二回羽状；羽片 12~20 对，三角形或三角状披针形，基部上侧与叶轴并行，下侧斜出，几无柄，羽状或深羽裂，小羽片有 3~4 对圆裂片；下部羽片逐渐缩短，三角形，基部一对变成小耳形。叶脉在小羽片上羽状，分叉或单一。叶干后草质，两面无毛。孢子囊群每一裂片 1~2；囊群盖小，肾形或近圆肾形，边缘淡棕色。

碎米蕨

分布区域	产于海南昌江。亦分布于中国广东、福建、台湾。越南、印度、斯里兰卡及其他亚热带地区也有分布。
资　　源	生于灌丛或溪旁石上，少见。
采收加工	夏、秋季采收，晒干或鲜用。
功能主治	味微苦，性凉。清热解毒。用于咽喉肿痛、痢疾、毒蛇咬伤。
附　　注	①本种很容易和毛轴碎米蕨 *C. chusana* (Hook.) Ching et Shing 混淆，但本种叶柄上的鳞片较小，叶片远较狭，分裂度较细，叶轴上面两侧隆起的锐边上无毛。有一些植物学家认为应该将二者合为一种后使用毛轴碎米蕨的名字。②在 FOC 和《中国石松类和蕨类植物》中，中国蕨科植物被置于凤尾蕨科，修订后本种学名为 *Cheilanthes opposita* Kaulf.。

中国蕨科 Sinopteridaceae　碎米蕨属 Cheilosoria

薄叶碎米蕨 *Cheilosoria tenuifolia* (Burm.) Trev.

| 中 药 名 | 黑骨蕨（药用部位：全草）

| 植物形态 | 植株高 10~40cm。根茎短而直立，连同叶柄基部密被棕黄色柔软的钻状鳞片。叶簇生，栗色，下面圆形，上面有沟，下部略有一二鳞片，向上光滑；叶片远较叶柄为短，五角状卵形。三角形或阔卵状披针形，三回羽状；羽片 6~8 对，基部一对最大，卵状三角形或卵状披针形，基部上侧与叶轴并行，下侧斜出，二回羽状；小羽片 5~6 对，具有狭翅的短柄，下侧的较上侧的为长，下侧基部一片最大，一回羽状；末回小羽片以极狭翅相连，羽状半裂；裂片椭圆形。小脉单一或分叉。叶干后薄草质，上面略有一二短毛。孢子囊群生于裂片上半部的叶脉先端；囊群盖连续或断裂。

薄叶碎米蕨

| **分布区域** | 产于海南乐东、昌江、保亭、陵水、澄迈等地。亦分布于中国广东、广西、湖南南部、江西、福建、云南。亚洲其他热带地区，以及波利尼西亚、澳大利亚等地也有分布。 |

| **资　　源** | 生于海拔 50~1000m 的溪旁、田边或林下石上，常见。 |

| **采收加工** | 夏、秋季采收，洗净，晒干或鲜用。 |

| **功能主治** | 味苦，性凉。清热解毒，活血散瘀。用于痢疾、跌打损伤。 |

| **附　　注** | 在 FOC 和《中国石松类和蕨类植物》中，中国蕨科植物被置于凤尾蕨科，修订后本种学名为 *Cheilanthes tenuifolia* (Burm.) Sw.。 |

中国蕨科 Sinopteridaceae　黑心蕨属 *Doryopteris*

黑心蕨 *Doryopteris concolor* (Langsd. et Fisch.) Kuhn.

| 中 药 名 |　黑心蕨（药用部位：全草）

| 植物形态 |　植株高 20~30cm。根茎短而直立，先端和叶柄中部以下被鳞片；鳞片薄，淡棕色，中央有1厚的栗黑色中肋。叶簇生，一型；柄亮栗黑色，中部以上光滑，圆形，上面有1阔的浅纵沟；叶片五角形，基部阔心形或戟形，几为三等裂；中央一片阔菱形，基部阔楔形，下延于叶轴，羽状深裂；基部一对小羽片最长，羽状半裂或浅裂，向上的全缘，侧生羽片三角形，其下侧基部小羽片特长，羽状深裂，第二片小羽片有粗齿，其余全缘；叶脉在裂片上呈羽状，小脉二叉，不明显。叶干后纸质，上面褐绿色，下面淡棕色，两面无毛，叶轴、羽轴及小羽轴下面均为栗黑色。孢子囊群沿裂片两侧边缘分布，先端及缺刻不育；囊群盖全缘。

黑心蕨

| 分布区域 |

产于海南乐东、昌江等地。亦分布于中国广东、广西、台湾。世界其他热带地区也有分布。

| 资　源 |

生于海拔230~800m的林下溪旁石上或田埂边，偶见。

| 采收加工 |

夏、秋季采收，洗净，晒干。

| 功能主治 |

味微苦、涩，性凉。清热利尿，止血。用于淋证、外伤出血。

| 附　注 |

在FOC和《中国石松类和蕨类植物》中，中国蕨科植物被置于凤尾蕨科中。

中国蕨科 Sinopteridaceae　金粉蕨属 Onychium

金粉蕨 *Onychium siliculosum* (Desv.) C. Chr.

| **中 药 名** | 金粉蕨（药用部位：全草）

| **植物形态** | 植株高矮不一，小型的高 10~15cm，大型的高达 65cm。根茎粗短，斜升或直立，先端密被深棕色长钻形的鳞片。叶簇生，二型或近二型，不育叶片三至四回羽状细裂；能育叶（成熟的）的柄木质，枯禾秆色或禾秆色，基部略有鳞片，向上光滑；叶片卵状披针形或长卵形，下部三至四回羽状（幼态的二回羽状），中部二至三回羽状，上部一回羽状，先端有 1 长线形羽片，基部一对略大，长圆披针形或三角形，有柄，末回小羽片初为线形，成熟时较阔，基部楔形。叶脉在不育叶的末回小羽片上有单一或分叉的小脉，在能育叶的末回小羽片上仅有单一的侧脉，其先端和边脉汇合。叶干后纸质，两面无毛。孢子囊群生于能育叶的小羽片的边脉上；囊群盖线形，宽几覆盖主脉，成熟时张开，露出囊群及其中的柠檬黄色蜡质粉末；孢子表面具块状纹饰。

金粉蕨

| 分布区域 |

产于海南琼中。亦分布于中国台湾、云南南部及西部。越南、老挝、泰国、缅甸、柬埔寨、印度、印度尼西亚、巴布亚新几内亚、波利尼西亚、菲律宾等也有分布。

| 资　　源 |

生于海拔 100~1500m 的干旱河谷斜坡石缝，偶见。

| 采收加工 |

全年可采，晒干，鲜用尤佳。

| 功能主治 |

味苦，性寒。清热解毒。用于感冒高热，肠炎，痢疾，小便不利，解薯蓣、木薯、砷中毒；外用治烫火伤、外伤出血。

| 附　　注 |

①喜温暖和阴湿环境，忌强光。适宜腐殖质壤土和砂质壤土栽培。分株繁殖，春季萌芽前或芽刚刚露土时，将根挖出，分切后栽植，穴栽，每穴 1 株，穴距 5 寸。栽培期间应经常注意浇水，保持土壤湿润，切忌干燥。②在 FOC 和《中国石松类和蕨类植物》中，中国蕨科植物被置于凤尾蕨科中。

铁线蕨科 Adiantaceae 铁线蕨属 Adiantum

铁线蕨 *Adiantum capillus-veneris* L.

| 中 药 名 | 猪鬃草（药用部位：全草）

| 植物形态 | 植株高 15~40cm。根茎细长横走，密被棕色披针形鳞片。叶远生或近生；柄纤细，栗黑色，有光泽，基部被与根茎上同样的鳞片，向上光滑，叶片卵状三角形，基部楔形，中部以下多为二回羽状，中部以上为一回奇数羽状；羽片 3~5 对，互生，斜向上，有柄，基部一对较大，长圆状卵形，一回（少二回）奇数羽状，侧生末回小羽片 2~4 对，互生，斜向上，对称或不对称的斜扇形或近斜方形，上缘圆形，具 2~4 浅裂或深裂成条状的裂片。叶脉多回二歧分叉，直达边缘，两面均明显。叶干后薄草质，两面均无毛；叶轴、各回羽轴和小羽柄均与叶柄同色。孢子囊群每一羽片 3~10，横生于能育的末回小羽片的上缘；囊群盖长形、长肾形成圆肾形，淡黄绿色，老时棕色，膜质，全缘，宿存。

铁线蕨

| 分布区域 |

产于海南昌江、东方等地。亦分布于中国秦岭以南各地。世界其他温暖地区也有分布。

| 资　源 |

生于海拔 100~1800m 的石灰岩地区，常见。

| 采收加工 |

夏、秋季采收，洗净，鲜用或晒干。

| 功能主治 |

味苦,性凉。清热解毒,利水通淋。用于感冒发热、肺热咳嗽、湿热泄泻、痢疾、淋浊、带下、乳痈、瘰疬、疔毒、烫伤、毒蛇咬伤。

| 附　注 |

①本种为钙质土的指示植物。变型 *Adiantum dissectum f. capillus-veneris* 末回小羽片先端深裂成一些条状的裂片，可与原变型相区别。②在 FOC 和《中国石松类和蕨类植物》中，铁线蕨科植物被置于凤尾蕨科中。

铁线蕨科 Adiantaceae 铁线蕨属 *Adiantum*

鞭叶铁线蕨 *Adiantum caudatum* L.

| **中 药 名** | 鞭叶铁线蕨（药用部位：全草）

| **植物形态** | 植株高 15~40cm。根茎短而直立，被深栗色、披针形、全缘的鳞片。叶簇生；柄栗色，密被褐色或棕色多细胞的硬毛；叶片披针形，向基部略变狭，一回羽状；羽片 28~32 对，互生，或下部的近对生，平展或略斜展，基部常反折下斜；下部的羽片逐渐缩小，近长圆形，上缘及外缘深裂或条裂成许多狭裂片，下缘几通直而全缘，基部不对称，上侧截形；上部羽片与下部羽片同形，但向顶部逐渐变小，几无柄。叶脉多回二歧分叉，两面可见。叶干后纸质，两面均疏被棕色多细胞长硬毛和密而短的柔毛；叶轴与叶柄同色，并疏被同样的毛，老时部分脱落，先端常延长成鞭状，能着地生根，行无性繁殖。

鞭叶铁线蕨

孢子囊群每一羽片 5~12，囊群盖圆形或长圆形，褐色，被毛，上缘平直，全缘，宿存。孢子周壁具粗粒状纹饰，处理后周壁破裂，但不脱落。

| 分布区域 |

产于海南三亚、乐东、东方、昌江、保亭、五指山、陵水、儋州、海口等地。亦分布于中国华南其他区域，以及福建、台湾、云南、贵州。亚洲热带和亚热带地区也有分布。

| 资　源 |

生于海拔 1200m 以下的林下、山谷石缝中，常见。

| 采收加工 |

夏、秋季采收，洗净，晒干。

| 功能主治 |

味苦、微甘，性寒；归大肠、肾经。清热解毒，利水消肿。用于痢疾、水肿、小便淋涩、乳痈、烫火伤、毒蛇咬伤、口腔溃疡。

| 附　注 |

在 FOC 和《中国石松类和蕨类植物》中，铁线蕨科植物被置于凤尾蕨科中。

铁线蕨科 Adiantaceae　铁线蕨属 Adiantum

扇叶铁线蕨 *Adiantum flabellulatum* L.

| 中 药 名 |　过坛龙（药用部位：全草或根）

| 植物形态 |　植株高 20~45cm。根茎短而直立，密被棕色、有光泽的钻状披针形鳞片。叶簇生；柄紫黑色，有光泽，基部被有和根茎上同样的鳞片，向上光滑，上面有纵沟 1，沟内有棕色短硬毛；叶片扇形，二至三回不对称的二叉分枝，通常中央的羽片较长，线状披针形，奇数一回羽状；小羽片互生，具短柄，中部以下的小羽片大小几相等，为对开式的半圆形（能育的），或为斜方形（不育的），顶部小羽片与下部的同形而略小。叶脉多回二歧分叉。叶干后近革质，无毛；

扇叶铁线蕨

各回羽轴及小羽柄均为紫黑色，上面均密被红棕色短刚毛，下面光滑。孢子囊群每一羽片2~5，横生于裂片上缘和外缘，以缺刻分开；囊群盖半圆形或长圆形，上缘平直，革质，褐黑色，全缘，宿存。孢子具不明显的颗粒状纹饰。

| 分布区域 |

产于海南各地。亦分布于中国长江以南各地。东南亚，以及印度、日本等地也有分布。

| 资　　源 |

生于海拔1000m以下阳光充足的酸性土壤上，十分常见。

| 采收加工 |

全年均可采收，洗净，鲜用或晒干。

| 功能主治 |

味苦、辛，性凉；归肝、大肠、膀胱经。

| 附　　注 |

①本种生于pH值为4.5~5.0的灰化红壤和红黄壤上，为酸性土的指示植物。②在FOC和《中国石松类和蕨类植物》中，铁线蕨科植物被置于凤尾蕨科中。

铁线蕨科 Adiantaceae 铁线蕨属 *Adiantum*

假鞭叶铁线蕨 *Adiantum malesianum* Ghatak

| 中 药 名 | 岩风子（药用部位：全草）

| 植物形态 | 植株高 15~20cm。根茎短而直立，密被披针形、棕色、边缘具锯齿
的鳞片。叶簇生，柄幼时棕色，老时栗黑色，略有光泽，基部被同
样的棕色鳞片，通体被多细胞的节状长毛；叶片线状披针形，向先
端渐变小，一回羽状；羽片无柄，互生或近对生，基部一对羽片不
缩小，多少反折向下，其中部的侧生羽片为半开式，上缘和外缘深
裂；裂片长方形，先端凹陷，下缘和内缘平直；顶部羽片近倒三角形，
上缘圆形并深裂。叶脉多回二歧分叉。叶干后厚纸质，上面疏被短
刚毛，下面密被棕色多细胞的硬毛和方向朝外缘紧贴的短刚毛；羽

假鞭叶铁线蕨

轴与叶柄同色，密被同样的长硬毛，叶轴先端往往延长成鞭状，落地生根，行无性繁殖。囊群盖圆肾形，上缘平直，上面被密毛，棕色，纸质，全缘，宿存。

| 分布区域 | 产于海南东方、昌江、保亭等地。亦分布于中国华南其他区域，以及湖南、贵州、云南、四川。东南亚、南亚也有分布。

| 资　　源 | 生于海拔1400m以下的山坡灌丛下岩石上或石缝中，常见。

| 采收加工 | 夏、秋季采收，洗净，晒干。

| 功能主治 | 味苦，性凉。利水通淋，清热解毒。用于淋证、水肿、乳痈、疮毒。

| 附　　注 | ①本种与鞭叶铁线蕨 *A. caudatum* L. 的主要区别是基部一对羽片不缩小而呈团扇形，羽片下面被较密的长硬毛和紧贴并朝向羽片外缘的短毛，根茎上的鳞片边缘有明显的锯齿。②在FOC和《中国石松类和蕨类植物》中，铁线蕨科植物被置于凤尾蕨科中。

铁线蕨科 Adiantaceae **铁线蕨属** *Adiantum*

半月形铁线蕨 *Adiantum philippense* L.

| 中 药 名 | 黑龙丝（药用部位：全草）

| 植物形态 | 植株高 15~50cm。根茎短而直立，被褐色披针形鳞片。叶簇生；柄栗色，有光泽，基部被相同的鳞片，向上光滑；叶片披针形，奇数一回羽状；羽片互生，中部以下各对羽片大小几相等，呈对开式的半月形或半圆肾形，能育叶的边缘近全缘或具 2~4 浅缺刻，或为微波状，不育叶的边缘具波状浅裂，柄端具关节，老时羽片易从关节脱落而柄宿存，顶生羽片扇形，略大于其下的侧生羽片。叶脉多回二歧分叉。叶干后草质，两面均无毛；羽轴、羽柄均与叶柄同色，有光泽，无毛，叶轴先端往往延长成鞭状，着地生根，行无性繁殖。

半月形铁线蕨

孢子囊群以浅缺刻分开；囊群盖线状长圆形，上缘平直或微凹，膜质，褐色或棕绿色，全缘，宿存。孢子周壁具明显的细颗粒状纹饰，处理后易破裂和脱落。

| 分布区域 | 产于海南乐东、昌江、白沙、五指山、陵水等地。

| 资　　源 | 生于海拔 240~1800m 的较阴湿处或林下酸性土上，少见。

| 采收加工 | 全年均可采收，鲜用或晒干。

| 功能主治 | 味淡，性平；归肺、膀胱经。清肺止咳，利水通淋，消痈下乳。用于肺热咳嗽、小便涩痛、乳痈肿痛、乳汁不下。

| 附　　注 | ①本种生长在 pH 值为 4.5~5.0 的土壤上，是酸性红黄壤的指示植物。②在 FOC 和《中国石松类和蕨类植物》中，铁线蕨科植物被置于凤尾蕨科中。

水蕨科 Parkeriaceae 水蕨属 *Ceratopteris*

水 蕨 *Ceratopteris thalictroides* (L.) Brongn.

|中 药 名|

水蕨（药用部位：全草）

|植物形态|

植株幼嫩时呈绿色，多汁柔软，由于水湿条件不同，形态差异较大，高可达70cm。根茎短而直立，以一簇粗根着生于淤泥。叶簇生，二型。不育叶绿色，圆柱形，肉质，不膨胀，光滑无毛；裂片互生，卵形或长圆形；末回裂片线形或线状披针形，急尖头或圆钝头，全缘。能育叶的柄与不育叶的相同；叶片长圆形或卵状三角形，二至三回羽状深裂；羽片斜展，具柄，下部1~2对羽片最大；裂片狭线形，角果状，边缘薄而透明，无色，强度反卷达于主脉，好像假囊群盖。主脉两侧的小脉联结成网状，为狭长的五角形或六角形，不具内藏小脉。叶干后为软草质，绿色；叶轴及各回羽轴与叶柄同色，光滑。孢子囊沿能育叶的裂片主脉两侧的网眼着生，稀疏，棕色，幼时为连续不断的反卷叶缘所覆盖，成熟后多少张开，露出孢子囊。孢子四面体形，外壁很厚，分内外层，外层具肋条状纹饰。

水蕨

分布区域

产于海南三亚、乐东、昌江、五指山、保亭、陵水、万宁等地。亦分布于中国广东、贵州，以及华中、华东。世界其他热带、亚热带地区也有分布。

资　源

生于海拔 270~1190m 的路旁湿地或沟边林下，少见。

采收加工

夏、秋季采收，洗净泥土，晒干或鲜用。

药材性状

根茎短，密生须根。叶二型，无毛；营养叶狭短圆形，长 10~30cm，宽 5~15cm，二至四回羽裂，末回裂片披针形或矩圆披针形，宽约6mm；孢子叶较大，矩圆形或卵状三角形，长15~40cm，宽 10~20cm，二至三回羽状深裂，末回裂片条形，角果状，宽不超过 2mm；叶脉网状，无内藏小脉。孢子囊沿网脉疏生。气微，味甘、苦。

功能主治

味苦，性寒。消积，散瘀，解毒，止血。用于腹中痞块、痢疾、小儿胎毒、疮疖、跌打损伤、外伤出血。

附　注

①国家二级重点保护野生植物。本种嫩叶可作蔬菜。②在 FOC 和《中国石松类和蕨类植物》中，水蕨科植物被置于凤尾蕨科中。

书带蕨 *Vittaria flexuosa* Fee.

| 中 药 名 | 书带蕨（药用部位：全草）

| 植物形态 | 根茎横走，密被鳞片；鳞片黄褐色，具光泽，基部网眼壁较厚，深褐色；叶近生，常密集成丛。叶柄短，下部浅褐色，基部被纤细的小鳞片；叶片线形，亦有小型个体；中肋在叶片下面隆起，其上面凹陷呈一狭缝，侧脉不明显。叶薄草质，叶边反卷，遮盖孢子囊群。孢子囊群线形，生于叶缘内侧，位于浅沟槽中；孢子囊群线与中肋之间有阔的不育带，或在狭窄的叶片上为成熟的孢子囊群线充满；叶片下部和先端不育；隔丝多数，先端倒圆锥形，亮褐色。孢子长椭圆形，无色透明，单裂缝，表面具模糊的颗粒状纹饰。

书带蕨

| **分布区域** | 产于海南昌江、白沙、五指山、万宁等地。亦分布于中国广东、广西、湖南、江西、福建、台湾，以及西南地区。东南亚、南亚、朝鲜半岛以及日本也有分布。 |

| **资　　源** | 附生于树干或林下岩石上，常见。 |

| **采收加工** | 全年或夏、秋季采收，洗净，鲜用或晒干。 |

| **药材性状** | 根茎细长，圆柱形，长短不一，表面灰棕色，被黑褐色鳞片；鳞片钻状披针形，先端纤维状。上面有圆柱状突起的叶痕，下面有棕色须根；质坚脆，易折断。叶柄极短或几无柄；叶片革质，条形，长30~40cm，宽4~8cm，黄绿色，叶缘反卷，中脉上面下凹，两面均具明显纵棱，有的下面纵棱边脉上有棕色孢子囊群。气微，味淡。 |

| **功能主治** | 味苦、涩，性凉。清热息风，舒筋止痛，健脾消疳，止血。用于小儿惊风、目翳、跌打损伤、风湿痹痛、小儿疳积、妇女干血痨、咯血、吐血。 |

| **附　　注** | ①本种分布很广，形态变化较大，一些生长于干旱岩石上或极度潮湿的石洞壁上的小型植株，叶片极狭窄，孢子囊群线充满了中肋和反卷叶边之间的空间，常被命名为 *V. caricina* Christ 或 *V. modesta* Hand.-Mazz.。②在 FOC 和《中国石松类和蕨类植物》中，书带蕨科植物作为一个亚科（书带蕨亚科 Vittarioieae）被置于凤尾蕨科，修订后本种学名为 *Haplopteris flexuosa* (Fée) E. H. Crane.。 |

蹄盖蕨科 Athyriaceae 短肠蕨属 *Allantodia*

毛柄短肠蕨 *Allantodia dilatata* (Bl.) Ching

| 中 药 名 | 毛柄短肠蕨（药用部位：根茎）

| 植物形态 | 常绿大型林下植物。根茎横走、横卧至斜升或直立；鳞片深褐色或黄褐色，线状披针形或线形，边缘黑色并有小牙齿；叶疏生至簇生。基部黑褐色，密被与根茎上相同的鳞片，渐变光滑；叶片三角形，羽裂渐尖的顶部以下二回羽状或二回羽状—小羽片羽状半裂；侧生羽片互生，略斜向上，中部以下的卵状阔披针形，上部的披针形，具短柄或基部贴生；小羽片互生，卵状披针形或披针形，有短柄或无柄，先端长渐尖或尾状，基部浅心形或阔楔形，两侧羽状浅裂至半裂，或近似缺刻状；叶脉羽状，在小羽片的裂片上小脉单一，斜向上。叶干后纸质，沿羽片及小羽片中肋及主脉有褐色、线形的小鳞片及单行细胞的短柔毛。孢子囊群线形，在小羽片的裂片多数单生于小脉上侧，少数双生；囊群盖褐色，膜质，从一侧张开，宿存。孢子近肾形，周壁明显，具少数褶皱。

毛柄短肠蕨

|分布区域|

产于海南乐东、昌江、白沙、五指山、陵水、保亭、万宁、琼中、儋州等地。亦分布于中国广东、广西、台湾、贵州、云南、四川。越南、老挝、泰国、缅甸、尼泊尔、印度、印度尼西亚、马来西亚、菲律宾、日本、澳大利亚、波利尼西亚也有分布。

|资　源|

生于热带山地阴湿阔叶林下，常见。

|采收加工|

全年或秋季采挖，洗净泥土，除去须根，晒干。

|功能主治|

味微苦，性凉。清热解毒，祛湿，驱虫。用于肠炎、感冒、肝炎、疮疖、肠道寄生虫病。

|附　注|

在 FOC 和《中国石松类和蕨类植物》中，短肠蕨属植物被置于双盖蕨属（*Diplazium*），修订后本种学名为 *Diplazium dilatatum* Blume。在 FOC 中它的中文名为毛柄双盖蕨，在《中国石松类和蕨类植物》中仍为短柄短肠蕨。*Diplazium dilatatum* 在双盖蕨属中具有显著的多态性：地下茎细长横走，横卧至斜升或直立，叶一至二回羽状。其中，具一回羽状叶的植株被独立出来，为 *D. veitchii* 和 *D. Yaoshanicum*。

蹄盖蕨科 Athyriaceae 假蹄盖蕨属 Athyriopsis

假蹄盖蕨
Athyriopsis japonica (Thunb.) Ching

| **中 药 名** | 小叶凤凰尾巴草（药用部位：根茎或全草）

| **植物形态** | 夏绿植物。根茎细长横走，先端被黄褐色阔披针形或披针形鳞片；叶远生至近生。叶柄禾秆色，基部被与根茎上同样的鳞片；叶片矩圆形至矩圆状阔披针形，有时呈三角形，顶部羽裂长渐尖或略急缩长渐尖；侧生分离羽片少见平展，通直或略向上呈镰状弯曲，先端渐尖至尾状长渐尖，基部1~2对常较阔，长椭圆披针形，其余的披针形，两侧对称；侧生分离羽片的裂片略向上偏斜的为长方形或矩圆形，或为镰状披针形，先端近平截或钝圆至急尖，边缘有疏锯齿或波状，罕见浅羽裂；裂片上羽状脉的小脉8对以下，二叉或单一。叶草质,叶轴疏生浅褐色披针形小鳞片及节状柔毛。孢子囊群短线形，大多单生于小脉中部上侧，在基部上出1脉，有时双生于上下两侧；

假蹄盖蕨

囊群盖浅褐色，膜质，背面无毛，边缘撕裂状。孢子赤道面观半圆形，周壁表面具刺状纹饰。

| 分布区域 | 产于海南昌江、五指山、琼中等地。亦分布于中国各地。缅甸北部、尼泊尔、印度、日本、韩国也有分布。

| 资　　源 | 生于海拔 60~1800m 的林下湿地及山谷溪沟边，常见。

| 采收加工 | 全年或秋季采挖，洗净，鲜用或晒干。

| 功能主治 | 味微苦、涩，性凉。清热解毒。用于疮疡肿痛、乳痈、目赤肿痛。

| 附　　注 | 在 FOC 和《中国石松类和蕨类植物》中，假蹄盖蕨属的植物已被并入对囊蕨属 *Deparia* (Hook. & Grev.)，修订后本种的学名为 *Deparia japonica* (Thunb.) M. Kato，FOC 中的中文名为东洋对囊蕨，张宪春系统仍为假蹄盖蕨。

蹄盖蕨科 Athyriaceae 双盖蕨属 *Diplazium*

双盖蕨
Diplazium donianum (Mett.) Tard.-Blot

| 中 药 名 |

梳篦叶（药用部位：全草）

| 植物形态 |

根茎长而横走或横卧至斜升，黑色，密生肉质粗根，先端密被鳞片；鳞片披针形，质厚，褐色至黑褐色，边缘有细齿；叶近生或簇生。叶柄禾秆色或褐黄禾秆色，基部褐黑色，密被与根茎上相同的鳞片，向上渐变光滑；叶片椭圆形或卵状椭圆形，奇数一回羽状；侧生羽片通常等大，近对生或向上互生，斜向上，卵状披针形或椭圆形，先端长渐尖，基部圆楔形或近圆形，边缘下部全缘或微波状；中脉下面圆而隆起，上面有浅纵沟；侧生小脉斜展或略斜向上，每组有小脉 3~5，纤细，直达叶边。叶近革质或厚纸质。孢子囊群及囊群盖长线形，斜展或略斜向上，通常离中脉向外伸展，达离叶边不远处，少有与小脉等长，基部上出一脉上的双生，单生于小脉内侧。孢子赤道面观半圆形，周壁透明而稍宽，具少数褶皱，表面具不明显的颗粒状纹饰。

| 分布区域 |

产于海南三亚、乐东、昌江、五指山、保亭、

双盖蕨

陵水、万宁、琼中等地。亦分布于中国香港、广西、福建、台湾、安徽、云南。亚洲其他热带地区也有分布。

| **资　　　源** | 生于海拔 300~1400m 的山谷林下，常见。

| **采收加工** | 全年均可采收，洗净，鲜用或晒干。

| **药材性状** | 根茎横走，黑色，密生肉质粗根，先端密被披针形黑褐色鳞片。叶簇生，柄禾秆色，叶片奇数一回羽状，中脉下面圆而隆起，上面有浅纵沟；孢子囊群盖长线形，基部上出一脉上的双生。气微，味微苦、微涩。

| **功能主治** | 味微苦，性寒。清热利湿，凉血解毒。用于湿热黄疸、蛇咬伤、外伤出血。

| **附　　　注** | 本种下面有顶羽裂 var. *lobatum* 和隐脉 var. *aphanoneuron* 两个变种。

▓蹄盖蕨科▓ Athyriaceae ▓双盖蕨属▓ Diplazium

单叶双盖蕨

Diplazium subsinuatum (Wall. ex Hook. et Grev.) Tagawa

| 中 药 名 | 篦梳剑（药用部位：全草或根茎）

| 植物形态 | 根茎细长，横走，被黑色或褐色披针形鳞片；叶远生。叶柄淡灰色，基部被褐色鳞片；叶片披针形或线状披针形，两端渐狭，边缘全缘或稍呈波状；中脉两面均明显，小脉斜展，每组3~4，通直，平行，直达叶边。叶干后纸质或近革质。孢子囊群线形，通常多分布于叶片上半部，沿小脉斜展，在每组小脉上通常有1，生于基部上出小脉，距主脉较远，单生或偶有双生；囊群盖成熟时膜质，浅褐色。孢子赤道面观圆肾形，周壁薄而透明，表面具不规则的粗刺状或棒状突起，突起顶部具稀少而小的尖刺。

单叶双盖蕨

| 分布区域 | 分布于海南乐东、昌江、五指山。亦分布于中国广东及沿海岛屿、广西、湖南、江西、福建、台湾、浙江、江苏南部、安徽、贵州、云南、四川、河南。越南、缅甸、尼泊尔、印度、斯里兰卡、菲律宾、日本也有分布。 |

| 资　　源 | 生于海拔 200~1600m 的溪旁林下酸性土壤或岩石上，常见。 |

| 采收加工 | 全年或夏、秋季采收，洗净，鲜用或晒干。 |

| 药材性状 | 根茎细长，被棕黑色披针形鳞片。叶疏生，单一，近革质至纸质，绿黄色，长披针形，长 10~20cm，中部宽 1.5~2.5cm，两端狭尖，全缘或呈浅波状，侧脉明显分离，分叉，每组分二至三分叉，每组侧脉上侧有条形、膜质的孢子囊群；叶柄长 5~15cm，中部以下密被棕色鳞片。气微，味微苦、微涩。 |

| 功能主治 | 味苦、涩，性微寒。止血通淋，清热解毒。用于咯血、淋证、尿血、目赤肿痛、感冒发热、烫火伤、蛇虫咬伤。 |

| 附　　注 | 在 FOC 和《中国石松类和蕨类植物》中，本种已被置于对囊蕨属 *Deparia*，修订后学名为 *Deparia lancea* (Thunb.) Fraser-Jenk.，中文名为单叶对囊蕨。 |

▓肿足蕨科▓ Hypodematiaceae ▓肿足蕨属▓ *Hypodematium*

肿足蕨 *Hypodematium crenatum* (Forssk.) Kuhn

| 中 药 名 |

肿足蕨（药用部位：全草或根茎）

| 植物形态 |

植株高（12~）20~50（~60）cm。根茎粗壮，横走，连同叶柄基部密被鳞片；鳞片狭披针形，先端渐狭呈线形，全缘，膜质，亮红棕色。叶近生，柄禾秆色，基部有时疏被较小的狭披针形鳞片，向上仅被灰白色柔毛；叶片卵状五角形，先端渐尖并羽裂，基部圆心形，三回羽状；基部一对最大，三角状长圆形，短渐尖头；一回小羽片上先出，互生，羽轴下侧的较上侧的为大，尤以基部一片最大，卵状三角形，短渐尖头，下延成具狭翅的短柄；末回小羽片长圆形，先端钝尖，羽状深裂；第二对以上各对羽片向上渐次缩短，具短柄，二回羽裂；羽轴两侧的小羽片近等大。叶脉两面明显，侧脉羽状，单一，斜上，伸达叶边；叶草质，干后黄绿色，两面连同叶轴和各回羽轴密被灰白色柔毛。孢子囊群圆形，背生于侧脉中部；囊群盖大，肾形，浅灰色，膜质，背面密被柔毛，宿存。孢子圆肾形，周壁具较密的褶皱，形成明显的弯曲条纹，表面光滑。

肿足蕨

| **分布区域** | 产于海南东方、昌江、保亭等地。亦分布于中国广东、广西、台湾、安徽、贵州、云南、四川、甘肃、河南。亚洲亚热带地区和非洲也有分布。 |

| **资　　源** | 生于山地林中，石灰岩地区常见，野生资源量较小。 |

| **采收加工** | 夏、秋季采收，洗净晒干。 |

| **功能主治** | 祛风利湿，止血，解毒。用于风湿关节痛；外用于疮毒、外伤出血。 |

金星蕨科 Thelypteridaceae 星毛蕨属 Ampelopteris

星毛蕨 *Ampelopteris prolifera* (Retz.) Cop.

| 中 药 名 |　星毛蕨（药用部位：全草）

| 植物形态 |　土生蔓状蕨类，高达 1m 以上。根茎长而横走，连同叶柄基部疏被深棕色、有星状分叉毛的披针形鳞片。叶簇生或近生；叶柄禾秆色，坚硬，近光滑，长可达 40cm；叶片披针形，基部略变狭，叶轴先端常延长成鞭状，着地生根，形成新的植株，一回羽状；羽片可达 30 对，披针形，长 5~10（~15）cm，宽可达 2cm，短尖头，基部圆截形，边缘浅波状，平展，近对生，近无柄，羽片腋间常生有鳞芽，并由此长出一回羽状的小叶片。叶脉明显，侧脉斜展，先端联结，并自联结点伸出一条曲折的外行小脉，联结各对侧脉直达叶缘的缺刻，在外行小脉两侧各形成一排斜方形网眼，构成星毛蕨的特有脉型。

星毛蕨

叶干后纸质，淡绿色或褐绿色，叶轴两面和腋间有分叉和不分叉的短毛，老时脱落而变光滑。孢子囊群近圆形或长圆形，着生于侧脉中部，无盖，成熟后往往汇合。孢子囊体无毛。孢子椭圆形，单裂缝，周壁薄而透明，具细网状纹饰，网脊上具小刺。

| **分布区域** | 产于海南昌江、文昌。亦分布于中国香港、广西、湖南、江西、福建、台湾、贵州、四川。东半球的热带、亚热带地区也有分布。

| **资　　源** | 生于林下，偶见，野生资源量小。

| **采收加工** | 秋季采收，晒干。

| **功能主治** | 味辛，性凉。清热，利湿。用于痢疾、淋浊、胃炎、风湿肿痛。

| **附　　注** | 嫩叶可作蔬菜。

金星蕨科 Thelypteridaceae ▊ 毛蕨属 ▊ Cyclosorus

渐尖毛蕨
Cyclosorus acuminatus (Houtt.) Nakai

| 中 药 名 | 渐尖毛蕨（药用部位：根茎或全草）

| 植物形态 | 植株高 70~80cm。根茎长而横走，深棕色，老则变褐棕色，先端密被棕色披针形鳞片。叶 2 列远生；叶柄褐色，无鳞片，向上渐变为深禾秆色，略有一二柔毛；叶片长圆状披针形，先端尾状渐尖并羽裂，基部不变狭，二回羽裂；羽片有极短柄，斜展或斜上，互生，或基部的对生，羽裂达 1/2~2/3；裂片斜上，基部上侧一片最长，披针形，近镰状披针形，尖头或骤尖头，全缘。叶脉下面隆起，清晰，侧脉斜上，单一（基部上侧一片裂片有 13 对，多半二叉），基部一对出自主脉基部，其先端交接成钝三角形网眼，并自交接点向缺刻下的透明膜质连线伸出一条短的外行小脉，第 2 对和第 3 对的上侧一脉伸达透

渐尖毛蕨

明膜质连线。叶坚纸质，干后灰绿色，除羽轴下面疏被针状毛外，羽片上面被极短的糙毛。孢子囊群圆形，生于侧脉中部以上；囊群盖大，深棕色或棕色，密生短柔毛，宿存。

| **分布区域** | 产于海南东方、昌江等地。亦分布于中国广东、广西、湖南、江西、福建、台湾、浙江、江苏、湖北、贵州、云南、四川、甘肃、河南、陕西、山东。日本也有分布。

| **资　　源** | 生于海拔 1500m 以下的山谷灌丛阴湿处，常见。

| **采收加工** | 夏、秋季采收，晒干。

| **功能主治** | 味微苦，性平。清热解毒，祛风除湿，健脾。用于泄泻、痢疾、热淋、咽喉肿痛、风湿痹痛、小儿疳积、狂犬咬伤、烫烧伤。

| **附　　注** | 本种下面有变种鼓岭渐尖毛蕨 *Cyclosorus acuminatus* var. *kuliangensis*。

金星蕨科　Thelypteridaceae　毛蕨属　Cyclosorus

干旱毛蕨 *Cyclosorus aridus* (Don) Tagawa

| 中 药 名 | 干旱毛蕨（药用部位：全草）

| 植物形态 | 植株高达 1.4m。根茎横走，黑褐色。叶远生，叶柄和根茎同色，向上渐变为淡褐禾秆色，近光滑；叶片阔披针形，渐尖头，基部渐变狭，二回羽裂；羽片约 36 对，斜展，下部 6~10 对逐渐缩小成小耳片，近对生，彼此远离，下侧斜出，羽裂达 1/3；裂片 25~30 对，斜展，有浅的倒三角形缺刻分开，三角形，骤尖头或尖头，全缘。叶脉两面清晰，侧脉斜上，基部一对出自主脉基部稍上处，先端彼此交结成钝三角形网眼，并自交结点向缺刻延伸出一条外行小脉和第 2 对侧脉（有时仅和上侧一脉）连接，在外行小脉两侧形成斜长方形网眼，

干旱毛蕨

第3~6对侧脉伸到缺刻下的透明膜质连线，第7对以上的侧脉伸到缺刻以上的叶边。叶近革质，干后淡褐色或褐绿色，上面近光滑，下面沿叶脉疏生短针针毛，并饰有柠檬色的长圆形或棒形腺体，脉间无毛。孢子囊群生于侧脉中部稍上处；囊群盖小，膜质，鳞片状，淡棕色，无毛，宿存。

| 分布区域 |

产于海南乐东、东方、五指山、琼中、儋州等地。亦分布于中国广东、广西、湖南、江西、福建、台湾、浙江、安徽南部、云南、四川、西藏。越南、尼泊尔、印度、菲律宾、印度尼西亚、马来西亚、澳大利亚及南太平洋岛屿也有分布。

| 资　源 |

生于海拔150~1800m的沟边疏杂木林下或河边湿地，往往成群丛，常见。

| 采收加工 |

全年均可采收，晒干。

| 功能主治 |

味微苦，性凉。清热解毒。用于痢疾、乳蛾、狂犬咬伤。

| 附　注 |

在FOC和《中国石松类和蕨类植物》中，其学名为 *Cyclosorus aridus* (D. Don) Ching。

金星蕨科 Thelypteridaceae 毛蕨属 Cyclosorus

齿牙毛蕨 *Cyclosorus dentatus* (Forssk.) Ching

| 中 药 名 | 篦子舒筋草（药用部位：根茎）

| 植物形态 | 植株高 40~60cm。根茎短而直立，先端及叶柄基部密被披针形鳞片及锈棕色短毛。叶簇生；叶柄褐色，向上禾秆色，有短毛密生；叶片披针形，先端具一深羽裂的披针形长尾头，基部略变狭，二回羽裂；羽片 11~13 对，近开展，下部 2~3 对略缩短，近互生，基部宽1.2~1.5cm，披针形，渐尖头，基部圆截形，羽裂达 1/2；裂片 13~15 对，斜展，基部上侧一片较长，长方形，圆钝头，全缘。叶脉两面可见，侧脉斜上，基部一对出自主脉基部以上，其先端交结成钝三角形网眼，并自交结点向缺刻伸出一条外行小脉和第 2 对的上侧一脉连接成斜长方形网眼，第 2 对的下侧一脉伸达缺刻底部。叶干后草质或纸质，

齿牙毛蕨

淡褐绿色，上面密生短刚毛，沿叶脉有 1~2 针状毛，下面密被短柔毛。孢子囊群小，生于侧脉中部以上；囊群盖中等大，厚膜质，深棕色，有短毛，宿存。

| 分布区域 |

产于海南东方、白沙、保亭等地。亦分布于中国华南其他区域，以及江西、福建、台湾、云南。亚洲、非洲及美洲热带等地区也有分布。

| 资　　源 |

生于山谷疏林下或路旁湿地，常见。

| 采收加工 |

春、秋季采收，洗净，去须根与叶柄，晒干。

| 功能主治 |

味微苦，性平。舒筋活络，消肿散结。用于风湿筋骨痛、手指麻木、跌打损伤、瘰疬、痞块。

金星蕨科 Thelypteridaceae 毛蕨属 *Cyclosorus*

毛 蕨 *Cyclosorus interruptus* (Willd.) H. Ito

| 中 药 名 |　篦子草（药用部位：全草）

| 植物形态 |　植株高达 130cm。根茎横走，黑色，连同叶柄基部偶有一二卵状披针形鳞片。叶近生；叶柄基部黑褐色，向上渐变为禾秆色，几光滑；叶片卵状披针形或长圆披针形，先端渐尖，并具羽裂尾头，基部不变狭，二回羽裂；羽片 22~25 对，三角状披针形，渐尖头，基部阔楔形，羽裂达 2/3，侧生中部羽片几无柄，斜向上，互生（基部的对生），近线状披针形，先端渐尖，基部楔形，对称，羽裂达 1/3；裂片约 30 对，斜展，三角形，尖头。叶脉下面明显，基部一对斜展，其上侧一脉出自主脉基部，下侧一脉出自羽轴，二者先端交结成一个钝

毛蕨

三角形网眼，并自交结点向缺刻下的膜质连线伸出外行小脉；第 2 对侧脉斜伸
到膜质连线，在主脉两侧形成两个斜长方形网眼；第 3 对侧脉伸达缺刻以上的
叶边。叶近革质，干后褐绿色，上面光滑，下面沿各脉疏生柔毛及少数橙红色
小腺体，并沿羽轴有一二淡棕色鳞片；鳞片膜质，阔卵形，有缘毛。孢子囊群
圆形，生于侧脉中部，下部 1~2 对不育，因此在羽轴两侧各形成一条不育带；
囊群盖小，膜质，淡棕色，上面疏被白色柔毛，宿存，成熟时隐没于囊群中。

| 分布区域 | 产于海南三亚、乐东、东方、陵水、万宁、儋州、临高、海口等地。

| 资　　源 | 生于海拔 200~380m 的山谷溪旁湿处，常见。

| 采收加工 | 全年均可采收，晒干。

| 功能主治 | 味苦，性平。祛风除湿，舒筋活络。用于风湿关节疼痛、肢体麻木、瘫痪。

| 附　　注 | 据 Smith 和 Cranfil 在 2002 年进行的分子生物学研究，*Cyclosorus interruptus* 和
毛蕨属其他种的距离较远，又和 *Ampelopteris prolifera* 很相近，因此，本种的系
统位置还需进一步研究。

金星蕨科 Thelypteridaceae 毛蕨属 Cyclosorus

华南毛蕨 *Cyclosorus parasiticus* (L.) Farwell.

| 中 药 名 |

华南毛蕨（药用部位：全草）

| 植物形态 |

植株高达 70cm。根茎横走，连同叶柄基部
有深棕色披针形鳞片。叶近生；叶柄深禾秆
色，基部以上偶有一二柔毛；叶片长圆披针
形，先端羽裂，尾状渐尖头，基部不变狭，
二回羽裂；羽片 12~16 对，无柄，顶部略向
上弯弓或斜展，中部以下的对生，向上的
互生，彼此接近，羽裂达 1/2 或稍深；裂片
20~25 对，斜展，彼此接近，基部上侧一片
特长，长圆形，钝头或急尖头，全缘。叶脉
两面可见，侧脉斜上，单一，每一裂片 6~8 对，
（基部上侧裂片有 9 对，偶有二叉），基部
一对出自主脉基部以上，其先端交结成一钝
三角形网眼，并自交结点伸出一条外行小脉
直达缺刻，第 2 对侧脉均伸达缺刻以上的叶
边。叶草质，干后褐绿色，上面除沿叶脉有
一二伏生的针状毛外，脉间疏生短糙毛，下
面沿叶轴、羽轴及叶脉密生具一二分隔的针
状毛，脉上并饰有橙红色腺体。孢子囊群圆
形，生于侧脉中部以上；囊群盖小，膜质，
棕色，上面密生柔毛，宿存。

华南毛蕨

分布区域

产于海南各地。亦分布于中国华南其他区域，以及湖南、江西、福建、台湾、浙江、重庆。越南、泰国、缅甸、尼泊尔、印度、斯里兰卡、菲律宾、印度尼西亚、日本、朝鲜也有分布。

资　　源

生于海拔 1500m 以下的山谷林下、溪边、路旁阴湿处，十分常见。

采收加工

夏、秋季采收，晒干。

功能主治

味辛、微苦，性平。祛风，除湿。用于感冒、风湿痹痛、痢疾。

金星蕨科 Thelypteridaceae 金星蕨属 Parathelypteris

金星蕨 *Parathelypteris glanduligera* (Kze.) Ching

| 中 药 名 |

金星蕨（药用部位：全草）

| 植物形态 |

植株高 35~50(~60)cm。根茎长而横走，光滑，先端略被披针形鳞片。叶片披针形或阔披针形，二回羽状深裂；羽片约 15 对，平展或斜上；裂片 15~20 对或更多，全缘。叶脉明显，侧脉单一，基部一对出自主脉基部以上。叶草质，干后草绿色或有时褐绿色。孢子囊群小，圆形，背生于侧脉的近顶部，靠近叶边；囊群盖中等大，圆肾形，棕色，厚膜质，背面疏被灰白色刚毛，宿存。孢子两面型，圆肾形，周壁具褶皱，其上的细网状纹饰明显而规则。

| 分布区域 |

产于海南昌江、五指山等地。亦分布于中国长江以南各地。越南、印度、日本、朝鲜也有分布。

| 资　　源 |

生于海拔 1500m 以下疏林下，常见。

金星蕨

| **采收加工** | 夏季采收，晒干或鲜用。

| **功能主治** | 味苦，性寒。清热解毒，利尿，止血。用于痢疾、小便不利、吐血、外伤出血、烫伤。

| **附　注** | 本种下面有一变种：微毛金星蕨 *Parathelypteris glanduligera* var. *puberula*。

金星蕨科　Thelypteridaceae　假毛蕨属　*Pseudocyclosorus*

镰片假毛蕨 *Pseudocyclosorus falcilobus* (Hook.) Ching

| 中 药 名 |　镰片假毛蕨（药用部位：叶）

| 植物形态 |　植株高 65~80cm。根茎直立，木质，先端及叶柄基部被棕色的披针形鳞片。叶簇生；叶柄基部褐色，向上禾秆色，光滑无毛；叶片披针形，羽裂渐尖头，下部突然变狭，二回深羽裂；下部 3~6 对羽片退化成小耳片，下部楔形，羽裂几达羽轴；裂片 22~25 对，镰状披针形，斜向上，以狭的间隔分开，急尖头，全缘，基部上侧一片特别伸长达 1cm。叶脉上面可见，主脉两面隆起，侧脉极斜向上，基部一对出自主脉基部，上侧一脉伸达缺刻底部，下侧一脉伸至缺刻以上的叶边。叶干后厚纸质，淡褐绿色；下面沿叶轴、羽轴及叶脉有针状刚毛，脉间光滑无毛，上面沿羽轴纵沟有伏贴的刚毛，叶脉及叶缘几光滑无毛。孢子囊群圆形，着生于小脉中部；囊群盖圆肾形，质厚，棕色，上面有腺体，宿存。

镰片假毛蕨

分布区域	产于海南昌江、白沙、五指山等地。亦分布于中国广东、香港、广西、福建、浙江、云南。越南、老挝、泰国、缅甸、印度和日本也有分布。
资 源	生于海拔 300~1100m 的山谷水边石砾土上，少见。
采收加工	夏、秋季采收，晒干。
功能主治	味苦，性凉。清热解毒，生肌敛疮。用于痢疾、肠炎、烫火伤。
附 注	在《中国石松类和蕨类植物》中，假毛蕨属植物被置于毛蕨属（*Cyclosorus*），修订后本种的学名为 *Cyclosorus falcilobus* (Hook.) L. J. He & X. C. Zhang，中文名为镰片假毛蕨。FOC 中依然承认假毛蕨属（*Pseudocyclosorus*），与 FRPS 保存一致，未做修订。

金星蕨科 Thelypteridaceae 新月蕨属 Pronephrium

新月蕨 *Pronephrium gymnopteridifrons* (Hay.) Holtt.

| 中 药 名 | 新月蕨（药用部位：全草）

| 植物形态 | 植株高达 80~120cm。根茎长而横走，密被棕色的披针形鳞片；叶远生；叶柄基部被鳞片，向上密被短毛，禾秆色；叶片阔卵形或卵状长圆形，奇数一回羽状；中部羽片长圆披针形短尾尖，基部圆楔形，全缘或有粗钝锯齿，上部羽片略小，顶生羽片和中部的同形，稍大，基部不对称，有长柄。叶脉上面可见，下面明显隆起，主脉上面有一条纵沟，侧脉并行，小脉斜上，基部一对联结成三角形的网眼，向上各对和外行小脉联结成近方形或长方形网眼。叶干后淡绿色，

新月蕨

纸质，上面除沿主脉纵沟有伏贴的短毛外，其余均光滑无毛，下面叶脉仅被稀疏短毛，脉间偶有一二短毛和少量泡状突起。孢子囊群圆形，着生于小脉中部，在侧脉排成两行，不汇合；囊群盖小，上面有短毛；孢子囊体上也有毛。

| 分布区域 | 产于海南乐东、东方、昌江、五指山、保亭、万宁、琼中、屯昌、琼海等地。亦分布于中国华南其他区域，以及台湾、贵州、云南。菲律宾也有分布。

| 资　　源 | 生于山谷溪边林下，常见。

| 采收加工 | 全年可采，鲜用或晒干。

| 功能主治 | 全草煮水喝，用于感冒发热。

| 附　　注 | 学者 W. C. Shieh & J. L. Tsai 将 *Pronephrium asperum* (C. Presl) Holttum 归入 *Pronephrium gymnopteridifrons* 中。在《中国石松类和蕨类植物》中，新月蕨属植物被置于毛蕨属（*Cyclosorus*），修订后本种学名为 *Cyclosorus gymnopteridifrons* (Hayata) C. M. Kuo，中文名仍为新月蕨。FOC 中依然承认新月蕨属，与 FRPS 保存一致，未做修订。

金星蕨科 Thelypteridaceae ▎新月蕨属 Pronephrium

单叶新月蕨 *Pronephrium simplex* (Hook.) Holtt.

| 中 药 名 |　草鞋青（药用部位：全草）

| 植物形态 |　植株高 30~40cm。根茎细长横走，先端疏被深棕色的披针形鳞片和钩状短毛。叶远生，单叶，二型；不育叶的柄禾秆色，基部偶有一二鳞片，向上密被钩状短毛，间有针状长毛；叶片椭圆状披针形，长渐尖头，基部对称，深心形，两侧呈圆耳状，边缘全缘或浅波状。叶脉上面可见，斜向上，并行，侧脉间基部有 1 近长方形网眼，其上具有两行近正方形网眼。叶干后厚纸质，两面均被钩状短毛，叶轴和叶脉上的毛更密，间有长的针状毛。能育叶远高过不育叶，具长柄（30~35cm），叶片披针形，长渐尖头，基部心形，全缘，叶脉同不育叶，被同样的毛。孢子囊群生于小脉上，初为圆形，无盖，成熟时布满整个羽片下面。

单叶新月蕨

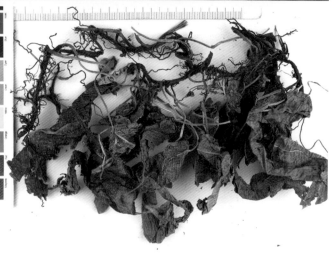

|分布区域|

产于海南各地。亦分布于中国广东、香港、福建、台湾、云南。越南、日本也有分布。

|资　源|

生于海拔 500~1000m 的山谷溪边林下，常见。

|采收加工|

全年均可采收，晒干或鲜用。

|功能主治|

味苦、微涩，性凉。清热解毒。用于咽喉肿痛、痢疾、毒蛇咬伤。

|附　注|

在《中国石松类和蕨类植物》中，新月蕨属植物被置于毛蕨属，修订后本种学名为 *Cyclosorus simplex* (Hook.) Copel.，中文名仍为单叶新月蕨。FOC 中依然承认新月蕨属，与 FRPS 保存一致，未做修订。

金星蕨科 Thelypteridaceae 新月蕨属 Pronephrium

三羽新月蕨 *Pronephrium triphyllum* (Sw.) Holtt.

| 中 药 名 | 蛇退步（药用部位：全草）

| 植物形态 | 植株高 20~50cm。根茎细长横走，黑褐色，密被灰白色钩状短毛及棕色带毛的披针形鳞片。叶疏生，一型或近二型；叶片卵状三角形，长尾头，基部圆形，三出，侧生羽片 1 对（罕有 2 对）；顶生羽片远较大，边缘全缘或呈浅波状。叶脉下面较明显，侧脉斜展，并行，小脉在羽片中部通常 8~9 对，斜展或近平展，侧脉间基部有一由小脉先端相连形成的三角形网眼，其交结点延伸外行小脉和其余侧脉联结成近方形网眼。叶干后坚纸质，上面除沿主脉凹槽密被钩状毛外，其余光滑无毛，下面沿主脉、侧脉及小脉均被钩状毛，脉间也有稀疏的钩状毛。能育叶略高于不育叶，有较长的柄，羽片较狭。孢子囊群生于小脉上，初为圆形，后变长形并成双汇合，无盖；孢子囊体上有 2 钩状毛。

三羽新月蕨

分布区域

产于海南三亚、昌江、万宁等地。亦分布于中国广东、广西、福建、台湾、云南。越南、泰国、缅甸、印度、马来西亚、印度尼西亚、日本、韩国、澳大利亚也有分布。

资 源

生于山谷溪边林下，常见。

采收加工

全年可采，鲜用或晒干。

功能主治

味微苦、辛，性平。清热解毒，散瘀消肿，化痰止咳。用于痈疮疖肿、毒蛇咬伤、跌打损伤、湿疹、皮肤瘙痒、急慢性支气管炎。

附 注

在《中国石松类和蕨类植物》中，新月蕨属植物被置于毛蕨属，修订后本种学名为 *Cyclosorus triphyllus* (Sw.) Tardieu.，中文名仍为三羽新月蕨。FOC 中依然承认新月蕨属，与 FRPS 保存一致，未做修订。

铁角蕨科 Aspleniaceae　铁角蕨属 *Asplenium*

线裂铁角蕨 *Asplenium coenobiale* Hance

| **中 药 名** | 线裂铁角蕨（药用部位：全草）

| **植物形态** | 植株高 10~25 (~30) cm。根茎直立，先端密被鳞片；鳞片线形，黑色，有棕色狭边和虹色光泽，厚膜质，边缘略有齿牙。叶簇生；叶柄圆形，乌木色，有光泽，光滑；叶片长三角形，细裂，渐尖头，三回羽状；羽片 12~16 对，下部的对生，向上互生，斜展，有短柄或近无柄，基部一对略长，长三角形，尖头，基部圆截形，上侧覆盖叶轴，二回羽状；末回小羽片 2~4 对，互生，通常上侧的较大（基部 1~2 片略大），2~3 深裂，分裂度极纤细，不育裂片为狭线形，能育裂片较阔，尖头，全缘。叶脉两面均明显，隆起，每一裂片有小脉 1，不达叶边。叶薄草质，干后草绿色；叶轴中部以下为乌木色，有光泽，

线裂铁角蕨

中部以上为草绿色，光滑，上面有阔纵沟，羽轴及小羽轴均与叶片同色，两面均隆起。孢子囊群椭圆形，棕色，每一能育裂片 1，生于小脉中部或下部的上侧；囊群盖椭圆形，淡绿色，后变淡棕色，薄膜质，透明，全缘，开向叶边，宿存。

| 分布区域 | 产于海南昌江、保亭等地。亦分布于中国广东、广西、福建、台湾、贵州、云南、四川。越南北部也有分布。

| 资　　源 | 生于海拔 500m 左右的山地林下潮湿处石上，偶见。

| 采收加工 | 夏、秋季采收，洗净，晒干或鲜用。

| 功能主治 | 用于风湿痹痛、小儿麻痹、月经不调。

| 附　　注 | 本种为生于干旱石缝中的小型蕨类，叶片细裂，末回裂片为狭线形，有叶脉和孢子囊群各 1 条，宛如著叶组 Sect. Darea 的种类，但叶不为近肉质，叶柄乌木色，易于区别。因生境不同，本种叶片的分裂情况变异很大，长在林下岩石上的植株分裂较多且裂片较大，四倍体植株通常产生不育孢子。进一步研究将围绕它们是否是有性的而展开。在中国的文献中，Asplenium coenobiale 这个名称被误用为邻近的种（A. pulcherrimum）上。由于存在这种混乱，因此，本种的分布区不是很清晰。

铁角蕨科 Aspleniaceae 铁角蕨属 Asplenium

毛轴铁角蕨 *Asplenium crinicaule* Hance

| 中 药 名 | 毛轴铁角蕨（药用部位：全草）

| 植物形态 | 植株高 20~40cm。根茎短而直立，密被鳞片；鳞片披针形，厚膜质，黑褐色，有虹色光泽，全缘或有少数纤毛。叶簇生；叶柄灰褐色，上面有纵沟，与叶轴通体密被黑褐色或深褐色鳞片（鳞片纤维状，有虹色光泽，筛孔疏而大），老时陆续脱落而较稀疏；叶片阔披针形或线状披针形，顶部渐尖，一回羽状；羽片 18~28 对，互生或下部的对生，斜展，几无柄或有极短柄，基部不对称，上侧圆截形，略呈耳状突起，下侧长楔形，边缘有不整齐的粗大钝锯齿。叶脉两面均明显，隆起呈沟脊状，小脉多为二回二叉，也有二叉、三叉或

毛轴铁角蕨

单一，基部上侧的常为多回二叉分枝，不达叶边。叶纸质，干后棕褐色，主脉上面疏被褐色星芒状的小鳞片，老时部分脱落；叶轴灰褐色，上面有纵沟。孢子囊群阔线形，棕色，极斜向上，彼此疏离，通常生于上侧小脉，自主脉向外行，不达叶边，沿主脉两侧排列整齐，或基部上侧的为不整齐的多行；囊群盖阔线形，黄棕色，后变灰棕色，厚膜质，全缘，生于小脉上侧的开向主脉，生于下侧的开向叶边，宿存。

| 分布区域 | 产于海南澄迈。亦分布于中国广东、广西、江西、福建、贵州、云南、四川。越南、缅甸、印度、马来西亚、菲律宾、澳大利亚等也有分布。

| 资　　源 | 生于海拔 120~1800m 的林下溪边潮湿岩石上，少见。

| 采收加工 | 夏、秋季采收，洗净，晒干或鲜用。

| 功能主治 | 味苦，性平。清热解毒，透疹。用于麻疹不透、无名肿毒。

| 附　　注 | ①本种的四倍体植株在印度被发现，在中国，本种是八倍体和十二倍体的集合体。目前，八倍体在印度南部、中国四川、广东和贵州被发现，十二倍体在贵州和广东被发现。②本种叶片和羽片的形状具有丰富的多样性，即使是在模式产地广东鼎湖山也是如此，在鼎湖山植株是八倍体的。*Asplenium adiantoides*（目前被处理成 *A. aethiopicum* 的异名）曾经被错误地认为是 *Asplenium crinicaule*。

铁角蕨科 Aspleniaceae　铁角蕨属 Asplenium

镰叶铁角蕨 *Asplenium falcatum* Lam.

| 中 药 名 |

骨把（药用部位：全草）

| 植物形态 |

植株高 20~60cm。根茎短而直立，密被鳞片；
鳞片披针形，先端钻状，黑褐色，有虹色光泽，
薄膜质，全缘。叶簇生；叶柄灰褐色，上面
有狭纵沟，基部密被与根茎上同样但较小的
鳞片，向上近光滑；叶片椭圆形，奇数一回
羽状，对生或近对生，斜展，有长柄，下部
羽片等大，菱状阔披针形，多少呈镰刀状，
长渐尖头，基部为近对称的楔形，上侧有时
呈耳状突起，边缘仅基部全缘，向上有不规
则的粗锯齿或撕裂状尖锯齿，上部羽片与下
部的同形，略变小，顶生羽片大于其下的侧
生羽片，菱状披针形至三叉形。叶脉明显，
主脉下面圆而隆起，上面有狭纵沟，侧脉两
面均隆起呈沟脊状，基部上侧数脉往往为二
至三回二叉，小脉以锐角斜向上，达于叶边。
叶革质，干后褐棕色，上下两面均呈沟脊状；
叶轴灰褐色，上面有浅纵沟。孢子囊群狭线
形，褐棕色，通常生于上侧小脉（其下侧邻
近的小脉也往往能育，但孢子囊群较短），
自主脉向外行，几达叶边，在羽片上部的沿
主脉两侧各排成整齐的 1 行，在下部的（或

镰叶铁角蕨

仅上侧的）往往有多行；囊群盖狭线形，褐棕色，薄纸质，全缘，大部分开向主脉，在羽片基部的一部分开向叶边，宿存。

| **分布区域** | 产于海南三亚、乐东、东方、昌江、五指山、陵水、儋州、海口等地。亦分布于中国台湾、广东、广西、贵州南部、云南东南部。

| **资　　源** | 生于海拔 320~750m 的密林下溪边石上或石灰岩上，少见。

| **采收加工** | 夏、秋季采收，洗净，晒干。

| **功能主治** | 味苦，性凉。清热，利湿，解毒，敛疮。用于高热、黄疸、淋浊、烧伤。

| **附　　注** | FOC 对本种进行了修订，修订后学名为 *Asplenium polyodon* G. Forst.。在《中国石松类和蕨类植物》中，本种的学名同 FRPS，未进行修订处理。*Asplenium polyodon* 是一个分布广泛并且变异丰富的复合体，需进行更进一步的研究。在澳大利亚、印度（大吉岭）、马来西亚、新西兰和斯里兰卡，发现了本种的四倍体，在乌干达和中国广西发现了四倍体和六倍体，在法国留尼汪岛和中国海南岛发现了十倍体。羽片较宽的植株曾经被鉴定为 *A. macrophyllum* Swartz，但 *A. macrophyllum* 和 *A. polyodon* 的差异之处还需要深入研究。

铁角蕨科 Aspleniaceae 铁角蕨属 *Asplenium*

厚叶铁角蕨 *Asplenium griffithianum* Hook.

| 中 药 名 | 旋鸡尾（药用部位：根茎）

| 植物形态 | 植株高 15~30cm。根茎短而直立，深褐色，先端密被鳞片；鳞片披针形或卵状披针形，膜质，黑褐色，有光泽，边缘有小齿牙。叶簇生，单叶；叶柄极短或近无柄，淡禾秆色；叶片披针形，先端渐尖或急尖，基部缓下延而呈狭翅状，边缘下部全缘，向上部呈不整齐的波状圆齿（有时仅有疏缺刻）。主脉明显，粗壮，下面不为显著隆起，上面圆而隆起，淡禾秆色，小脉两面均不明显或上面仅可见，二叉，通直，不达叶边。叶肉质，干后淡绿色，两面均疏被深褐色或基部为褐棕色的星芒状小鳞片，通常下面较密，老时部分脱落。孢子囊群阔线形，长 5~8.5mm，深棕色，略斜展，自主脉向外行，达叶片宽的 2/3 或稍过之，生于上侧小脉的上侧边；囊群盖阔线形，灰白色，后变黄棕色，膜质，全缘，开向主脉，宿存。

厚叶铁角蕨

| 分布区域 |

产于海南五指山、陵水、白沙等地。亦分布于中国广东、广西、福建、台湾、湖南、贵州南部、云南东南部、四川南部、西藏。越南、缅甸、不丹、尼泊尔、印度北部也有分布。

| 资　源 |

生于海拔 150~1600m 的林下潮湿岩石上，偶见。

| 采收加工 |

秋季采挖，去须根，洗净，晒干。

| 功能主治 |

味微苦，性凉。清热利湿，解毒。用于黄疸、淋浊、高热、烫火伤。

| 附　注 |

Bir 和 Mehra 报道称产自锡金、印度的植株是二倍体杂交种，流式细胞实验结果表明至少在贵州的植物是多倍体。目前的分类研究发现本种可能包含多个分类群，有待进一步研究。在广东西南部发现 *Asplenium xinyiense* Ching & S. H. Wu 这个种具败育孢子的植株，是由 *A. griffithianum* 或者是 *A. loxogrammoides* 和 *A. wrightii* 杂交的个体。上述这些种都混长在 *A. xinyiense* 模式产地的一个峭壁上。

铁角蕨科 Aspleniaceae 铁角蕨属 *Asplenium*

大羽铁角蕨 *Asplenium neolaserpitiifolium* Tard.-Blot et Ching

| 中 药 名 | 大羽铁角蕨（药用部位：全草或根茎）

| 植物形态 | 植株高 60~70cm。根茎短而直立，粗壮，木质，先端密被鳞片；鳞片大，线状披针形，褐棕色或深棕色，有虹色光泽，膜质，全缘。叶簇生；叶柄深青褐色或深青灰色，有光泽，光滑，上面有阔纵沟；叶片大，椭圆形，渐尖头，三回羽状或四回深羽裂；羽片 10~12 对，彼此略覆叠，基部的近对生，向上互生，斜展，有长柄（基部一对柄长达 2.5cm），长三角形，略呈镰刀状，短尾尖头，上侧紧靠叶轴，下侧远离叶轴，二回羽状；小羽片 9~11 对，互生，上先出，有长柄，基部一对最大，上侧一片紧靠叶轴，直立，下侧一片向外斜出，远离叶轴，基部圆楔形，对称，有柄（长达 1cm），羽状或下部为二回羽裂；末回小羽片 4~8 对，互生或基部一对对生或近对生，斜展，基部一对较大，

大羽铁角蕨

尤以上侧一片较大，掌状三深裂或为羽状深裂；其余的末回小羽片较小，仅为浅裂或不分裂。叶脉两面均明显，隆起呈沟脊状，小脉在末回小羽片或裂片为扇状二叉分枝，极斜向上，几达叶边。叶软纸质，干后草绿色；叶轴及羽轴深青褐色或深青灰色，有光泽，上面有浅阔纵沟。孢子囊群狭线形，棕色，极斜向上，彼此接近，每一末回小羽片或裂片有 2~4，通常位于末回小羽片或裂片的中部以下；囊群盖狭线形，棕色，厚膜质，全缘，通常相对开，宿存。

| 分布区域 | 产于海南乐东、昌江、五指山、陵水、万宁等地。亦分布于中国广东、广西等地。越南、泰国、缅甸、印度、日本以及马来群岛也有分布。

| 资　　源 | 生于密林中树干上，常见。

| 采收加工 | 秋季采收，去须根，洗净，晒干。

| 药材性状 | 根茎长 2~4cm，有众多须根和黑褐色披针形鳞片。叶柄长 15~30cm；叶片长圆状披针形，长 30~40cm，宽 12~18cm，三至四回羽裂，暗黄绿色至暗黄棕色，纵向反卷；叶轴紫棕色，腹面沟状。孢子囊群条形，生于小脉上；囊群盖棕色。气微，味淡。

| 功能主治 | 味淡，性平。祛风除湿。用于风湿痹痛、腰腿痛。

| 附　　注 | FOC 对本种进行了修订，将大羽铁角蕨归并至假大羽铁角蕨，修订后学名为 *Asplenium pseudolaserpitiifolium* Ching。在《中国石松类和蕨类植物》中同 FRPS 保存一致，未进行归并处理。

铁角蕨科 Aspleniaceae　铁角蕨属 Asplenium

倒挂铁角蕨 *Asplenium normale* Don

| 中 药 名 | 倒挂草（药用部位：全草）

| 植物形态 | 植株高 15~40cm。根茎直立或斜升，粗壮，黑色，全部密被鳞片或仅先端及较嫩部分密被鳞片。叶簇生；叶柄栗褐色至紫黑色，有光泽；叶片披针形，一回羽状；羽片 20~30（~44）对。叶草质至薄纸质，干后棕绿色或灰绿色，两面均无毛；叶轴栗褐色，光滑，上面有阔纵沟，下面圆形，近先端处常有一被鳞片的芽胞，能在母株上萌发。孢子囊群椭圆形，棕色，极斜向上，远离主脉伸达叶边，彼此疏离，每一羽片有 3~4（~6）；囊群盖椭圆形，淡棕色或灰棕色，有时沿叶脉着生处色较深，膜质，全缘，开向主脉。

倒挂铁角蕨

分布区域

产于海南昌江、东方、琼中、五指山等地。亦分布于中国广东、广西、湖南、江西、福建、台湾、浙江、江苏、贵州、云南、四川、西藏。越南、缅甸、尼泊尔、印度、斯里兰卡、菲律宾、马来西亚、日本、澳大利亚、马达加斯加及夏威夷等太平洋岛屿也有分布。

资　　源

生于海拔 600~1500m 的林下石上或树干上，常见。

采收加工

全年均可采收，洗净，晒干或鲜用。

药材性状

根茎密生黑褐色披针形鳞片，并有众多须根。叶柄长 5~20cm，基部有少数鳞片，叶轴紫黑色，叶片草质，披针形，长 12~15cm，宽 2~3cm，一回羽状，羽片易脱落，三角状长圆形，钝头，边缘有粗钝齿，每齿有一小脉，基部全缘；叶轴紫黑色。孢子囊群生于小脉中部，囊群盖矩圆形，膜质。气微，味淡。

功能主治

味微苦，性平。清热解毒，止血。用于肝炎、痢疾、外伤出血、蜈蚣咬伤。

铁角蕨科　Aspleniaceae　铁角蕨属　*Asplenium*

长叶铁角蕨 *Asplenium prolongatum* Hook.

| 中 药 名 | 倒生莲（药用部位：全草或叶）

| 植物形态 | 植株高 20~40cm。根茎短而直立，先端密被鳞片。叶簇生；叶片线状披针形，尾头，二回羽状；羽片 20~24 对，下部（或基部）的对生，向上互生，斜向上，近无柄，下部羽片通常不缩短，基部不对称，上侧截形，紧靠叶轴，下侧斜切，羽状；小羽片互生，上先出，上侧有 2~5，下侧 0~3（~4），狭线形，略向上弯钝头，基部与羽轴合生并以阔翅相连，全缘，上侧基部 1~2 常再 2~3 裂，基部下侧 1 偶为 2 裂；裂片与小羽片同形而较短。叶近肉质，干后草绿色，略显细纵纹；叶轴与叶柄同色，先端往往延长成鞭状而生根；羽轴与叶片同色，上面隆起，两侧有狭翅。孢子囊群狭线形，深棕色，每一小羽片或裂片 1，位于小羽片的中部上侧边；囊群盖狭线形，灰绿色，膜质，全缘，开向叶边，宿存。

长叶铁角蕨

| **分布区域** | 产于海南五指山、保亭、陵水、万宁等地。亦分布于中国华南其他区域，以及湖南、江西、福建、台湾、浙江、湖北、贵州、云南、四川、甘肃。日本、韩国、斐济也有分布。 |

| **资　　源** | 生于海拔 150~1500m 的山地林下阴湿处石上或树上，常见。 |

| **采收加工** | 秋季采收，洗净，鲜用或晒干。 |

| **药材性状** | 根茎短，先端有披针形鳞片，并有多数须根。叶柄压扁；叶片条状披针形，长 10~25cm，宽 3~4.5cm，二回深羽裂，羽片矩圆形，长 1.3~2cm，宽 8~10mm，裂片条形，钝头，全缘。有一小脉，先端有小囊，表面皱缩；叶轴先端延伸成鞭状。孢子囊群沿叶脉上侧着生，囊群盖长圆形，膜质，膜稍韧。气微，味微苦。 |

| **功能主治** | 味辛、微苦，性凉；归肝、肺、膀胱经。清热解毒，化瘀止血。用于咳嗽痰多、风湿痹痛、肠炎痢疾、尿路感染、乳腺炎、吐血、外伤出血、跌打损伤、烫火伤。 |

| **附　　注** | 据报道，日本的长叶铁角蕨居群是四倍体的，流式细胞实验验证所有中国的居群为六倍体的，并且很可能会被修订成一个新的分类群。*Asplenium kenzoi* Kurata 是 *Asplenium prolongatum* 和 *A. wrightii* 的杂交种，有可能也在中国出现，并且它们的父母本长在一起。 |

铁角蕨科　Aspleniaceae　铁角蕨属　*Asplenium*

细茎铁角蕨 *Asplenium tenuicaule* Hayata

|　中 药 名　| 小叶铁角蕨（药用部位：全草）

|　植物形态　| 植株高 8~10cm。根茎短而直立，先端密被鳞片。叶簇生；叶片披针形，先端渐尖，基部几不变狭，二回羽状；羽片 12~18 对，相距约 5mm，互生，斜展，有短柄（长约 1mm），下部羽片略缩短，三角状卵形，钝头，基部为不对称的阔楔形，一回羽状；小羽片 2~3 对，互生，上先出，基部上侧 1 片最大，倒卵形，圆头，基部楔形，下延，先端 2~3 浅裂，两侧全缘，裂片先端有波状圆齿；其余小羽片同形而较小，先端圆头并有波状圆齿，不为浅裂，基部长楔形，与羽轴合生并下延。叶薄草质，干后暗绿色。孢子囊群阔线形，生于小脉

细茎铁角蕨

中部，极斜向上，上部小羽片各有 1，沿羽轴两侧排列，整齐，下部小羽片各有
2~3，排列不整齐；囊群盖阔线形，淡草绿色，膜质，全缘，开向羽轴或主脉，
宿存。

| 分布区域 | 产于海南五指山、万宁。亦分布于中国台湾。

| 资　　源 | 生于林中树干上，偶见。

| 采收加工 | 秋季采收，洗净，鲜用或晒干。

| 功能主治 | 味微涩，性凉。清热止血，散瘀消肿。

铁角蕨科 Aspleniaceae 细辛蕨属 Boniniella

细辛蕨
Boniniella cardiophylla (Hance) Tagawa

| 中 药 名 |　细辛蕨（药用部位：全草）

| 植物形态 |　植株高达 30cm。根茎长而横走，密被鳞片，并略有黄棕色的毛混生；鳞片小，卵状披针形，长约 1mm，黑褐色，边缘有疏齿牙，早落。叶疏生；叶柄细瘦，柔韧，乌木色并有光泽，上面有纵沟，基部有疏毛伏生，向上光滑；叶片直立或与叶柄成斜面，卵形，先端渐尖或近急尖，基部深心形，凹缺处张开或为基部的耳所遮掩，边缘全缘或有不明显的浅波状。主脉明显，中部以下和叶柄同色，侧脉羽状，纤细，仅上面隐约可见，多回二叉分枝，近叶边处联结成狭长的平行网眼，但小脉先端分离，略膨大，不达叶边。叶薄纸质，干后暗绿色或棕绿色，无毛。孢子囊群线形，通常单生于每组侧脉的上侧小脉，向外斜上，或偶有在叶片下部对生于每两组侧脉相对小脉的一侧；囊群盖线形，薄膜质，浅棕色，全缘，宿存。

细辛蕨

| 分布区域 |

产于海南东方、昌江、白沙、五指山、琼中、儋州、琼海等地。亦分布于中国台湾。

| 资　　源 |

生于林下溪边石上或沙土中，偶见。

| 采收加工 |

全年均可采收，洗净砂土，晾干。

| 功能主治 |

祛风。

| 附　　注 |

在 FOC 和《中国石松类和蕨类植物》中，本种被置于膜叶铁角蕨属 *Hymenasplenium* (Hayata)，修订后学名为 *Hymenasplenium cardiophyllum* (Hance) Nakaike，FOC 中的中文名为细辛膜叶铁角蕨，张宪春系统仍为细辛蕨。

铁角蕨科　Aspleniaceae　巢蕨属　*Neottopteris*

巢 蕨 *Neottopteris nidus* (L.) J. Sm.

| **中 药 名** | 铁蚂蟥（药用部位：全草或根茎）

| **植物形态** | 植株高 1~1.2m。根茎直立，粗短，先端密被鳞片；鳞片蓬松，线形，先端纤维状并卷曲，边缘有几条卷曲的长纤毛，膜质，深棕色，有光泽。叶簇生；叶柄浅禾秆色，木质，干后下面为半圆形隆起，上面有阔纵沟，表面平滑而不皱缩，两侧无翅，基部密被线形棕色鳞片，向上光滑；叶片阔披针形，渐尖头或尖头，向下逐渐变狭而长下延，叶全缘并有软骨质狭边，干后反卷。主脉下面几全部隆起为半圆形，上面下部有阔纵沟，向上部稍隆起，表面平滑不皱缩，暗禾秆色；小脉两面均稍隆起，斜展，分叉或单一，平行，相距约 1mm。叶厚纸质或薄革质，干后灰绿色，两面均无毛。孢子囊群线形，生于小脉的上侧，彼此接近，叶片下部通常不育；囊群盖线形，浅棕色，厚膜质，全缘，宿存。

巢蕨

| 分布区域 |

产于海南三亚、乐东、东方、昌江、五指山、保亭、陵水、万宁、琼中、儋州等地。亦分布于中国华南其他区域，以及台湾、贵州、云南、西藏。越南、柬埔寨、泰国、缅甸、菲律宾、马来西亚、印度尼西亚、日本、印度、斯里兰卡及大洋洲、西印度群岛、东非也有分布。

| 资　　源 |

生于海拔 100~600m 的山地林下阴湿处石上或树上，十分常见。

| 采收加工 |

全年均可采收，洗净，鲜用或晒干。

| 功能主治 |

味苦，性温；归肝、肾经。强筋壮骨，活血祛瘀。用于骨折、阳痿、跌打损伤。

| 附　　注 |

在 FOC 和《中国石松类和蕨类植物》中，其被置于铁角蕨属，修订后学名为 *Asplenium nidus* L.。

乌毛蕨科 Blechnaceae　乌毛蕨属 Blechnum

乌毛蕨 *Blechnum orientale* L.

| 中 药 名 | 乌毛蕨贯众（药用部位：根茎）

| 植物形态 | 植株高0.5~2m。根茎直立，木质，黑褐色，先端及叶柄下部密被鳞片；鳞片狭披针形，全缘，中部深棕色或褐棕色，边缘棕色。叶簇生于根茎先端；叶柄坚硬，无毛；叶片卵状披针形，一回羽状；羽片多数，二型，无柄，下部羽片不育，极度缩小为圆耳形，向上羽片突然伸长，疏离，能育，至中上部羽片最长，基部圆楔形，下侧往往与叶轴合生，全缘或呈微波状，干后反卷；上部羽片向上逐渐缩短，顶生羽片与其下的侧生羽片同形，但长于其下的侧生羽片。叶脉上面明显，主脉两面均隆起，上面有纵沟，小脉分离，单一或二叉，平行，密接。叶近革质，无毛；叶轴粗壮，棕禾秆色，无毛。孢子囊群线形，连续，紧靠主脉两侧，与主脉平行，仅线形或线状披针形的羽片能育（通常羽片上部不育）；囊群盖线形，开向主脉，宿存。

乌毛蕨

| **分布区域** | 产于海南各地。亦分布于中国华南其他区域、西南，以及湖南、江西、福建、台湾、浙江。东南亚，以及印度、斯里兰卡、波利尼西亚、日本也有分布。 |

| **资　　源** | 生于海拔 1000m 以下酸性土壤的山坡灌丛及较阴湿处，十分常见。 |

| **采收加工** | 春、秋季采挖根茎，削去叶柄、须根，除净泥土，鲜用或晒干。 |

| **药材性状** | 本品根茎呈圆柱形或棱形，上端稍大，长 10~20cm，直径 5~6cm；棕褐色或黑褐色。根茎直立，粗壮，密被有空洞的叶柄残基及须根和鳞片。叶柄残基扁圆柱形，表面被黑褐色伏生的鳞片，脱落处呈小突起，粗糙；质坚硬，横断面多呈空洞状，皮部薄，有 10 余个点状维管束，环列，内面有 2 个稍大。叶柄基部较粗，外侧有一瘤状突起，簇生 10 余条须根。气微弱而特异，味微涩。 |

| **功能主治** | 味苦，性凉。清热解毒，活血止血，驱虫。用于感冒、头痛、腮腺炎、痈肿、跌打损伤、鼻衄、吐血、血崩、带下、肠道寄生虫病。 |

| **附　　注** | ①本种为中国热带和亚热带的酸性土指示植物，其生长地土壤的 pH 值为 4.5~5.0。②侧生羽片具鸡冠状先端的植株被称为冠羽乌毛蕨 *Blechnum orientale* var. *cristatum*，但是这个变种并没有被合法发表。这个名字虽然是 J. Smith 所命名，但是并没有在 FRPS 的已发表文献中提及。 |

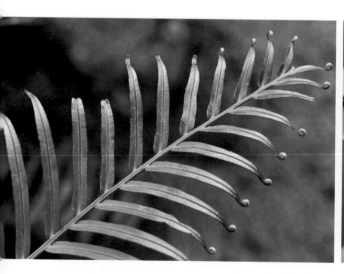

乌毛蕨科 Blechnaceae 苏铁蕨属 Brainea

苏铁蕨 *Brainea insignis* (Hook.) J. Sm.

| 中 药 名 | 苏铁蕨（药用部位：根茎）

| 植物形态 | 植株高达 1.5m。主轴直立或斜上，单一或有时分叉，黑褐色，木质，坚实，顶部与叶柄基部均密被鳞片；鳞片线形，先端钻状渐尖，边缘略具缘毛，红棕色或褐棕色，有光泽，膜质。叶簇生于主轴的顶部，略呈二型；叶柄棕禾秆色，坚硬，光滑或下部略显粗糙；叶片椭圆披针形，一回羽状；羽片 30~50 对，对生或互生，线状披针形至狭披针形，先端长渐尖，基部为不对称的心形，近无柄，边缘有细密的锯齿，偶有少数不整齐的裂片，干后软骨质的边缘向内反卷。叶脉两面均明显，沿主脉两侧各有一行三角形或多角形网眼，网眼外的小脉分离，单一或一至二回分叉。叶革质，上面有纵沟，光滑。孢子囊群沿主脉两侧的小脉着生，成熟时逐渐满布于主脉两侧，最终满布于能育羽片的下面。

苏铁蕨

| **分布区域** | 产于海南乐东、昌江、五指山等地。亦分布于中国华南其他区域，以及福建、云南。印度经东南亚至菲律宾也有分布。 |

| **资　　源** | 生于海拔 400~1000m 的山坡向阳处，偶见。 |

| **采收加工** | 全年均可采收，洗净，晒干或鲜用。 |

| **药材性状** | 呈圆柱形，有时稍弯曲，多纵切成两半或横切、斜切成厚片；根茎粗壮，直径3~5cm，密被极短的叶柄残基及须根和少量褐色鳞片，或叶柄残基全被削除；质坚硬，横切面圆形，灰棕色至红棕色，密布黑色小点；边缘呈不规则圆齿形，外皮黑褐色；皮内散布多数黄色点状维管束，中柱维管束 10 余个，多呈"U""V"字形或短线形，排成一个圆圈，形成花纹。叶柄基部横切面近圆形，直径 5~8mm，密布小黑点，维管束 6~10，环列。气微弱，味涩。 |

| **功能主治** | 味微涩，性凉。清热解毒，活血止血，驱虫。用于感冒、烧伤、外伤出血、蛔虫病。 |

| **附　　注** | 国家二级重点保护野生植物。苏铁蕨属仅苏铁蕨一种，本种形体颇似苏铁，形体苍劲，已被驯化为观赏蕨类。 |

| 乌毛蕨科 | Blechnaceae | 崇澍蕨属 | *Chieniopteris* |

崇澍蕨
Chieniopteris harlandii (Hook.) Ching

| 中 药 名 | 崇澎蕨（药用部位：根茎）

| 植物形态 | 植株高达 1.2m。根茎长而横走，黑褐色，密被鳞片；鳞片披针形，全缘或有少数睫毛，膜质，棕色。叶散生；叶柄长短不一，长者可达 90cm，短者仅达 15cm，基部黑褐色并被与根茎上同样的鳞片；叶片变异甚大，或为披针形的单叶，或为三出而中央羽片特大，而较多见者为羽状深裂，有时下部近于羽状；侧生羽片（或裂片）1~4 对，对生，基部与叶轴合生，并沿叶轴下延，彼此以阔翅相连，但下部 1~2 对间的叶轴往往无翅，顶生羽片则较长较阔，羽片边缘有软骨质狭边，中部以上为全缘或为波状，上部往往有疏而细的锯齿。叶脉主脉两面均隆起，沿主脉两侧各具 1 行狭长网眼，向外有 2~3 行斜长六角形网眼，近叶边的小脉分离。叶厚纸质至近革质，无毛。

崇澍蕨

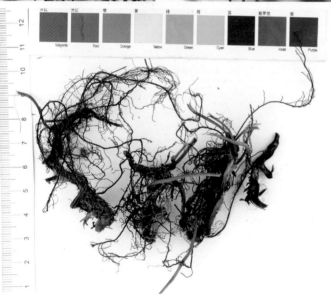

孢子囊群粗线形，紧靠主脉并与主脉平行，成熟时棕色，沿主脉两侧汇合成一条连续的线，并往往在两个孢子囊群的接头处以三角状的形式伸出 1 对较短的孢子囊群；囊群盖粗线形，纸质，成熟时红棕色，开向主脉，宿存。

| 分布区域 |

产于海南乐东、陵水等地。亦分布于中国广东、广西、湖南南部、福建、台湾。越南北部及日本南部也有分布。

| 资　　源 |

生于海拔 420~1250m 的山谷湿地，偶见。

| 采收加工 |

秋、冬季采收，去须根和叶柄，鲜用或晒干。

| 功能主治 |

味微苦，性凉。祛风除湿。用于风湿痹痛。

| 附　　注 |

在《中国石松类和蕨类植物》中，崇澍蕨属（Chieniopteris）植物被置于狗脊属（Woodwardia），经修订后，本种的学名为 Woodwardia harlandii Hook.。FOC 与 FRPS 基本一致，尚未对其进行修订。

乌毛蕨科 Blechnaceae　狗脊属 Woodwardia

狗 脊 *Woodwardia japonica* (L. f.) Sm.

| 中 药 名 | 狗脊贯众（药用部位：根茎）

| 植物形态 | 植株高 80~120cm。根茎粗壮，横卧，暗褐色，与叶柄基部密被鳞片；鳞片披针形或线状披针形，有时为纤维状，全缘，深棕色，老时逐渐脱落。叶近生；柄暗浅棕色，下部密被与根茎上相同而较小的鳞片；叶片长卵形，二回羽裂；顶生羽片卵状披针形或长三角状披针形，大于其下的侧生羽片，其基部一对裂片往往伸长，侧生羽片 7~16 对，无柄或近无柄，基部一对略缩短，下部羽片较长，线状披针形，上侧常与叶轴平行，羽状半裂；裂片 11~16 对，互生或近对生，基部一对缩小，下侧一片为圆形、卵形或耳形，上侧一片亦较小，向上数对裂片较大，边缘有细密锯齿，干后略反卷。叶脉明显，羽轴及主脉均为浅棕色，两面均隆起，在羽轴及主脉两侧各有一行狭长网

狗脊

眼，其外侧尚有若干不整齐的多角形网眼，其余小脉分离，直达叶边。叶近革质，两面无毛或下面疏被短柔毛。孢子囊群线形，挺直，着生于主脉两侧的狭长网眼上，也有时生于羽轴两侧的狭长网眼上，不连续，呈单行排列；囊群盖线形，质厚，棕褐色，成熟时开向主脉或羽轴，宿存。

| 分布区域 | 产于海南乐东、白沙等地。亦分布于中国长江以南各地。日本、朝鲜也有分布。

| 资　　源 | 生于疏林下，十分常见。

| 采收加工 | 春、秋季采挖，削去叶柄、须根，除净泥土，晒干。

| 药材性状 | 本品呈圆柱状或圆方柱形，挺直或稍弯曲。上端较粗钝，下端较细。长 6~26cm，直径 2~7cm，红棕色或黑褐色。根茎粗壮，密被粗短的叶柄残基、棕红色鳞片和棕黑色细根。叶柄残基近半圆柱形，镰刀状弯曲，背面呈肋骨状排列，腹面呈短柱状密集排列。质坚硬，难折断，叶柄残基横切面可见黄白色小点 2~4（分体中柱），内面的 1 对呈"八"字形排列。气微弱，味微苦、涩。

| 功能主治 | 味苦，性凉；归肝、胃、肾、大肠经。清热解毒，杀虫，止血，祛风湿。用于风热感冒、时行瘟疫、恶疮痈肿、虫积腹痛、小儿疳积、痢疾、便血、崩漏、外伤出血、风湿痹痛。

| 附　　注 | *Woodwardia japonica* 羽片的长度、数量和排列方式以及裂片形状的变异较大。

鳞毛蕨科 Dryopteridaceae 复叶耳蕨属 *Arachniodes*

中华复叶耳蕨 *Arachniodes chinensis* (Rosenst.) Ching

| 中 药 名 | 中华复叶耳蕨（药用部位：全草或根茎）

| 植物形态 | 植株高 40~65cm。叶柄禾秆色，基部密被褐棕色、线状钻形、顶部毛髯状鳞片，向上连同叶轴被有黑褐色、线状钻形小鳞片。叶片卵状三角形，顶部略狭缩呈长三角形，渐尖头，基部近圆形，二回羽状或三回羽状；羽状羽片 8 对，向上的互生，有柄，斜展，密接，基部 1 对较大，三角状披针形，渐尖头，基部近对称，阔楔形，羽状或二回羽状；小羽片约 25 对，互生，有短柄，基部下侧 1 片略较大，披针形，略呈镰刀状，渐尖头，基部阔楔形，羽状（或羽裂）；末回小羽片（或裂片）9 对，长圆形，急尖头，上部边缘具 2~4 有长芒

中华复叶耳蕨

刺的骤尖锯齿；基部上侧一片小羽片比同侧的第 2 片略较长，羽状或羽裂。叶干后纸质，暗棕色，光滑，羽轴下面被有相当多的黑褐色、线状钻形、基部棕色、阔圆形小鳞片。孢子囊群每一小羽片 5~8 对（耳片 3~5），位于中脉与叶边之间；囊群盖棕色，近革质，脱落。

| 分布区域 | 产于海南乐东、昌江、白沙、保亭等地。亦分布于中国广东、香港、广西、江西、福建、浙江、四川、云南。

| 资　　源 | 生于海拔 450~1600m 的山地杂木林下，常见。

| 采收加工 | 全年均可采收，除去大部分叶柄及泥土等，晒干或鲜用。

| 功能主治 | 清热解毒，消肿散瘀，止血。

| 附　　注 | 在不同生境下，本种形态学特征变异较大。在荫蔽处，叶片通常比较伸展，分裂较少，较粗糙，成熟孢子连续排列。

鳞毛蕨科 Dryopteridaceae 复叶耳蕨属 *Arachniodes*

美丽复叶耳蕨 *Arachniodes speciosa* (D. Don) Ching

|中 药 名|

小狗脊（药用部位：根茎）

|植物形态|

植株高达 95cm。叶柄长 35~57cm，粗 3~4mm，棕禾秆色，基部密被褐棕色、卵状披针形鳞片，向上近光滑。叶片阔卵状五角形，顶部略狭缩呈长三角形，渐尖头，三回羽状；羽状羽片约 6 对，基部 1 或 2 对对生，向上的互生，基部 1 对最大，三角形，渐尖头，基部阔楔形，二回羽状；小羽片约 18 对，互生，有柄，基部 1 对较大，尤其下侧 1 片，阔披针形，渐尖头，基部阔楔形，羽状；末回小羽片约 16 对，互生，长圆形，尖头，基部圆楔形，边缘浅裂至半裂，基部上侧一裂片全裂，椭圆形，先端具 3~4 长尖芒刺，基部下侧 1 片较同侧第 2 片为小，第 2 对羽片阔披针形，二回羽状；第 6 对羽片明显缩短，披针形。叶干后薄纸质，棕色，上面有光泽，触之无粗糙感；叶轴和各回羽轴下面偶有 1~2 棕色、披针形小鳞片。孢子囊群每一末回小羽片 3~5 对，位于中脉与叶边中间；囊群盖棕色，膜质，脱落。

美丽复叶耳蕨

| **分布区域** | 产于海南五指山。亦分布于中国云南。尼泊尔也有分布。

| **资　　源** | 生于海拔 1550m 的山谷混交林下，偶见。

| **采收加工** | 全年均可采收，除去大部分叶柄及泥土等，晒干或鲜用。

| **功能主治** | 清热解毒，祛风止痒，活血散瘀。用于热泻、风疹、跌打瘀肿。

| **附　　注** | 本种在不同生境下，植株叶片大小、形状以及最末回裂片的边缘都存在相当大的变异。同时，在一定程度上，同一植株不育或者可育羽片在形态上也可能存在差异，可育叶片或羽片上的小羽片通常较宽或者末回裂片边缘的芒较长。

鳞毛蕨科 Dryopteridaceae 贯众属 *Cyrtomium*

镰羽贯众 *Cyrtomium balansae* (Christ) C. Chr.

| 中 药 名 |　镰羽贯众（药用部位：根茎）

| 植物形态 |　植株高 25~60cm。根茎直立，密被披针形棕色鳞片。叶簇生，叶柄长 12~35cm，基部直径 2~4mm，禾秆色，腹面有浅纵沟，有狭卵形及披针形棕色鳞片，鳞片边缘有小齿，上部秃净；叶片披针形或宽披针形，先端渐尖，基部略狭，一回羽状；羽片 12~18 对，互生，柄极短，镰状披针形，下部的长 3.5~9cm，宽 1.2~2cm，先端渐尖或近尾状，基部偏斜，上侧截形并有尖的耳状突起，下侧楔形，边缘有前倾的钝齿或罕为尖齿；具羽状脉，小脉联结成 2 行网眼，腹面不明显，背面微突起；叶为纸质，腹面光滑，背面疏生披针形棕色小鳞片或秃净；叶轴腹面有浅纵沟，疏生披针形及线形卷曲的棕色鳞片，羽柄着生处常有鳞片。孢子囊位于中脉两侧，各成 2 行；囊群盖圆形，盾状，边缘全缘。

镰羽贯众

| 分布区域 | 产于海南昌江、白沙、五指山、万宁、琼中等地。亦分布于中国广东、广西、湖南、江西、福建、浙江、安徽、贵州。越南、日本也有分布。

| 资　　源 | 生于海拔 80~1600m 的林下，少见。

| 采收加工 | 全年均可采挖，除去泥沙及叶，晒干或鲜用。

| 功能主治 | 味微苦，性寒；归肺、大肠经。清热解毒，驱虫。用于流行性感冒、肠寄生虫病。

| 附　　注 | 在 FOC 中，本种被置于耳蕨属，修订后学名为 *Polystichum balansae* Christ，中文名为巴郎耳蕨。张宪春系统与 FRPS 基本一致，未做修订。

鳞毛蕨科　Dryopteridaceae　鳞毛蕨属　*Dryopteris*

无盖鳞毛蕨 *Dryopteris scottii* (Bedd.) Ching ex C. Chr.

| 中 药 名 |　无盖鳞毛蕨（药用部位：根茎）

| 植物形态 |　植株高 50~80cm。根茎粗短，直立，连同叶柄下部密生褐黑色、披针形、具疏齿的鳞片。叶簇生，禾秆色，中部向上达叶轴疏生褐黑色、钻状披针形、下部边缘有刺状齿的小鳞片；叶片长 25~45cm，宽 15~25cm，长圆形或三角状卵形，先端羽裂渐尖，基部不变狭或略变狭，一回羽状；羽片 10~16 对，披针形或长圆披针形，渐尖头，基部圆截形，有短柄或近无柄，边缘有前伸的波状圆齿；叶脉略可见，侧脉羽状分枝，每组有小脉 3~7；叶薄草质，干后褐绿色，上面光滑，

无盖鳞毛蕨

下面沿羽轴及侧脉有一二纤维状小鳞片，沿叶轴下面疏生边缘有刺齿、黑褐色或褐棕色的线形鳞片。孢子囊群圆形，生于小脉中部稍下处，在羽轴两侧各排列成不整齐的 2~3（~4）行；无盖。

| 分布区域 | 产于海南昌江、白沙等地。亦分布于中国广东、广西、江西、福建、台湾、浙江、江苏、安徽、贵州、云南、四川。越南、泰国、缅甸、不丹、印度、日本也有分布。

| 资　　源 | 生于海拔 500~1800m 的林下溪边，偶见。

| 采收加工 | 全年均可采挖，除去泥沙及叶，晒干或鲜用。

| 功能主治 | 消炎。用于烫伤。

| 附　　注 | *Phegopteris grossa* Christ 被归并到本种。

鳞毛蕨科 Dryopteridaceae　鳞毛蕨属 *Dryopteris*

稀羽鳞毛蕨 *Dryopteris sparsa* (Buch.-Ham. ex D. Don) O. Ktze.

| 中 药 名 |　稀羽鳞毛蕨（药用部位：根茎）

| 植物形态 |　植株高 50~70cm。根茎短，连同叶柄基部密被棕色、全缘的披针形
鳞片。叶簇生；叶柄长 20~40cm，淡栗褐色或上部为棕禾秆色，基
部以上连同叶轴、羽轴均无鳞片；叶片卵状长圆形至三角状卵形，
先端长渐尖并为羽裂，基部不缩狭，二回羽状至三回羽裂；羽片
7~9 对，对生或近对生，有短柄，基部一对最大，三角状披针形，
多少呈镰刀状，先端尾状渐尖，其余向上各对羽片逐渐缩短，披针
形；小羽片 13~15 对，互生，披针形或卵状披针形，基部阔楔形，
通常不对称，基部一对羽片的基部下侧小羽片较长，长 6~8cm，基
部宽约 2cm，一回羽状，其余向上各对小羽片逐渐缩短；裂片长圆形，
先端钝圆并有几个尖齿，边缘有疏细齿；叶近纸质，两面光滑。孢
子囊群圆形，着生于小脉中部；囊群盖圆肾形，全缘。

稀羽鳞毛蕨

| 分布区域 | 产于海南昌江霸王岭。亦分布于中国广东、香港、广西、江西、福建、台湾、浙江、陕西、安徽、贵州、云南、四川、西藏。越南、泰国、缅甸、印度、不丹、尼泊尔、印度尼西亚、日本也有分布。

| 资　　源 | 生于海拔500~1800m的林下溪边，偶见。

| 采收加工 | 全年均可采挖，除去泥沙及叶，晒干或鲜用。

| 功能主治 | 驱虫，解毒。

叉蕨科 Aspidiaceae ┃ 沙皮蕨属 *Hemigramma*

沙皮蕨 *Hemigramma decurrens* (Hook.) Cop.

| 中 药 名 |

沙皮蕨（药用部位：根茎）

| 植物形态 |

植株高 30~70cm。根茎短，横走至斜升，有
许多近木质的根，顶部及叶柄基部均密被鳞
片；鳞片线状披针形，边缘有密睫毛，膜质，
褐棕色并稍有光泽。叶簇生；不育叶叶柄长
10~25cm，暗禾秆色至棕色，稍有光泽，上
面有浅沟，光滑无毛，顶部两侧有狭翅，能
育叶叶柄长达 40cm；叶二型；不育叶卵形，
基部下延或不下延，奇数一回羽状，或为三
叉，或有时为披针形的单叶；顶生羽片较大，
柄长达 1cm 或近无柄而与下面一对侧生羽片
合生，先端长渐尖，全缘或为浅波状；侧生
羽片 1~3 对，对生，披针形，其下侧通常下
延于叶轴形成狭翅，全缘；能育叶与不育叶
同形但较小。叶脉联结成近六角形网眼，有
分叉的内藏小脉，两面均稍隆起，光滑无毛；
侧脉稍曲折，两面均隆起并光滑。叶坚纸质，
干后暗褐色，两面均光滑；叶轴及羽轴暗禾
秆色，上面稍凹下，两面均光滑。孢子囊群
沿叶脉网眼着生，成熟时满布于能育叶下面；
囊群盖缺。

沙皮蕨

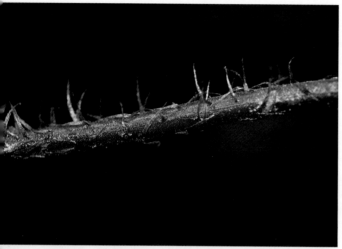

| 分布区域 |

产于海南三亚、乐东等地。亦分布于中国广东、福建、台湾、云南。越南也有分布。

| 资　源 |

生于海拔100~700m的密林下阴湿处或岩石上，少见。

| 采收加工 |

夏、秋季采收，洗净，晒干。

| 功能主治 |

用于痢疾。

| 附　注 |

①在FOC和《中国石松类和蕨类植物》中，本种被置于叉蕨属（*Tectaria*），修订后学名为 *Tectaria harlandii* (Hooker) C. M. Kuo，中文名仍为沙皮蕨。② *Tectaria harlandii* 因具叶二型，可育叶皱缩，孢子成熟时线形的孢子囊覆盖其背面这些特征，曾被置于沙皮蕨属（*Hemigramma*），但分子证据表明这个种是叉蕨属的一部分，不能独立成属，且支持它从叉蕨属分离出来的这些特征并不是显著特征，在世界上其他地方发现叉蕨属的其他种也具有这些特征。

叉蕨科 Aspidiaceae 地耳蕨属 Quercifilix

地耳蕨
Quercifilix zeylanica (Houtt.) Cop.

| 中 药 名 |

散血草（药用部位：全草）

| 植物形态 |

植株高 10~20cm。根茎长，横走，纤细，粗 2~3mm，密被鳞片；鳞片披针形，先端纤维状，边缘有疏睫毛，膜质，褐棕色并稍有光泽。叶疏生，不育叶叶柄长、纤细，暗禾秆色，上面有浅沟，基部密被鳞片，向上部密被有关节的开展的淡棕色长毛；能育叶叶柄下部疏被鳞片，向上几光滑无毛；叶二型；不育叶三角状椭圆形，基部戟状并为心形，通常基部有一对分离的羽片，先端钝圆，基部两侧有钝圆的耳状裂片，边缘浅波状至近全缘；能育叶强度缩狭，羽片三叉，顶生羽片线形，上部边缘浅波状，下部羽状浅裂，形成几对远离的钝圆裂片。叶脉联结成近六角形网眼，有分叉或单一的内藏小脉或无内藏小脉，两面均不明显；羽轴及侧脉暗禾秆色，上面光滑，下面密被有关节的淡棕色长毛。叶纸质，干后褐色，上面疏被早落的有关节的淡棕色毛，下面几光滑，叶缘密被有关节的淡棕色长睫毛。孢子囊汇合，呈线形，成熟时满布于能育叶下面，无囊群盖。

地耳蕨

分布区域

产于海南乐东、东方、昌江、儋州等地。亦分布于中国广东、广西、台湾、福建、贵州、云南。越南、马来西亚、印度尼西亚、波利尼西亚、印度南部、斯里兰卡、毛里求斯等热带地区也有分布。

资 源

生于海拔 300~1000m 的林下或溪边阴湿的地上或岩石上，常见。

采收加工

夏、秋季采收，洗净，晒干。

功能主治

味微苦，性凉。清热解毒，凉血止血。用于痢疾、小儿泄泻、淋浊、便血、衄血。

附 注

在 FOC 和《中国石松类和蕨类植物》中，本种被置于叉蕨属（*Tectaria*），修订后学名为 *Tectaria zeilanica* (Houttuyn) Sledge，中文名仍为地耳蕨。

叉蕨科 Aspidiaceae　叉蕨属 Tectaria

三叉蕨 *Tectaria subtriphylla* (Hook. et Arn.) Cop.

| 中 药 名 | 三叉羽蕨（药用部位：叶）

| 植物形态 | 植株高 50~70cm。根茎长而横走，顶部及叶柄基部均密被鳞片；鳞片线状披针形，全缘，膜质，褐棕色。叶近生；叶柄上面有浅沟，被有关节的淡棕色短毛；叶二型；不育叶三角状五角形，一回羽状，能育叶与不育叶形状相似但各部均缩狭；顶生羽片三角形，基部楔形而下延，两侧羽裂，基部一对裂片最长；侧生羽片 1~2 对，对生，基部一对柄长约 1cm，向上部的近无柄；基部一对羽片最大，三角状披针形至三角形，其两侧有 1 对近平展的披针形小裂片，边缘有波状圆裂片；第 2 对羽片基部斜截形而稍与叶轴合生，全缘或有浅波状的圆裂片。叶脉联结成近六角形网眼，有分叉的内藏小脉，两面稍隆起，下面被有关节的淡棕色短毛；侧脉稍曲折，下面隆起并

三叉蕨

疏被有关节的淡棕色短毛。叶纸质，干后褐绿色，上面光滑，下面疏被有关节的淡棕色短毛，叶缘疏被同样的睫毛；叶轴及羽轴禾秆色，上面均被有关节的短毛，羽轴下面密被开展的有关节的淡棕色长毛。孢子囊群圆形，生于小脉联结处，在侧脉间有不整齐的 2 至多行；囊群盖圆肾形，坚膜质，棕色，脱落。

| 分布区域 | 产于海南乐东、东方、昌江、五指山、保亭、万宁、陵水、儋州、定安等地。亦分布于中国华南其他区域，以及福建、台湾、贵州、云南。越南、缅甸、斯里兰卡、印度尼西亚、印度及波利尼西亚也有分布。

| 资　　源 | 生于林下溪边湿地，十分常见。

| 采收加工 | 夏、秋季采收，鲜用或晒干。

| 药材性状 | 叶柄略扭曲，长 20~30cm，表面褐棕色，基部有鳞片。叶片长、有皱缩，展平后呈三角状五角形，长 25~35cm，宽 20~25cm，羽状复叶；顶生羽片三角形，羽状深裂，有柄；侧生羽片 1~2 对，下部羽片有柄，卵状三角形，长达 16cm，宽达 12cm，第 2 对羽片披针形，浅羽裂；叶脉网状。网脉交叉处可见散生的孢子囊群。气微，味涩。

| 功能主治 | 味微涩，性平。祛风除湿，解毒止血。用于风湿骨痛、痢疾、外伤出血、毒蛇咬伤。

| 附　　注 | 在海南昌江、三亚等地的石灰岩地区发现一个多毛的居群。

实蕨科 Bolbitidaceae 实蕨属 Bolbitis

长叶实蕨
Bolbitis heteroclita (Presl) Ching

| 中 药 名 | 长叶实蕨（药用部位：全草）

| 植物形态 | 根茎粗而横走，密被鳞片；鳞片卵状披针形，灰棕色，盾状着生，近全缘。叶近生，相距约 1cm；叶柄禾秆色，疏被鳞片，上面有沟；叶二型；不育叶变化大，或为披针形的单叶，或为三出，或为一回羽状；顶生羽片特别长大，披针形，先端常有一延长能生根的鞭状长尾；侧生羽片 1~5 对，近无柄，阔披针形，边缘近全缘或呈浅波状而具少数疏刚毛状齿。侧脉明显；小脉联结成整齐的四角形或六角形网眼，网眼在侧脉之间排列成 3 行，无内藏小脉，近叶缘的小脉分离。叶薄草质，干后黑色。能育叶叶柄较长，叶片与不育叶同形而较小，孢子囊群初沿网脉分布，后满布能育叶下面。

长叶实蕨

分布区域

产于海南昌江、保亭、琼中等地。亦分布于中国广东、广西、福建、台湾、重庆、贵州、云南、四川。

资　源

生于海拔 200~1400m 的林下或溪谷边石上，偶见。

采收加工

秋、冬季采收，去须根，洗净，晒干。

药材性状

根茎扁平状，长 6~15cm，直径 0.5~1cm；表面有密生的棕褐色小鳞片，两侧及上面有突起的叶柄痕，下面有残留的短须根；质脆，断面有多数筋脉小点。叶常皱缩，二型；营养叶叶柄长 10~35cm，表面浅棕黄色，叶片长 30~40cm，表面褐色，形状多样，单叶、三出或羽状，先端具长尾，有的可见不定根，叶脉网状；孢子叶叶柄长 25~38cm，叶片与营养叶同形但狭小，孢子囊群布满叶背。气微，味淡。

功能主治

味淡,性凉。清热止咳,凉血止血。用于肺热咳嗽、咯血、痢疾、烫火伤、毒蛇咬伤。

附　注

在 FOC 和《中国石松类和蕨类植物》中，实蕨属（*Bolbitis*）植物已被置于鳞毛蕨科（Dryopteridaceae）。

实蕨科 Bolbitidaceae 实蕨属 Bolbitis

华南实蕨 *Bolbitis subcordata* (Cop.) Ching

| 中 药 名 | 华南实蕨（药用部位：全草）

| 植物形态 | 根茎粗而横走，密被鳞片；鳞片卵状披针形，灰棕色，先端渐尖，盾状着生，粗筛孔状，近全缘。叶簇生；叶柄长30~60cm，上面有沟，疏被鳞片；叶二型；不育叶椭圆形，长20~50cm，宽15~28cm，一回羽状；羽片4~10对，下部的对生，有短柄；顶生羽片基部三裂，其先端常延长入土生根；侧生羽片阔披针形，叶缘有深波状裂片，半圆的裂片有微锯齿，缺刻内有一明显的尖刺；侧脉明显，开展，小脉在侧脉之间联结成3行网眼，内藏小脉有或无，近叶缘的小脉分离；叶草质，干后变黑色，两面光滑；叶轴上面有沟。能育叶与不育叶同形而较小，宽7~10cm；羽片长6~8cm，宽约1cm。孢子囊群初沿网脉分布，后满布能育羽片下面。

华南实蕨

| 分布区域 |

产于海南五指山、万宁、琼海等地。亦分布于中国华南其他区域，以及台湾、江西、福建、浙江、云南。越南、日本也有分布。

| 资　　源 |

生于林下、溪边湿地，十分常见。

| 采收加工 |

夏、秋季采收，鲜用或晒干。

| 药材性状 |

根茎较粗壮，直径 1.5~2.5cm，表面密生黑褐色鳞片。叶簇生于根茎上，二型，叶柄略扭曲，长 30~60cm，被稀疏鳞片；营养叶叶片长圆形，长 20~50cm，宽 15~28cm，表面黑色，单数羽状复叶，羽片 4~10 对，顶生羽片三叉分裂，侧生羽片广披针形，长 9~20cm，宽 2.5~5cm，有短柄，叶缘深波状，弯曲处常可见肉刺 1；孢子叶较狭小，羽片长 6~8cm，宽 0.5~1cm；孢子囊群沿叶脉着生。气微，味淡、微涩。

| 功能主治 |

味微涩，性凉。清热解毒，凉血止血。用于毒蛇咬伤、痢疾、吐血、衄血及外伤出血。

| 附　　注 |

在 FOC 和《中国石松类和蕨类植物》中，实蕨属（*Bolbitis*）植物已被置于鳞毛蕨科（Dryopteridaceae）中。

舌蕨科 Elaphoglossaceae　舌蕨属 *Elaphoglossum*

华南舌蕨 *Elaphoglossum yoshinagae* (Yatabe) Makino

|中药名|

华南舌蕨（药用部位：根）

|植物形态|

植株高 15~30cm。根茎短，横卧或斜升，与叶柄下部密被鳞片；鳞片大，卵形或卵状披针形，长约 5mm，渐尖头或急尖头，边缘有睫毛，棕色，膜质。叶簇生或近生，二型；不育叶近无柄或具短柄，披针形，长15~30cm，中部宽 3~4.5cm，先端短渐尖，基部楔形，长而下延，几达叶柄基部，全缘，有软骨质狭边，平展或略内卷，叶脉仅可见，主脉宽而平坦，纵沟不明显，侧脉单一或一至二回分叉，几达叶边，叶质肥厚，革质，干后棕色，两面均疏被褐色的星芒状小鳞片，通常主脉下面较多；能育叶与不育叶等高或略低于不育叶，柄较长，7~10cm，叶片略短而狭；孢子囊沿侧脉着生，成熟时满布于能育叶下面。

|分布区域|

产于海南五指山。亦分布于中国广东、香港、广西、江西、福建、台湾、浙江、贵州、云南。日本南部也有分布。

华南舌蕨

| 资　　源 |

生于海拔 500~900m 的山地林下、溪边湿地石上，少见。

| 采收加工 |

夏、秋季采收，去须根，洗净，晒干或鲜用。

| 功能主治 |

味微苦、辛，性凉。清热利湿。用于小便淋涩疼痛。

| 附　　注 |

在 FOC 和《中国石松类和蕨类植物》中，舌蕨属（*Elaphoglossum*）植物被置于鳞毛蕨科（Dryopteridaceae）中。

肾蕨科 Nephrolepidaceae 肾蕨属 Nephrolepis

肾 蕨 *Nephrolepis auriculata* (L.) Trimen

| 中 药 名 | 肾蕨（药用部位：根茎、叶或全草）

| 植物形态 | 附生或土生。根茎直立，被蓬松的淡棕色长钻形鳞片，下部有粗铁丝状的匍匐茎向四方横展，匍匐茎棕褐色，不分枝，疏被鳞片，有纤细的褐棕色须根；匍匐茎上生有近圆形的块茎，密被与根茎上同样的鳞片。叶簇生，柄密被淡棕色线形鳞片；叶片线状披针形或狭披针形，先端短尖，叶轴两侧被纤维状鳞片，一回羽状，羽片45~120 对，互生，常呈覆瓦状排列，披针形，几无柄，以关节着生于叶轴，叶缘有钝锯齿，向基部的羽片渐短。叶脉明显，小脉直达叶边附近，先端具纺锤形水囊。叶坚草质或草质，干后棕绿色或褐棕色，光滑。孢子囊群成一行位于主脉两侧，肾形，少有为圆肾形或近圆形，生于每组侧脉的上侧小脉先端，位于从叶边至主脉的1/3 处；囊群盖肾形，褐棕色，边缘色较淡，无毛。

肾蕨

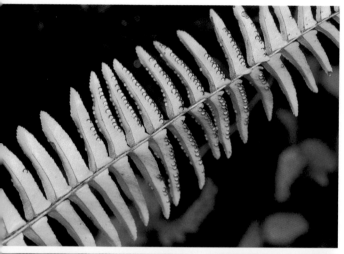

分布区域

产于海南乐东、东方、昌江、五指山、保亭、琼中、儋州、琼海等地。亦分布于中国华南其他区域，及湖南、福建、台湾、浙江、贵州、云南、西藏。世界其他热带及亚热带地区也有分布。

资　　源

生于山地林下石上或树干上，十分常见。

采收加工

根茎：全年均可挖取块茎，刮去鳞片，洗净，鲜用或晒干。叶或全草：夏、秋季采收叶或全草，洗净，鲜用或晒干。

药材性状

根茎球形或扁圆形，直径约2cm，表面密生黄棕色绒毛状鳞片，可见自根茎脱落的圆形疤痕，除去鳞片后表面显亮黄色，有明显的不规则皱纹；质坚硬。叶簇生；叶柄略扭曲，长6~9cm，下部有亮棕色鳞片；叶轴棕黄色，叶片常皱缩，展平后呈线状披针形，长30~60cm，宽3~5cm，一回羽状分裂；羽片无柄，披针形，长约2cm，宽约6mm，边缘有疏浅钝齿；两边的侧脉先端各有一行孢子囊群。气微，味苦。

功能主治

味甘、淡、微涩，性凉。清热利湿，通淋止咳，消肿解毒。用于感冒发热、肺热咳嗽、黄疸、淋浊、小便涩痛、泄泻、痢疾、带下、疝气、乳痈、瘰疬、烫伤、刀伤、淋巴结炎、体癣、睾丸炎。

| **附   注** | 在 FOC 和《中国石松类和蕨类植物》中，本种的学名被修订为 *Nephrolepis cordifolia* (L.) C. Presl。*Nephrolepis cordifolia* 中的纤细植株有时被误认为种 *N. undulata* (Afzelius) J. Smith，但是 *Nephrolepis undulata* 在中国尚无记录。*Nephrolepis undulate* 根据它细长的、季节性的地下茎很容易被识别，它的地下茎每次发出的分株不会超过 2 个，然而 *N. cordifolia* 会有规律地产生 5 个以上的明显分株。

肾蕨科 Nephrolepidaceae 肾蕨属 Nephrolepis

毛叶肾蕨 *Nephrolepis hirsutula* (Forst.) Presl

| 中 药 名 | 毛叶肾蕨（药用部位：全草）

| 植物形态 | 根茎短而直立，有鳞片伏生，具横走的匍匐茎，匍匐茎暗褐色，疏被鳞片；鳞片披针形或卵状披针形，边缘棕色并有睫毛，中部红褐色，有光泽。叶簇生，密集，柄长 15~35cm，灰棕色，有棕色的披针形鳞片贴生，上面有纵沟，下面圆形；叶片阔披针形或椭圆披针形，长 30~75cm，宽 9~15cm，两端稍渐狭，叶轴上面密被棕色的纤维状鳞片，下面较疏，一回羽状，羽片多数（20~45 对），近生，但不彼此覆叠，下部的对生，向上互生，近无柄，以关节着生于叶轴，相距约 1.5cm，下部羽片较短，长 3~4cm，阔披针形，中部羽片较长，披针形或线状披针形，通常长 4~8cm，基部下侧圆形，上侧截形并突起成三角形小耳片，边缘有明显的疏钝锯齿。叶脉纤细，侧脉斜向上，二至三叉，小脉几达叶边，先端有圆形水囊。叶坚草质或纸质，干后褐绿色，下面沿主脉及小脉有线形鳞片密生，并疏被星芒

毛叶肾蕨

状小鳞片，上面有短毛及星芒状小鳞片，老时部分脱落。孢子囊群圆形，宽约 1mm，相距约 2mm，靠近叶边，生于每组侧脉的上侧小脉先端；囊群盖圆肾形，膜质，红棕色，无毛。

| 分布区域 |

产于海南三亚、乐东、东方、昌江、白沙、五指山、保亭、万宁、陵水、儋州、屯昌、海口等地。亦分布于中国广东、广西、福建、台湾、云南。亚洲其他热带地区、日本也有分布。

| 资　　源 |

生于林下，十分常见。

| 采收加工 |

春、夏季采收，洗净，鲜用或晒干。

| 功能主治 |

味淡，性凉。消积化痰。用于食滞，小儿疳积。

| 附　　注 |

①在 FOC 和《中国石松类和蕨类植物》中，本种的学名被修订为 *Nephrolepis brownii* (Desv.) Hovenkamp & Miyam。②本种在 FRPS 中被认为是 *Nephrolepis hirsutula* (G. Forster) C. Presl，Hovenkamp 经观察模式标本后提出 *N. hirsutula* 是马来西亚 / 太平洋种，并不在中国分布。③本种为世界各地普遍栽培的观赏蕨类。块茎富含淀粉，可食，亦可供药用。

骨碎补科 Davalliaceae 骨碎补属 Davallia

大叶骨碎补 *Davallia formosana* Hay.

| 中 药 名 | 大叶骨碎补（药用部位：根茎）

| 植物形态 | 植株高达 1m。根茎粗壮，长而横走，密被蓬松的鳞片；鳞片阔披针形，先端长渐尖，边缘有睫毛，红棕色，膜质。叶远生，与叶轴均为亮棕色或暗褐色，上面有深纵沟；叶片大，三角形或卵状三角形，长、宽各达 60~90cm，先端渐尖，四回羽状或五回羽裂；羽片约 10 对，互生，斜展，长三角形，先端长渐尖，基部偏斜；一回小羽片约 10 对，互生，斜展，基部上侧 1 片最大，三角形；二回小羽片 7~10 对，互生，有短柄，斜向上，基部上侧 1 片较大，长卵形，尖头，基部下延；末回小羽片椭圆形，钝头，深羽裂；裂片斜三角形。叶脉可见，

大叶骨碎补

叉状分枝，每一尖齿有小脉1，几达叶边。叶坚草质或纸质，干后褐棕色，无毛。孢子囊群多数，每一裂片有1，生于小脉中部稍下的弯弓处或生于小脉分叉处，远离叶边及尖齿的弯缺处；囊群盖管状，先端截形，褐色并有金黄色光泽，厚膜质。

| 分布区域 |

产于海南三亚、乐东、昌江、五指山、保亭、陵水、万宁等地。亦分布于中国广东、广西、福建、台湾、云南。越南北部及柬埔寨也有分布。

| 资　　源 |

生于海拔600~700m低山山谷的岩石上或树干上，十分常见。

| 采收加工 |

全年均可采挖，一般4~8月挖取，去净泥土，除去附叶，鲜用或晒干，或蒸熟后晒干，或再用火燎去毛茸。

| 药材性状 |

根茎圆柱形，通常扭曲，长4~15cm，直径约1cm。表面红棕色至棕褐色，具明显的纵沟纹和圆形突起的叶基痕，并有残留的黄棕色鳞片。质坚硬，不易折断，断面略平坦，红棕色，有多数黄色点状分体中柱，排列成环，中心2个较大。气微，味涩。

| **功能主治** | 味苦,性温。活血化瘀,补肾壮骨,祛风止痛。用于跌打损伤、肾虚腰痛、风湿骨痛。

| **附　注** | ①在 FOC 和《中国石松类和蕨类植物》中,本种被修订,在 FOC 中学名为 *Davallia divaricata* Blume;在《中国石松类和蕨类植物》中,学名为 *Davallia divaricate* Dutch & Tutch。中文名均为大叶骨碎补。②尽管 FRPS 中认为 *Davallia formosana* 应作为一个独立的种,但 *Davallia formosana* 的模式标本所具有的特征能很好地包含于变异丰富的 *D. divaricata* 所具有的特征中。

骨碎补科 Davalliaceae 阴石蕨属 Humata

阴石蕨 *Humata repens* (L. f.) Diels

| **中 药 名** | 红毛蛇（药用部位：根茎）

| **植物形态** | 植株高 10~20cm。根茎长而横走，粗 2~3mm，密被鳞片；鳞片披针形，红棕色，伏生，盾状着生。叶远生；柄棕色或棕禾秆色，疏被鳞片，老则近光滑；叶片三角状卵形，上部伸长，向先端渐尖，二回羽状深裂；羽片 6~10 对，无柄，以狭翅相连，基部一对最大，近三角形或三角状披针形，钝头，基部楔形，两侧不对称，下延，常略向上弯弓，上部常为钝齿牙状，下部深裂，裂片 3~5 对，基部下侧一片最长，椭圆形，圆钝头，略斜向下，全缘或浅裂；从第 2 对羽片向上渐缩短，椭圆披针形，斜展或斜向上，边缘浅裂或具不明显的疏缺裂。叶脉

阴石蕨

上面不见，下面粗而明显，褐棕色或深棕色，羽状。叶革质，干后褐色，两面均光滑或下面沿叶轴偶有少数棕色鳞片。孢子囊群沿叶缘着生，通常仅于羽片上部有 3~5 对；囊群盖半圆形，棕色，全缘，质厚，基部着生。

| **分布区域** | 产于海南东方、昌江等地。亦分布于中国华南其他区域，以及江西、福建、台湾、浙江、贵州、云南等地。东南亚及印度、斯里兰卡、日本、波利尼西亚、澳大利亚、马达加斯加也有分布。

| **资　　源** | 生于海拔 500~1300m 的山地林中石上或树干上，少见。

| **采收加工** | 全年均可采挖，洗净，去附叶和须根，鲜用或晒干。

| **药材性状** | 根茎长而横走，密被红棕色披针形鳞片；质稍硬，易折断。

| **功能主治** | 味甘、淡，性平。活血止血，清热利湿，续筋接骨。用于风湿痹痛、腰肌劳损、跌打损伤、牙痛、吐血、便血、尿路感染、白带、痈疮肿痛。

| **附　　注** | 在 FOC 中，本种的学名为 *Humata repens* (L. f.) Small ex Diels。在《中国石松类和蕨类植物》中，阴石蕨属的植物被置于骨碎补属（*Davallia*），修订后本种的学名为 *Davallia repens* (L. f.) Kuhn。

骨碎补科 Davalliaceae 阴石蕨属 Humata

圆盖阴石蕨 *Humata tyermanni* Moore

| 中 药 名 |

白毛蛇（药用部位：根茎）

| 植物形态 |

植株高达 20cm。根茎长而横走，密被蓬松的鳞片；鳞片线状披针形，长约 7mm，宽约 1mm，基部圆盾形，淡棕色，中部颜色略深。叶远生；柄棕色或深禾秆色，光滑或仅基部被鳞片；叶片长三角状卵形，长、宽几相等，或长稍过于宽，基部心形，三至四回羽状深裂；羽片约 10 对，有短柄，近互生至互生，斜向上，彼此密接，基部一对最大，长三角形，三回深羽裂；一回小羽片 6~8 对，椭圆状披针形或三角状卵形，急尖头，基部阔楔形，有极短柄，二回羽裂；二回小羽片 5~7 对，椭圆形，短尖头，深羽裂或波状浅裂；裂片近三角形，全缘；羽轴下侧自第 2 片一回小羽片起向上明显缩小，椭圆形，钝头，基部不对称，裂片近三角形，先端钝。叶脉上面隆起，下面隐约可见，羽状，小脉单一或分叉，不达叶边。叶革质，干后棕色或棕绿色，两面光滑。孢子囊群生于小脉先端；囊群盖近圆形，全缘，浅棕色，仅基部一点附着，余均分离。

圆盖阴石蕨

分布区域

分布于海南昌江、保亭。亦分布于中国华南其他区域、华东，以及湖南、重庆、贵州、云南。越南、老挝也有分布。

资　源

生于海拔 300~1500m 的石上或树干上，少见。

采收加工

夏、秋季挖取，洗净，去附叶、须根，鲜用或晒干。

药材性状

根茎圆柱形，稍扭曲或有分枝，长短不一，直径 3~7mm。表面密被膜质、线状披针形鳞片，长约 7mm，灰白色，基部圆形，红棕色；须根多数，棕褐色，除去鳞片、须根后，表面棕黑色，有不规则纵皱纹。质稍硬，易折断，断面平坦，黄绿色，有点状维管束。味微，味淡。

功能主治

味微苦、甘，性凉。清热解毒，祛风除湿，活血通络。用于肺热咳嗽、咽喉肿痛、风火牙痛、疖肿、带状疱疹、风湿痹痛、湿热黄疸、淋浊、带下、腰肌劳损、跌打骨折。

附　注

在 FOC 中，其学名被修订为 *Humata griffithiana* (Hook.) C. Chr.，中文名为杯盖阴石蕨。在《中国石松类和蕨类植物》中，阴石蕨属植物被置于骨碎补属，其学名被修订为 *Davallia tyermannii* (T. Moore) Baker，中文名仍为圆盖阴石蕨。

双扇蕨科 Dipteridaceae 双扇蕨属 Dipteris

双扇蕨 *Dipteris conjugata* (Kaulf.) Reinw.

| 中 药 名 |　双扇蕨（药用部位：叶、嫩心叶）

| 植物形态 |　植株高达 2m。根茎长而横走，粗约 1cm，木质，坚硬，密被黑色有光泽的刚毛状鳞片。叶远生；叶柄基部被鳞片，向上光滑，坚硬，圆柱形，上面有阔纵沟；叶片从中部分裂成扇形的两部分，再向基部深裂至叶片的 4/5 处，形成 4 片不等长的裂片，每一裂片再一至二回深裂，形成更小的裂片；末回裂片长三角形，长远过于宽，先端短渐尖，边缘有尖锯齿，干后纸质，上面无毛，下面灰白色。主脉多回二歧分叉，两面均隆起；横脉平行，与主脉垂直，小脉联结成网眼，有内藏小脉。孢子囊群小型，圆形，大小不等，散生于叶片下面。

双扇蕨

| 分布区域 | 产于海南白沙。亦分布于中国台湾、云南。泰国、菲律宾、马来西亚、印度尼西亚、斐济也有分布。

| 资　　源 | 生于石灰岩上或密林下地上，偶见。

| 采收加工 | 全年均可采收，洗净，晾干。

| 功能主治 | 叶：味微苦、涩，性凉。散瘀，祛风除湿，强壮。用于风湿骨痛、关节炎、身体虚弱、筋骨无力。鲜嫩心叶：用于敷肿疮、瘿瘤。

| 附　　注 | 在 FOC 中，本种的学名为 *Dipteris conjugata* Reinw.。在《中国石松类和蕨类植物》中，本种的学名为 *Dipteris conjugata* (Kaulf.) Reinw.。

水龙骨科 Polypodiaceae 节肢蕨属 *Arthromeris*

节肢蕨 *Arthromeris lehmanni* (Mett.) Ching

| 中 药 名 |

节肢蕨（药用部位：全草）

| 植物形态 |

附生植物。根茎长而横走，粗 4~5mm，通常被白粉，鳞片较密或较稀疏，披针形，淡黄色或灰白色，甚至白色，基部阔，卵圆形，盾状着生处通常色较深，向上收缩呈狭披针形，先端呈钻形，边缘具睫毛。叶远生；叶柄长 10~20cm，禾秆色或淡紫色，光滑无毛；叶片一回羽状；羽片通常 4~7 对，少有达 10 对者，近对生，羽片间彼此远离，羽片披针形，先端渐尖，边缘全缘，基部心形并覆盖叶轴。侧脉明显，小脉网状，隐约可见。叶纸质，通常两面光滑无毛，或幼叶两面具稀疏的柔毛。孢子囊群圆形或两个汇生呈椭圆形，在羽片中脉两侧各多行，不规则分布；孢子具稀疏的小刺和疣状纹饰。

| 分布区域 |

产于海南五指山、白沙等地。亦分布于中国华南其他区域，以及江西、福建、台湾、湖北、贵州、四川。泰国、缅甸、菲律宾、不丹、尼泊尔、印度北部也有分布。

节肢蕨

资　源

附生于林缘岩石或树干上，偶见。

采收加工

全年均可采收，洗净，晾干。

功能主治

味辛，性平；归肝经。散瘀解毒。用于瘀血肿痛、跌打损伤、痈疽疮疡、狂犬病。

水龙骨科 Polypodiaceae 线蕨属 Colysis

掌叶线蕨 *Colysis digitata* (Baker) Ching

| **中 药 名** | 石壁莲（药用部位：叶）

| **植物形态** | 植株高30~50cm。根茎长而横走，暗褐色，密生鳞片，只具星散的厚壁组织，根密生；鳞片披针形，长宽比为4.14（2.93~5.75），先端长渐尖而呈纤毛状，基部近圆形或近心形而有浅耳，盾状着生，边缘有小疏齿，黑褐色，有虹色光泽。叶远生，近二型；叶柄圆柱形，淡禾秆色，上面有狭沟，基部有关节并被鳞片；叶片通常为掌状深裂，有时为2~3裂或单叶；裂片3~5，披针形，先端渐尖，基部稍狭，边缘有软骨质的边，全缘而呈浅波状，缺刻一般呈弧形；侧脉纤细而略可见，斜向上，曲折，在每对侧脉间有2行伸长的网眼，内藏小脉短促，通常单一而呈钩状，一般指向主脉；叶纸质，淡绿色，

掌叶线蕨

干后绿褐色；不育叶与能育叶同形，但叶柄较短而有翅，裂片较阔。孢子囊群线形，斜向上，平行，在每对侧脉间各排列成一行，从近主脉处几达叶缘。孢子极面观为椭圆形，赤道面观为肾形。单裂缝。周壁表面具球形颗粒和明显的缺刻状刺。刺表面有粗糙的颗粒状物质。

| **分布区域** | 产于海南东方、昌江、三亚、白沙、五指山、保亭、陵水、万宁、琼中、儋州、临高、屯昌、琼海、文昌等地。亦分布于中国广东、广西、重庆、贵州、云南、四川。越南也有分布。

| **资　　源** | 生于海拔 50~1400m 的林下或山谷溪边潮湿地方或岩石上，常见。

| **采收加工** | 全年均可采收，洗净，晒干或鲜用。

| **功能主治** | 味微苦，性凉。活血散瘀，解毒止痛，利尿通淋。用于跌打损伤、风湿疼痛、毒蛇咬伤、热淋、石淋。

| **附　　注** | 在 FOC 和《中国石松类和蕨类植物》中，线蕨属植物被置于薄唇蕨属（*Leptochilus*）中，修订后本种的学名为 *Leptochilus digitatus* (Baker.) Noot.。有时本种全部或者一些可育叶片有一些线形狭小的裂片，有时为单叶，但这些现象都是比较罕见的。

水龙骨科 Polypodiaceae 线蕨属 *Colysis*

线 蕨 *Colysis elliptica* (Thunb.) Ching

| 中 药 名 | 羊七莲（药用部位：全草）

| 植物形态 | 植株高 20~60cm。根茎长而横走，密生鳞片，根密生；鳞片褐棕色，卵状披针形，先端渐尖，边缘有疏锯齿。叶远生，近二型；不育叶的叶柄禾秆色，基部密生鳞片，向上光滑；叶片长圆状卵形或卵状披针形，一回羽裂深达叶轴；羽片或裂片 6(3~11)对，对生或近对生，下部的分离，狭长披针形或线形，在叶轴两侧形成狭翅，全缘或稍呈不明显浅波状；能育叶和不育叶近同形，但叶柄较长，羽片远较狭或有时近等大；中脉明显，侧脉及小脉均不明显；叶纸质，较厚，

线蕨

干后稍呈褐棕色，两面无毛。孢子囊群线形，斜展，在每对侧脉间各排列成一行，伸达叶边；无囊群盖。孢子极面观为椭圆形，赤道面观为肾形。裂缝长度为孢子全长的 1/3~1/2。周壁表面具球形颗粒和缺刻状刺。有时脱落，则表面光滑。

| 分布区域 |

产于海南白沙、乐东、五指山、万宁、琼中等地。亦分布于中国广东、香港、广西、湖南、江西、福建、浙江、江苏、安徽、贵州、云南。日本、越南也有分布。

| 资　源 |

生于海拔 100~1800m 的山坡林下溪边岩石上，十分常见。

| 采收加工 |

全年均可采收，洗净，晒干或鲜用。

| 功能主治 |

味微苦，性凉。活血散瘀，清热利尿。用于跌打损伤、尿路感染、肺结核。

| 附　注 |

在 FOC 和《中国石松类和蕨类植物》中，线蕨属植物被置于薄唇蕨属（*Leptochilus*），其学名被修订为 *Leptochilus ellipticus* (Thunb.) Noot.。

水龙骨科 Polypodiaceae 线蕨属 *Colysis*

宽羽线蕨 *Colysis elliptica* (Thunb.) Ching var. *pothifolia* Ching

| 中 药 名 | 宽羽线蕨（药用部位：全草或根茎）

| 植物形态 | 植株高达 76（36~123）cm。根茎长而横走，密生鳞片，只具星散的厚壁组织，根密生；鳞片褐棕色，卵状披针形，先端渐尖，基部圆形，边缘有疏锯齿。叶远生，近二型；不育叶的叶柄长 23.7（6.5~48.5）cm，禾秆色，基部密生鳞片，向上光滑；叶片长圆状卵形或卵状披针形，先端圆钝，一回羽裂深达叶轴；羽片 7（4~14）对，对生或近对生，下部的分离，线状披针形或阔披针形，在叶轴两侧形成狭翅，全缘或稍呈不明显浅波状；能育叶和不育叶近同形，但叶柄较长，羽片远较狭或有时近等大；中脉明显，侧脉及小脉均不明显；叶纸质，

宽羽线蕨

较厚，干后稍呈褐棕色，两面无毛。孢子囊群线形，斜展，在每对侧脉间各排列成1行，伸达叶边；无囊群盖。

| 分布区域 | 产于海南乐东、昌江、白沙、五指山、陵水、万宁、琼中等地。亦分布于中国华南其他区域，以及湖南、江西、福建、台湾、浙江、重庆、贵州、云南。越南、泰国、缅甸、菲律宾、日本、不丹、印度、尼泊尔也有分布。

| 资　　源 | 生于山谷溪边林下阴湿的岩石上，少见。

| 采收加工 | 全年均可采收，洗净，晒干或鲜用。

| 功能主治 | 味淡、微涩，性温。祛风除湿，散瘀止痛。用于风湿腰痛、跌打损伤。

| 附　　注 | 在 FOC 和《中国石松类和蕨类植物》中，线蕨属植物被置于薄唇蕨属（*Leptochilus*）。修订后本种的学名为 *Leptochilus ellipticus* (Thunb.) Noot. var. *pothifolia* (D. Don) X. C. Zhang。

水龙骨科 Polypodiaceae 线蕨属 Colysis

断线蕨 *Colysis hemionitidea* (Wall. ex Mett.) C. Presl

| **中 药 名** | 断线蕨（药用部位：叶）

| **植物形态** | 植株高 30~60cm。根茎长而横走，红棕色，密生鳞片，只具星散的厚壁组织，根密生；鳞片红棕色，卵状披针形，先端渐尖，边缘有疏锯齿，盾状着生。叶远生；叶柄长 1~4cm，暗棕色至红棕色，基部疏生鳞片，向上近光滑，有狭翅；叶片阔披针形至倒披针形，先端渐尖，基部渐狭而长，下延近达叶柄基部；侧脉两面明显，不达叶边，小脉网状，在每对侧脉间联结成 3~4 大网眼，大网眼内又有数个小网眼，内藏小脉分叉或单一，近叶边缘又有一行小网眼，内藏小脉通常单一或分叉，通常指向中脉；叶纸质，无毛。孢子囊群近圆形、长圆形至短线形，分离或很少接近，在每对侧脉间排列成

断线蕨

不整齐的一行，通常仅叶片上半部能育；无囊群盖。孢子极面观为椭圆形，表面有细小的颗粒状物质。

分布区域

产于海南昌江、白沙、五指山、陵水、琼中、保亭等地。亦分布于中国广东、广西、江西、台湾、贵州、云南、四川、西藏。越南、泰国、缅甸、菲律宾、日本、不丹、印度、尼泊尔也有分布。

资　源

生于海拔 300~1800m 的溪边或林下岩石上，常见。

采收加工

全年均可采收，洗净，晒干或鲜用。

功能主治

味淡、涩，性凉。清热利尿，解毒。用于小便短赤淋痛、疹病、毒蛇咬伤。

附　注

在 FOC 和《中国石松类和蕨类植物》中，线蕨属植物被置于薄唇蕨属（*Leptochilus*）。修订后本种的学名为 *Leptochilus hemionitideus* (C. Presl) Noot.。

水龙骨科 Polypodiaceae　线蕨属 *Colysis*

长柄线蕨 *Colysis pedunculata* (Hook. et Grev.) Ching

| 中 药 名 |

长柄线蕨（药用部位：全草）

| 植物形态 |

植株高 20~40cm。根茎横走，根密生，密生鳞片；鳞片褐色，卵状披针形，先端渐尖，边缘有疏锯齿。叶近二型，远生，草质或薄草质，光滑无毛；叶柄长 5~35cm，禾秆色；叶片椭圆形或卵状披针形，先端渐尖或钝圆，向基部急变狭，下延成狭翅，全缘或略呈微波状；侧脉斜展，略可见，小脉网状，在每对侧脉间有 2 行网眼，内藏小脉通常单一或 1~2 次分叉。孢子囊群线形，着生于网脉上，在每对侧脉间排列成一行，从中脉斜出，多数伸达叶边，无囊群盖。

| 分布区域 |

产于海南五指山、保亭、琼中、临高、儋州等地。亦分布于中国广西、云南。印度、印度尼西亚、马来西亚、泰国、越南也有分布。

| 资　　源 |

生在密林下溪边的潮湿岩石上，偶见。

长柄线蕨

| 采收加工 |

全年均可采收，洗净，晒干或鲜用。

| 功能主治 |

活血散瘀，清热利尿。用于跌打损伤、扭伤、金创刀伤、瘀紫疼痛、外伤出血、淋证、尿路感染、尿道炎、尿痛尿赤。

| 附　注 |

在 FOC 和《中国石松类和蕨类植物》中，线蕨属植物被置于薄唇蕨属（*Leptochilus*）。修订后本种的学名为 *Leptochilus pedunculatus* (Hook. & Grev.) Fraser-Jenk.。在 FOC 中，本种的中文名为具柄线蕨，在《中国石松类和蕨类植物》中仍为长柄线蕨。

水龙骨科 Polypodiaceae 抱树莲属 *Drymoglossum*

抱树莲 *Drymoglossum piloselloides* (L.) C. Presl

|中 药 名| 抱树莲（药用部位：全草）

|植物形态| 根茎细长横走，直径约 1mm，密被鳞片；鳞片卵圆形，中部深棕色，边缘淡棕色并具有长睫毛，盾状着生。叶远生或略近生，二型；无柄或能育叶具短柄。不育叶近圆形，或为椭圆形，先端阔圆形，基部渐狭，下延，肉质，干厚棕色，多皱纹，疏被纹，疏被伏贴的星状毛；能育叶线形或长舌状，先端阔圆形，有时分叉，基部渐狭，长下延，质地和毛被同不育叶。主脉仅下部可见，小脉不显。孢子囊群线形，贴近叶缘呈带状分布，连续，偶有断开，上至叶的先端均有分布，近基部不育。

抱树莲

| **分布区域** | 产于海南三亚、乐东、昌江、保亭、东方、陵水、琼中、儋州、临高等地。亦分布于中国云南。中南半岛、印度东北部和马来群岛也有分布。 |

| **资　　源** | 附生于海拔 100~500m 的林下树干上，常见。 |

| **采收加工** | 全年均可采收，洗净，晒干或鲜用。 |

| **药材性状** | 根茎圆柱形、细长，直径约 1mm，棕色或深棕色；密被细小鳞片，鳞片近圆形至卵形，边缘生众多长睫毛，叶二型，营养叶近圆形，直径约 1cm，或阔椭圆形，长 5~6cm，宽 2cm，厚肉质，对光视之可见网状脉，表面疏被星状毛；孢子叶线形，全缘，长 3~12cm，宽 5~8mm，厚肉质；孢子囊群长线形，生于下表面叶缘处；孢子两面型。气微，味淡。 |

| **功能主治** | 味甘、淡，性微凉；归肺、肝经。清热解毒，消肿散结，止血。用于湿热黄疸、目赤肿痛、化脓性中耳炎、腮腺炎、淋巴结炎、疥癣、跌打肿痛、咳嗽咯血、血崩。 |

| **附　注** | ①在 FOC 和《中国石松类和蕨类植物》中，本种被置于石韦属（*Pyrrosia*），修订后的学名为 *Pyrrosia piloselloides* (L.) M. G. Price，FOC 中的中文名为抱树石韦，《中国石松类和蕨类植物》中仍为抱树莲。②本种能育叶分叉是普遍存在的，而不是个别现象。本种毛被稀疏，易与肉质伏石蕨 *Lemmaphyllum carnosum* (Wallich ex J. Smith) C. Presl 混淆，肉质伏石蕨与本种确实相似，但它不具星状毛。 |

水龙骨科 Polypodiaceae 伏石蕨属 *Lemmaphyllum*

伏石蕨 *Lemmaphyllum microphyllum* C. Presl

| **中 药 名** | 螺厣草（药用部位：全草）

| **植物形态** | 小型附生蕨类。根茎细长横走，淡绿色，疏生鳞片；鳞片粗筛孔，先端钻状，下部略近圆形，两侧不规则分叉。叶远生，二型；不育叶近无柄，或仅有 2~4mm 的短柄，近球圆形或卵圆形，基部圆形或阔楔形，长 1.6~2.5cm，宽 1.2~1.5cm，全缘；能育叶柄长 3~8mm，狭缩成舌状或狭披针形，干后边缘反卷。叶脉网状，内藏小脉单一。孢子囊群线形，位于主脉与叶边之间，幼时被隔丝覆盖。

| **分布区域** | 产于海南昌江、保亭、陵水、万宁、琼中、澄迈、文昌等地。亦分布于中国广东、广西、江西、福建、台湾、浙江、安徽、湖北、云南等地。越南、日本、朝鲜也有分布。

伏石蕨

| 资　源 | 生于海拔 100~1500m 的山谷林下石上或树干上，常见。

| 采收加工 | 全年均可采收，洗净，晒干或鲜用。

| 功能主治 | 味辛、苦，性凉；归肺、肝、胃经。清肺止咳，凉血止血，清热解毒。用于肺热咳嗽、肺痈、吐血、衄血、便血、尿血、咽喉肿痛、腮腺炎、痢疾、瘰疬、痈疮肿毒、皮肤湿痒、风火牙痛、风湿骨痛。

| 附　注 | *Lemmaphyllum microphyllum* 在印度东南部有记录，但是没有说明具有多样性。据 Knapp 所报道，台湾的 *L. microphyllum* 在叶片形状上变异较大。

水龙骨科 Polypodiaceae 骨牌蕨属 Lepidogrammitis

骨牌蕨 Lepidogrammitis rostrata (Bedd.) Ching

| **中 药 名** | 上树咳（药用部位：全草）

| **植物形态** | 植株高约10cm。根茎细长横走，粗约1mm，绿色，被鳞片；鳞片钻状披针形，边缘有细齿。叶远生，一型；不育叶阔披针形或椭圆形，钝圆头，基部楔形，下延，长6~10cm，肉质，干后革质，淡棕色，两面近光滑。主脉两面均隆起，小脉稍可见，有单一或分叉的内藏小脉。孢子囊群圆形，通常位于叶片最宽处以上，在主脉两侧各成1行，略靠近主脉，幼时被盾状隔丝覆盖。

| **分布区域** | 产于海南乐东、昌江、五指山、陵水、万宁、琼中等地。亦分布于中国广东、广西、浙江、贵州、云南。中南半岛和印度北部也有分布。

骨牌蕨

| 资　源 |

附生于海拔240~1700m的林下树干上或岩石上，常见。

| 采收加工 |

全年均可采收，洗净，晒干。

| 功能主治 |

味甘、苦，性平；归肺、小肠经。清热利尿，止咳，除烦，解毒消肿。用于小便癃闭、淋沥涩痛、热咳、心烦、疮疡肿痛、跌打损伤。

| 附　注 |

在FOC和《中国石松类和蕨类植物》中，骨牌蕨属植物被置于伏石蕨属（*Lemmaphyllum*），其学名被修订为 *Lemmaphyllum rostratum* (Bedd.) Tagawa。

水龙骨科 Polypodiaceae　鳞果星蕨属 Lepidomicrosorum

鳞果星蕨 Lepidomicrosorum buergerianum (Miq.) Ching et Shing

| 中 药 名 | 一枝旗（药用部位：全草）

| 植物形态 | 植株高达 20cm。根茎细长攀缘，密被深棕色披针形鳞片。叶疏生，近二型；叶柄长 6~9cm，粗壮；能育叶披针形或三角状披针形，中部宽约 2cm，向下渐变宽，两侧通常扩大成戟形，基部圆截形，略下延形成狭翅，全缘；不育叶远较短，卵状三角形，干后纸质，褐绿色，沿主脉下面两侧有 1~2 小鳞片，全缘。主脉两面隆起，小脉不显。孢子囊群小，星散分布于主脉下面两侧，幼时被盾状隔丝覆盖。

| 分布区域 | 产于海南五指山。亦分布于中国长江以南各地。越南、日本也有分布。

鳞果星蕨

| 资　　源 |

生于海拔 700m 的林下攀缘树干和岩石上。

| 采收加工 |

全年均可采收，洗净，鲜用或晒干。

| 功能主治 |

味微苦、涩，性凉。清热利湿。用于尿路感染，
小便不利，黄疸。

| 附　　注 |

在 FOC 和《中国石松类和蕨类植物》中，其
学名被修订为 *Lepidomicrosorium buergerianum*
(Miq.) Ching & K. H. Shing ex S. X. Xu。

水龙骨科 Polypodiaceae 瓦韦属 Lepisorus

瓦 韦 *Lepisorus thunbergianus* (Kaulf.) Ching

| 中 药 名 | 瓦韦（药用部位：全草）

| 植物形态 | 植株高 8~20cm。根茎横走，密被披针形鳞片；鳞片褐棕色，大部分不透明，仅叶边 1~2 行网眼透明，具锯齿。叶柄长 1~3cm，禾秆色；叶片线状披针形，或狭披针形，基部渐变狭并下延，干后黄绿色至淡黄绿色，或淡绿色至褐色，纸质。主脉上下均隆起，小脉不见。孢子囊群圆形或椭圆形，彼此相距较近，成熟后扩展几密接，幼时被圆形褐棕色的隔丝覆盖。

| 分布区域 | 产于海南昌江、白沙、五指山等地。亦分布于中国华南其他区域，

瓦韦

以及湖南、江西、福建、台湾、浙江、安徽、贵州、四川。菲律宾、日本、朝鲜也有分布。

| **资　　　源** | 生于山谷溪边林下石上，常见。

| **采收加工** | 夏、秋季采收带根茎全草，洗净，晒干或鲜用。

| **药材性状** | 全草长 8~20cm，卷曲。根茎横走，呈柱状，具结节，节处有须根及被鳞片。叶片披针形，长 20~25cm，宽 4~5cm，绿黄色至黄棕色，近革质；叶面散布棕色小点，叶缘背面反卷；叶柄草质，硬而韧。孢子囊群深棕色，常 10~20 于叶背排列成 2 行。气微，味淡。根茎味苦。

| **功能主治** | 味苦，性寒。清热解毒，利尿通淋，止血。用于小儿高热、惊风、咽喉肿痛、痈肿疮疡、毒蛇咬伤、小便淋沥涩痛、尿血、咳嗽咯血。

水龙骨科 Polypodiaceae 星蕨属 Microsorum

江南星蕨 *Microsorum fortunei* (T. Moore) Ching

| 中 药 名 | 大叶骨牌草（药用部位：带根茎的全草）

| 植物形态 | 附生，植株高 30~100cm。根茎长而横走，顶部被鳞片；鳞片棕褐色，卵状三角形，先端锐尖，基部圆形，有疏齿，筛孔较密，盾状着生，易脱落。叶远生；叶柄禾秆色，上面有浅沟，基部疏被鳞片，向上近光滑；叶片线状披针形至披针形，长 25~60cm，先端长渐尖，基部渐狭，下延于叶柄并形成狭翅，全缘，有软骨质的边；中脉两面明显隆起，侧脉不明显，小脉网状，略可见，内藏小脉分叉；叶厚纸质，两面无毛，幼时下面沿中脉两侧偶有极少数鳞片。孢子囊群大，圆形，沿中脉两侧排列成较整齐的一行或有时为不规则的两行，靠近中脉。孢子豆形，周壁具不规则褶皱。

江南星蕨

| 分布区域 | 产于海南昌江。亦分布于中国长江以南各地。越南、缅甸、不丹、印度、马来西亚、日本也有分布。

| 资　　源 | 生于海拔 200~1500m 的山地山谷林下石上或树干上，十分常见。

| 采收加工 | 全年均可采收，洗净，晒干或鲜用。

| 功能主治 | 味苦，性寒；归肝、脾、心、肺经。清热利湿，凉血解毒。用于热淋、小便不利、赤白带下、痢疾、黄疸、咯血、衄血、痔疮出血、瘰疬结核、痈肿疮毒、毒蛇咬伤、风湿疼痛、跌打损伤。

| 附　　注 | 在 FOC 和《中国石松类和蕨类植物》中，本种被置于盾蕨属（*Neolepisorus*），修订后的学名为 *Neolepisorus fortunei* (T. Moore) L. Wang。

水龙骨科 Polypodiaceae 星蕨属 *Microsorum*

羽裂星蕨 *Microsorum insigne* (Blume) Copel.

羽裂星蕨

| 中 药 名 |

羽裂星蕨（药用部位：全草）

| 植物形态 |

植株高 40~100cm。根茎粗短，横走，肉质，密生须根，疏被鳞片；鳞片淡棕色，卵形至披针形，筛孔较密。叶疏生或近生；一回羽状或分叉，有时为单叶；叶柄禾秆色，横切面为龙骨状，两侧有翅，下延近达基部，基部疏被鳞片，向上光滑；叶片卵形或长卵形，羽状深裂，叶轴两侧有宽约 1cm 的阔翅；裂片 1~12 对，对生，斜展，线状披针形，基部 1 对较大，其余各对向上逐渐缩短，顶生裂片与侧生裂片同形；单一的叶片长椭圆形，全缘；主脉两面隆起，侧脉明显，曲折，仅伸达离叶边 2/3 处，小脉网状，不甚明显，内藏小脉单一或分叉；叶纸质，两面无毛，近无鳞片。孢子囊群近圆形或长圆形，小而散生，着生于叶片网脉连接处，有时沿网脉延伸而多少汇合。孢子豆形，周壁浅瘤状，具球形颗粒状纹饰。

| 分布区域 |

产于海南东方、白沙、五指山、保亭等地。亦分布于中国广东、香港、广西、贵州、云南。越南、老挝、柬埔寨、印度、马来西亚、日本也有分布。

| 资　　源 |

生于海拔 500~800m 的山地林下阴湿处石上或树上，少见。

| 采收加工 |

全年均可采收，洗净，鲜用或晒干。

| 功能主治 |

味苦、涩，性平。活血，祛湿，解毒。用于关节痛、跌打损伤、疝气、无名肿痛。

| 附　　注 |

Microsorum insigne 有时为单叶，叶柄从圆柱形到龙骨状，但是对于将具有以上特征的植株分离出来作为单独的种，目前尚没有其他相应的形态特征和分布区能够支持。

水龙骨科 Polypodiaceae 星蕨属 Microsorum

膜叶星蕨 *Microsorum membranaceum* (D. Don) Ching

| 中 药 名 | 大瓦韦膜叶星蕨（药用部位：带根茎的全草）

| 植物形态 | 附生或很少土生，植株高 50~80cm。根茎横走，粗壮，密被鳞片；鳞片暗褐色，卵形至三角形，渐尖头，近全缘，粗筛孔状，盾状着生。叶近生或近簇生；叶柄短，具棱，横切面近三角形，禾秆色，基部被鳞片；叶片阔披针形至椭圆披针形，先端渐尖，基部下延成狭翅，几达叶柄基部，全缘或略呈波状。叶干后绿色，膜质或薄纸质；主脉下面隆起而有锐脊，侧脉明显，近平展，横脉在每对侧脉间有 4~6，在主脉两侧各构成 4~7 近四边形的大网眼，小脉在大网眼中联结成小网眼，内藏小脉分叉。孢子囊群小，圆形，着生于叶片小脉连接处，不规则地散布于侧脉间。孢子囊隔丝通常为 2 个细胞，小而不明显。孢子豆形，周壁具孔穴状不规则褶皱。

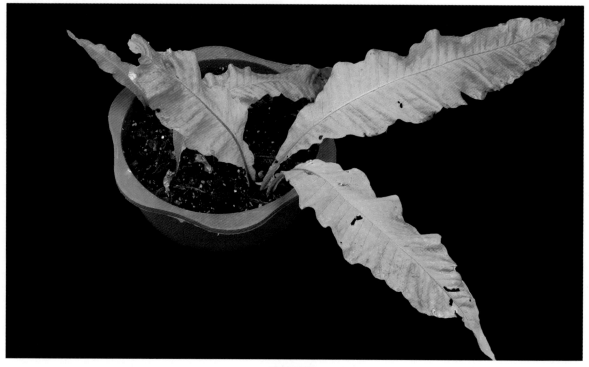

膜叶星蕨

| **分布区域** | 产于海南东方、三亚、琼中等地。亦分布于中国广东、广西、台湾、四川、贵州、云南、西藏等。越南、老挝、泰国、缅甸、不丹、印度、尼泊尔、菲律宾、马来西亚也有分布。

| **资　　源** | 生于海拔800~1800m荫蔽的溪边或林下潮湿的岩石上或树干上，偶见。

| **采收加工** | 全年均可采收，洗净，鲜用或晒干。

| **功能主治** | 味苦，性寒。清热利尿，散瘀消肿，止血。用于膀胱炎、尿道炎、水肿、跌打损伤、外伤出血、疔疮、痈肿、热结便秘。

水龙骨科 Polypodiaceae 星蕨属 Microsorum

星 蕨 *Microsorum punctatum* (L.) Copel.

星蕨

| 中 药 名 |

星蕨（药用部位：全草）

| 植物形态 |

附生，植株高40~60cm。根茎短而横走，粗壮，根茎近光滑而被白粉，密生须根，疏被鳞片；鳞片阔卵形，长约3mm，基部阔而成圆形，先端急尖，边缘稍具齿，盾状着生，粗筛孔状，暗棕色，中部的颜色较深，易脱落。叶近簇生；叶柄粗壮，短或近无柄，禾秆色，基部疏被鳞片，有沟；叶片阔线状披针形，先端渐尖，基部长渐狭而形成狭翅，或呈圆楔形或近耳形，叶缘全缘或有时略呈不规则的波状；侧脉纤细而曲折，两面均可见，小脉联结成多数不整齐的网眼，两面均不明显，内藏小脉分叉；叶纸质，淡绿色。孢子囊群直径约1mm，橙黄色，通常只叶片上部能育，不规则散生或有时密集为不规则汇合，一般生于内藏小脉的先端。孢子豆形，周壁平坦至浅瘤状。

| 分布区域 |

产于海南东方、昌江、保亭、三亚、乐东、陵水、儋州等地。亦分布于中国广东、香港、广西、湖南、台湾、贵州、云南、四川、甘肃。越南、波利尼西亚、印度以及马来群岛、非洲也有分布。

| 资　源 |

生于平原地区树荫处的树干上或墙壁上，常见。

| 采收加工 |

全年均可采收，洗净，鲜用或晒干。

| 功能主治 |

味苦，性凉。清热利湿，解毒。用于淋证、小便不利、跌打损伤、痢疾。

| 附　注 |

Microsorum punctatum 是一个分布广泛、多样性丰富的种。

水龙骨科 Polypodiaceae 瘤蕨属 Phymatosorus

光亮瘤蕨 *Phymatosorus cuspidatus* (D. Don) Pic. Serm.

| 中 药 名 | 猪毛蕨（药用部位：根茎）

| 植物形态 | 石上附生植物。植株高 40~100cm。根茎横走，粗约 2cm，灰绿色，疏被鳞片；鳞片卵圆形，盾状着生，褐色，边缘不整齐。叶远生；叶柄禾秆色，粗壮，无毛；叶片一回羽状；羽片 8~15 对，长 15~20cm，先端渐尖，基部具柄（柄长达 1cm），边缘全缘。侧脉不明显，小脉网状。叶近革质，两面光滑无毛。孢子囊群在羽片中脉两侧各 1 行，位于中脉与边缘之间；孢子表面具很小的颗粒状纹饰。

| 分布区域 | 产于海南保亭。亦分布于中国广东、广西、贵州、云南、四川、西藏。越南、老挝、泰国、缅甸、印度、尼泊尔也有分布。

光亮瘤蕨

| 资　　源 |

生于海拔 230~1600m 的林缘石灰岩石壁上，偶见。

| 采收加工 |

全年均可采挖，除去须根，洗净，鲜用或晒干。

| 功能主治 |

味辛、涩，性温，小毒。活血消肿，续骨。用于无名肿痛、小儿疳积、跌打损伤、骨折、腰腿痛。

水龙骨科 Polypodiaceae 水龙骨属 Polypodiodes

友水龙骨

Polypodiodes amoena (Wall. ex Mett.) Ching

| 中药名 | 土碎补（药用部位：根茎）

| 植物形态 | 附生植物。根茎横走，直径 5~7mm，密被鳞片；鳞片披针形，暗棕色，基部阔，盾状着生，上部渐尖，边缘有细齿。叶远生；叶柄禾秆色，光滑无毛；叶片卵状披针形，羽状深裂，基部略收缩，先端羽裂渐尖；裂片 20~25 对，披针形，先端渐尖，边缘有锯齿，基部 1~2 对裂片向后反折。叶脉极明显，网状，在叶轴两侧各具 1 行狭长网眼，在裂片中脉两侧各具 1~2 行网眼，内行网眼具内藏小脉，分离的小脉先端具水囊，几达裂片边缘。叶厚纸质，两面无毛，背面叶轴及裂片中脉具有较多的披针形、褐色鳞片。孢子囊群圆形，在裂片中脉两侧各 1 行，着生于内藏小脉先端，位于中脉与边缘之间，无盖。

友水龙骨

| 分布区域 | 产于海南五指山。亦分布于中国广东、广西、湖南、江西、台湾、浙江、安徽、湖北、贵州、云南、四川、西藏、山西。越南、老挝、泰国、缅甸、不丹、印度、尼泊尔也有分布。

| 资　源 | 生于海拔 700~1500m 的山谷石上或树干上，少见。

| 采收加工 | 全年均可采挖，洗净，鲜用或晒干。

| 功能主治 | 味微苦，性凉。舒筋活络，清热解毒，消肿止痛。用于风湿痹痛、跌打损伤、痈肿疮毒。

| 附　注 | 在《中国石松类和蕨类植物》中，本种被置于棱脉蕨属（*Goniophlebium*），修订后学名为 *Goniophlebium amoenum* (Well. ex Mett.) Bedd.。

水龙骨科 Polypodiaceae 石韦属 Pyrrosia

贴生石韦 *Pyrrosia adnascens* (Sw.) Ching

| 中 药 名 | 贴生石韦（药用部位：茎、叶）

| 植物形态 | 植株高 5~12cm。根茎细长，攀缘附生于树干和岩石上，密生鳞片。鳞片披针形，长渐尖头，边缘具睫毛，淡棕色，着生处深棕色。叶远生，二型，肉质，以关节与根茎相连；不育叶柄长 1~1.5cm，淡黄色，关节连接处被鳞片，向上被星状毛；叶片小，倒卵状椭圆形，或椭圆形，上面疏被星状毛，下面密被星状毛，干后厚革质，黄色；能育叶条状至狭披针形，全缘。主脉下面隆起，上面下凹，小脉网状，网眼内有单一内藏小脉。孢子囊群着生于内藏小脉先端，聚生于能育叶片中部以上，成熟后扩散，无囊群盖，幼时被星状毛覆盖，淡棕色；成熟时汇合，砖红色。

贴生石韦

| 分布区域 |

产于海南三亚、昌江、保亭、东方等地。亦分布于中国广东、广西、福建、台湾、云南。亚洲其他热带地区也有分布。

| 资 源 |

附生于海拔 100~1300m 的树干上或岩石上，十分常见。

| 采收加工 |

全年可采，洗净，晒干或鲜用。

| 药材性状 |

根茎细长，密生披针形鳞片。叶二型，肉质，以关节与根茎相连；不育叶柄长 1~1.5cm，淡黄色，叶片小，倒卵状椭圆形，上面疏被星状毛，下面密被星状毛，干后厚革质，黄色；能育叶条状至狭披针形，全缘。孢子囊群着生于内藏小脉先端，聚生于能育叶片中部以上。

| 功能主治 |

清热利尿，散结解毒。用于腮腺炎、瘰疬、蛇伤。

| 附 注 |

Ralf Knapp 认为本种在中国台湾应被置于广义的 *Pyrrosia lanceolata* 中。*Polypodium pertusum* Roxburgh ex Hooker 被认为是石韦属的，应归并于 *Pyrrosia lanceolata* 中。

水龙骨科 Polypodiaceae 石韦属 Pyrrosia

石 韦 *Pyrrosia lingua* (Thunb.) Farwell

| **中 药 名** | 石韦（药用部位：全草）

| **植物形态** | 植株通常高10~30cm。根茎长而横走，密被鳞片；鳞片披针形，长渐尖头，淡棕色，边缘有睫毛。叶远生，近二型；叶柄与叶片大小和长短变化很大，能育叶通常远比不育叶长得高而较狭窄，两者的叶片略比叶柄长，少为等长，罕有短过叶柄的。不育叶片近长圆形，或长圆披针形，下部1/3处最宽，向上渐狭，短渐尖头，基部楔形，宽一般为1.5~5cm，长（5~）10~（~20）cm，全缘，干后革质，上面灰绿色，近光滑无毛，下面淡棕色或砖红色，被星状毛；能育叶长过不育叶1/3，而较狭1/3~2/3。主脉下面稍隆起，上面不明显下凹，侧脉在下面明显隆起，清晰可见，小脉不显。孢子囊群近椭圆形，

石韦

在侧脉间整齐呈多行排列,布满整个叶片下面,或聚生于叶片的大上半部,初时为星状毛覆盖而呈淡棕色,成熟后孢子囊开裂外露而呈砖红色。

| 分布区域 |

产于海南东方、琼中、保亭等地。亦分布于中国长江以南各地,北至甘肃,西至西藏,东至台湾。越南、印度、日本、朝鲜也有分布。

| 资　　源 |

生于海拔 300~1400m 的石上或树干上,十分常见。

| 采收加工 |

全年均可采收,除去根茎和根,晒干或阴干。

| 药材性状 |

叶片披针形或长圆披针形,长 8~12cm,宽 1~3cm。基部楔形,对称。孢子囊群在侧脉间,排列紧密而整齐。叶柄长 5~10cm,直径约 1.5mm。

| 功能主治 |

味甘、苦,性微寒;归肺、膀胱经。利尿通淋,清肺止咳,凉血止血。用于热淋、血淋、石淋、小便不通、淋沥涩痛、肺热喘咳、吐血、衄血、尿血、崩漏。

水龙骨科 Polypodiaceae 石韦属 Pyrrosia

中越石韦 *Pyrrosia tonkinensis* (Gies.) Ching

| 中 药 名 |　宽尾石韦（药用部位：全草）

| 植物形态 |　植株高 10~40cm。根茎粗短而横卧，或略向前延伸，密被棕色披针形鳞片；鳞片基部近圆形，长尾状尖头，边缘有锯齿，棕色，着生处为黑色。叶近生，一型；几无柄；叶片线状，长渐尖头，下半部两边近平行，沿主脉下延几到着生处，中部以上最宽，全缘，干后纸质，上面灰棕色，被稀疏的星状毛，或几光滑无毛，下面淡棕色，密被两种星状毛，上层的星状毛臂等长，下层的绒毛状。主脉下面隆起，上面凹陷，侧脉与小脉不显。孢子囊群通常聚生于叶片上半部，在主脉两侧呈多行排列，无盖，幼时被厚层的星状毛覆盖，呈淡棕色；成熟时孢子囊开裂，呈砖红色。

中越石韦

| 分布区域 | 产于海南东方、保亭、昌江、乐东、白沙、琼中等地。亦分布于中国广东、广西、贵州、云南。越南和泰国也有分布。

| 资　　源 | 附生于海拔 80~1600m 的林下树干上或岩石上，偶见。

| 采收加工 | 全年均可采收，除去杂质，洗净，鲜用或晒干。

| 药材性状 | 根茎和叶柄基部生有鳞片，披针形，边缘有锯齿。叶一型，革质。叶呈螺旋状卷曲，湿润展开，叶片线状披针形，基部长下延，叶缘向上反卷，下表面除有细长黄色分枝的星状毛外，还有一层极细的星状绒毛。孢子囊群在主脉两侧略向上各有 2~3 行，叶片革质，无柄或仅有短柄。气微，味微苦。

| 功能主治 | 味微苦，性凉。清肺热，利尿通淋。用于肺热咳嗽、湿热淋证。

团叶槲蕨 *Drynaria bonii* Christ

| **中 药 名** | 团叶槲蕨（药用部位：根茎）

| **植物形态** | 附生或土生。根茎横走，粗 1~3cm，肉质。基生不育叶无柄，心形、圆形、肾形至卵形，先端钝或圆，基部有互相覆盖的耳；正常能育叶的叶柄长 10~20cm，无毛，基部被鳞片，两侧有宽仅 1~2mm 的狭翅几达基部，能育叶长圆状卵形，羽状深裂几达叶轴而形成宽约 1mm 的狭翅，阔披针形，基部稍狭长而下延，边缘近全缘至浅波状，有软骨质的边，顶生裂片同形，稍大；叶干后鲜绿色或变淡棕色，无毛，上面光亮。孢子囊群细小，圆形，散生，在中肋两侧不规则地排成 2 行，在相邻两对侧脉间有 2~4 行，生于 2~4 小脉交汇处。孢子囊上无腺毛，表面光滑。

团叶槲蕨

| 分布区域 |

产于海南乐东。亦分布于中国广东、广西、贵州、云南。越南、柬埔寨、泰国、马来西亚、印度也有分布。

| 资　源 |

附生于海拔100~1300m的林下树干上或岩石上，偶见。

| 采收加工 |

全年均可采收，洗净，去须根、叶柄，晒干或鲜用。

| 药材性状 |

根茎呈扁平长条状。表面棕色，密被鳞片，鳞片卵圆形，具长钻头，有锯齿，基部盾状着生。两侧及上面有圆形叶柄痕，下面有残留细根。质轻脆，易折断。断面可见多数黄色点状分体中柱，排列成环。气微，味微苦。

| 功能主治 |

味微苦，性温；归肾经。益肾气，壮筋骨，散瘀止血。用于肾虚耳鸣、牙痛、跌打损伤、骨折、风湿腰痛、外伤出血。

| 附　注 |

团叶槲蕨 *Drynaria bonii* 曾被误定为 *D. sparsisora* (Desvaux) T. Moore。本种分布于东南亚和澳大利亚，它和 *D. sparsisora* 的不同在于基部的叶分裂程度更深，达1/3，根茎非常长。

桷蕨科 Drynariaceae 　桷蕨属 Drynaria

栎叶桷蕨

Drynaria quercifolia (L.) J. Sm.

| 中药名 | 栎叶桷蕨（药用部位：根茎）

| 植物形态 | 根茎横走，分枝，粗壮，肉质，幼嫩部分密被蓬松的鳞片；鳞片披针形，深棕色，有光泽。上部狭，先端呈钻形，基部阔形，盾状着生，边缘淡棕色，有许多密集的小齿，基生不育叶阔卵形，基部心形而有耳，无柄，边缘浅裂至深裂，裂片先端钝圆，全缘，侧脉粗壮，两面隆起，侧脉之间有曲折而不明晰的横脉相连，小脉联结成伸长的网眼，一般无内藏小脉；叶厚革质，坚硬，棕色，两面均无毛；正常能育叶的叶柄长约30cm或过之，粗壮，棕色，无毛，具狭翅直达基部，

栎叶桷蕨

基部被鳞片；能育叶叶片革质，羽状深裂，在叶轴两侧形成宽不及1cm的翅；裂片阔披针形，先端渐尖，向基部渐狭，叶两面均无毛，干后淡棕色。孢子囊群圆形或椭圆形，在每对侧脉之间有2行，每个大网眼内有2个，大小常不等。

分布区域

产于海南三亚、东方、昌江、陵水。中南半岛国家、不丹、印度、尼泊尔、斯里兰卡、孟加拉国、马来群岛至斐济及大洋洲热带地区也有分布。

资　源

生于村边、路边的老树干上，亦生于季雨林的树干上或林下岩石上，常见。

采收加工

秋、冬季采收，用刀削去表皮鳞毛后，洗净，晒干。

药材性状

根茎呈扁平长条形。表面棕色，密生鳞片，鳞片卵圆形，具长钻头，基部盾状着生。两侧及上面有圆形叶柄痕，下面残留有细根。质轻脆，易折断。断面可见多数黄色点状分体中柱，排列成环。气微，味微苦。

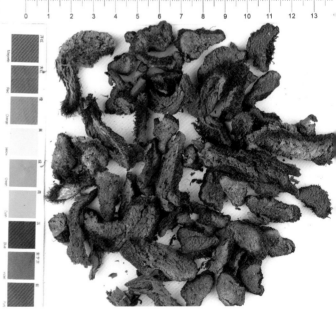

功能主治

味苦，性温；归肾经。祛风湿，补肾续骨，活血止血。用于痹证日久、肝肾两虚、腰膝疼痛、筋脉拘挛、肾虚耳鸣、牙痛、尿多、跌打损伤、骨折、外伤出血。

槲蕨

| 槲蕨科 | Drynariaceae | 槲蕨属 | Drynaria

槲 蕨 *Drynaria roosii* Nakaike

|中 药 名|

骨碎补（药用部位：根茎）

|植物形态|

通常附生岩石上，匍匐生长，或附生树干上，螺旋状攀缘。根茎密被鳞片；鳞片斜升，盾状着生，边缘有齿。叶二型，基生不育叶圆形，基部心形，浅裂至叶片宽度的1/3，边缘全缘，黄绿色或枯棕色，厚干膜质，下面有疏短毛。正常能育叶叶柄长 4~7 (~13)cm，具明显的狭翅；叶片深羽裂到距叶轴2~5mm处，互生，稍斜向上，披针形，边缘有不明显的疏钝齿，先端急尖或钝；叶脉两面均明显；叶干后纸质，仅上面中肋略有短毛。孢子囊群圆形、椭圆形，叶片下面全部分布，沿裂片中肋两侧各排列成 2~4 行，成熟时相邻 2 侧脉间有圆形孢子囊群 1 行，或幼时成 1 行长形的孢子囊群，混生有大量腺毛。

|分布区域|

产于海南昌江。亦分布于中国华南其他区域、华中、华东、西南。越南、老挝、柬埔寨、泰国、印度也有分布。

| 资　　源 | 生于海拔 300~1200m 的山地林中石上或树干上，常见。

| 采收加工 | 全年均可采挖，除去泥沙，干燥，或再燎去茸毛（鳞片）。

| 药材性状 | 本品呈扁平长条状，多弯曲，有分枝，长 5~15cm，宽 1~1.5cm，厚 0.2~0.5cm。表面密被深棕色至暗棕色的小鳞片，柔软如毛，经火燎者呈棕褐色或暗褐色，两侧及上表面均具突起或凹下的圆形叶痕，少数有叶柄残基和须根残留。体轻，质脆，易折断，断面红棕色，维管束呈黄色点状，排列成环。气微，味淡、微涩。

| 功能主治 | 味苦，性温；归肝、肾经。疗伤止痛，补肾强骨；外用消风祛斑。用于跌仆闪挫、筋骨折伤、肾虚腰痛、筋骨萎软、耳鸣耳聋、牙齿松动；外用于斑秃、白癜风。

| 附　　注 | 本种根茎是一种传统的中药，名为"骨碎补"，但一般骨碎补是指骨碎补属（*Davallia*）的植物。

崖姜 *Pseudodrynaria coronans* (Wall. ex Mett.) Ching

崖姜

中药名

崖姜（药用部位：根茎）

植物形态

根茎横卧，粗大，肉质，密被蓬松的长鳞片，有被毛茸的线状根混生于鳞片间，弯曲的根茎盘结成为大块的垫状物，形成一个圆而中空的高冠；鳞片钻状长线形，深锈色，边缘有睫毛。叶一型，先端渐尖，向下渐变狭，至基部又渐扩张成膨大的圆心形，基部以上叶片为羽状深裂；裂片多数，被圆形的缺刻所分开，披针形；叶脉粗而很明显，侧脉斜展，隆起，通直，向外达于加厚的边缘，横脉与侧脉直角相交，成一回网眼，再分割 1 次成 3 个长方形的小网眼，内有先端呈棒状的分叉小脉；叶硬革质，两面均无毛，干后硬而有光泽，裂片往往从关节处脱落。孢子囊群位于小脉交叉处，叶片下半部通常不育，每一网眼内有 1 孢子囊群，在主脉与叶缘间排成一长行，圆球形或长圆形，分离，但成熟后常多少汇合成一条连贯的囊群线。

分布区域

产于海南东方、昌江、保亭等地。亦分布于中国华南其他区域，以及福建、台湾、云南、

贵州。越南、缅甸、印度、尼泊尔、马来西亚
也有分布。

| 资　　源 |

生于海拔100~1500m的山地林下石上或树干上，
十分常见。

| 采收加工 |

春、夏、秋三季均可采收，洗净，鲜用或晒干。

| 功能主治 |

祛风除湿，舒筋活络。用于风湿疼痛、跌打损伤、
中耳炎。

| 附　　注 |

在 FOC 和《中国石松类和蕨类植物》中，本
种被置于连珠蕨属（*Aglaomorpha*），修订后
学 名 为 *Aglaomorpha coronans* (Wall. ex Mett.)
Copel.。

苹科 Marsileaceae 苹属 Marsilea

苹
Marsilea quadrifolia L.

| 中 药 名 | 苹（药用部位：全草）

| 植物形态 | 植株高 5~20cm。根茎细长横走，分枝，先端被有淡棕色毛，茎节远离，向上发出一至数枚叶子。叶片由 4 倒三角形的小叶组成，呈十字形，外缘半圆形，基部楔形，全缘，草质。叶脉从小叶基部向上呈放射状分叉，组成狭长网眼，伸向叶边，无内藏小脉。孢子果双生或单生于短柄上，而柄着生于叶柄基部，长椭圆形，褐色，木质，坚硬。每个孢子果内含多数孢子囊，大小孢子囊同生于孢子囊托上，一个大孢子囊内只有一个大孢子，而小孢子囊内有多数小孢子。

| 分布区域 | 产于海南昌江、万宁。亦分布于中国长江以南各地，北达华北和辽宁，西到新疆。世界温、热两带其他地区也有分布。

苹

| 资　　源 | 生于水田或沟塘中，少见。

| 采收加工 | 春、夏、秋三季均可采收，洗净，鲜用或晒干。

| 药材性状 | 根茎细长，多分枝。叶柄纤细，长 3~18cm，光滑，棕绿色；小叶 4，卷缩，展开后呈"田"字形，小叶片倒三角形，长约 1.6cm，宽约 1.7cm，上面绿色，下面黄绿色。气微，味淡。

| 功能主治 | 味甘，性寒；归肺、肝、肾经。利水消肿，清热解毒，止血，除烦安神。用于水肿、热淋、小便不利、黄疸、吐血、衄血、尿血、崩漏白带、月经量多、心烦不眠、消渴、感冒、小儿夏季热、痈肿疮毒、瘰疬、乳腺炎、咽喉肿痛、急性结膜炎、毒蛇咬伤。

槐叶苹科 Salviniaceae 槐叶苹属 Salvinia

槐叶苹 *Salvinia natans* (L.) All.

| 中 药 名 | 蜈蚣萍（药用部位：全草）

| 植物形态 | 小型漂浮植物。茎细长而横走，被褐色节状毛。三叶轮生，上面二叶漂浮水面，形如槐叶，长圆形或椭圆形，先端钝圆，基部圆形或稍呈心形，全缘；叶柄长 1mm 或近无柄。叶脉斜出，每条小脉上面有 5~8 束白色刚毛；叶草质，上面深绿色，下面密被棕色茸毛。下面一叶悬垂水中，细裂成线状，被细毛，形如须根，起着根的作用。孢子果 4~8 个簇生于沉水叶的基部，表面疏生成束的短毛，小孢子果表面淡黄色，大孢子果表面淡棕色。

| 分布区域 | 产于海南五指山、海口。

槐叶苹

| 资　　源 | 生于水田、沟塘或静水溪河内，少见。

| 采收加工 | 夏、秋季采收，洗净，鲜用或晒干。

| 药材性状 | 茎细长，有毛。叶二型，一种细长如根；一种羽状排列于茎的两侧，叶片矩圆形，长 8~12mm，宽 5~6mm，圆钝头，基部圆形或稍心形，全缘，上面淡绿色，在侧脉间有 5~9 个突起，其上生一簇粗短毛；下面灰褐色，生有节的粗短毛。根状叶基部生出短小枝，枝上集生有大孢子果和小孢子果 4~8。气微，味辛。

| 功能主治 | 味辛、苦，性寒。清热解表，利水消肿，解毒。用于风热感冒、麻疹不透、浮肿、热淋、小便不利、热痢、痔疮、痈肿疔疮、丹毒、腮腺炎、湿疹、烫火伤。

满江红科 Azollaceae 满江红属 Azolla

满江红 *Azolla imbricata* (Roxb.) Nakai

| 中 药 名 | 满江红（药用部位：叶、根）

| 植物形态 | 小型漂浮植物。植物体呈卵形或三角状，根茎细长横走，侧枝腋生，假二歧分枝，向下生须根。叶小如芝麻，互生，无柄，覆瓦状排列成两行，叶片深裂，分为背裂片和腹裂片两部分，背裂片长圆形或卵形，肉质，绿色，上表面密被乳状瘤突，下表面中部略凹陷，基部肥厚，形成共生腔；腹裂片贝壳状，无色透明，多少饰有淡紫红色，斜沉水中。孢子果双生于分枝处，大孢子果体积小，长卵形，顶部喙状，内藏一大孢子囊，大孢子囊只产一大孢子，大孢子囊有9浮膘；小孢子果体积远较大，圆球形或桃形，先端有短喙，果壁薄而透明，内含多数具长柄的小孢子囊，每个小孢子囊内有64小孢子，分别埋藏在5~8无色海绵状的泡胶块上，泡胶块上有丝状毛。

满江红

| **分布区域** | 产于海南儋州。亦分布于中国华北、东北及长江以南各地。日本、朝鲜也有分布。

| **资　　源** | 生于水田、沟塘或静水溪河内，少见。

| **采收加工** | 叶：夏、秋季捞取，晒干。根：夏、秋季捞取全草后，剪下须状根，晒干。

| **药材性状** | 叶小，三角形，密生于细枝上，皱缩成粒片状，直径约 4mm，上面黄绿色，下面紫褐色或红褐色；须根多数，泥灰色。质轻，气微。

| **功能主治** | 叶：味辛，性凉。归肺、膀胱经。解表透疹，祛风胜湿，解毒。用于感冒咳嗽、麻疹不透、风湿疼痛、小便不利、水肿、荨麻疹、皮肤瘙痒、疮疡、丹毒、烫火伤。根：润肺止咳。用于肺痨咳嗽。

| **附　　注** | 在 FOC 和《中国石松类和蕨类植物》中，被置于槐叶苹科（*Salviniaceae*），被修订为亚种，修订后学名为 *Azolla pinnata* R. Brown subsp. *asiatica* R. M. K. Saunders & K. Fowler。本亚种曾经被分为 3 个变种，但是没有被 Saunders 和 Fowler 接受。

裸子植物

苏铁科 Cycadaceae 苏铁属 Cycas

苏 铁 *Cycas revoluta* Thunb.

| 中 药 名 | 苏铁（药用部位：根、果实、花、叶）

| 植物形态 | 树干高约 2m，稀达 8m 或更高。羽状叶从茎的顶部生出，整个羽状叶的轮廓呈倒卵状狭披针形；厚革质，坚硬。雄球花圆柱形，有短梗，小孢子叶窄楔形，下面中肋及先端密生黄褐色或灰黄色长绒毛，花药通常 3 个聚生；大孢子密生淡黄色或淡灰黄色绒毛，上部的顶生羽片卵形至长卵形，边缘羽状分裂，条状钻形，先端有刺状尖头，有绒毛。种子红褐色或橘红色，倒卵圆形或卵圆形，稍扁，密生灰黄色短绒毛，后渐脱落，中种皮木质，两侧有两条棱脊，上端无棱脊或棱脊不显著，先端有尖头。花期 6~7 月，种子 10 月成熟。

苏铁

| 分布区域 |

产于海南海口、南沙群岛、三亚、万宁、儋州、西沙群岛等地。亦分布于中国广东、福建、台湾。印度尼西亚、菲律宾、日本南部也有分布。

| 资　源 |

海南多地有栽培，但多作为园林绿化植物引种，资源量较小。

| 采收加工 |

根：全年均可采挖，晒干备用。果：秋、冬季采收，晒干备用。花：夏季采摘，鲜用或阴干备用。叶：全年均可采收，鲜用或晒干。

| 药材性状 |

根：根细长圆柱形，略弯曲，长10~35cm，直径约2mm。表面灰黄色至灰棕色，具瘤状突起；外皮易横断成环状裂纹。质略韧，不易折断，断面皮部灰褐色，木质部黄白色。气微，味淡。

花：大孢子叶略呈匙状，上部扁宽，下部圆柱形，长10~20cm，宽5~8cm。全体密被褐黄色绒毛，扁宽部分两侧羽状深裂为细条形，下部圆柱部分两侧各生1~5近球形的胚珠。气微，味淡。

叶：叶大型，一回羽状，叶轴扁圆柱形，叶柄基部两侧具刺，黄褐色。质硬，断面纤维性。羽片线状披针形，长9~18cm，宽4~6cm，黄色或黄褐色，边缘向背面反卷，背面疏生褐色柔毛。质脆，易折断，断面平坦。气微，味淡。

功能主治

根：味甘、淡，性平，小毒。祛风通络，活血止血。用于风湿麻木、筋骨疼痛、跌打损伤、劳伤吐血、腰痛、白带、口疮。果：味苦、涩，性平，有毒。归肺、肝、大肠经。平肝降压，镇咳祛痰，收敛固涩。用于原发性高血压、慢性肝炎、咳嗽痰多、痢疾、遗精、白带、跌打损伤、刀伤。花：味甘，性平。理气祛湿，活血止血，益肾固精。用于胃痛、慢性肝炎、风湿疼痛、跌打损伤、咯血、吐血、痛经、遗精、带下。叶：味甘、涩，性平，小毒。归肝、胃经。理气止痛，散瘀止血，消肿解毒。用于肝胃气滞疼痛、经闭、吐血、便血、痢疾、肿痛、外伤出血、跌打损伤。

附 注

苏铁为优美的观赏树种，栽培极为普遍，茎内含淀粉，可供食用；种子含油和丰富的淀粉，微有毒，供食用和药用，可治痢疾、止咳和止血。

松科 Pinaceae　松属 Pinus

火炬松 *Pinus taeda* L.

| 中 药 名 |

火炬松（药用部位：松脂、松节油、松馏油、
透明松香、生松脂、松精油）

| 植物形态 |

乔木，在原产地高达 30m；树皮鳞片状开裂，
近黑色、暗灰褐色或淡褐色；枝条每年生长
数轮；小枝黄褐色或淡红褐色；冬芽褐色，
矩圆状卵圆形或短圆柱形，先端尖，无树脂。
针叶 3 针一束，稀 2 针一束，直径约 1.5mm，
硬直，蓝绿色；横切面三角形，二型皮下层
细胞，3~4 层在表皮层下呈倒三角状断续分
布，树脂道通常 2，中生。球果卵状圆锥形
或窄圆锥形，基部对称，长 6~15cm，无梗
或几无梗，熟时暗红褐色；种鳞的鳞盾横脊
显著隆起，鳞脐隆起延长成尖刺；种子卵圆
形，栗褐色，种翅长约 2cm。

| 分布区域 |

海南屯昌等地有栽培。中国江西、南京、安
徽、浙江、福建、湖北、湖南、广东、广西
等地亦有引种栽培。原产于北美洲东南部。

| 资　　源 |

栽培，少见。

火炬松

| 采收加工 | 松节油：选直径 20~50cm 的松树，在距地面 2m 高的树干处开割口。开割口前先要刮去粗皮，但不要损伤木质部，刮面长度 50~60cm，宽 25~40cm；在刮面中央开割长 35~50cm、宽 1~1.3cm、深入木质部 1~1.2cm 的中沟，中沟基部装一受脂器，再自中沟开割另一对侧沟，可将油树脂不断收集起来。将收集的松油脂与水共热，滤去杂质，通水蒸气蒸馏，所得到馏出物分离除去水分，即为松节油。

| 药材性状 | 本品为无色至黄色澄清液体，臭特异；久贮或暴露于空气中，臭渐增强，色渐变黄。

| 功能主治 | 消肿止痛。用于跌打损伤。

| 附　　注 | 木材供建筑等用，并生产优良松脂。

松科 Pinaceae 松属 Pinus

马尾松 *Pinus massoniana* Lamb.

|中 药 名|

松花粉（药用部位：花粉），松球（药用部位：球果），松节（药用部位：枝干结节），松叶（药用部位：叶），松油（药用部位：油树脂），松香（药用部位：去油树脂），松笔头（药用部位：幼枝尖端），松根（药用部位：根），松木皮（药用部位：树皮）

|植物形态|

乔木；树冠宽塔形或伞形。针叶2针一束，稀3针一束，细柔，微扭曲，两面有气孔线，边缘有细锯齿；横切面皮下层细胞单型，第1层连续排列，第2层由个别细胞断续排列而成，树脂道4~8，在背面边生，或腹面也有2个边生；叶鞘初呈褐色，后渐变呈灰黑色，宿存。雄球花淡红褐色，圆柱形，弯垂，聚生于新枝下部苞腋，穗状；雌球花单生或2~4聚生于新枝近先端，上部珠鳞的鳞脐具向上直立的短刺，下部珠鳞的鳞脐平钝无刺。球果卵圆形或圆锥状卵圆形，有短梗，下垂，成熟前绿色，熟时栗褐色，陆续脱落；种子长卵圆形，子叶5~8；初生叶条形，缘具疏生刺毛状锯齿。花期4~5月。

马尾松

|分布区域|

海南屯昌有栽培。亦分布于中国江苏、安徽、河南、陕西，以及长江中下游地区。非洲南部也有分布。

|资　　源|

生于海拔700m以下的山地，偶见。

|采收加工|

松花粉：春季开花采收雄花穗，晾干，搓下花粉，过筛，收取细粉，再晒。松球：春末夏初采收，鲜用或干燥备用。松节：多于采伐或木器厂加工时锯取，经过选择整修，晒干或阴干。松叶：全年均可采收，阴干备用。松香：选直径20~50cm的松树，在距地面2m高的树干处开割口。开割口前先要刮去粗皮，但不要损伤木质部，刮面长度50~60cm，宽25~40cm；在刮面中央开割长35~50cm、宽1~1.3cm、深入木质部1~1.2cm的中沟，中沟基部装一受脂器，再自中沟开割另一对侧沟，可将油树脂不断收集起来。将收集的松油脂与水共热，滤去杂质，通水蒸气蒸馏，所得到馏出物分离除去水分，即为松节油。蒸馏后所遗物质，放冷凝固，即是松香。松笔头：春季松树长出嫩梢时采，鲜用或晒干。松根：全年均可采挖，剥去根皮，洗净，切段或片，晒干。松木皮：全年均可采剥，洗净，切断，晒干。

| **药材性状** | 松花粉：本品为淡黄色的细粉，质轻易飞扬，手捻有滑腻感，不沉于水。气微香，味有油腻感。松节：表面黄棕色、浅黄棕色或红棕色，纵断面纹理直或斜，较均匀。松叶：松叶呈针状，长6~18cm，直径约0.1cm；2针一束，基部有长约0.5cm的鞘；气微香，味微苦涩。松油：本品为无色至黄色澄清液体，臭特异；久贮或暴露于空气中，臭渐增强，色渐变黄。松香：本品为透明或半透明不规则块状物，大小不等，颜色由浅黄到深棕色。常温时质较脆，破碎面较光滑，有玻璃样光泽，气微弱。 |

功能主治　松花粉：味甘，性温。祛风益气，收湿，止血。用于头眩晕、中虚胃痛、久痢、诸疮湿烂、创伤出血。松球：味苦，性温。用于风痹、肠燥便难、痔疾。松节：味苦，性温。祛风除湿，活络止痛。用于风湿关节痛、腰腿痛、转筋挛急、脚气痿软、鹤膝风、跌打损伤、瘀血肿痛。松叶：味苦，性温。祛风燥湿，杀虫，止痒。用于风湿痿痹、跌打损伤、失眠、浮肿、湿疮、疥癣、流行性感冒、流行性脑脊髓膜炎、钩虫病。松油：用于跌打损伤，伤口久不愈合。松香：味苦、甘，性温；归脾、肺二经。祛风燥湿，排脓拔毒，生肌止痛。用于痈疽、疔毒、痔瘘、恶疮、疥癣、白秃、金疮、扭伤、风湿痹痛、厉风瘙痒。松笔头：味苦、涩，性温。活血，通淋，止痛。用于跌打损伤、小便淋痛。松根：味苦，性温。祛风，止痛。用于筋骨痛、伤损吐血、虫牙痛。松木皮：味苦，性温；归肺、大肠经。祛风胜湿，祛瘀敛疮。用于风湿骨痛、跌打损伤、肠风下血、远年久痢、痈疽久不收口、金疮、烫火伤。

附　注　①马尾松树干可割取松脂，为医药、化工原料。根部树脂含量丰富；树干及根部可培养茯苓、蕈类，供中药及食用，树皮可提取栲胶。为长江流域以南重要的荒山造林树种。②在广东高州有一类型，当地叫"黄鳞松"，其树干上部及大枝的树皮呈黄色或淡褐黄色；大枝一年生长2轮或3轮。

松科 Pinaceae 松属 Pinus

湿地松 Pinus elliottii Engelm

湿地松

|中药名|

松脂（药用部位：树脂）

|植物形态|

乔木，在原产地高达 30m，胸径 90cm；树皮灰褐色或暗红褐色，纵裂成鳞状块片剥落；枝条每年生长 3~4 轮，春季生长的节间较长，夏、秋生长的节间较短，小枝粗壮，橙褐色，后变为褐色至灰褐色，鳞叶上部披针形，淡褐色，边缘有睫毛，干枯后宿存数年不落，故小枝粗糙；冬芽圆柱形，上部渐窄，无树脂，芽鳞淡灰色。针叶 2~3 针一束并存，长 18~25cm，刚硬，深绿色，有气孔线，边缘有锯齿；树脂道 2~9（~11），多内生。球果圆锥形或窄卵圆形，长 6.5~13cm，有梗，种鳞张开后直径 5~7cm，成熟后至第 2 年夏季脱落；种鳞的鳞盾近斜方形，肥厚，有锐横脊，鳞脐瘤状，宽 5~6mm，先端急尖，长不及 1mm，直伸或微向上弯；种子卵圆形，微具 3 棱，黑色，有灰色斑点，种翅易脱落。

|分布区域|

海南部分地区人工栽培。中国湖北、江西、浙江、江苏、安徽、福建、广东、广西、台湾等地亦有引种栽培。原产于美国东南部。

| 资　　源 |

适生于低地、丘陵地带，少见。

| 采收加工 |

在采收期开割伤口，割破树脂道，使松脂大量从伤口流出，收集松脂。

| 功能主治 |

味苦，性温。祛风燥湿，生肌止痛。

| 附　　注 |

湿地松与加勒比松在形态上易于混淆，过去有些学者把二者视为同种，将加勒比松的学名作为正式学名。但这两种松树在形态特征和地理分布上是不同的。加勒比松针叶通常 3 针一束，稀 2 针一束，幼树多为 4~5 针一束，长15~30cm，树脂道 2~8（通常 3~4），内生；幼树及苗木的新叶灰绿色或苍绿色；球果也较小，卵状圆柱形，长 5~12cm，鳞脐先端具渐尖的短刺；种子窄卵圆形，微有 3 棱脊，长6~7mm，通常有灰色或淡褐色的斑点，种翅长2~2.5cm。

杉科 Taxodiaceae 柳杉属 Cryptomeria

日本柳杉 *Crytomeria japonica* (L. f.) D. Don

| 中 药 名 | 日本柳杉（药用部位：叶、种子）

| 植物形态 | 乔木，在原产地高达 40m，胸径可达 2m 以上；树皮红褐色，纤维状，裂成条片状脱落；大枝常轮状着生，水平开展或微下垂，树冠尖塔形；小枝下垂，当年生枝绿色。叶钻形，直伸，先端通常不内曲，锐尖或尖，基部背腹宽约 2mm，四面有气孔线。雄球花长椭圆形或圆柱形，雄蕊有 4~5 花药，药隔三角状；雌球花圆球形。球果近球形，稀微扁；种鳞 20~30，上部通常 4~5(~7) 深裂，裂齿较长，鳞背有 1 三角状分离的苞鳞尖头，先端通常向外反曲，能育种鳞有 2~5 种子；种子棕褐色，椭圆形或不规则多角形，边缘有窄翅。花期 4 月，球果 10 月成熟。

日本柳杉

|分布区域|

海南屯昌等地有栽培。中国山东青岛、蒙山，上海，江苏南京，浙江杭州，江西庐山，湖南衡山，湖北武汉等地亦有引种栽培，作庭园观赏树。原产于日本。

|资　　源|

栽培，少见。

|采收加工|

叶：春、秋季采摘，鲜用或晒干。种子：采摘球果晒干后收取种子。

|功能主治|

用于咳嗽。

柏科 Cupressaceae 侧柏属 Platycladus

侧 柏 *Platycladus orientalis* (L.) Franco.

| 中 药 名 | 侧柏叶（药用部位：枝叶），柏子仁（药用部位：种仁），柏根白皮（药用部位：去掉栓皮的根皮），柏枝节（药用部位：枝条），柏脂（药用部位：树脂）

| 植物形态 | 乔木，树皮薄，浅灰褐色，纵裂成条片；枝条向上伸展或斜展，幼树树冠卵状尖塔形，老树树冠则为广圆形；生鳞叶的小枝细，向上直展或斜展，扁平，排成一平面。叶鳞形，小枝中央的叶的露出部分呈倒卵状菱形或斜方形，背面中间有条状腺槽，两侧的叶船形，先端微内曲，背部有钝脊，尖头下方有腺点。雄球花黄色，卵圆形；雌球花近球形，蓝绿色，被白粉。球果近卵圆形，成熟后木质，开裂，红褐色；中间两对种鳞倒卵形或椭圆形，鳞背先端的下方有一向外弯曲的尖头，下部 1 对种鳞极小，稀退化而不显著；种子卵圆形或近椭圆形，先端微尖，无翅或有极窄之翅。花期 3~4 月，球果 10 月成熟。

侧柏

| **分布区域** | 海南海口、万宁、儋州等地有栽培。亦分布于中国各地。朝鲜也有分布。

| **资　　源** | 栽培，常见。

| **采收加工** | 枝叶：全年可采收，以夏、秋季采收者为佳；剪下大枝，干燥后取其小枝叶，扎成小把，至通风处风干，不宜暴晒。种仁：秋、冬季采收成熟球果，晒干，收集种子，碾去种皮，簸净。根皮：冬季采挖，洗净，趁新鲜时刮去栓皮，纵向剖开，以木槌轻击，使皮部与木心分离，剥去白皮，晒干。枝条：全年可采，以夏、秋季采收者为佳；剪取树枝，置通风处风干用。

| **药材性状** | 枝叶：枝长短不一，多分枝，小枝扁平。叶细小鳞片状，交互对生，贴附于枝上，深绿色或黄绿色；质脆易断，气清香，味苦、涩、微辛。种仁：种仁长椭圆形至长卵圆形，长 3~7mm，直径 1.5~3mm；新鲜品淡黄色或黄白色，久置则颜色变深而呈黄棕色，显油性。外包膜质内种皮，先端略光，圆三棱形，有深褐色的小点，基部钝圆，颜色较浅；断面乳白色至黄白色，胚乳较发达，子叶2或更多，富油性；气微香，味淡而有油腻感。

| **功能主治** | 枝叶：味苦、涩，微温。凉血止血，祛痰止咳，祛风湿，散肿毒。用于咯血、衄血、胃肠道出血、尿血等。种仁：味甘，性平。养心安神，敛汗，润肠通便。用于视力减退、心悸怔忡、失眠健忘、肠燥便秘、盗汗。根皮：味苦，性平。凉血，解毒，生发，敛疮。用于烫伤、灸疮、疮疡溃烂、毛发脱落。枝条：味苦、辛，性温。祛风除湿，解毒疗疮。用于风寒湿痹、历节风、霍乱转筋、牙齿肿痛、恶疮、疥癞。树脂：味甘，性平。除湿清热，解毒杀虫。用于疥癣、秃疮、黄水疮、丹毒、赘疣。

柏科 Cupressaceae 圆柏属 Sabina

圆 柏 *Sabina chinensis* (L.) Antoine

| 中 药 名 | 圆柏（药用部位：枝、叶及树皮）

| 植物形态 | 乔木，树皮深灰色，纵裂，呈条片状开裂；幼树的枝条通常斜上伸展，形成尖塔形树冠，老则下部大枝平展，形成广圆形的树冠；树皮灰褐色，纵裂，裂成不规则的薄片脱落；小枝通常直或稍呈弧状弯曲，生鳞叶的小枝近圆柱形或近四棱形。叶二型，即刺叶及鳞叶；刺叶生于幼树之上，老龄树则全为鳞叶，壮龄树兼有刺叶与鳞叶；生于一年生小枝的一回分枝的鳞叶三叶轮生，近披针形，先端微渐尖，背面近中部有椭圆形微凹的腺体；刺叶三叶交互轮生，披针形，先端渐尖，上面微凹，有 2 白粉带。雌雄异株，稀同株，雄球花黄色，椭圆形，雄蕊 5~7 对，常有 3~4 花药。球果近圆球形，2 年成熟，熟时暗褐色，被白粉或白粉脱落，有 1~4 种子；种子卵圆形，有棱脊及少数树脂槽；子叶 2，条形，先端锐尖，下面有 2 白色气孔带，上面则不明显。

圆柏

| 分布区域 |

产于海南屯昌等地。亦分布于中国各地。朝鲜、日本也有分布。

| 资　　源 |

栽培，常见。

| 采收加工 |

枝叶全年均可采收，剪取枝叶，阴干或鲜用。

| 功能主治 |

味苦、辛，性温；有小毒。祛风散寒，活血消肿，解毒利尿。用于风寒感冒、肺结核、尿路感染；外用于荨麻疹、风湿关节痛。

| 附　　注 |

在 FOC 中，本种被归并于刺柏属（*Juniperus*）中，修订后的学名为 *Juniperus chinensis* L.。

罗汉松科 Podocarpaceae 罗汉松属 Podocarpus

罗汉松 *Podocarpus macrophyllus* (Thunb.) D. Don

| 中 药 名 | 罗汉松实（药用部位：种子花托），罗汉松（药用部位：叶、根皮）

| 植物形态 | 乔木，高达 20m，胸径达 60cm；树皮灰色或灰褐色，浅纵裂，呈薄片状脱落；枝开展或斜展，较密。叶螺旋状着生，条状披针形，微弯，先端尖，基部楔形，上面深绿色，有光泽，中脉显著隆起，下面带白色、灰绿色或淡绿色，中脉微隆起。雄球花穗状、腋生，常 3~5 簇生于极短的总梗上，基部有数枚三角状苞片；雌球花单生叶腋，有梗，基部有少数苞片。种子卵圆形，先端圆，熟时肉质假种皮紫黑色，有白粉，种托肉质圆柱形，红色或紫红色，柄长 1~1.5cm。花期 4~5 月，种子 8~9 月成熟。

| 分布区域 | 产于海南海口、万宁、琼中等地。亦分布于中国江苏、浙江、福建、安徽、江西、湖南、四川、云南、贵州等地。日本也有栽培。

罗汉松

| 资　源 |

偶见。

| 采收加工 |

种子花托：秋季种子成熟时连同花托一起摘下。叶：全年或夏、秋季采收，洗净，鲜用或晒干。根皮：全年或秋季采挖，洗净，鲜用或晒干。

| 药材性状 |

种子花托：种子椭圆形、类圆形或斜卵圆形，长 8~11mm，直径 7~9mm。外表灰白色或棕褐色，多数被白霜，具突起的网纹，基部着生于倒钟形的肉质花托上。质硬，不易破碎，折断面种皮厚，中心粉白色。气微，味淡。叶：商品药材除叶外，还有带叶茎枝，枝条粗 2~5mm，表面淡黄褐色，粗糙，具似三角形的叶基脱落痕。叶条状披针形，长 7~12cm，宽 4~7mm，上面灰绿色或暗褐色，下面黄绿色至淡棕色。质脆，易折断。气微，味淡。

| 功能主治 |

种子花托：味甘，性微温。行气止痛，温中补血。用于胃脘胀痛、血虚面色萎黄。叶：味淡，性平。止血。用于咯血、吐血。根皮：味甘、苦，性微温。活血祛瘀，祛风除湿，杀虫止痒。用于跌打损伤、风湿痹痛、癣疾。

| 附　注 |

同属植物大理罗汉松 *Podocarpus forrestii* Craib et W. W. Sm. 也作罗汉松入药。

竹柏 *Podocarpus nagi* (Thunb.) Zoll. et Mor. ex Zoll.

| **中 药 名** | 竹柏（药用部位：叶、树皮或根）

| **植物形态** | 乔木，高达 20m，胸径 50cm；树皮近于平滑，红褐色或暗紫红色，呈小块薄片状脱落；枝条开展或伸展，树冠广圆锥形。叶对生，革质，长卵形、卵状披针形或披针状椭圆形，有多数并列的细脉，无中脉，长 3.5~9cm，宽 1.5~2.5cm，上面深绿色，有光泽，下面浅绿色，上部渐窄，基部楔形或宽楔形，向下窄呈柄状。雄球花穗状圆柱形，单生叶腋，常呈分枝状，总梗粗短，基部有少数三角状苞片；雌球花单生叶腋，稀成对腋生，基部有数枚苞片，花后苞片不肥大成肉质种托。种子圆球形，成熟时假种皮暗紫色，有白粉，梗长

竹柏

7~13mm，其上有苞片脱落的痕迹；骨质外种皮黄褐色，先端圆，基部尖，其上密被细小的凹点，内种皮膜质。

| **分布区域** | 产于海南万宁、陵水、三亚、保亭、琼中、屯昌、澄迈等地。亦分布于中国浙江、福建、江西、湖南、广东、广西、四川。日本也有分布。

| **资　　源** | 生于滨海冲积地或常绿阔叶林中，偶见。

| **采收加工** | 叶：全年可采，洗净，鲜用或晒干。树皮或根：全年或秋季采挖根部，或剥取树皮，除净泥土、杂质，切断晒干。

功能主治

叶：止血，接骨。用于外伤出血、骨折。外用适量，鲜品捣敷；或干品研磨调敷。树皮或根：味淡、涩，性平。祛风除湿。用于风湿痹痛。外用适量，捣敷。

附 注

在 FOC 中，本种的学名为 *Nageia nagi* (Thunb.) Kuntze。

三尖杉科 Cephalotaxaceae 三尖杉属 *Cephalotaxus*

粗 榧 *Cephalotaxus sinensis* (Rehder & E. H. Wilson) H. L. Li.

| 中 药 名 | 粗榧子（药用部位：种子、枝叶、根）

| 植物形态 | 灌木或小乔木，高达 15m，树皮灰色或灰褐色，裂成薄片状脱落。叶条形，排成两列，上部渐窄，先端渐尖或微凸尖，基部近圆形，质较厚。上面深绿色，中脉明显，下面有 2 白色气孔带，较绿色边带宽 2~4 倍。雄球花 6~7 聚生成头状，总梗长约 3mm；雄球花卵圆形，基部有 1 苞片。雄蕊 4~11；雌球花头状，通常 2~5 胚珠发育成种子。种子 2~5，生于总梗的上端，卵圆形或近球形，先端中央有尖头。花期 3~4 月，种子 10~11 月成熟。

粗榧

分布区域	产于海南乐东、昌江、陵水等地。亦分布于中国长江流域以南至广东、广西，西至甘肃、陕西、河南、四川、云南、贵州等地。
资　　源	生于海拔800~1200m的山谷林中，偶见。
采收加工	枝叶：全年或夏、秋季采收，晒干。根：全年可采，洗净，刮去粗皮，切片，晒干。
功能主治	种子：味甘、涩，性平。驱虫，消积。用于蛔虫病、钩虫病、食积。枝叶：味苦、涩，性寒。抗癌。用于白血病、恶性淋巴肿瘤。根：味淡、涩，性平。祛风除湿。用于风湿痹痛。

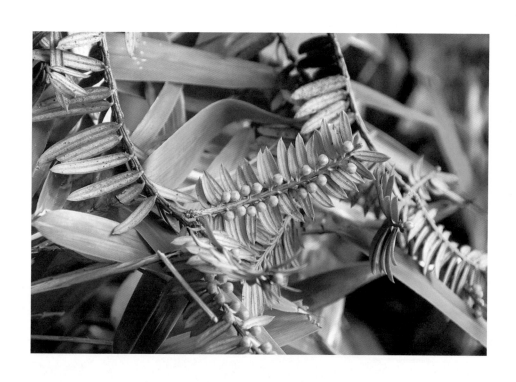

三尖杉科 Cephalotaxaceae 三尖杉属 Cephalotaxus

海南粗榧 *Cephalotaxus hainanensis* H. L. Li

| 中 药 名 |

海南粗榧（药用部位：果实、树枝和茎皮）

| 植物形态 |

乔木，通常高 10~20m，胸径 30~50cm，稀达 110cm；树皮通常浅褐色或褐色，稀黄褐色或红紫色，裂成片状脱落。叶条形，排成两列，通常质较薄，向上微弯或直，基部圆截形，稀圆形，先端微急尖、急尖或近渐尖，干后边缘向下反曲，上面中脉隆起，下面有 2 白色气孔带。雄球花的总梗长约 4mm。种子通常微扁，倒卵状椭圆形或倒卵圆形，先端有突起的小尖头，成熟前假种皮绿色，熟后常呈红色。

| 分布区域 |

产于海南琼中、乐东、昌江等地。亦分布于中国广东、广西容县、云南东南部及西部、西藏东南部。

| 资　　源 |

生于海拔 700~1200m 的山地雨林中，偶见。

海南粗榧

| 采收加工 |

果实在秋季成熟时采收。树枝和茎皮全年均可采收，洗净，晒干。

| 功能主治 |

果实：味咸，性温。软坚散结。用于腹部痞积块，对白血病、淋巴肉瘤有一定效果。树枝和茎皮：味苦、涩，性寒。抗癌。用于恶性淋巴瘤、白血病等。

| 附　注 |

在 FOC 中，本种被修订为西双版纳粗榧 *Cephalotaxus mannii* J. D. Hooker。

三尖杉科 Cephalotaxaceae 三尖杉属 Cephalotaxus

三尖杉 *Cephalotaxus fortunei* Hook. f.

三尖杉

| 中 药 名 |

三尖杉（药用部位：枝叶、根），血榧（药用部位：种子）

| 植物形态 |

乔木，高达 20m，胸径达 40cm；树皮褐色或红褐色，裂成片状脱落；枝条较细长，稍下垂；树冠广圆形。叶排成 2 列，披针状条形，通常微弯，宽 3.5~4.5mm，上部渐窄，先端有渐尖的长尖头，基部楔形或宽楔形，上面深绿色，中脉隆起，下面气孔带白色，较绿色边带宽 3~5 倍，绿色中脉带明显或微明显。雄球花 8~10 聚生成头状，总花梗粗，通常长 6~8mm，基部及总花梗上部有 18~24 苞片，每一雄球花有 6~16 雄蕊，花药 3，花丝短；雌球花的胚珠 3~8 发育成种子。种子椭圆状卵形或近圆球形，假种皮成熟时紫色或红紫色，先端有小尖头；子叶 2，条形，先端钝圆或微凹，下面中脉隆起，无气孔线，上面有凹槽，内有一窄的白粉带；初生叶镰状条形，形小，有白色气孔带。花期 4 月。

| 分布区域 |

产于海南琼中等地。亦分布于中国浙江、安徽南部、福建、江西、湖南、湖北、河南南

部、陕西南部、甘肃南部、四川、云南、贵州、广西及广东等地。

| 资 源 |

生于山地或山谷，偶见。

| 采收加工 |

枝叶：全年或夏、秋季采收，晒干。根：全年均可采挖，去净泥土，晒干。血榧：秋季种子成熟时采收，晒干。

| 药材性状 |

枝叶：小枝对生，基部有宿存芽鳞。叶螺旋状排成2列，常水平展开，披针状条形，长4~13cm，宽3.5~4.5mm。先端尖，基部楔形成短柄，上面深绿色，中脉隆起，下面中脉两侧有白色气孔带。气微，味微涩。

| 功能主治 |

枝叶：味苦、涩，性寒；有毒。抗癌。用于恶性淋巴瘤、白血病、肺癌、胃癌、食管癌、直肠癌等。根：味苦、涩，性平。抗癌，活血，止痛。用于直肠癌、跌打损伤。种子：味甘、涩，性平；归肺、大肠经。驱虫消积，润肺止咳。用于食积腹胀、小儿疳积、虫积、肺燥咳嗽。

买麻藤科 Gnetaceae　买麻藤属 *Gnetum*

罗浮买麻藤 *Gnetum luofuense* C. Y. Cheng

| 中 药 名 | 买麻藤（药用部位：茎、叶、根）

| 植物形态 | 藤本，茎枝圆形，皮紫棕色，皮孔浅不显著。叶片矩圆形，长 10~18cm，宽 5~8cm，先端短渐尖，侧脉 9~11 对，网状小脉在叶背明显，叶柄长 8~10mm。雄球花序分枝三出或成 2 对，雄球花穗长 2.5~5cm；雌球花序多生于老枝上，一次三出分枝。成熟果实橙红色，长 1.5~2.5cm，直径约 1.5cm。果期 7~9 月。

| 分布区域 | 产于海南白沙、昌江、万宁等地。亦分布于中国广东、江西及福建。

罗浮买麻藤

| 资　源 |

生于林中，缠绕于树上，常见。

| 采收加工 |

全年可采收，鲜用或晒干。

| 药材性状 |

藤圆柱形，节部膨大，断面皮部棕褐色，木质部淡黄色。叶矩圆形，全缘，长 10~18cm，宽 5~8cm。味弱微苦。

| 功能主治 |

味苦，性温。祛风除湿，活血散瘀，化痰止咳。茎、叶用于风湿骨痛、手脚麻木、偏瘫、蜂窝织炎、支气管炎、肾炎水肿；根用于鹤膝风。

买麻藤科 Gnetaceae | 买麻藤属 *Gnetum*

小叶买麻藤 *Gnetum parvifolium* (Warb.) C. Y. Cheng ex Chun

| 中 药 名 | 小叶买麻藤（药用部位：茎、叶、根）

| 植物形态 | 缠绕藤本，高 4~12m，常较细弱；茎枝圆形，皮土棕色或灰褐色，皮孔常较明显。叶革质，长 4~10cm，先端急尖或渐尖而钝，稀钝圆，侧脉细，一般在叶面不甚明显，在叶背隆起，长短不等，不达叶缘即弯曲前伸，小脉在叶背形成明显细网，网眼间常呈极细的皱突状，叶柄较细短。雄球花序不分枝或一次分枝，分枝三出或成 2 对，总梗细弱，雄球花穗具 5~10 轮环状总苞，每轮总苞内具雄花 40~70，雄花基部有不显著的棕色短毛，假花被略呈四棱状盾形，基部细长，花丝完全合生，稍伸出假花被，花药 2，合生，仅先端稍分离，花穗上端有不育雌花 10~12；雌球花序多生于老枝上，一次三出分枝；

小叶买麻藤

雌球花穗细长，每轮总苞内有雌花5~8，雌花基部有不甚明显的棕色短毛，珠被管短。成熟种子假种皮红色，长椭圆形或窄矩圆状倒卵圆形，长1.5~2cm，先端常有小尖头，种脐近圆形，干后种子表面常有细纵皱纹，无种柄或近无柄。

| 分布区域 |

产于海南三亚、儋州、保亭、临高、澄迈等地。亦分布于中国福建、广东、广西、湖南及贵州等地。

| **资　　　源** | 生于海拔150~800m的山地或丘陵林中，常见。

| **采收加工** | 全年可采收，鲜用或晒干。

| **药材性状** | 藤圆柱形，节部膨大，外皮灰褐色，断面皮部棕褐色，木质部淡黄色。叶椭圆形或长倒卵形，长4~10cm，宽2.5~4cm，雄球花序不分枝或一次分枝。气弱，味微苦。

| **功能主治** | 味苦，性温。祛风除湿，活血散瘀，化痰止咳。茎、叶用于风湿骨痛、手脚麻木、偏瘫、蜂窝织炎、支气管炎、肾炎水肿；根用于鹤膝风。

被子植物

木兰科 Magnoliaceae 木兰属 Magnolia

夜香木兰 *Magnolia coco* (Lour.) DC.

| 中 药 名 | 夜合花（药用部位：花）

| 植物形态 | 常绿灌木或小乔木，全株各部无毛；树皮灰色。叶革质，长 7~14cm，宽 2~4.5cm，侧脉每边 8~10，网眼稀疏；叶柄长 5~10mm；托叶痕达叶柄先端。花梗向下弯垂，具 3~4 苞片脱落痕。花圆球形，直径 3~4cm，花被片 9，外面的 3 片带绿色，有 5 纵脉纹，内 2 轮纯白色；雄蕊长 4~6mm，花药长约 3mm，药隔伸出成短尖头；花丝白色，长约 2mm；雌蕊群绿色，卵形，长 1.5~2cm；心皮约 10，狭卵形，长 5~6mm，背面有一纵沟至花柱基部，柱头短，脱落后先端平截。聚合果长约 3cm；蓇葖果近木质；种子卵圆形。花期夏季，果期秋季。

夜香木兰

| **分布区域** | 产于海南乐东、儋州。亦分布于中国南部各地。越南也有分布。

| **资　　源** | 生于海拔 600~900m 的湿润肥沃林下，偶见。

| **采收加工** | 5~6 月采摘，晒干。

| **药材性状** | 花朵略呈伞形、倒挂金钟形或不规则的球形，长 2~3cm，直径 3~4cm，外面暗红色至棕紫色。萼 3，长倒卵形，长约 1.5cm，宽约 8mm，两面有颗粒状突起。花瓣倒卵形，卷缩，外列 3 片较大，外表面基部显颗粒状突起，内表面光滑。雄蕊多数，螺旋状排列，呈莲座状。雌蕊心皮离生，狭长棱状，紫褐色或棕褐色，有小瘤状体。留存的花柄黑褐色。气极芳香，味淡。以花朵完整、芳香气浓者为佳。

| **功能主治** | 味辛，性温。行气祛瘀，止咳止带。用于胁肋胀痛、乳房胀痛、疝气痛、癥瘕、跌打损伤、失眠、咳嗽气喘、白带过多。

木兰科 Magnoliaceae 木兰属 Magnolia

荷花玉兰 *Magnolia grandiflora* L.

| **中 药 名** | 广玉兰（药用部位：花和树皮）

| **植物形态** | 常绿乔木；树皮淡褐色或灰色，薄鳞片状开裂；小枝、芽、叶下面、叶柄均密被褐色或灰褐色短绒毛（幼树的叶下面无毛）。叶厚革质，长 10~20cm，宽 4~7cm，先端钝或短钝尖，基部楔形；侧脉每边 8~10；叶柄长 1.5~4cm，无托叶痕，具深沟。花白色，有芳香，直径 15~20cm；花被片 9~12；雄蕊长约 2cm，花丝扁平，紫色，花药内向，药隔伸出成短尖；雌蕊群椭圆体形，密被长绒毛；心皮卵形，长 1~1.5cm，花柱呈卷曲状。聚合果圆柱状长圆形或卵圆形，长 7~10cm，直径 4~5cm，密被褐色或淡灰黄色绒毛；蓇葖果背裂，背面圆，先端外侧具长喙；种子近卵圆形或卵形。花期 5~6 月，果期 9~10 月。

荷花玉兰

| 分布区域 | 海南海口有栽培。中国长江以南亦常见栽培。原产于北美洲东南部。

| 资　　源 | 适生于湿润肥沃土壤，少见。

| 采收加工 | 春季采收未开放花蕾，白天暴晒，晚上发汗，五成干时，堆放 1~2 天，再暴晒至全干。树皮随时可采。

| 药材性状 | 花蕾圆锥形，长 3.5~7cm，基部直径 1.5~3cm，淡紫色或紫褐色。花被片 9~12，宽倒卵形，肉质较厚，内层呈荷瓣状。雄蕊多数，花丝宽，较长，花药黄棕色条形，心皮多数，密生长绒毛。花梗长 0.5~2cm，节明显。质硬，易折断。气香，味淡。

| 功能主治 | 味辛，性温；归肺、胃、肝经。祛风散寒，行气止痛。用于外感风寒、头痛鼻塞、脘腹胀痛、呕吐腹泻、高血压、偏头痛。

| 附　　注 | 本种广泛栽培，有超过 150 个栽培品系。对二氧化硫、氯气、氟化氢等有毒气体抗性较强；也耐烟尘。叶、幼枝和花可提取芳香油；种子可榨油。

木兰科 Magnoliaceae 木兰属 Magnolia

长叶木兰
Magnolia paenetalauma Dandy

| **中 药 名** | 长叶木兰（药用部位：树皮、叶、果实）

| **植物形态** | 常绿小乔木；小枝绿色，嫩枝、嫩叶下面、花梗及苞片被淡褐色毛，老时脱落。叶薄革质，干时质坚脆，长 9~15cm，宽 2.5~4.5cm，先端长渐尖，基部楔形，边缘起伏呈波状；侧脉每边 12~15，叶柄长 1.5~2cm，托叶痕几达叶柄先端，边缘显著隆起。花梗在开花时下弯，结果时近直立，长 1.5~3cm；花被片 9，外轮 3 近革质，蓝绿色，内 2 轮白色；雄蕊长 6~10mm，心皮被黄色直毛，狭椭圆形，先端近三角形，干时背面具 4~5 行突起瘤点。聚合果褐色，椭圆体形，长约 5cm；蓇葖果具短而端平截的喙，成熟蓇葖背缝线开裂并反卷。花期 4~6 月，果期 9~10 月。

长叶木兰

| 分布区域 |

产于海南昌江、白沙、保亭、万宁。亦分布于中国广东、广西、贵州。越南也有分布。

| 资　　源 |

生于海拔 1000m 以下的林中，偶见。

| 采收加工 |

夏、秋季采收，洗净，鲜用或晒干。

| 药材性状 |

叶状体呈皱缩的片状或小团块。湿润后展开呈扁平阔带状，多回二歧分叉，表面暗褐绿色，可见明显的气孔和气孔区划。下面带褐色，有多数鳞片和成丛的假根。气微，味淡。

| 功能主治 |

树皮：消积。用于胃脘胀痛。叶、果实：用于风湿骨痛、咳嗽。

| 附　　注 |

①在 FOC 中，其被修订为香港木兰 *Lirianthe championii* (Bentham) N. H. Xia & C. Y. Wu；②本种花期较其他木兰科种类迟而长；③黎药（控等右）：叶捣烂与蛋清、蜂蜜同敷，治疗眼疾；根及皮捣烂敷，治疗跌打损伤；根及皮浸酒，用于滋补。

木兰科 Magnoliaceae 木莲属 Manglietia

木莲 *Manglietia fordiana* Oliv.

| 中 药 名 | 木莲果（药用部位：果实）

| 植物形态 | 乔木；嫩枝及芽有红褐色短毛，后脱落无毛。叶革质，长 8~17cm，宽 2.5~5.5cm；先端短急尖，基部楔形，沿叶柄稍下延；侧脉每边 8~12；叶柄长 1~3cm，基部稍膨大；托叶痕半椭圆形，长 3~4mm。总花梗长 6~11mm，具 1 环状苞片脱落痕，被红褐色短柔毛。花被片纯白色，每轮 3，外轮 3 质较薄，近革质，凹入，长圆状椭圆形，长 6~7cm，宽 3~4cm，内 2 轮的稍小，常肉质，倒卵形；雄蕊长约 1cm；雌蕊群长约 1.5cm，具 23~30 心皮，平滑；花柱长约 1mm；胚珠 8~10，2 列。聚合果褐色，卵球形，长 2~5cm，蓇葖露出面有粗点状突起，先端具长约 1mm 的短喙；种子红色。花期 5 月，果期 10 月。

木莲

| **分布区域** | 产于海南昌江、五指山。亦分布于中国广东、广西、湖南、江西、福建、浙江、安徽、贵州、云南。越南也有分布。

| **资　　源** | 生于山地林下、河流边，偶见。

| **采收加工** | 8月（处暑前后）在果实成熟未开裂前摘取，剪除残余果柄，不使碎散，充分晒干。

| **药材性状** | 果实由多数蓇葖果聚合而成，形如松球，长约4cm，直径3~4cm，基部膨大。外表紫褐色，内侧棕褐色，蓇葖果开裂后，可见暗紫红色的种子2。剥开种皮，有灰白色而富有油质的子叶1。气香，味淡。

| **功能主治** | 味辛，性凉；归肺、大肠经。通便，止咳。用于实热便秘、老人咳嗽。

| **附　　注** | 本种与海南木莲 *M. fordiana* var. *hainanensis* 极相似，但叶质地比较厚，干后两面叶脉不明显，花柄有褐色毛，心皮有长约1mm的喙。

木兰科 Magnoliaceae 木莲属 Manglietia

海南木莲
Manglietia hainanensis Dandy

| **中 药 名** | 海南木莲（药用部位：果实、枝、叶）

| **植物形态** | 高大乔木，芽、小枝被残留红褐色短柔毛。叶薄革质，倒卵形，长 10~16cm，宽 3~6cm，边缘波状起伏，先端急尖，基部沿叶柄稍下延；侧脉每边 12~16，干后两面网脉均明显；托叶痕半圆形。花梗长 0.8~4cm；佛焰苞状苞片薄革质，阔圆形，先端开裂；花被片 9，每轮 3，外轮的薄革质，绿色，先端有浅缺，内 2 轮的纯白色，肉质，倒卵形；雄蕊群红色，雄蕊长约 1cm，花药长约 8mm；雌蕊群长 1.5~2cm，具 18~32 心皮，先端无短喙，平滑。花柱不明显，每心皮具胚珠 5~8 颗，2 列。聚合果褐色，卵圆形，长 5~6cm，成熟心皮露出面有点状突起；种子红色，稍扁。花期 4~5 月，果期 9~10 月。

海南木莲

| **分布区域** | 产于海南乐东、白沙、万宁、五指山。海南特有种。

| **资　　源** | 生于海拔 400~1200m 的山地林中，偶见。

| **功能主治** | 暂无资料表明其在医药方面的应用，但同属植物中木莲的果实入药有通便、止咳之效，本种或许有相似的作用；且有研究表明本种枝、叶中含有黄酮类、异黄酮类、生物碱类等有药理活性的化合物，其药效更需要进一步的研究。

| **附　　注** | 本种植株形态与木莲 *Manglietia fordiana* Oliv. 相似。

木兰科 Magnoliaceae 含笑属 Michelia

白 兰
Michelia alba DC.

| 中 药 名 | 白兰花（药用部位：花）

| 植物形态 | 常绿乔木，树冠呈阔伞形；树皮灰色；揉枝叶有芳香；嫩枝及芽密被淡黄白色微柔毛，老时毛渐脱落。叶薄革质，长椭圆形或披针状椭圆形，先端长渐尖或尾状渐尖，基部楔形，上面无毛，下面疏生微柔毛，干时两面网脉均很明显；叶柄长 1.5~2cm，疏被微柔毛；托叶痕几达叶柄中部。花白色，极香；花被片 10，披针形，长 3~4cm，宽 3~5mm；雄蕊的药隔伸出长尖头；雌蕊群被微柔毛；心皮多数，通常部分不发育，成熟时形成蓇葖疏生的聚合果；蓇葖熟时鲜红色。花期 4~9 月，夏季盛开，通常不结实。

| 分布区域 | 产于海南各地。亦分布于中国南部各地。原产于印度尼西亚，现广植于热带、亚热带地区。

白兰

| 资　　源 | 栽培，常见。

| 采收加工 | 夏、秋季开花时采收，鲜用或晒干。

| 药材性状 | 花狭钟形，长3~4cm，红棕色至棕褐色。花被片外轮狭披针形，内轮较小；雄蕊多数，花药条形，淡黄棕色，花丝短，易脱落；心皮多数，分离，柱头褐色，外弯，花柱密被灰黄色细绒毛。花梗长2~6mm，密被灰黄色细绒毛。质脆，易破碎。气芳香，味淡。

| 功能主治 | 味苦、辛，性微温。化湿，行气，止咳。用于胸闷腹胀、中暑、咳嗽、前列腺炎、白带。

木兰科 Magnoliaceae 含笑属 Michelia

黄 兰 *Michelia champaca* L.

黄兰

中药名

黄缅桂（药用部位：根、果实）

植物形态

常绿乔木，枝斜上展，树冠呈狭伞形；芽、嫩枝、嫩叶和叶柄均被淡黄色的平伏柔毛。叶薄革质，披针状卵形或披针状长椭圆形，先端长渐尖或近尾状，基部阔楔形或楔形，下面稍被微柔毛；叶柄长 2~4cm，托叶痕长达叶柄中部以上。花黄色，极香，花被片15~20，倒披针形，长 3~4cm，宽 4~5mm；雄蕊的药隔伸出成长尖头；雌蕊群具毛；雌蕊群柄长约 3mm。聚合果长 7~15cm；蓇葖倒卵状长圆形，长 1~1.5cm，有疣状突起；种子 2~4，有皱纹。花期6~7 月，果期9~10 月。

分布区域

产于海南万宁、屯昌。亦分布于中国广东、云南、西藏。越南、泰国、缅甸、马来西亚、印度尼西亚、尼泊尔、印度也有分布。

资　　源

常栽培于村边、庭园中，常见。

采收加工

根：全年均可采，除净泥土杂质，洗净，切片，晒干。果实：夏、秋季采摘果实，去皮，晒干，研粉备用。

功能主治

根：味苦，性凉；归脾、肺经。祛风湿，利咽喉。用于风湿痹痛、咽喉肿痛。果实：味苦，性凉。健胃止痛。用于胃痛、消化不良。

附　注

本种花黄色，树冠狭长，叶下面被长柔毛，叶柄托叶痕超过 1/2 等，可与白兰相区别。

含笑花
Michelia figo (Lour.) Spreng.

| **中 药 名** | 含笑花（药用部位：花）

| **植物形态** | 常绿灌木，树皮灰褐色，分枝繁密；芽、嫩枝、叶柄、花梗均密被黄褐色绒毛。叶革质，先端钝短尖，基部楔形，上面有光泽，无毛，下面中脉上留有褐色平伏毛，余脱落无毛，叶柄长 2~4mm，托叶痕长达叶柄先端。花直立，淡黄色而边缘有时红色或紫色，具甜浓的芳香，花被片 6，肉质，长椭圆形，长 12~20mm，宽 6~11mm；雄蕊长 7~8mm，药隔伸出成急尖头，雌蕊群无毛，超出于雄蕊群；雌蕊群柄长约 6mm，被淡黄色绒毛。聚合果长 2~3.5cm，蓇葖果卵圆形或球形，先端有短尖的喙。花期 3~5 月，果期 7~8 月。

| **分布区域** | 产于海南各地。亦分布于中国华南南部各地。

含笑花

| 资　　源 |

生于阴坡杂林中，溪谷沿岸尤为茂盛。海南常见栽培。

| 采收加工 |

夏、秋季开花时采收，鲜用或晒干。

| 功能主治 |

味苦、微涩，性平。祛瘀生新，调经。用于月经不调。

木兰科 Magnoliaceae 含笑属 *Michelia*

亮叶含笑 *Michelia fulgens* Dandy

| 中 药 名 | 亮叶含笑（药用部位：花）

| 植物形态 | 乔木，芽、嫩枝、叶柄及花梗均密被紧贴的银灰色或带有红褐色的短绒毛。叶革质，狭卵形或披针形；侧脉每边 14~20，网脉细密，干时两面均明显；叶柄长 2~4cm，托叶与叶柄离生，叶柄上无托叶痕。花蕾椭圆体形，长 3~3.5cm，密被红褐色或银灰色的短绢毛；苞片 3~5；花被片 9~12，3 轮，每轮 3~4，近相似；雄蕊长 12~14mm；雌蕊群圆柱形，密被银灰色短毛；心皮多数，卵圆形，每枚心皮有胚珠 10 或更多。聚合果长 7~10cm；蓇葖长圆体形或倒卵状圆形，长 1~2cm；种子红色，扁球形或扁卵圆形。花期 3~4 月，果期 9~10 月。

亮叶含笑

| **分布区域** | 产于海南白沙、五指山、东方、临高等地。亦分布于中国云南。越南也有分布。

| **资　　源** | 生于山谷密林中，偶见。

| **采收加工** | 夏、秋季开花时采收，鲜用或晒干。

| **功能主治** | 暂无资料表明其在医药方面的应用，但同属植物白兰、含笑花的花均可入药，本种的花或许有相似的作用，其药效需要进一步的研究。

木兰科 Magnoliaceae 观光木属 Tsoongiodendron

观光木
Tsoongiodendron odorum Chun

| 中 药 名 | 观光木（药用部位：树皮及根皮）

| 植物形态 | 常绿乔木，树皮淡灰褐色，具深皱纹；小枝、芽、叶柄、叶面中脉、叶背和花梗均被黄棕色糙伏毛。叶片厚膜质，倒卵状椭圆形，中上部较宽，叶脉在叶面均凹陷；叶柄基部膨大，托叶痕达叶柄中部。花蕾的佛焰苞状苞片一侧开裂，被柔毛，花梗长约 6mm，具 1 苞片脱落痕，芳香；花被片象牙黄色，有红色小斑点；雄蕊 30~45，花丝白色或带红色；雌蕊 9~13，狭卵圆形，花柱钻状，红色雌蕊群柄具槽，密被糙伏毛。聚合果长椭圆体形，垂悬于具皱纹的老枝上；种子在每枚心皮内有 4~6，椭圆体形。花期 3 月，果期 10~12 月。

观光木

| 分布区域 |

产于海南昌江、白沙、琼中、五指山。亦分布
于中国广东、广西、湖南、江西、福建、贵州、
云南等地。越南也有分布。

| 资　　源 |

生于海拔800~1000m的山地雨林中，偶见。

| 功能主治 |

中国南方民间用于癌症，有一定疗效。乙醇提
取物及从中分离的木香烯内酯、小白菊内酯、
鹅掌楸碱等化合物对不同癌细胞有较好的细胞
活性。

| 附　　注 |

① FOC 将其学名修订为 *Michelia odora* (Chun)
Noot. et B. L. Chen；②本种为国家二级珍稀濒危
保护植物、海南省级重点保护野生植物。

八角科 Illiciaceae 八角属 Illicium

厚皮香八角
Illicium ternstroemioides A. C. Smith

| 中 药 名 | 厚皮香八角（药用部位：果实）

| 植物形态 | 小乔木，小枝稍具棱，叶 3~5 片假轮生于枝的节上，革质，全缘，长圆形或倒披针形。干时叶面褐绿色或绿色，背面红褐色；侧脉每边 5~7，在背面不明显。花红色，近顶生或腋生，单生或 2~3 聚生；花梗长 7~25mm；花被片 10~14，通常有透明的小腺点，最大的花被片阔椭圆形或近圆形，长和宽均为 7~12mm；雄蕊 22~30，排成 2 轮；心皮 12~14；聚合果直径 3~3.5cm；蓇葖果长 13~15mm，宽 6~9mm；果柄长 2.5~4.5cm；种子淡褐色，有光泽。花期 5~7 月，果期 8~10 月。

厚皮香八角

| 分布区域 |

产于海南乐东、昌江、白沙、五指山、保亭、陵水、万宁。亦分布于中国福建。

| 资　　源 |

生于海拔 800~1700m 的山地雨林中，常见。

| 采收加工 |

果实成熟时收取，晾干。

| 功能主治 |

温中理气，健胃止吐。

| 附　　注 |

本种果实有一定的毒性，应小心使用。

五味子科 Schisandraceae 南五味子属 Kadsura

黑老虎
Kadsura coccinea (Lem.) A. C. Smith

| 中 药 名 | 臭饭团（药用部位：根、茎）

| 植物形态 | 藤本，无毛；根粗线形，皮肉厚，木质部小，有香气，味辛辣。叶长圆形至卵状披针形，边全缘；侧脉每边 6~7，网脉明显；叶柄长 1~2.5cm。花多数单生，雌雄异株；雄花花被片绯红色，10~16，外面和里面的渐小，中间的最大，最里面 3 片明显增厚，肉质；雄蕊花柱椭圆状，先端有线状钻形的附属体，雄蕊 14~48；花梗长 10~40mm；雌花花被片与雄花的相似；心皮 50~80；花梗长 5~10mm。聚合果近球形，直径 6~10cm；外果皮革质；种子心形或卵状，长 1~1.5cm，宽 0.8~1cm。花期 4~7 月，果期 7~11 月。

黑老虎

| 分布区域 |

产于海南乐东、昌江、白沙、五指山、万宁、琼中、琼海。亦分布于中国广东、广西、湖南、江西、贵州、云南、四川等地。越南、缅甸也有分布。

| 资　源 |

多生于海拔 600~1000m 的山地疏林中，常见。

| 采收加工 |

全年均可采，掘起根部及须根，洗净泥沙，切成小段，或割取老藤茎，刮去栓皮，切段，晒干。

| 药材性状 |

根圆柱形，略扭曲，直径 1~4cm。表面深棕色至灰黑色，有多数纵皱纹及横裂纹，弯曲处裂成横沟。质坚韧，不易折断，断面粗纤维性，栓皮深棕黑色，皮部宽厚，棕色，易剥离，嚼之有番石榴味，渣滓很少。木质部浅棕色，质硬，密布导管小孔。气微香，味微甘、后微辛。藤茎断面中央有深棕色的髓部，气味较根淡。以条大小均匀、皮厚色黑、气味浓者为佳。

| 功能主治 |

味辛、微苦，性温。行气止痛，散瘀通络。用于胃及十二指肠溃疡、慢性胃炎、急性胃肠炎、风湿痹痛、跌打损伤、骨折、痛经、产后瘀血腹痛、疝气痛。

| 附　注 |

黎药（麦奋）：本品干用 15~50g，水煎服。或制成散，每服 1.5~3g，治溃疡。

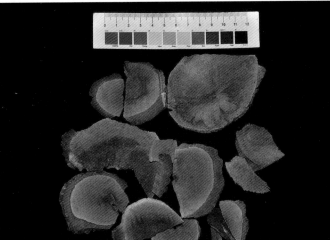

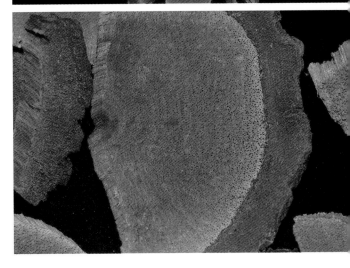

五味子科 Schisandraceae 南五味子属 *Kadsura*

异形南五味子 *Kadsura heteroclita* (Roxb.) W. G. Graib.

异形南五味子

| 中 药 名 |

地血香（药用部位：根或藤茎）

| 植物形态 |

藤本，无毛，根粗线形，皮肉较薄，木质部大，块状纵裂。叶卵状椭圆形至阔椭圆形，长 6~15cm，宽 3~7cm，上部边缘有疏离小齿或全缘；网脉明显；叶柄长 1~2cm。花单生于叶腋，雌雄异株；雄花花被片淡黄色，11~15，外面和里面的较小，中间的最大；雄蕊柱球形，先端无延伸附属体，雄蕊 50~65；花梗长 3~20mm；雌花花被片与雄花的相似；心皮 30~55；花梗长 3~30mm。聚合果近球形，直径 2.5~5cm；成熟心皮倒卵形；外果皮肉质，干时革质；种子 2~3，少有 4~5，长圆形或肾形。花期 5~8 月，果期 8~12 月。

| 分布区域 |

产于海南乐东、东方、五指山、保亭、陵水、万宁。亦分布于中国广东、广西、湖南、福建、湖北、贵州、云南、四川、陕西等地。马来西亚、斯里兰卡、印度以及中南半岛等也有分布。

| 资　　源 | 生于海拔 50~1200m 的山地疏林中，常见。

| 采收加工 | 全年均可采收，切片，晒干。

| 药材性状 | 藤茎呈圆柱形，稍弯曲，直径 1.5~5cm，老藤栓皮黄白色，柔软而富有弹性，厚达 7mm，其纵向陷沟和横裂隙将栓皮分割成条状，常附有苔类和地衣，栓皮易块状剥落，剥落处呈暗红紫色。质坚硬，不易折断，横切面皮部窄，红褐色，纤维性强，木质部宽，浅棕色，导管孔洞状，排列成明显的轮状，髓部小，黑褐色，呈空洞状，具特异香气，味淡而微涩。根呈圆柱形，分枝多，多弯曲，长短不一。表面深棕色或棕黑色，具多数纵皱纹和稀疏、明显的横向裂痕。质坚韧，不易折断，断面栓皮灰白色，皮部与木质部不易剥落，剥离后常有纤维粘于木质部。皮部较薄，棕红色，粉性小，嚼之有轻微樟香气及黏性感，渣多；木质部灰棕色。

| 功能主治 | 味辛、苦，性温；归脾、胃、肝经。祛风除湿，行气止痛，舒筋活络。用于风湿痹痛、胃痛、腹痛、经痛、产后腹痛、跌打损伤、慢性腰腿痛。

| 附　　注 | 黎药（麦奋）的民间应用：①海风藤（即异形南五味子，下同）15g，三叉苦根 15 个，鸡血藤 18g，臭饭团 20g，水煎服，治风湿骨痛；②海风藤、杜仲、威灵仙各 15g，千斤拔 30g，水煎冲酒服，治损伤性腰腿痛；③海风藤、胡椒等量，浸米酒服，治痛经。

五味子科 Schisandraceae　南五味子属 *Kadsura*

冷饭藤 *Kadsura oblongifolia* Merr.

| 中 药 名 | 吹风散（药用部位：藤或根）

| 植物形态 | 藤本，无毛，叶长圆状披针形，顶部圆或钝，边有不明显的疏齿；侧脉每边 4~8；叶柄长 0.5~1.2cm。花单生于叶腋，雌雄异株；雄花花被片黄色，12~13，外面和里面较小，中间的最大；雄蕊花柱球形，先端无附属物，雄蕊约 25，花梗长 10~15mm；雌花：花被片与雄花相似；心皮 35~50（少有 60）；花梗长 15~40mm。聚合果近球形或椭圆形，直径 1.2~2cm；成熟心皮椭圆形至倒卵形，长约 5mm；外果皮薄革质，干时明显露出种子；种子 2~3，肾形或肾状椭圆形。花期 7~9 月，果期 10~11 月。

冷饭藤

| **分布区域** | 产于海南白沙、保亭、琼中、澄迈、屯昌、定安、海口。亦分布于中国广东、广西等地。 |

| **资　　源** | 生于海拔 500~1200m 的山地疏林中，少见。 |

| **采收加工** | 全年均可采收，剪下藤茎或挖取根部，洗净，切片，鲜用或晒干用。 |

| **功能主治** | 味甘，性温。祛风除湿，行气止痛。用于感冒、风湿痹痛、心胃气痛、痛经、跌打损伤。 |

番荔枝科 Annonaceae 蒙蒿子属 Anaxagorea

蒙蒿子
Anaxagorea luzonensis A. Gray

| 中 药 名 | 蒙蒿子（药用部位：树皮）

| 植物形态 | 直立灌木，全株无毛。叶膜质，长圆形至阔椭圆形，长 9~16cm，先端急尖或钝，基部近圆形，干时灰黄色；侧脉纤细，每边 7~8 条；叶柄长 6~20mm。花小，1~2 朵与叶对生，淡绿色，长约 12mm；花梗长约 6mm；萼片圆形，外面被毛；外轮花瓣比内轮花瓣稍长，卵形，钝头，薄膜质，宽为内轮的 2 倍；心皮 2~4 个，被微柔毛，每心皮有胚珠 2 颗。果菁葖状，腹缝线开裂，有棒状的柄，长 2~2.5cm，直径 5~7mm，先端凸尖；种子 1~2 颗，扁，倒卵形，初时红色，成熟时黑褐色而有光泽。果期 10 月至翌年 1 月。

蒙蒿子

|分布区域|

产于海南三亚、保亭、陵水、万宁。亦分布于中国广西。亚洲热带地区也有分布。

|资　　源|

生于海拔 800m 以下的密林中，偶见。

|采收加工|

全年可采。

|功能主治|

补血，健胃，清热。用于肌痛。

番荔枝科 Annonaceae 番荔枝属 Annona

圆滑番荔枝 *Annona glabra* L.

| 中 药 名 | 牛心果（药用部位：树皮、果实）

| 植物形态 | 常绿乔木，枝条有皮孔。叶纸质，长6~15cm，宽4~8cm，先端急尖至钝，基部圆形，无毛，叶面有光泽；侧脉每边7~9，两面突起，网脉明显。花有香气；花蕾卵圆状或近圆球状；外轮花瓣白黄色或绿黄色，长2~3.5cm，先端钝，无毛，内面近基部有红斑，内轮花瓣较外轮花瓣短而狭，外面黄白色或浅绿色，先端急尖，内面基部红色。果实牛心状，长8~10cm，直径6~7.5cm，平滑无毛，初时绿色，成熟时淡黄色。花期5~6月，果期8月。

| 分布区域 | 海南万宁、屯昌、海口、儋州有栽培。原产于美洲热带地区，现亚洲热带地区有栽培。

圆滑番荔枝

| 资　　源 |

栽培量少。

| 采收加工 |

树皮：全年可采。果实：成熟时收取。

| 功能主治 |

树皮：味涩，性平。果实：味苦，性寒。驱虫
止痢。用于痢疾、泄泻、虫积。

番荔枝科 Annonaceae 番荔枝属 Annona

刺果番荔枝 *Annona muricata* L.

刺果番荔枝

中 药 名

刺果番荔枝（药用部位：根、果实）

植物形态

常绿乔木，叶纸质，长 5~18cm，宽 2~7cm，先端急尖或钝，基部宽楔形，两面无毛；侧脉略为突起，在叶缘前网结。花蕾卵圆形；花淡黄色；萼片卵状椭圆形，长约 5mm，宿存；外轮花瓣厚，阔三角形，长 2.5~5cm，内面基部有红色小凸点，无柄，镊合状排列，内轮花瓣稍薄，长 2~3.5cm，内面下半部覆盖雌雄蕊处密生小凸点，有短柄，覆瓦状排列；雄蕊长 4mm，花丝肉质，药隔膨大；心皮长 5mm，被白色绢质柔毛。果实卵圆状，深绿色，幼时有下弯的刺，刺随后逐渐脱落而残存有小突体，果肉微酸多汁，白色；种子多颗，肾形，棕黄色。花期 4~7 月，果期 7 月至翌年 3 月。

分布区域

海南万宁、屯昌、海口、儋州有栽培。原产于美洲热带地区。

资 源

栽培量少。

| 采收加工 |

果实在成熟时采收，鲜用或晒干备用。

| 功能主治 |

根：用于急性赤痢、精神抑郁和脊髓骨痛。
果实：用于坏血病、赤痢、恶疮肿毒，并可作
补脾药，具有抗癌活性。

| 附　　注 |

本种为紫胶虫寄主树。

番荔枝科 Annonaceae 番荔枝属 Annona

山刺番荔枝
Annona montana Macf.

| 中 药 名 | 牛心果（药用部位：果实）

| 植物形态 | 常绿乔木，树皮紫褐色。小枝幼时光滑，绿色。叶柄 1.2~2cm，具槽；叶片椭圆形，纸质，叶面暗绿色，背面光滑，浅绿色，基部楔形，先端短渐尖。圆锥花序顶生或腋生于小枝先端。花梗 2.5~4cm。萼片卵形，约 6mm。外轮花瓣黄棕色，宽卵形，先端锐尖；内轮花瓣橙色，短于外轮，先端钝。雄蕊多数；花丝白色，扁平；花药室棕色；药隔顶部扩张。心皮长圆形，6~7mm；子房具短柔毛。聚合浆果黄棕色，卵球形，稍偏斜，9.5~12.5cm，具浓密柔软的刺和黑褐色毛；果肉淡黄，芳香。花期 5 月，果期 7~9 月。

| 分布区域 | 海南海口有栽培。中国广东、台湾亦有栽培。原产于美洲热带地区。

山刺番荔枝

| 资　　源 | 栽培量少。 |

| 采收加工 | 春、夏季采收，鲜用或晒干。 |

| 功能主治 | 味苦、甘，性寒。清热止痢，驱虫。用于热毒痢疾、肠道寄生虫病。 |

| 附　　注 | 在 FOC 中，本种的中文名为山地番荔枝。 |

番荔枝科 Annonaceae 番荔枝属 Annona

番荔枝
Annona squamosa L.

| 中 药 名 | 番荔枝（药用部位：果实、根、叶）

| 植物形态 | 落叶小乔木，树皮灰白色，多分枝。叶薄纸质，排成 2 列，椭圆状披针形，叶背苍白绿色，初时被微毛，后变无毛。花单生或 2~4 聚生于枝顶或与叶对生，长约 2cm，青黄色，下垂；萼片被微毛；外轮花瓣狭而厚，肉质，长圆形，先端急尖，被微毛，镊合状排列，内轮花瓣极小，退化成鳞片状，被微毛；雄蕊长圆形，药隔宽，先端近截形；心皮长圆形，无毛，柱头卵状披针形，每心皮有胚珠 1。果实是由多数微相连、易于分开的圆形或椭圆形成熟心皮组成的聚合浆果，圆球状或心状圆锥形，直径 5~10cm，无毛，黄绿色，外面被白色粉霜。花期 5~6 月，果期 6~11 月。

番荔枝

| **分布区域** | 海南乐东、万宁、海口、南沙群岛等地有栽培。原产于美洲热带地区。

| **资　　源** | 栽培量大，十分常见。

| **采收加工** | 果实：夏、秋季采收，鲜用或晒干。根：全年均可采，洗净，鲜用或晒干。叶：春、夏季采收，鲜用或晒干。

| **功能主治** | 果实：味甘，性寒。补脾胃，清热解毒，杀虫。用于恶疮肿痛、肠道寄生虫病。根：味苦，性寒；归大肠经。清热，解毒。用于热毒血痢。叶：味苦、涩，性微寒；归大肠、心经。收敛涩肠，清热解毒。用于赤痢、小儿脱肛、恶疮肿痛。

| **附　　注** | 黎药（馁弄）：①叶鲜品捣烂取汁，含漱口，治咽喉肿痛；②叶、根各 10g，煮水服用，治赤痢、恶性肿痛。

番荔枝科 Annonaceae 鹰爪花属 Artabotrys

狭瓣鹰爪花
Artabotrys hainanensis R. E. Fries

| 中 药 名 | 鹰爪花（药用部位：根、果实）

| 植物形态 | 攀缘灌木；小枝无毛。叶纸质，长圆形至长椭圆形，长 7~15cm，宽 3~6cm，上面无毛，下面仅脉上被稀短柔毛；侧脉纤细，两面均突起，先端弯拱而联结，网脉疏散，明显，叶柄无毛。总花梗与叶对生，钩状下弯，无毛；花梗长 12~15mm，无毛；花白黄色，萼片长 4~5mm，外面被疏柔毛；外轮花瓣狭披针形，渐尖，两面均被紧贴的粗毛，基部稍阔，凹陷，内轮花瓣与外轮相似；雄蕊长圆形，药隔圆形至近截形，无毛；心皮约 15，略长于雄蕊，无毛，柱头短棍棒状。果实椭圆状，长约 2.5cm，直径约 1.2cm。花期 5 月，果期 8 月。

狭瓣鹰爪花

| **分布区域** | 产于海南白沙、五指山、万宁。亦分布于中国广东、广西。

| **资　　源** | 生于海拔 800m 以下的密林中，偶见。

| **功能主治** | 根：味苦，性寒。截疟。用于痢疾。果：味辛、苦，性微寒。清热解毒，散结。用于瘰疬。

番荔枝科 Annonaceae 鹰爪花属 Artabotrys

鹰爪花 *Artabotrys hexapetalus* (L. f.) Bhandari

| 中 药 名 | 鹰爪花（药用部位：根、果实）

| 植物形态 | 攀缘灌木，无毛或近无毛。叶纸质，长圆形，长 6~16cm，叶面无毛，叶背沿中脉上被疏柔毛。花 1~2，淡绿色或淡黄色，芳香；萼片绿色，卵形，长约 8mm，两面被稀疏柔毛；花瓣长圆状披针形，长 3~4.5cm，外面基部密被柔毛，其余近无毛或稍被稀疏柔毛，近基部收缩；雄蕊长圆形，药隔三角形，无毛；心皮长圆形，柱头线状长椭圆形。果实卵圆状，长 2.5~4cm，直径约 2.5cm，数个群集于果托上。花期 5~8 月，果期 5~12 月。

| 分布区域 | 产于海南三亚、东方、昌江、白沙、万宁、琼中、儋州、琼海。亦分布于中国广东、广西、江西、福建、台湾、浙江、贵州、云南等地。印度、斯里兰卡也有分布。

鹰爪花

资　　源	生于海拔 300m 以下的雨林中，少见。
采收加工	根：全年均可采挖，鲜用或晒干。果实：秋季果实成熟时采摘，鲜用或晒干。
功能主治	根：味苦，性寒。截疟。用于痢疾。果：味辛、苦，性微寒。清热解毒，散结。用于瘰疬。
附　　注	黎药（丧地某）：茎皮煮水喝，热敷，治疗腹痛。

番荔枝科 Annonaceae 鹰爪花属 Artabotrys

毛叶鹰爪花

Artabotrys pilosus Merr. et Chun

| **中 药 名** | 毛叶鹰爪花（药用部位：根、果实）

| **植物形态** | 攀缘灌木，小枝密被褐色绒毛。叶纸质，长圆形或长椭圆形，长5~17cm，先端渐尖或钝，基部圆形，叶面稍带苍白色，无毛，叶背密被褐色绒毛；侧脉每边约8，近边缘弯拱而联结，网脉疏散，明显；叶柄长约2mm，密被褐色绒毛。总花梗与叶对生，扁平，钩状下弯，初时密被长柔毛，结果时近无毛；花梗长6~12mm，密被褐色柔毛；花淡绿色或淡黄色；萼片宽卵形，长约4mm，外面被柔毛；内外轮花瓣均为狭长圆形，长15~17mm，两面被柔毛；心皮约8，无毛。果实长圆状椭圆形，长15~22mm，直径约15mm，成熟时黑褐色，无毛。花期4~10月，果期5~12月。

毛叶鹰爪花

分布区域	产于海南白沙、五指山、保亭、万宁、琼中。亦分布于中国广东。
资　　源	生于低海拔至中海拔的山地林中，少见。
采收加工	全年均可采挖，鲜用或晒干。
功能主治	其内含有的裂环多氧取代环己烯类化合物对肿瘤细胞有较强的毒性，其余药效有待进一步的研究。

番荔枝科 Annonaceae 依兰属 Cananga

依 兰
Cananga odorata (Lamk.) Hook. f. et Thoms.

| 中 药 名 |　依兰（药用部位：花、叶）

| 植物形态 |　常绿大乔木；树干通直，树皮灰色；小枝无毛，有小皮孔。叶大，膜质至薄纸质，卵状长圆形或长椭圆形；侧脉每边 9~12，上面扁平，下面突起；叶柄长 1~1.5cm。花序单生于叶腋内或叶腋外，有花 2~5；花大，长约 8cm，黄绿色，芳香，倒垂；总花梗长 2~5mm，被短柔毛；花梗长 1~4cm，有鳞片状苞片；萼片卵圆形，外反，绿色，两面被短柔毛；花瓣内外轮近等大；雄蕊线状倒披针形，基部窄，上部宽；心皮长圆形，被疏微毛，老渐无毛，柱头近头状羽裂。成熟心皮 10~12，有长柄，无毛；成熟果实近圆球状或卵状，黑色。花期 4~8 月，果期 12 月至翌年 3 月。

依兰

分布区域

海南海口、万宁、儋州等地有栽培。原产于缅甸、印度、印度尼西亚、老挝、菲律宾、马来西亚，现世界热带地区均有栽培。

资　　源

栽培量少。

功能主治

花：用于疟疾、头痛、眼炎、痛风、哮喘。叶：用于癣疾。

附　　注

本种下面有一变种，变种与本种的不同在于其为灌木，植株矮小，高 1~2m；花的香气较淡；花期 5~8 月。

番荔枝科 Annonaceae 皂帽花属 Dasyma

皂帽花
Dasymaschalon trichophorum Merr.

| 中 药 名 | 皂帽花（药用部位：叶）

| 植物形态 | 直立灌木，高 1~3m；幼枝、叶背、叶柄、叶脉及花梗均密被长柔毛。叶纸质，长圆形至阔长圆形，上面除中脉被疏长柔毛外无毛；叶柄极短。花红色，单朵腋生；花蕾尖帽状，长 2~3cm；花梗细，长 1~3cm；小苞片宿存，阔卵形，长约 5mm，被长柔毛；萼片两面被疏长柔毛，结果时宿存；花瓣厚，披针形，长 2~2.8cm，基部宽 6~8mm，外面被紧贴灰色的柔毛，内面无毛；雄蕊长约 2mm，药隔披针形；心皮约 10，被粗毛，柱头无毛。果实念珠状，无毛或几无毛，下承托以宿存的萼片，果节圆球状，先端急尖或有小尖头。花期 4~7 月，果期 7 月至翌年春季。

皂帽花

分布区域	产于海南三亚、东方、昌江、白沙、五指山、保亭、陵水、琼中。亦分布于中国广东、广西。
资　　源	生于海拔 500m 以下的疏林中，常见。
采收加工	全年可采，洗净，晒干或鲜用。
功能主治	用于头痛。
附　　注	黎药（紫发丢）：叶煮水洗可治疗头痛。

| 番荔枝科 | Annonaceae | 假鹰爪属 | Desmos

假鹰爪 *Desmos chinensis* Lour.

| 中 药 名 | 酒饼叶（药用部位：叶），假鹰爪根（药用部位：根），鸡爪枝皮（药用部位：枝皮）

| 植物形态 | 直立或攀缘灌木，有时上枝蔓延，除花外，全株无毛；枝皮粗糙，有纵条纹，有灰白色突起的皮孔。叶薄纸质或膜质，长 4~13cm，宽 2~5cm，先端钝或急尖，基部圆形或稍偏斜。花黄白色，单朵与叶对生或互生；花梗无毛；萼片长 3~5mm，外面被微柔毛；外轮花瓣比内轮花瓣大，先端钝，两面被微柔毛，内轮花瓣长圆状披针形，两面被微毛；花托突起，先端平坦或略凹陷；雄蕊长圆形，药隔先端截形；心皮长圆形，长 1~1.5mm，被长柔毛，柱头近头状，向外弯，先端 2 裂。果实有柄，念珠状，长 2~5cm，内有种子 1~7；种子球状。花期夏至冬季，果期 6 月至翌年春季。

假鹰爪

分布区域	产于海南乐东、东方、昌江、白沙、五指山、保亭、陵水、万宁、琼中、儋州、琼海、文昌。亦分布于中国广东、广西、贵州、云南。亚洲热带地区也有分布。
资　　源	生于低海拔的旷地、荒野及山谷等处，常见。
采收加工	叶：夏、秋季采收，洗净，晒干或鲜用。根：全年均可采收，切片晒干。枝皮：全年均可采，鲜用或晒干。

| **药材性状** | 叶：稍卷曲或破碎，灰绿色至灰黄色；薄革质而脆。气微，味苦。根：圆柱形，稍弯曲或有分枝，直径0.5~2cm；表面棕黑色，具细皱纹；质硬，不易折断，断面皮部暗黄棕色，木质部淡黄棕色。气微香，味淡、微涩。枝皮：半筒状或条片状，直径约1cm，厚片卵形，长4~5mm，先端圆钝或急尖，两面被短柔毛。 |

| **功能主治** | 叶：味辛，性温；有小毒；归脾、肝经。祛风利湿，化瘀止痛，健脾和胃，截疟杀虫。用于风湿痹痛、水肿、泄泻、消化不良、脘腹胀痛、疟疾、风疹、跌打损伤、疥癣、烂脚。根：味辛，性温；有小毒；归肝、脾经。祛风止痛，行气化瘀，杀虫止痒。用于风湿痹痛、跌打损伤、产后瘀滞腹痛、消化不良、胃痛腹胀、疥癣。枝皮：味辛，性温。止痛杀虫。用于风湿骨痛、疥癣。 |

| **附　注** | 黎药（雅互）：①叶单味煎服，治胃肠胀气，消化不良；②叶单味20g，水煎服，治肾炎水肿；③叶单味捣烂炒焦入酒煎服，以其渣敷患处，治跌打骨痛、皮肿。 |

番荔枝科 Annonaceae　瓜馥木属 Fissistigma

白叶瓜馥木 *Fissistigma glaucescens* (Hance) Merr.

| 中 药 名 | 乌骨藤（药用部位：根）

| 植物形态 | 攀缘灌木，枝条无毛。叶近革质，两面无毛，叶背白绿色，干后苍白色；侧脉每边 10~15，在叶面稍突起，下面突起。花数朵集成聚伞式的总状花序，花序顶生，长达 6cm，被黄色绒毛；萼片阔三角形，长约 2mm；外轮花瓣阔卵圆形，长约 6mm，被黄色柔毛，内轮花瓣卵状长圆形，长约 5mm，外面被白色柔毛；药隔三角形；心皮约 15，被褐色柔毛，花柱圆柱状，柱头先端 2 裂，每心皮有胚珠 2。果实圆球状，直径约 8mm，无毛。果期几全年。

| 分布区域 | 产于海南三亚、乐东、昌江、白沙、五指山、保亭、万宁、琼中。亦分布于中国广东、广西、福建、台湾等地。越南也有分布。

白叶瓜馥木

资　　源	生于山地林下或灌丛中，常见。
采收加工	秋季采挖，除去须根，洗净，晒干。
药材性状	根圆柱形，略弯曲，直径 0.5~1.5cm。表面棕黑色，具浅纵皱纹及点状突起的细根痕。质硬，断面皮部浅棕色，木质部灰黄色，有细密放射状纹理和小孔。气微香，味微苦、辣。
功能主治	味微辛、涩，性温。祛风湿，通筋活血，止血。用于风湿痹痛、月经不调、跌打损伤、骨折、外伤出血。
附　　注	黎药（塞混靠波）：根及叶煮水喝，治疗咳嗽；根及叶捣烂敷，治疗外伤及腰痛。

番荔枝科 Annonaceae **瓜馥木属** *Fissistigma*

毛瓜馥木

Fissistigma maclurei Merr.

| 中 药 名 | 毛叶瓜馥木（药用部位：根）

| 植物形态 | 攀缘灌木；幼枝、叶背、花梗和花均被黄褐色或黑褐色绒毛。叶近革质，椭圆状披针形，长 7~12cm，叶面无毛；侧脉网脉明显；叶柄被黑褐色绒毛。花单生于叶腋；花梗长约 5mm，粗壮，被黑褐色绒毛；萼片长 5mm，被黑褐色长柔毛；花瓣厚，外轮的长圆形，长 1.4cm，被长柔毛，内轮的较短，被柔毛；雄蕊与心皮几等长；心皮被黄褐色柔毛，柱头 2 裂，每心皮有胚珠 10，2 排。果实近圆球状或圆球状，直径 1.5cm，密被黑褐色绒毛，内有种子 7~9；种子肾形，长约 1cm，深黄色，镶嵌式排列；果柄密被黑褐色绒毛。花期几全年，果期 4~10 月。

毛瓜馥木

| 分布区域 | 产于海南乐东、昌江、白沙、五指山、保亭、万宁、琼中。亦分布于中国广西、云南。越南也有分布。

| 资　　源 | 生于中海拔至高海拔山地林中或山谷蔽荫处或水旁岩石上，常见。

| 采收加工 | 全年均可采，鲜用或晒干。

| 功能主治 | 暂无资料表明其在医药方面的应用，但同属植物多有祛风除湿、活血止痛之功能，本种或许有相似的作用，其药效有待进一步的研究。

| 附　　注 | FOC 将本种修订为蕉木 Oncodostigma hainanense (Merr.) Tsiang et P. T. Li。

番荔枝科 Annonaceae 瓜馥木属 *Fissistigma*

瓜馥木
Fissistigma oldhamii (Hemsl.) Merr.

| 中 药 名 | 广香藤（药用部位：根）

| 植物形态 | 攀缘灌木，长约 8m；小枝被黄褐色柔毛。叶革质，倒卵状椭圆形，叶面无毛，叶背被短柔毛，老渐几无毛；侧脉每边 16~20，上面扁平，下面突起；叶柄被短柔毛。花长约 1.5cm，直径 1~1.7cm，1~3 朵集成密伞花序；总花梗长约 2.5cm；萼片阔三角形，长约 3mm；外轮花瓣卵状长圆形，长 2.1cm，宽 1.2cm，内轮花瓣长 2cm，宽 6mm；雄蕊长圆形，长约 2mm，药隔稍偏斜三角形；心皮被长绢质柔毛，花柱稍弯，无毛，柱头先端 2 裂，每心皮有胚珠约 10，2 排。果实圆球状，直径约 1.8cm，密被黄棕色绒毛；种子圆形，直径约 8mm。花期 4~9 月，果期 7 月至翌年 2 月。

瓜馥木

| 分布区域 |

产于海南三亚、乐东、昌江、白沙、五指山、保亭、万宁、琼中、儋州、琼海。亦分布于中国广东、广西、湖南、江西、福建、台湾、浙江、云南等地。越南也有分布。

| 资　源 |

生于低海拔疏林或灌丛中，常见。

| 采收加工 |

全年均可采，鲜用或晒干。

| 药材性状 |

根近圆柱形，稍弯曲或分枝，直径 0.5~2cm。表面棕黑色，有断续的纵皱纹和点状突起的细根痕。质硬，断面皮部棕色，木质部淡黄棕色，有放射状纹理和小孔。气微香，味微辣。

| 功能主治 |

味微辛，性平；归肝、胃经。祛风除湿，活血止痛。用于风湿痹痛、腰痛、胃痛、跌打损伤。

番荔枝科 Annonaceae 瓜馥木属 *Fissistigma*

凹叶瓜馥木 *Fissistigma retusum* (Lev.) Rehd.

| 中 药 名 | 凹叶瓜馥木（药用部位：根、茎）

| 植物形态 | 攀缘灌木；小枝被褐色绒毛。叶革质，广卵形，基部圆形至截形，有时呈浅心形，叶面仅中脉和侧脉被短绒毛，叶背被褐色绒毛；叶柄长 8~15mm，被短绒毛，上面有槽。花多朵组成团伞花序，花序与叶对生；总花梗长 5~10mm；几无花梗；萼片卵状披针形，花蕾有时与花瓣等长，先端渐尖，外面被短绒毛；外轮花瓣卵状长圆形，内轮花瓣卵状披针形，比外轮花瓣短；药隔阔三角形；心皮密被绢质柔毛，花柱长圆形，内弯，被柔毛，柱头先端全缘，每心皮有胚珠 4，2 排。果实圆球状，直径约 3cm，被金黄色短绒毛；果柄长 1.5cm，被金黄色短绒毛。花期 5~11 月，果期 6~12 月。

凹叶瓜馥木

| 分布区域 | 产于海南白沙、保亭。亦分布于中国广西、贵州、云南、西藏。

| 资　　源 | 生于山地疏林中或灌丛中，少见。

| 采收加工 | 全年均可采，鲜用或晒干。

| 功能主治 | 用于小儿麻痹后遗症、风湿骨痛。

番荔枝科 Annonaceae 瓜馥木属 Fissistigma

香港瓜馥木 *Fissistigma uonicum* (Dunn) Merr.

| 中 药 名 | 香港瓜馥木（药用部位：茎）

| 植物形态 | 攀缘灌木，除果实和叶背被稀疏柔毛外无毛。叶纸质，长圆形，先端急尖，基部圆形或宽楔形，叶背淡黄色，干后呈红黄色；侧脉在叶面稍突起，在叶背突起。花黄色，有香气，1~2 朵聚生于叶腋；花梗长约 2cm；萼片卵圆形；外轮花瓣比内轮花瓣长，无毛，卵状三角形，长 2.4cm，宽 1.4cm，内轮花瓣狭长，长 1.4cm，宽 6mm；药隔三角形；心皮被柔毛，柱头先端全缘，每心皮有胚珠 9。果实圆球状，直径约 4cm，成熟时黑色，被短柔毛。花期 3~6 月，果期 6~12 月。

香港瓜馥木

| 分布区域 | 海南儋州等地有栽培。亦分布于中国广西、湖南、福建、贵州等地。印度尼西亚也有分布。 |

| 资　　源 | 生于丘陵、山地林下或灌丛中，偶见。 |

| 采收加工 | 全年均可采，鲜用或晒干。 |

| 功能主治 | 祛风活络，消肿止痛。 |

| 附　　注 | 本种枝顶或腋间常生有虫瘿，暗褐色，圆球状或长椭圆状，长约1.5cm，直径约1cm。 |

野独活
Miliusa chunii W. T. Wang

| **中 药 名** | 野独活（药用部位：根）

| **植物形态** | 灌木，小枝稍被伏贴短柔毛。叶膜质，长 7~15cm，宽 2.5~4.5cm，先端渐尖或短渐尖，基部宽楔形或圆形，偏斜；侧脉每边 10~12，纤细，先端弯拱而在叶缘前联结；叶柄长 2~3mm，被疏微毛至无毛。花红色，单生于叶腋内，直径 1.3~1.6cm；花梗细长，丝状，无毛；萼片卵形，边缘及外面稍被短柔毛；外轮花瓣比萼片略长，内轮花瓣卵圆形；雄蕊倒卵形，花丝短，无毛；心皮弯月形，稍被紧贴柔毛，柱头圆柱状，稍外弯，被微毛，每心皮有胚珠 2~3。果实圆球状，直径 7~8mm，内有种子 1~3，在种子间有时缢缩；果柄纤细，总果柄柔弱，无毛，有小瘤体。花期 4~7 月，果期 7 月至翌年春季。

野独活

|分布区域|

产于海南三亚、白沙、保亭、陵水、万宁、琼中、琼海。亦分布于中国广东、广西、贵州、云南等地。越南也有分布。

|资　源|

生于山地密林中或灌丛中，少见。

|功能主治|

用于胃脘痛、肾虚腰痛。

|附　注|

FOC 将其学名修订为 *Miliusa balansae* Finet & Gagnepain Bull.。

█ 番荔枝科 █ Annonaceae █ 银钩花属 █ *Mitrephora*

山 蕉
Mitrephora maingayi Hook. f. & Thoms.

| 中 药 名 | 山蕉（药用部位：植株提取物）

| 植物形态 | 乔木，树皮灰黑色；小枝被锈色疏柔毛，老渐无毛。叶革质，先端钝或短渐尖，基部钝或阔楔形。花大而美丽，初时白色，后变黄色，有红色斑点，单生或数朵生于被锈色绒毛的总花梗上；总花梗与叶对生，或腋外生；花蕾圆球状，被锈色柔毛；萼片阔卵形，外面被锈色绒毛；花瓣两面被柔毛，外轮的倒卵状长圆形，长 2.5cm，边缘浅波状，基部有短而阔的爪，内轮花瓣较小，上部心形，边缘黏合，下部有线形的长爪；心皮被柔毛，每心皮有胚珠 6~8，柱头棒状。果实卵状，被锈色短柔毛，先端圆形；果柄粗壮。花期 2~8 月，果期 6~12 月。

山蕉

| **分布区域** | 产于海南乐东、昌江、五指山、保亭。亦分布于中国云南。越南、老挝、柬埔寨、泰国也有分布。 |

| **资　源** | 生于中海拔山地密林中，偶见。 |

| **采收加工** | 全年可采收，干燥后提取。 |

| **功能主治** | 抗病毒。用于多种癌症。 |

| **附　注** | FOC 将其学名修订为 *Mitrephora macclurei* Weerasooriya & R. M. K. Saunders。 |

番荔枝科 Annonaceae 暗罗属 *Polyalthia*

细基丸
Polyalthia cerasoides (Roxb.) Benth. & Hook. f. ex Bedd.

| 中 药 名 |　细基丸（药用部位：根或树皮）

| 植物形态 |　乔木，树皮暗灰黑色，粗糙；小枝密被褐色长柔毛，老枝无毛，有皮孔。叶纸质，先端钝，基部阔楔形，叶背淡黄色，被柔毛；侧脉每边7~8，纤细，下面突起，网脉明显；叶柄被疏粗毛。花单生于叶腋内，绿色，直径1~2cm；花梗长，被淡黄色疏柔毛，中部以下有叶状小苞片1~2；萼片长圆状卵圆形，外面被疏柔毛；花瓣内外轮近等长，或内轮的稍短，厚革质，长卵圆形，被微毛，干后黑色；药隔先端截形；心皮长圆形，被柔毛，柱头卵圆形，先端全缘，每心皮有胚珠1，基生。果实近圆球状或卵圆状，红色，干后黑色，无毛；果柄柔弱。花期3~5月，果期4~10月。

细基丸

分布区域

产于海南三亚、乐东、昌江、白沙、保亭、陵水、琼中、儋州、澄迈。亦分布于中国广东、广西、云南等地。东南亚至南亚也有分布。

资 源

生于低海拔疏林中，十分常见。

采收加工

全年皆可采收。

功能主治

味涩、微苦。消炎，止痢，清热解毒，散结。

附 注

黎药（雅脚站）：①树皮研末涂伤处，治水烫伤；②根 30~60g，水煎服，治痢疾、发热感冒、肝炎等。

番荔枝科 Annonaceae 暗罗属 Polyalthia

陵水暗罗
Polyalthia nemoralis A. DC.

| 中 药 名 | 黑皮根（药用部位：根）

| 植物形态 | 灌木或小乔木；小枝被疏短柔毛。叶革质，长 9~18cm，宽 2~6cm，先端渐尖，基部急尖或阔楔形，两面无毛；叶柄长约 3mm，被不明显微柔毛。花白色，单生，与叶对生，直径 1~2cm；萼片三角形，长约 2mm，被柔毛；花瓣长圆状椭圆形，内外轮花瓣等长或内轮的略短些，先端急尖或钝，广展，外面被紧贴柔毛；药隔先端截形，被微毛；心皮 7~11，被柔毛，柱头倒卵形，先端 2 浅裂，被微毛。果实卵状椭圆形，长 1~1.5mm，直径 8~10mm，初时绿色，成熟时红色；果柄短，被疏粗毛。

陵水暗罗

| 分布区域 |

产于海南三亚、乐东、东方、昌江、白沙、保亭、万宁、琼中、儋州等地。亦分布于中国广东、广西、云南等地。印度尼西亚、泰国、越南也有分布。

| 资　源 |

生于海拔 100~800m 的森林坡地，常见于小河畔或潮湿森林边缘，少见。

| 采收加工 |

全年均可采，洗净，切片，晒干。

| 功能主治 |

味甘，性平；归脾、胃、肾经。健脾益胃，补肾固精。用于中虚胃痛、食欲不振、肾亏遗精。

| 附　注 |

① FOC 将其学名修订为 *Polyalthia littoralis* (Blume) Boerlag。②黎药（紫付顶）：叶煮水喝，治疗胃痛、腹痛；叶捣烂敷可止血；根煮水喝，治疗腹痛；根热敷，治疗腰痛。

番荔枝科 Annonaceae **暗罗属** *Polyalthia*

斜脉暗罗
Polyalthia plagioneura Diels

| **中 药 名** | 九层皮（药用部位：树皮）

| **植物形态** | 乔木，小枝被紧贴的褐色丝毛，老渐无毛。叶纸质，先端急尖，基部宽楔形，叶面无毛，亮绿色，叶背几无毛或被极稀疏的褐色微柔毛。花大形，黄绿色，直径 5~10cm，单朵生于枝端与叶对生；花梗 3~5cm，被锈色丝毛；萼片大，卵圆形，外面被疏柔毛，内面密被小茸毛；内外轮花瓣略等大，两面均被短毡毛；雄蕊楔形，药隔先端截形，被短柔毛；心皮线形，被丝毛，花柱线形，每心皮有胚珠 1，基生。果卵状椭圆形，初时绿色，成熟时暗红色，干后灰黑色，内有种子 1；总果柄粗壮，果柄长，先端膨大，被短柔毛，后渐无毛；花期 3~8 月，果期 9 月至翌年春季。

斜脉暗罗

| 分布区域 |

产于海南东方、乐东、三亚、保亭、白沙等地。
亦分布于中国广东、广西。

| 资　　源 |

生于海拔 800~1200m 的常绿林中，常见。

| 采收加工 |

全年可采收。

| 功能主治 |

用于腹痛、蛇咬伤。

■ 番荔枝科 ■ Annonaceae ■ 暗罗属 ■ *Polyalthia*

暗 罗
Polyalthia suberosa (Roxb.) Thw.

| **中 药 名** | 暗罗（药用部位：根）

| **植物形态** | 小乔木，树皮老时栓皮状，灰色，有极明显的深纵裂；枝常有白色突起的皮孔，小枝纤细，被微柔毛。叶纸质，叶面无毛，叶背被疏柔毛，老渐无毛。花淡黄色，1~2 朵与叶对生；花梗长 1.2~2cm，被紧贴的疏柔毛，中部以下有 1 小苞片；萼片卵状三角形，长约 2mm，外面被疏柔毛；外轮花瓣与萼片同形，但较长，内轮花瓣长于外轮花瓣 1~2 倍，外面被柔毛，内面无毛；雄蕊卵状楔形，药隔先端截形；心皮、柱头被柔毛。果实近圆球状，成熟时果实红色。花期几全年。

暗罗

分布区域

产于海南三亚、乐东、昌江、白沙、五指山、保亭、陵水、万宁、琼中、儋州、临高、澄迈、定安、海口。亦分布于中国广东、广西。东南亚至南亚也有分布。

资　　源

生于低海拔的疏林中或村边路旁，常见。

功能主治

止痛，散结。

番荔枝科 Annonaceae　紫玉盘属 Uvaria

刺果紫玉盘
Uvaria calamistrata Hance

| 中 药 名 | 刺果紫玉盘（药用部位：茎皮）

| 植物形态 | 攀缘灌木；幼枝被锈色星状柔毛，老枝几无毛。叶近革质或厚纸质，叶面被稀疏星状短柔毛，老渐无毛，叶背密被锈色星状绒毛；侧脉每边 8~10；叶柄长 5~10mm，被星状绒毛。花淡黄色，直径约 1.8cm，单生或 2~4 朵组成密伞花序；萼片卵圆形，两面被锈色绒毛；内外轮花瓣近等大或外轮稍大于内轮，长圆形，长约 8mm，两面被短柔毛；药隔先端，圆形或钝，被微毛；心皮 7~15，被毛，柱头明显 2 裂而内卷，每心皮有胚珠 6~9。果实椭圆形，成熟时红色，密被黄色绒毛状的软刺，内有种子约 6；种子扁三角形，黄褐色。

刺果紫玉盘

| 分布区域 |

产于海南三亚、东方、昌江、白沙、万宁、琼中、澄迈、文昌。亦分布于中国广东、广西。越南也有分布。

| 资　　源 |

生于低海拔至中海拔森林中，常见。

| 功能主治 |

收敛。

| 番荔枝科 | Annonaceae | 紫玉盘属 | *Uvaria*

山椒子
Uvaria grandiflora Roxb.

| **中 药 名** | 山椒子（药用部位：全株或根）

| **植物形态** | 攀缘灌木，全株密被黄褐色星状柔毛至绒毛。叶纸质或近革质，长圆状倒卵形，基部浅心形；侧脉每边 10~17，叶柄粗壮。花单朵，与叶对生，紫红色或深红色，大形，直径达 9cm；花梗短，苞片 2，卵圆形；萼片膜质，宽卵圆形，先端钝；花瓣长和宽为萼片的 2~3 倍，内轮比外轮略为大些，两面被微毛；雄蕊长圆形或线形，长 7mm，药隔先端截形，无毛；心皮长圆形或线形，长 8mm，柱头先端 2 裂而内卷，每心皮有胚珠 30 颗以上，2 排。果实长圆柱状，先端有尖头；种子卵圆形，扁平，种脐圆形；果柄长 1.5~3cm。花期 3~11 月，果期 5~12 月。

山椒子

| 分布区域 |

产于海南三亚、乐东、白沙、万宁、东方、昌江、儋州等地,定安有分布记录。亦分布于中国广东、广西。亚洲热带地区广布。

| 资 源 |

生于低海拔疏林中或灌丛中,少见。

| 功能主治 |

全株:用于跌打、月经不调、小腹疼痛。根:用于咽喉肿痛。

| 附 注 |

FOC将其学名修订为大花紫玉盘 *Uvaria grandiflora* Rox.。

番荔枝科 Annonaceae 紫玉盘属 *Uvaria*

紫玉盘
Uvaria microcarpa Champ. ex Benth.

| 中 药 名 | 酒饼婆（药用部位：根、叶）

| 植物形态 | 直立灌木，枝条具蔓延性；全株均被黄色星状柔毛，老渐无毛或几无毛。叶革质，长倒卵形或长椭圆形；侧脉每边约13。花1~2，与叶对生，暗紫红色或淡红褐色，直径2.5~3.5cm；萼片阔卵形；花瓣内外轮相似，卵圆形，长约2cm，宽约1.3cm，先端圆或钝；雄蕊线形，药隔卵圆形，无毛，最外面的雄蕊常退化为倒披针形的假雄蕊；心皮长圆形或线形，长约5mm，柱头马蹄形，先端2裂而内卷。果卵圆形或短圆柱形，暗紫褐色，先端有短尖头；种子圆球形。花期3~8月，果期7月至翌年3月。

紫玉盘

分布区域

产于海南三亚、五指山、保亭、陵水、万宁、琼中、临高、澄迈、屯昌、琼海、文昌、海口。亦分布于中国广东、广西、福建、台湾、云南等地。越南、泰国、马来西亚、印度尼西亚、菲律宾、孟加拉国、巴布亚新几内亚等也有分布。

资　源

生于低海拔疏林中或灌丛中，十分常见。

采收加工

全年均可采收，洗净，鲜用或晒干。

药材性状

根近圆柱形，略弯曲，直径 0.5~2.5cm。表面暗棕色，具细密纹理、不规则浅沟纹和短横裂纹，细根痕呈点状突起。质硬，断面木质部灰白色，有放射状纹理。气微香，味淡。

功能主治

味辛、苦，性微温；归肝、胃经。祛风除湿，行气健胃，止痛，化痰止咳。用于风湿痹痛、腰腿痛、跌打损伤、消化不良、腹胀腹泻、咳嗽痰多。

附　注

FOC 已将其学名修订为 *Uvaria macrophylla* Roxb.。

番荔枝科 Annonaceae 紫玉盘属 *Uvaria*

乌 藤
Uvaria tonkinensis Finet & Gagnep. var. *subglabra* Finet & Gagnep.

| 中 药 名 | 乌藤（药用部位：根、茎）

| 植物形态 | 攀缘灌木；小枝被星状柔毛，后渐无毛。叶纸质，先端短渐尖或急尖，基部圆形或微心形；侧脉每边 8~12。花单朵与叶对生或顶生；花梗长 1.5~4.5cm，被稀疏星状短柔毛；萼片阔倒卵形，长 3~4mm，内面凹陷，外面密被星状柔毛；花瓣紫红色，倒卵形，外面密被星状短柔毛，外轮花瓣阔卵形或近圆形；药隔盘状或近五角形，先端被毛；心皮圆柱状，仅基部及上部被毛，柱头长圆形，先端全缘或 2 浅裂，每心皮有胚珠 2。果实圆球状，直径约 1cm，成熟时紫红色，内有种子 1~2；种子卵圆形。花期 4~9 月，果期 8~12 月。

乌藤

| 分布区域 |

产于海南三亚、乐东、东方、昌江、白沙、五指山、陵水、保亭、临高等地。亦分布于中国广东、广西、云南等地。越南也有分布。

| 资　　源 |

生于海拔 200~600m 的疏林中，少见。

| 功能主治 |

用于尿路感染。

| 附　　注 |

FOC 已将其学名修订为东京紫玉盘 *Uvaria tonkinensis* Finet et Gagnep.。

樟科 Lauraceae 黄肉楠属 *Actinodaphne*

毛黄肉楠 *Actinodaphne pilosa* (Lour.) Merr.

| 中 药 名 |　香胶木（药用部位：根、树皮和叶）

| 植物形态 |　乔木或灌木。全株密被锈色绒毛。叶互生或 3~5 片聚生成轮生状，倒卵形，先端突尖，基部楔形，革质。花序腋生或枝侧生，由伞形花序组成圆锥状；雄花序总梗较长，长达 7cm，雌花序总梗稍短；苞片早落，宽卵圆形；每一伞形花序梗有花 5；花被裂片 6，椭圆形。雄花：能育雄蕊 9，第 3 轮基部两侧的腺体无柄或有短柄；退化雌蕊细小，柱头 2 浅裂，或无退化雌蕊。雌花：较雄花略小；花被裂片长 1.5~2mm；退化雄蕊匙形，细小；雌蕊被长柔毛，花柱纤细，柱头 2 浅裂。果实球形，生于近于扁平的盘状果托上。花期 8~12 月，果期翌年 2~3 月。

毛黄肉楠

| 分布区域 | 产于海南三亚、乐东、昌江、白沙、五指山、保亭、万宁、琼中、澄迈、琼海。亦分布于中国广东、广西。越南、老挝也有分布。

| 资　　源 | 生于混交林中，常见。

| 采收加工 | 春、夏季采收。根：除去须根、泥土。树皮和叶：除去杂质，晒干。

| 功能主治 | 味辛、苦，性平。活血止痛，解毒消肿。用于跌打伤痛、坐骨神经痛、胃痛、疮疖肿痛。

| 附　　注 | 黎药（雅峦丢）：根枝 30~60g，水煎服，叶子捣烂敷患处，治妇女血崩、子宫发炎、子宫脱垂。

樟科 Lauraceae ▎油丹属 *Alseodaphne*

皱皮油丹

Alseodaphne rugosa Merr. & Chun

| 中 药 名 | 皱皮油丹（药用部位：种皮）

| 植物形态 | 乔木，小枝圆柱形，具皱纹，近梢端有密集的叶痕。叶着生于枝梢，密集而近于轮生，长圆状倒卵形或长圆状倒披针形，长 15~36cm，宽 4~10cm，先端短渐尖，基部楔形，革质，上面干时浅棕色，光亮，下面绿白色；中脉浅棕色，上面凹陷，下面明显突起，浅棕色；细脉显著，网状；叶柄粗壮，长 1.5~2.5cm。花未见。果序近顶生，长约 12.5cm，粗壮，总梗长 8~15cm，无毛。果实扁球形，长 2.5cm，直径 3cm；果梗粗壮，鲜时肉质，红色，多疣。果期 7~12 月。

| 分布区域 | 产于海南白沙、五指山、陵水、万宁、文昌等地。海南特有种。

皱皮油丹

| 资　　源 |

生于 1200~1300m 的混交林中，偶见。

| 采收加工 |

种子成熟时采收，剥取种皮。

| 功能主治 |

用于风湿骨痛。

樟科 Lauraceae 琼楠属 *Beilschmiedia*

短序琼楠
Beilschmiedia brevipaniculata Allen

| 中 药 名 | 短序琼楠（药用部位：叶）

| 植物形态 | 小乔木，幼枝纤细，稍扁平，红褐色，全株无毛。顶芽披针形或卵圆形，平滑。叶对生或近对生，常聚生于枝梢，革质，长 4~8cm，宽 1~2.8cm，多少偏斜，先端宽渐尖，基部楔形或阔楔形，深绿色，侧脉每边 6~8，侧脉及网状脉纤细；叶柄纤细。聚伞状圆锥花序顶生，稀腋生，长约 1.5cm，无毛；花小；花被裂片卵形，密被腺状斑点。果实椭圆形，长 1.7cm，直径 1.1cm，常具明显瘤状小凸点；果梗粗约 2mm。

| 分布区域 | 产于海南东方、保亭、陵水。亦分布于中国广东、广西等地。

短序琼楠

| 资 源 | 生于密林中，偶见。

| 采收加工 | 全年可采，收取后除去杂质晾干。

| 功能主治 | 用于跌打。

| 附 注 | 本种与广东琼楠 *B. fordii* Dunn 相似，但本种叶较短，长 4~8cm，聚伞状圆锥花序顶生，极少腋生，长约 1cm，可以区别。

樟科 Lauraceae **琼楠属** Beilschmiedia

琼 楠
Beilschmiedia intermedia Allen

| 中 药 名 | 琼楠（药用部位：枝叶、果实）

| 植物形态 | 乔木，树皮灰色至灰褐色，全株无毛。顶芽多为卵圆形，无毛。叶对生或近对生，革质，椭圆形或披针状椭圆形，基部微沿叶柄下延，侧脉每边通常6，稀8，与网脉均在两面突起，上面亮绿色，背面浅绿色，干后上面灰绿色，下面紫褐色；叶柄细瘦。圆锥花序腋生或顶生，少花；花绿白色；花被裂片椭圆形，长约2mm，有密集而显著的线状斑点。果实长圆形或近橄榄形，成熟时黑色或黑褐色，有细微小瘤；果梗长约1cm，粗3~7mm，两端不膨大。

| 分布区域 | 产于海南乐东、昌江、白沙、陵水、万宁。亦分布于中国广西。

琼楠

| 资　　源 |

生于海拔 300~1300m 的山谷溪旁，少见。

| 采收加工 |

枝叶：全年可采。果实：成熟时采收。

| 功能主治 |

枝叶：消炎消肿。果实：消肿散结。用于跌打损伤。

樟科 Lauraceae 无根藤属 *Cassytha*

无根藤
Cassytha filiformis L.

| **中 药 名** | 无爷藤（药用部位：全草）

| **植物形态** | 寄生缠绕草本，借盘状吸根攀附于寄主植物上。茎线形，绿色或绿褐色。叶退化为微小的鳞片。穗状花序长 2~5cm，密被锈色短柔毛；苞片和小苞片微小，长约 1mm，褐色，被缘毛。花小，白色，长不及 2mm，无梗。花被裂片 6，排成 2 轮，外轮 3 枚小，圆形，有缘毛，内轮 3 枚较大，卵形，外面有短柔毛。能育雄蕊 9，第 1 轮雄蕊花丝近花瓣状，其余的为线状，第 1、2 轮雄蕊花丝无腺体，花药室内向，第 3 轮雄蕊花丝基部有 1 对无柄腺体，花药室外向。退化雄蕊 3，位于最内轮，三角形，具柄。果实小，卵球形，包藏于花后增大的肉质果托内。花果期 5~12 月。

无根藤

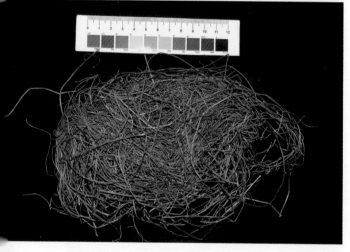

| 分布区域 |

产于海南三亚、东方、昌江、陵水、万宁、儋州、临高、琼海、西沙群岛。亦分布于中国广东、广西、湖南、江西、福建、台湾、浙江、贵州、云南等地。亚洲热带地区、非洲和澳大利亚也有分布。

| 资　源 |

生于海边、山坡灌丛或疏林中，常见。

| 采收加工 |

全年可采，洗净，切段，晒干或阴干，亦可鲜用。

| 药材性状 |

长圆柱形，略弯曲，直径 1~2.5mm，表面黄绿色或黄褐色，具细纵皱纹和黄棕色毛，稍粗糙，在分枝处可见有小鳞片，常在扭曲处有盘状吸根。花小，排成穗状花序，长 2~5cm。果实卵球形，包藏于肉质果托内，先端开口，直径约4mm，无柄。质脆，折断面皮部具纤维性，木质部呈黄白色。气微，味淡。

| 功能主治 |

味微苦、甘，性凉；有小毒；归肺、肾、肝、膀胱经。清热利湿，凉血解毒。用于感冒发热、热淋、石淋、湿热黄疸、泄泻、痢疾、咯血、衄血、风火赤眼、跌打损伤、外伤出血、疮疡溃烂、水火烫伤、疥疮癣癞。

| 附　注 |

黎药(雅北万)：干用6~18g，水煎服；外用适量，鲜品捣敷或煎洗，治泄泻、滑精、痢疾等证。

樟科 Lauraceae 樟属 *Cinnamomum*

钝叶桂
Cinnamomum bejolghota (Buch.-Ham.) Sweet

| 中 药 名 | 土桂皮（药用部位：树皮）

| 植物形态 | 乔木。芽小，卵珠形，芽鳞密被绢状毛。叶近对生，椭圆状长圆形，硬革质。圆锥花序生于枝条上部叶腋内，多分枝，与各级序轴略被灰色短柔毛。花黄色；花梗被灰色短柔毛。花被裂片 6，卵状长圆形，两面被灰色短柔毛但先端近无毛。能育雄蕊 9，第 1、2 轮雄蕊的花药卵圆状长圆形，花丝无腺体，第 3 轮雄蕊的花药较狭长，长圆形，花丝扁平，近基部有 1 对具长柄的圆状肾形腺体。退化雄蕊 3，位于最内轮，明显。子房长圆形，柱头盘状。果实椭圆形；果托黄带紫红，倒圆锥形，具齿裂，齿先端平截；果梗紫色，略增粗。花期 3~4 月，果期 5~7 月。

钝叶桂

| **分布区域** | 产于海南乐东、昌江、白沙、五指山、保亭、陵水、万宁、琼中。亦分布于中国广东、云南等地。越南、老挝、泰国、缅甸、孟加拉国、尼泊尔、不丹、印度也有分布。 |

| **资　　源** | 生于林中，少见。 |

| **采收加工** | 四时均可采收，剥取树皮，洗净，阴干。 |

| **药材性状** | 为板状片块。表面棕色或灰褐色，皮孔点状或纵向长圆形，老树皮常有灰绿色地衣斑；内表面棕色或深棕色。气香，味甜、微辣。 |

| **功能主治** | 味辛、甘，性温；归胃、脾、肝经。祛风散寒，温经活血，止痛。用于风寒痹痛、腰痛、经闭、痛经、跌打肿痛、胃脘寒痛、腹痛、虚寒泄泻；外用治外伤出血、蛇咬伤。 |

阴 香

Cinnamomum burmanni (Nees et T. Nees) Blume

| 中 药 名 |

阴香（药用部位：树皮、叶和根）

| 植物形态 |

乔木，树皮光滑，褐色，内皮红色，味似肉桂。枝条绿色或褐绿色，具纵向细条纹。叶互生或近对生，革质，具离基三出脉。圆锥花序腋生或近顶生，比叶短，少花，疏散，密被灰白微柔毛，最末分枝为3花的聚伞花序。花绿白色，长约5mm。花被裂片长圆状卵圆形，先端锐尖。能育雄蕊9，花丝被微柔毛，第1、2轮雄蕊长2.5mm，花丝稍长于花药，第3轮雄蕊长2.7mm，花丝稍长于花药，中部有1对近无柄的圆形腺体。退化雄蕊3，位于最内轮，长三角形，具柄，柄长约0.7mm，被微柔毛。花柱具棱角，略被微柔毛，柱头盘状。果实卵球形，果托具齿裂，齿先端平截。

| 分布区域 |

产于海南三亚、乐东、东方、白沙、五指山、保亭、陵水、万宁、琼中、儋州、澄迈。亦分布于中国广东、广西、福建、云南等地。越南、缅甸、印度尼西亚、菲律宾、印度也有分布。

阴香

| 资　源 |

生于疏林或灌丛中，或村旁、路边，常见。

| 采收加工 |

皮：夏季剥取茎皮，晒干。叶：秋季采收叶，晒干。
根：全年可采挖，除去泥沙，切段，阴干。

| 药材性状 |

皮：茎皮呈槽状或片状，厚约 3mm，外表面棕
灰色，粗糙，有圆形突起的皮孔和灰白色地衣
斑块，有时外皮部分刮去而现凹下的皮孔痕；
内表面棕色，平滑。质坚，断面内层呈裂片状。
气香，味微甘、涩。根：根呈圆柱形，稍弯曲，
有小分支，直径 8~30mm 或更粗。表面黑褐色
或棕褐色，皮部常横裂或细龟裂，皮孔细点状，
稍突起，质硬脆，断面黄白色或棕红色。气香，
味辛、甘而涩。

| 功能主治 |

皮：味辛、微甘，性温。温中止痛，祛风散寒，
解毒消肿，止血。用于寒性胃痛、腹痛泄泻、
食欲不振、风寒湿痹、腰腿疼痛、跌打损伤、
创伤出血、疮疖肿毒。叶：味辛、微甘，性温。
祛风除湿，止泻，止血。用于皮肤痒疹、风湿痹痛、
泄泻、痢疾腹痛、寒结肿毒及外伤出血。根：
味辛、微甘，性温。祛风散寒，温中止痛，止血。
用于寒性胃痛、胃胀、腹泻、风湿痛、创伤出血。

| 附　注 |

黎药（簸过狗）：茎皮煮水喝，用于妇女白带多。

樟

Cinnamomum camphora (L.) Presl.

| 中 药 名 | 樟木（药用部位：木材），香樟根（药用部位：根），樟树皮（药用部位：树皮），樟树叶（药用部位：叶或枝叶），樟木子（药用部位：成熟果实），樟梨子（药用部位：病态果实），樟脑（药用部位：根、干、枝、叶经蒸馏精制而成的颗粒状物）

| 植物形态 | 常绿大乔木，树冠广卵形；枝、叶及木材均有樟脑气味；树皮黄褐色，有不规则的纵裂。顶芽广卵形或圆球形，鳞片宽卵形或近圆形，外面略被绢状毛。叶互生，卵状椭圆形，边缘全缘，具离基三出脉，中脉两面明显，侧脉及支脉脉腋上面明显隆起，下面有明显腺窝，窝内常被柔毛。圆锥花序腋生，具梗，总梗长 2.5~4.5cm。花绿白或带黄色，无毛。花被筒倒锥形，花被裂片椭圆形。能育雄蕊 9，长

樟

约 2mm，花丝被短柔毛。退化雄蕊 3，位于最内轮，箭头形。果实卵球形或近球形，直径 6~8mm，紫黑色；果托杯状，先端平截，具纵向沟纹。

| **分布区域** | 产于海南三亚、乐东、昌江、白沙、万宁、儋州、澄迈、屯昌。亦分布于中国长江以南各地。越南、朝鲜、日本也有分布。

| **资 源** | 常生于山坡或沟谷中，但各处常见人工栽培。

| **采收加工** | 樟木：定植 5~6 年成材后，通常于冬季砍收树干，锯断，劈成小块，晒干。香樟根：春、秋季采挖，洗净，切片，晒干。不宜火烘，以免香气挥发。樟树皮：全年可采，剥取树皮，切段，鲜用或晒干。樟树叶：3 月下旬以前及 5 月上旬后含油多时采，鲜用或晒干。樟木子：11~12 月间采摘成熟果实，晒干。樟梨子：秋、冬季摘取或拾取自落果梨，除去果梗，晒干。

| **药材性状** | 樟木：为条状不规则的段或小块。外表红棕色至暗棕色，纹理顺直。横断面可见年轮。质重而硬。有强烈的樟脑香气，味辛有清凉感。以块大、香气浓郁者为佳。香樟根：为横切或斜切的圆片，直径 4~10cm，厚 2~5mm，或为不规则条块状，外表赤棕色或暗棕色，有栓皮或部分脱落，横断面黄白色或黄棕色，有年轮。质坚而重。有樟脑气，味辛而清凉。樟树皮：树皮表面光滑，黄褐色、灰褐色或褐色，有纵裂沟缝。有樟脑气，味辛、苦。樟木子：果实呈圆球形，直径 6~8mm，棕黑色至紫黑色，表面皱缩不平，或有光泽，基部有时有宿存的花被管，果皮呈肉质而薄，内含大而黑色的种子 1 粒。气极香，味辛辣。樟梨子：果实呈不规则圆球形，直径 0.5~1.4cm，表面土黄色，有黄色粉末，凹凸不平，基部具果梗痕或残存果梗。质坚硬，砸碎后断面红棕色，无种子及核。有特异芳香气，味辛、微涩。樟脑：樟脑为白色的结晶性粉末或为无色透明的硬块，粗制品则略带黄色，有光亮，在常温中易挥发，火试能产生有烟的红色火焰而燃烧。若加少量乙醇、乙醚或氯仿则易研成白粉，具穿透性的特异芳香。味初辛辣而后清凉。以清白、透明、纯净者为佳。

| **功能主治** | 樟木：味辛，性温；归肝、脾经。祛风除湿，温中理气，活血通络。用于风寒感冒、胃寒胀痛、寒湿吐泻、风湿痹痛、脚气、跌打伤痛、疥癣风痒。香樟根：味辛，性温；归肝、脾经。温中止痛，辟秽和中，祛风除湿。用于胃脘疼痛、霍乱吐泻、风湿痹痛、皮肤瘙痒等。樟树皮：味辛、苦，性温。祛风除湿，暖胃和中，杀虫疗疮。用于风湿痹痛、胃脘疼痛、呕吐泄泻、脚气肿痛、跌打损伤、疥癣疮毒、

毒虫咬伤。樟树叶：味辛，性温。祛风除湿，杀虫解毒。用于风湿痹痛、胃痛、水火烫伤、疮疡肿毒、慢性下肢溃疡、疥癣、皮肤瘙痒、毒虫咬伤。樟木子：味辛，性温。祛风散寒，温胃和中，理气止痛。用于脘腹冷痛、寒湿吐泻、气滞腹胀、脚气。樟梨子：味辛，性温；归胃、肝经。健胃温中，理气止痛。用于胃寒脘腹疼痛、食滞腹胀、呕吐腹泻；外用治疮肿。樟脑：味辛，性热；有小毒；归心、脾经。通关窍，利滞气，辟秽浊，杀虫止痒，消肿止痛。用于热病神昏、中恶卒倒、痧胀吐泻腹痛、寒湿脚气、疥疮顽癣、秃疮、冻疮、水火烫伤、跌打伤痛、牙痛、风火赤眼。

| **附　注** | 黎药（千湿扑）：①根单味煎服治胃痛、蜈蚣咬伤；②皮单味煎服治霍乱、上吐下泻、醉酒，煎洗治麻疹后的皮肤瘙痒；③果实单味煎服，治胃肠炎、腹胀等。

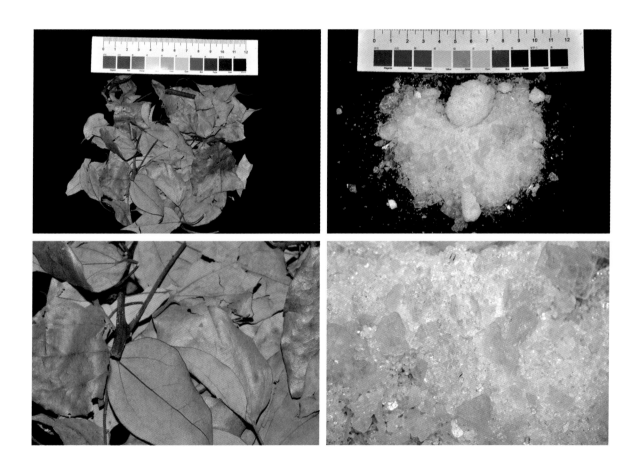

| 樟科 | Lauraceae | 樟属 | *Cinnamomum*

肉 桂 *Cinnamomum cassia* Presl.

| 中 药 名 | 肉桂（药用部位：干皮、枝皮），桂枝（药用部位：嫩枝），肉桂叶（药用部位：叶）

| 植物形态 | 乔木。小枝、芽鳞、叶、花均密被灰黄色短绒毛。顶芽小，芽鳞宽卵形。叶互生，长椭圆形，革质，离基三出脉，横脉波状，近平行。圆锥花序腋生或近顶生，三级分枝，分枝末端为3花的聚伞花序。花白色，长约4.5mm。花被筒倒锥形，花被裂片卵状长圆形，近等大，先端钝或近锐尖。能育雄蕊9，花丝扁平，被柔毛，第1、2轮雄蕊长约2.3mm，花丝上方1/3处变宽大，第3轮雄蕊长约2.7mm，花丝上方1/3处有一对圆状肾形腺体。退化雄蕊3，位于最内轮。子房无毛，花柱纤细。果实椭圆形，成熟时黑紫色，无毛；果托浅杯状，边缘平截或略具齿裂。花期6~8月，果期10~12月。

肉桂

分布区域

产于海南万宁、屯昌。亦分布于中国华南其他区域、华中、西南。亚洲热带地区也有分布。

资　源

生于常绿阔叶林中，但多为栽培，少见。

采收加工

干皮、枝皮：当树龄10年以上，韧皮部已积成油层时可采剥，春、秋季节均可剥皮，以秋季8~9月采剥的品质为优。环剥皮按商品规格的长度稍长（41cm）将桂皮剥下，再按规格宽度略宽（8~12cm）截成条状。条状剥皮即在树上按商品规格的长宽稍大的尺寸划好线，逐条地从树上剥下来，用地坑闷油法或箩筐外罩薄膜焖制法进行加工。4~5月剥的称春桂，品质差；9月剥的称秋桂，品质佳。树皮晒干后称桂皮，加工产品有桂通、板桂、企边桂和油桂。嫩枝：肉桂定植2年后，采折嫩枝，去叶，晒干；或取肉桂树砍伐后多余的萌蘖从齐地面处剪断，或取修枝、间伐的枝条，晒干。叶：秋季采制肉桂时采摘，阴干；也可随用随采，洗净鲜用。

药材性状

肉桂："企边桂"呈两侧略内卷的浅槽状，两端斜削；"油筒桂"多呈卷筒状，长30~50cm，宽或筒径3~10cm，厚2~8mm。外表面灰棕色，稍粗糙，有多数微突起的皮孔及少数横裂纹，并有灰色地衣斑块；内表面棕红色，

平滑，有细纵纹，指甲刻划显油痕。质坚实而脆，折断面颗粒性，外层棕色，内层红棕色而油润，近外层有1条浅黄色切向线纹（石细胞环带）。香气浓烈特异，味甜、辣。桂枝：枝长圆柱形，多分枝，长 30~70cm，粗端直径 0.3~1cm。表面棕色或红棕色，有细皱纹及小疙瘩状叶痕、枝痕和芽痕，皮孔点状或点状椭圆形。质硬而脆，易折断，断面皮部红棕色，可见淡黄棕色，髓部呈方形。有特异香气，味甜、微辛，皮部味较浓。肉桂叶：叶呈矩圆形至近披针形，长 8~20cm，宽 4~5.5cm，先端尖，基部钝，全缘，上表面棕黄色或暗棕色，有光泽，中脉及侧脉明显凹下，下表面淡棕色或棕褐色，有疏柔毛，具离基三出脉且明显隆起，细脉横向平行。叶柄粗壮，长 1~2cm，革质，易折断。具特异香气，味微辛、辣，叶柄味较浓。

| **功能主治** | 肉桂：味辛、甘，性热；归肾、脾、心、肝经。补火助阳，引火归元，散寒止痛，温经通脉。用于肾阳不足，命门火衰之畏寒肢冷、腰膝酸软、阳痿遗精、小便不利或频数、短气喘促、浮肿尿少诸证；命门火衰，火不归元，截阳、格阳，及上热下寒，面赤足冷，头晕耳鸣，口舌糜破；脾肾虚寒，食减便滞；肾虚腰痛，寒湿痹痛；宫冷不孕，痛经经闭，产后瘀滞腹痛；阴疽流注，或虚寒痈疡脓成不溃，或溃后不敛。桂枝：味辛、甘，性温；归膀胱、心、肺经。散寒解表，温通经脉，通阳化气。用于风寒表证、寒湿痹痛、四肢厥冷、经闭痛经、癥瘕结块、胸痹、心悸、痰饮、小便不利。肉桂叶：味辛，性温。温中散寒，解表发汗。用于外感风寒、头痛恶寒、咳嗽、胃寒胸闷、脘痛呕吐、腹痛泄泻、冻疮。

| **附　注** | 黎药（紫本鼎）：①单味肉桂 3g，研末温水送服，治胃腹冷痛；②肉桂 6g，党参 10g，炒白术 10g，干姜 3g，水煎服，治慢性消化不良、便溏。

樟科 Lauraceae 樟属 *Cinnamomum*

大叶桂
Cinnamomum iners Reinw. ex Bl.

| 中 药 名 |

土桂皮（药用部位：树皮）

| 植物形态 |

乔木。芽小，卵珠形，鳞片密被绢状毛。叶近对生，卵圆形，硬革质，三出脉或离基三出脉。圆锥花序腋生或近顶生，一至三出，多分枝，末端为3~7花的聚伞花序，各级序轴密被短柔毛。花淡绿色。花被筒倒锥形，花被裂片6，外轮卵状长圆形，内轮长圆形，较狭，先端均锐尖。能育雄蕊9，退化雄蕊3，位于最内轮。子房卵球形，花柱纤细，柱头盘状扁平，具圆裂片。果实卵球形，先端具小突尖；果托倒圆锥形或碗形，先端有稍增大或开张的宿存花被片，果梗略增粗。花期3~4月，果期5~6月。

| 分布区域 |

海南万宁有栽培。亦分布于中国云南南部、广西西南部及西藏东南部。斯里兰卡、印度、缅甸经中南半岛和马来西亚至印度尼西亚也有分布。

| 资　　源 |

生于山谷、路旁林中，少见。

大叶桂

| 采收加工 | 全年均可采收，剥取树皮，洗净，阴干。

| 药材性状 | 为板状片块。表面棕色或灰褐色，皮孔点状或纵向长圆形，老树皮常有灰绿色地衣斑；内面棕色或深棕色。气香，味甜、微辣。

| 功能主治 | 味辛、甘，性温；归胃、脾、肝经。祛风散寒，温经活血，止痛。用于风寒痹痛、腰痛、经闭、痛经、跌打肿痛、胃脘寒痛、腹痛、虚寒泄泻；外用于外伤出血、蛇咬伤。

樟科 Lauraceae 樟属 Cinnamomum

土肉桂
Cinnamomum osmophloeum Kanehira

| 中 药 名 | 土肉桂（药用部位：树皮）

| 植物形态 | 乔木，树皮芳香。小枝纤弱，无毛。叶互生或近对生，卵圆形，薄革质，上面无毛，下面灰白色，被短柔毛，后变无毛，近离基三出脉，其侧脉约3对。花序为聚伞状圆锥花序，少花，腋生；花梗纤细，略被硬毛。花被筒钟形，长约1mm；花被裂片长圆形，外被短柔毛，内面被长柔毛。第1、2轮花丝长约1.5mm，近无毛，第3轮花丝中部有腺体，花丝基部被长柔毛。退化雄蕊箭头形，背面被疏柔毛，柄近无毛。子房卵珠形，无毛，花柱无毛，柱头盘状。果卵球形，先端有宿存的部分花被片。花期3~4月，果期5~6月。

土肉桂

| **分布区域** | 海南万宁等地有人工栽培。

| **资　　源** | 生于常绿阔叶林中，少见。

| **采收加工** | 全年可采。

| **功能主治** | 用于腹痛、风湿痛、外伤出血。

樟科 Lauraceae 樟属 *Cinnamomum*

黄 樟
Cinnamomum porrectum (Roxb.) Kosterm.

| 中 药 名 | 黄樟（药用部位：根、树皮或叶）

| 植物形态 | 常绿乔木，树皮暗灰褐色，深纵裂，小片剥落，厚 3~5mm，内皮带红色，具有樟脑气味。枝条圆柱形，绿褐色，小枝具棱角，灰绿色，无毛。芽卵形，鳞片近圆形，被绢状毛。叶互生，通常为椭圆状卵形，两面无毛或仅下面腺窝具毛簇，羽状脉。圆锥花序于枝条上部腋生或近顶生。花小，长约 3mm，绿带黄色。花被筒倒锥形，花被裂片宽长椭圆形，先端钝形。能育雄蕊 9，花丝被短柔毛。退化雄蕊 3，位于最内轮，三角状心形，柄被短柔毛。柱头盘状，不明显三浅裂。果实球形，直径 6~8mm，黑色；果托狭长倒锥形，红色，有纵长的条纹。花期 3~5 月，果期 4~10 月。

黄樟

分布区域	产于海南乐东、昌江、白沙、陵水、五指山、万宁、琼中、儋州、澄迈、屯昌、琼海。亦分布于中国广东、广西、湖南、江西、福建、贵州、云南、四川等地。马来西亚、印度尼西亚、巴基斯坦、印度也有分布。
资　　源	生于山地常绿林中或灌丛中，常见。
采收加工	根、树皮、叶全年均可采收，除去杂质，晒干或鲜用。产区多用根枝及废材经过蒸馏提取樟脑油，并精制成颗粒状结晶。
功能主治	味辛、微苦，性温；归肺、脾、肝经。祛风散寒，温中止痛，行气活血。用于风寒感冒、风湿痹痛、胃寒腹痛、泄泻、痢疾、跌打损伤、月经不调。
附　　注	①FOC已修订其学名为 *Cinnamomum parthenoxylon*（Jack.）Meissn。②黎药（界业哈）：果实单味研末，开水送服，治感冒高热、麻疹；黄樟、山慈姑各适量，水煎服，或黄樟果实、桉叶各适量，水煎服，治痢疾。

樟科 Lauraceae　樟属 Cinnamomum

锡兰肉桂

Cinnamomum zeylanicum Bl.

| 中 药 名 |

斯里兰卡肉桂（药用部位：树皮）

| 植物形态 |

常绿小乔木，树皮黑褐色，内皮有强烈的桂醛芳香气。芽被绢状微柔毛。幼枝略为四棱形，灰色而具白斑。叶通常对生，卵圆形或卵状披针形，具离基三出脉。圆锥花序腋生及顶生，长 10~12cm，具梗，总梗及各级序轴被绢状微柔毛。花黄色。花被筒倒锥形，花被裂片 6，长圆形，近相等，外面被灰色微柔毛。能育雄蕊 9，花丝近基部有毛，第 1、2 轮雄蕊花丝无腺体，第 3 轮雄蕊花丝有一对腺体，花药 4 室，第 1、2 轮雄蕊花药药室内向，第 3 轮雄蕊花药药室外向。子房卵珠形，花柱短，柱头盘状。果实卵球形，熟时黑色；果托杯状，增大，具齿裂，齿先端截形或锐尖。

| 分布区域 |

海南万宁等地有栽培。中国云南、广西、广东、台湾等地亦有引种栽培。

| 资　　源 |

栽培量不大。

锡兰肉桂

| 采收加工 |

一般种后 5~6 年可收桂皮，从茎基部剥皮，晒 1~2 天，卷成圆筒状，阴干。

| 药材性状 |

枝皮常为 7~12 或更多层薄片重叠卷成的细长复卷筒状，长可达 60cm，筒宽约 1cm，每片厚约 0.5mm，外表面黄棕色，平和，可见波浪状纵皱纹，有直条纹，偶见疤痕和空洞（系枝条伸出处）；内表面色泽较深。气芳香，味甜。

| 功能主治 |

温中健胃，止痛。用于脘腹痞满、消化不良、泄泻腹痛、寒疝气痛。

| 附　　注 |

FOC 已将其学名修订为 *Cinnamomum verum* Presl。

樟科 Lauraceae 山胡椒属 Lindera

乌 药
Lindera aggregata (Sims) Kosterm

|中 药 名| 乌药（药用部位：根、叶、果实）

|植物形态| 常绿灌木或小乔木，树皮灰褐色。幼枝密被金黄色绢毛，后渐脱落。叶互生，卵形，革质，两面有小凹窝，三出脉，下面明显突出。伞形花序腋生，无总梗，常 6~8 个花序集生于短枝上，每个花序有一苞片，一般有花 7；花被片 6，近等长，外面被白色柔毛，黄色或黄绿色，偶有外乳白内紫红色。雄蕊长 3~4mm，花丝被疏柔毛，第 3 轮的有 2 个宽肾形具柄腺体，着生于花丝基部，有时第 2 轮的也有腺体 1~2；退化雌蕊坛状。退化雄蕊长条片状，被疏柔毛，第 3 轮基部着生 2 具柄腺体；子房椭圆形，被褐色短柔毛，柱头头状。果实卵形或有时近圆形。花期 3~4 月，果期 5~11 月。

乌药

| 分布区域 | 产于海南万宁。亦分布于中国广东、广西、湖南、江西、福建、台湾、浙江、安徽、贵州。越南、菲律宾也有分布。

| 资　　源 | 生于海拔 200~400m 的向阳坡地、山谷或疏林灌丛中，少见。

| 采收加工 | 根：冬、春季采挖根，除去细根，洗净晒干，称"乌药个"；趁鲜刮去棕色外皮，切片干燥，称"乌药片"。叶：全年均可采收，洗净，鲜用或晒干。果实：10 月采收，除去杂质，晒干。

| **药材性状** | 根：根纺锤形或圆柱形，略弯曲，有的中部收缩呈连珠状，习称"乌药珠"，长5~15cm，直径 1~3cm。表面黄棕色或灰棕色，有细纵皱纹及稀疏的细根痕。质极坚硬，不易折断，断面黄白色。气芳香，味微苦、辛，有清凉感。以个大、肥壮、质嫩、折断面香气浓郁者为佳。乌药片为横切圆形薄片，厚 1~5mm，或更薄，切面黄白色至淡棕色而微红，有放射状纹理和年轮，质脆。切片以平整不卷、色红微白、无黑色斑点者为佳。

| **功能主治** | 根：味辛，性温；归脾、胃、肝、肾、膀胱经。行气止痛，温肾散寒。用于胸胁满闷、脘腹胀痛、头痛、寒疝疼痛、痛经及产后腹痛、尿频、遗尿。叶：味辛，性温；归脾、肾经。温中理气，消肿止痛。用于脘腹冷痛、小便频数、风湿痹痛、跌打伤痛、烫伤。果实（乌药子）：味辛，性温；归脾、肾经。散寒温阳，温中和胃。用于阴毒伤寒、寒性吐泻、疝气腹痛。

樟科 Lauraceae 山胡椒属 Lindera

小叶乌药

Lindera aggregata (Sims) Kosterm var. *playfairii* (Hemsl.) H. B. Tsui

| 中 药 名 | 乌药（药用部位：根）

| 植物形态 | 常绿灌木或小乔木，树皮灰褐色。幼枝及叶被毛较稀疏。叶小，互生，狭卵形至披针形，通常具尾尖，革质，两面有小凹窝，三出脉；叶柄有褐色柔毛，后渐脱落。伞形花序腋生，较小，常 6~8 个花序集生于短枝上，每个花序有 1 苞片，一般有花 7；花被片 6，近等长，黄色或黄绿色，偶有外乳白内紫红色；花梗长约 0.4mm，被柔毛。雄花雄蕊长 3~4mm，花丝被疏柔毛，第 3 轮的有 2 个宽肾形具柄腺体，有时第 2 轮的也有腺体 1~2；退化雌蕊坛状。雌花退化雄蕊长条片状，被疏柔毛，第 3 轮基部着生 2 个具柄腺体；子房椭圆形，被褐色短柔毛，柱头头状。果实卵形或有时近圆形。

小叶乌药

| 分布区域 | 产于海南三亚、万宁、琼海、昌江。亦分布于中国广东、广西。越南也有分布。

| 资　　源 | 生于向阳坡地、山谷、疏林中或海边灌丛中，少见。

| 采收加工 | 根：冬、春季采挖，除去细根，洗净，晒干。

| 药材性状 | 根纺锤形或圆柱形，略弯曲，有的中部收缩呈连珠状。表面黄棕色或灰棕色，有细纵皱纹及稀疏的细根痕。质极坚硬，不易折断，断面黄白色。气芳香，味微苦、辛，有清凉感。以个大、肥壮、质嫩、折断面香气浓郁者为佳。

| 功能主治 | 消肿止痛。用于跌打损伤。

| 附　　注 | 本变种与乌药的区别在于幼枝、叶及花等被毛较稀疏，且多为灰白色毛或近无毛；叶小，狭卵形至披针形，通常具尾尖，长4~6cm，宽1.3~2cm，花也较小。

樟科 Lauraceae 山胡椒属 Lindera

香叶树
Lindera communis Hemsl.

香叶树

| 中 药 名 |

香叶树（药用部位：枝叶或茎皮）

| 植物形态 |

常绿灌木或小乔木，树皮淡褐色。顶芽卵形，长约5mm。叶互生，通常披针形或椭圆形，先端渐尖，基部宽楔形，羽状脉，侧脉每边5~7，弧曲；叶柄长5~8mm。伞形花序具花5~8，生于叶腋，总梗极短；总苞片4，早落。雄花黄色，略被金黄色微柔毛；花被片6，卵形，近等大；雄蕊9；退化雌蕊的子房卵形，无毛，花柱、柱头不分，成一短凸尖。雌花黄色或黄白色，花梗长2~2.5mm；花被片6，卵形，外面被微柔毛；退化雄蕊9，条形，第3轮有2个腺体；子房无毛，柱头盾形，具乳突。果实卵形无毛，成熟时红色；被黄褐色微柔毛。花期3~4月，果期9~10月。

| 分布区域 |

海南有分布记录。亦分布于中国陕西、甘肃、湖南、湖北、江西、浙江、福建、台湾、广东、广西、云南、贵州、四川等地。中南半岛也有分布。

| 资　　源 |

散生或混生于常绿阔叶林中，偶见。

| 采收加工 |

全年均可采收，树皮采收后应刮去粗皮，晒干。

| 功能主治 |

味涩、微辛，性微寒。解毒消肿，散瘀止痛。用于跌打肿痛、外伤出血、疮疖痈肿。

厚壳桂

厚壳桂

Cryptocarya chinensis (Hance) Hemsl.

中药名

厚壳桂（药用部位：植物提取物）

植物形态

乔木。叶互生或对生，长椭圆形，两面幼时被灰棕色小绒毛，后毛被逐渐脱落，具离基三出脉；叶柄长约1cm，腹凹背凸。圆锥花序腋生及顶生，具梗，被黄色小绒毛。花淡黄色；花梗极短；花被两面被黄色小绒毛，花被筒陀螺形，短小，花被裂片近倒卵形，先端急尖。能育雄蕊9，花丝被柔毛，略长于花药，花药2室，花丝基部有1对棒形腺体。退化雄蕊位于最内轮，钻状箭头形，被柔毛。子房棍棒状，花柱线形，柱头不明显。果实球形或扁球形，熟时紫黑色，有纵棱12~15条。花期4~5月，果期8~12月。

分布区域

产于海南乐东、昌江、五指山、保亭、陵水、琼中。亦分布于中国广东、广西、福建、台湾、四川等地。

资　　源

常生于山谷林中，常见。

| **功能主治** | 该属植物中独特的黄酮类化合物有抗病毒、细胞毒等活性，具有重要的科研价值及广阔的应用前景，更多的功能有待发掘。

樟科 Lauraceae 厚壳桂属 Cryptocarya

黄果厚壳桂
Cryptocarya concinna Hance

| 中 药 名 | 黄果厚壳桂（药用部位：植物提取物）

| 植物形态 | 乔木。叶互生，椭圆状长圆形，基部两侧常不相等，坚纸质，侧脉每边 4~7；叶柄长 0.4~1cm，被黄褐色短柔毛。圆锥花序腋生及顶生，长 4~8cm，被短柔毛，向上多分枝，总梗被短柔毛；苞片细小，三角形。花梗长 1~2mm，被短柔毛；花被两面被短柔毛，花被筒近钟形，花被裂片长约 2.5mm。能育雄蕊 9，花药长圆形，药隔伸出，第 3 轮雄蕊的花丝基部被柔毛，花药药室外向，花丝基部有 1 对具柄腺体。退化雄蕊 3，位于最内轮，三角状披针形。子房长倒卵形，柱头斜向截形。果实长椭圆形，幼时深绿色，有纵棱 12，熟时黑色或蓝黑色，纵棱有时不明显。花期 3~5 月，果期 6~12 月。

黄果厚壳桂

分布区域	产于海南东方、昌江、万宁、文昌等地。亦分布于中国广东、广西、江西、台湾、贵州等地。越南也有分布。
资　　源	生于海拔 600m 以上的谷地或常绿阔叶林中，常见。
功能主治	本种含有的黄酮类化合物对多种癌细胞有中等强度的细胞毒活性，其中一些化合物有一定的抗菌活性。

樟科 Lauraceae 厚壳桂属 Cryptocarya

丛花厚壳桂 Cryptocarya densiflora Bl.

| 中 药 名 | 丛花厚壳桂（药用部位：植物提取物）

| 植物形态 | 乔木。叶互生，长椭圆形，先端急短渐尖，具离基三出脉，基部的一对侧脉弯曲上升，无支脉；叶柄长 1~2cm，被锈色绒毛或变无毛。圆锥花序具梗，多花密集，被褐色短柔毛。花白色；花梗短，密被褐色短柔毛。花被两面密被褐色短柔毛，筒陀螺形，短小，花被裂片卵圆形。能育雄蕊 9，花丝被柔毛，长约为花药的 2 倍，花药 2 室，第 3 轮花丝基部有 1 对棒形腺体。退化雄蕊位于最内一轮，箭头形，具长柄。子房棍棒状，花柱线形，柱头不明显。果实扁球形，先端具明显的小尖突，光滑，有不明显的纵棱，熟时乌黑色，有白粉。花期 4~6 月，果期 7~11 月。

丛花厚壳桂

| 分布区域 | 产于海南白沙、五指山、陵水、万宁、琼中等地。亦分布于中国广东、广西、福建、云南等地。越南、老挝、马来西亚、印度尼西亚、菲律宾也有分布。

| 资　　源 | 生于山谷林中，少见。

| 功能主治 | 该属中独特的黄酮类化合物有抗病毒、细胞毒等活性，具有重要的科研价值及广阔的应用前景，更多的功能有待发掘。

樟科 Lauraceae 木姜子属 Litsea

山鸡椒 *Litsea cubeba* (Lour.) Pers.

| 中 药 名 | 澄茄子（药用部位：果实），豆豉姜（药用部位：根），山苍子叶（药用部位：叶）

| 植物形态 | 落叶灌木或小乔木。小枝细长，绿色，无毛，枝、叶具芳香味。顶芽圆锥形，外面具柔毛。叶互生，披针形或长圆形，长4~11cm，宽1.1~2.4cm，纸质，上面深绿色，下面粉绿色，两面均无毛。伞形花序单生或簇生，总梗细长，长6~10mm；苞片边缘有睫毛；每一花序有花4~6，先叶开放或与叶同时开放，花被裂片6，宽卵形；能育雄蕊9，花丝中下部有毛，第3轮基部的腺体具短柄；退化雌蕊无毛；雌花中退化雄蕊中下部具柔毛；子房卵形，花柱短，柱头头状。果实近球形，直径约5mm，无毛，幼时绿色，成熟时黑色。花期2~3月，果期7~8月。

山鸡椒

分布区域

产于海南三亚、乐东、昌江、白沙、五指山、万宁、琼中、儋州、澄迈、琼海。亦分布于中国华南其他区域、华东、华中、西南。东南亚、南亚也有分布。

资　源

生于疏林中或路边向阳处，常见。

采收加工

果实：采收季节性很强。7月中下旬至8月中旬，当果实青色布有白色斑点，用手捻碎有强烈生姜味，为采收适时。如果实尚未完全成熟时采摘，水分多，含柠檬醛少，为过早；若果实成熟后期，果皮转变为褐色，柠檬醛自然挥发而消失，为过迟。连果枝摘取，除去枝叶，晒干。根：栽培3~5年，9~10月采挖，抖净泥土，晒干。叶：夏、秋季采收，除去杂质，鲜用或晒干。

药材性状

果实：果实圆球形，直径4~6mm。表面棕褐色至棕黑色，有网状皱纹，基部常有果柄痕。中果皮易剥去，内果皮暗棕红色，果皮坚脆，种子1，内有肥厚子叶2，富含油质。其特异强烈窜透性香气，味辛、凉。根：根圆锥形。表面棕色，有皱纹及颗粒状突起。质轻泡，易折断，断面灰褐色，横切面有小孔（导管）。气香，味辛辣。叶：叶片披针形或长椭圆形，易破碎。表面棕色或棕绿色，长4~11cm，宽1.1~2.4cm，先端渐尖，基部楔形，全缘，羽状网脉明显，于下表面稍突起。质较脆。气芳香，味辛、凉。

功能主治

果实：味辛、微苦，性温；归脾、胃、肾经。温中止痛，行气活血，平喘，利尿。用于脘腹冷痛、食积气胀、反胃呕吐、中暑吐泻、泄泻痢疾、寒疝腹痛、哮喘、寒湿水臌、小便不利、小便混浊、疮疡肿毒、牙痛、寒湿痹痛、跌打损伤。根：味辛、微苦，性温；归脾、胃、肝经。祛风散寒除湿，温中理气止痛。用于感冒头痛、心胃冷痛、腹痛吐泻、脚气、孕妇水肿、风湿痹痛、跌打损伤。用于脑血栓形成。叶：味辛、微苦，性温。理气散结，解毒消肿，止血。用于痈疽肿痛、乳痈、蛇虫咬伤、外伤出血、脚肿。其挥发油可用于慢性支气管炎。

附　注

黎药（紫寡好）：皮熏蒸，治疗感冒；叶煮水喝，治疗肝病。

樟科 Lauraceae **木姜子属** *Litsea*

黄丹木姜子

Litsea elongata (Wall. ex Nees) Benth. et Hook. f.

| **中 药 名** | 黄丹木姜子（药用部位：根、枝叶）

| **植物形态** | 常绿乔木。小枝黄褐至灰褐色，密被褐色绒毛。顶芽卵圆形，鳞片外面被丝状短柔毛。叶互生，长圆形，先端钝或短渐尖，基部楔形或近圆，革质；叶柄长 1~2.5cm，密被褐色绒毛。伞形花序单生，少簇生；总梗通常长 2~5mm，密被褐色绒毛；每一花序有花 4~5；花梗被丝状长柔毛；花被裂片 6，卵形，外面中肋有丝状长柔毛，雄花中能育雄蕊 9~12，花丝有长柔毛；腺体圆形，退化雌蕊细小；雌花序较雄花序略小，子房卵圆形，柱头盘状；退化雄蕊细小，基部有柔毛。果实长圆形，成熟时黑紫色；果托杯状，深约 2mm。花期 5~11 月，果期 2~6 月。

黄丹木姜子

| 分布区域 | 产于海南乐东、东方、昌江、白沙、陵水、琼中。亦分布于中国华南其他区域、华东、华中、西南。尼泊尔、印度也有分布。

| 资　　源 | 生于常绿阔叶林中，常见。

| 采收加工 | 春、夏季采收，洗净，鲜用或晒干。

| 功能主治 | 祛风除湿。

樟科 Lauraceae 木姜子属 *Litsea*

潺槁木姜子

Litsea glutinosa (Lour.) C. B. Rob.

| 中 药 名 |

残槁蒐（药用部位：树皮、叶、根）

| 植物形态 |

常绿乔木。小枝灰褐色，幼时有灰黄色绒毛。顶芽卵圆形，鳞片外面被灰黄色绒毛。叶互生，革质，羽状脉，侧脉每边 8~12；叶柄有灰黄色绒毛。伞形花序生于小枝上部叶腋，单生或几个生于短枝上；花序梗均被灰黄色绒毛；苞片 4；每一花序有花数朵；花梗被灰黄色绒毛；花被不完全或缺；能育雄蕊通常 15，或更多，花丝长，有灰色柔毛，腺体有长柄，柄有毛；退化雌蕊椭圆；雌花中子房近于圆形，花柱粗大，柱头漏斗形；退化雄蕊有毛。果实球形，直径约 7mm，先端略增大。花期 5~6 月，果期 9~10 月。

| 分布区域 |

产于海南三亚、乐东、东方、昌江、白沙、万宁、陵水、儋州、澄迈、定安。亦分布于中国广东、广西、福建、云南。越南、泰国、缅甸、菲律宾、不丹、印度、尼泊尔也有分布。

潺槁木姜子

| 资　　源 |

生于疏林中或灌丛中，常见。

| 采收加工 |

树皮：树龄在 10 年以上可在 7~8 月剥取树皮，晾干或熏干为佳，若用日光晒干，每天上午晒 4 小时，连晒 1 个星期即可。叶：树龄在 4~5 年后，秋后初冬采收叶片，以晾干为佳。根：通常在树龄 8~10 年，于冬季采挖根及根皮，置坑内熏干或晒干；或鲜用。

| 功能主治 |

叶：味甘、苦，性凉；归心、肝经。拔毒生肌止血，消肿止痛。用于疮疖痈肿、跌打损伤、外伤出血。根：味甘、苦，性凉；归肝、胃、大肠经。清湿热，拔毒消肿，祛风湿，止痛。用于腹泻痢疾、跌打损伤、腮腺炎、糖尿病、急慢性胃炎及风湿骨痛。

| 附　　注 |

黎药（赛嗨空）：①根 60~100g，水煎服，治骨折、子宫发炎、妇女产后风；②嫩叶和树皮外敷，治痈疮。

樟科 Lauraceae 木姜子属 *Litsea*

假柿木姜子 *Litsea monopetala* (Roxb.) Pers.

| 中 药 名 | 假柿木姜子（药用部位：枝叶）

| 植物形态 | 常绿乔木。小枝淡绿色，密被锈色短柔毛。顶芽圆锥形，外面密被锈色短柔毛。叶互生，宽卵形，薄革质，幼叶上面沿中脉有锈色短柔毛，老时渐脱落变无毛，下面密被锈色短柔毛，羽状，侧脉每边8~12；叶柄长 1~3cm，密被锈色短柔毛。伞形花序簇生于叶腋，总梗极短；每一花序有花 4~6 或更多；苞片膜质；花梗长 6~7mm，有锈色柔毛；雄花花被片 5~6，披针形，黄白色；能育雄蕊 9，花丝纤细，有柔毛，腺体有柄；雌花较小；花被裂片长圆形，退化雄蕊有柔毛；子房卵形，无毛。果实长卵形；果托浅碟状，果梗长 1cm。花期 11月至翌年 5~6 月，果期 6~7 月。

假柿木姜子

| 分布区域 | 产于海南三亚、乐东、昌江、五指山、白沙、保亭、万宁、琼中、儋州、澄迈、文昌。亦分布于中国广东、广西、贵州、云南等地。东南亚、南亚也有分布。 |

| 资　　源 | 生于阳坡灌丛或疏林中，常见。 |

| 采收加工 | 春、夏季采收，洗净，鲜用或晒干。 |

| 功能主治 | 叶：用于骨折、脱臼。 |

樟科 Lauraceae　木姜子属 Litsea

竹叶木姜子
Litsea pseudoelongata Lion

| 中 药 名 |

竹叶木姜子（药用部位：枝叶）

| 植物形态 |

常绿小乔木。幼枝灰褐色，有灰色柔毛。顶芽卵圆形，鳞片外面被丝状短柔毛。叶互生，宽条形，先端钝尖，基部急尖略下延，薄革质，有时带锈黄色，幼时有柔毛，羽状脉，侧脉每边 15~20；叶柄长 5~9mm。伞形花序常3~5 簇生在枝顶叶腋短枝上；苞片 4~5；每一雄花序有花 4；花梗短，被柔毛；花被裂片常 6，卵形或椭圆形，外面有柔毛，内面无毛，有香味；能育雄蕊 9，花丝短，有柔毛；腺体长椭圆形，近于无柄；无退化雌蕊。果实长卵形，先端尖，果托浅杯状，直径约4mm，边缘有圆齿，外面有短柔毛；果梗短，有灰色柔毛。花期 5~6 月，果期 10~12 月。

| 分布区域 |

产于海南万宁、文昌。亦分布于中国广东、广西、台湾等地。

| 资　　源 |

生于灌丛中，偶见。

竹叶木姜子

| 功能主治 | 暂未有资料表明其在医药方面的应用，但同属植物枝叶多有药用，本种枝叶也许有类似作用，其药效更有待进一步的研究。

樟科 Lauraceae 木姜子属 Litsea

豺皮樟
Litsea rotundifolia Hemsl. var. *oblongifolia* (Nees) Allen

| 中 药 名 | 豺皮樟（药用部位：根及树皮）

| 植物形态 | 常绿灌木或小乔木，树皮灰色或灰褐色，常有褐色斑块。小枝灰褐色，纤细，无毛或近无毛。顶芽卵圆形，鳞片外面被丝状黄色短柔毛。叶散生，叶片卵状长圆形，长 2.5~5.5cm，薄革质，羽状脉，侧脉每边通常 3~4；叶柄长 3~5mm，初时有柔毛，以后毛脱落变无毛。伞形花序常 3 个簇生于叶腋，几无总梗；每一花序有花 3~4，花小，近于无梗；花被筒杯状，被柔毛；花被裂片6，倒卵状圆形，大小不等，能育雄蕊9，花丝有稀疏柔毛，腺体小，圆形；退化雌蕊细小，无毛。果实球形，几无果梗，成熟时灰蓝黑色。花期 8~9 月，果期 9~11 月。

豺皮樟

分布区域

产于海南东方、白沙、万宁、琼中、文昌。亦分布于中国广东、广西、湖南、江西、福建、台湾、浙江等地。越南也有分布。

资　源

生于灌丛中，常见。

采收加工

全年均可采收，鲜用或晒干。

功能主治

味辛，性温；归肝、胃、脾、肾经。行气活血止痛，祛风湿。用于胃痛、腹痛、痢疾、腹泻、痛经、风湿痹痛、跌打损伤。

附　注

本变种过去常与豹皮樟 *Litsea coreana* Levl. var. *sinensis* (Allen) Yang et P. H. Huang 混淆，均被错误鉴定为 *Litsea chinensis* Bl.。

樟科 Lauraceae 木姜子属 Litsea

黄椿木姜子
Litsea variabilis Hemsl.

| 中 药 名 | 黄椿木姜子（药用部位：叶）

| 植物形态 | 常绿灌木或乔木，小枝纤细，有微柔毛或近于无毛。顶芽圆锥形，外面被灰色贴伏短柔毛。叶对生或近对生，也兼有互生，形状多变化，一般为椭圆形或倒卵形，革质，干时常带红色，无毛或近于无毛，羽状脉，侧脉每边 5~6，纤细；叶柄褐色，近基部处膨大。伞形花序常 3~8 个集生于叶腋，极少单生；总梗短，有短柔毛；苞片小；每一雄花序有花 3；花梗极短，花被裂片 6，匙形，外面中肋有柔毛；能育雄蕊 9，花丝被疏毛，腺体小，圆形，黄色，近于无柄。果实球形，直径 7~8mm，熟时黑色，果托碟状，直径约 5mm；果梗与果托相连无明显界线。

黄椿木姜子

| 分布区域 | 产于海南三亚、乐东、东方、昌江、白沙、五指山、保亭、万宁、儋州、澄迈、屯昌、文昌。亦分布于中国广东、广西、云南等地。越南、老挝、泰国也有分布。 |

| 资　源 | 生于阔叶林中，常见。 |

| 采收加工 | 全年可采，洗净，晒干或鲜用。 |

| 功能主治 | 叶热敷，用于外伤出血。 |

| 附　注 | ①本种可分两变型。一为原变型黄椿木姜子；二为雄鸡树 *Litsea variabilis* Hemsl. var. *variabilis* f. *chinensis* (Allen) Yang et P. H. Huang，也称鼠刺木姜华南变型。②黎药（紫亘顶）：叶热敷，治疗外伤出血。 |

樟科 Lauraceae 木姜子属 *Litsea*

轮叶木姜子
Litsea verticillata Hance

| 中 药 名 | 跌打老（药用部位：茎叶或根）

| 植物形态 | 常绿灌木或小乔木，小枝灰褐色，密被黄色长硬毛，老枝褐色，无毛。顶芽卵圆形，鳞片外面密被黄褐色柔毛。叶 4~6 片轮生，披针形，长 7~25cm，宽 2~6cm，薄革质，上面边缘有长柔毛，下面有黄褐色柔毛，羽状脉，侧脉每边 12~14，弯曲至叶缘处联结，小脉在下面显著突起；叶柄密被黄色长柔毛。伞形花序 2~10 个集生于小枝顶部；苞片 4~7，外面有灰褐色丝状短柔毛；每一花序有花 5~8，淡黄色，近于无梗；花被裂片 6，披针形，外面中肋有长柔毛；能育雄蕊 9，花丝外露，有长柔毛，第 3 轮基部的腺体盾状心形；无退化雌蕊；雌花子房卵形，花柱细长，柱头大，3 裂。果实卵形或椭圆形，先端有小尖头；果托碟状，直径约 3mm，边缘常残留有花被片。花期 4~11 月，果期 11 月至翌年 1 月。

轮叶木姜子

| 分布区域 |

产于海南三亚、乐东、东方、白沙、保亭、万宁、琼中、定安、琼海、文昌、昌江。亦分布于中国广东。越南、柬埔寨、泰国也有分布。

| 资　　源 |

生于山谷溪边或灌丛中，常见。

| 采收加工 |

春、夏季采收，洗净，鲜用或晒干。

| 功能主治 |

味辛、苦，性温。祛风通络，散瘀止痛。用于风湿痹痛、肢麻、胃痛、痛经、跌打肿痛。

樟科 Lauraceae 润楠属 *Machilus*

柳叶润楠

Machilus salicina Hance

| 中 药 名 | 柳叶润楠（药用部位：叶）

| 植物形态 | 灌木，枝条褐色，有浅棕色纵裂的皮孔，无毛。叶常生于枝条的梢端，线状披针形，革质，侧脉纤细，每边 6~8，小脉密网状，两面形成蜂巢状浅窝穴；聚伞状圆锥花序多数，生于新枝上端，少分枝，无毛；花黄色或淡黄色，花被筒倒圆锥形；花被裂片长圆形，外轮的略短小，两面被绢状小柔毛；雄蕊花丝被柔毛，雄蕊第 3 轮稍长，腺体圆状肾形，连柄长达花丝的 1/2，退化雄蕊先端三角状箭头形；子房近球形，花柱纤细，柱头偏头状。果序疏松，少果，开花期常抽出新叶，显出果序生于新枝的下端；果实球形，熟时紫黑色；果梗红色。花期 2~3 月，果期 4~6 月。

柳叶润楠

分布区域

产于海南乐东、昌江、白沙、五指山、保亭、陵水、万宁。亦分布于中国广东、广西、贵州、云南等地。越南、老挝、柬埔寨也有分布。

资　　源

生于溪边林中，偶见。

采收加工

全年均可采收，洗净，鲜用或晒干。

功能主治

消肿解毒。用于疔痈肿毒。

附　　注

①本种适生水边，可作护岸防堤树种。②黎药（为簸）：叶热敷，治疗头痛；皮煮水喝或煮水洗，治疗水肿；皮捣烂敷，治疗外伤。

樟科 Lauraceae　润楠属 *Machilus*

绒毛润楠 *Machilus velutina* Champ. ex Benth.

| 中药名 | 绒毛润楠（药用部位：根或叶）

| 植物形态 | 乔木。枝、芽、叶下面和花序均密被锈色绒毛。叶狭倒卵形，革质，上面有光泽，中脉上面稍凹下，下面很突起，侧脉每边 8~11，下面明显突起，小脉很纤细，不明显。花序单独顶生或数个密生于小枝先端，近无总梗，分枝多而短，近似团伞花序；花黄绿色，有香味，被锈色绒毛；内轮花被裂片卵形，长约 6mm，宽约 3mm，外轮的较小且较狭，雄蕊长约 5mm，第 3 轮雄蕊花丝基部有绒毛，腺体心形，有柄，退化雄蕊长约 2mm，有绒毛；子房淡红色。果实球形，直径约 4mm，紫红色。花期 10~12 月，果期翌年 2~3 月。

绒毛润楠

| **分布区域** | 产于海南乐东、白沙、万宁。亦分布于中国广东、广西、江西、福建、浙江、贵州等地。越南、老挝、柬埔寨也有分布。 |

| **资　　源** | 生于阔叶林中，常见。 |

| **采收加工** | 全年均可采收，鲜用或晒干。 |

| **功能主治** | 味苦、辛，性凉。化痰止咳，消肿止痛。用于咳嗽痰多、痈疽疮肿、骨折、烫火伤、外伤出血。 |

樟科 Lauraceae 新樟属 *Neocinnamomum*

海南新樟
Neocinnamomum lecomtei Liou

| 中 药 名 |

木大力王（药用部位：全株）

| 植物形态 |

灌木，枝条圆柱形，棕褐色，有条纹，幼时
密被锈色短柔毛，其后毛被渐脱落。芽小，
芽鳞厚，密被锈色糙伏毛。叶互生，卵圆形
至宽卵圆形；幼时两面均密被锈色短柔毛，
老时上面除脉外余部近无毛，下面密被锈色
短柔毛，三出脉，侧脉约 4 对，两面明显；
叶柄腹凹背凸，密被锈色短柔毛。果序腋生，
单一，有总梗，总梗长 2~5mm。果实椭圆
状卵球形，直径 0.9~1.5cm；果托高脚杯状，
花被片宿存，两面密被锈色短柔毛，近等大，
肉质增厚，凋萎状，外轮卵圆形，内轮较大。
花期 8 月，果期 10 月至翌年 5 月。

| 分布区域 |

产于海南乐东、东方、昌江、白沙、五指山、
陵水。亦分布于中国广西、贵州、云南等地。
越南也有分布。

| 资　　源 |

生于密林中或山谷水旁，罕见。

海南新樟

采收加工

全年可采，以冬季为佳，鲜用或晒干。

功能主治

味辛，性温，有小毒；归肝经。祛风除湿，舒筋活血，行气止痛。用于风湿痹痛、腰痛、产后筋骨疼痛、胃痛、腹泻、跌打损伤。

附 注

黎药（萨簸）：皮煮水喝，治疗外伤、发冷发热。

樟科 **Lauraceae** 新木姜子属 *Neolitsea*

锈叶新木姜子 *Neolitsea cambodiana* Lec.

| 中 药 名 |

大叶樟（药用部位：叶）

| 植物形态 |

乔木。各部均被锈色绒毛。顶芽卵形。叶
3~5 片近轮生，长圆状披针形，革质，羽状
脉，侧脉每边 4~5。伞形花序多个簇生于叶
腋或枝侧，无总梗；苞片 4，外面背脊有柔毛；
每一花序有花 4~5；花梗长约 2mm。雄花：
花被卵形，能育雄蕊 6，外露，花丝基部有
长柔毛，第 3 轮基部的腺体小，具短柄，退
化雌蕊无毛，花柱细长。雌花：花被条形，
退化雄蕊基部有柔毛，花柱有柔毛，柱头 2
裂。果实球形；果托扁平盘状，边缘常残留
有花被片；果梗有柔毛。花期 10~12 月，果
期翌年 7~8 月。

| 分布区域 |

产于海南乐东、昌江、白沙、万宁、琼中。
亦分布于中国广东、广西、湖南、江西、福
建等地。老挝、柬埔寨也有分布。

| 资　　源 |

生于阔叶林中，常见。

锈叶新木姜子

| 采收加工 |　全年均可采收，鲜用或晒干。

| 功能主治 |　味辛，性凉。清热解毒，祛湿止痒。用于痈疽肿毒、湿疮疥癣。

樟科 Lauraceae 新木姜子属 *Neolitsea*

显脉新木姜子
Neolitsea phanerophlebia Merr.

| 中 药 名 | 显脉新木姜子（药用部位：叶）

| 植物形态 | 小乔木。小枝黄褐或紫褐色，密被近锈色短柔毛。顶芽卵圆形，鳞片外面密被锈色短柔毛。叶轮生或散生，长圆形至卵形，纸质至薄革质，被密的贴伏柔毛和长柔毛，离基三出脉，侧脉每边 3~4；叶柄长 1~2cm，密被近锈色的短柔毛。伞形花序 2~4 个丛生于叶腋，无总梗；每一花序有花 5~6；苞片 4，被贴伏短柔毛；花梗长 2~3mm，密被锈色柔毛；花被裂片 4，卵形或卵圆形，外面及边缘有柔毛，内面仅基部有毛；能育雄蕊 6，花丝基部有柔毛，第 3 轮基部的腺体圆形；退化雌蕊无。果实近球形，成熟时紫黑色；果梗纤细。花期 10~11 月，果期 7~8 月。

显脉新木姜子

| 分布区域 |

产于海南琼中。亦分布于中国广东、广西、湖南、江西。

| 资　　源 |

生于海拔 1000m 以下的山谷疏林中，少见。

| 功能主治 |

暂未有资料表明其在医药方面的应用，但其同属植物的叶多有药用，本种植物叶也许有类似作用，其药效更有待进一步的研究。

樟科 Lauraceae 鳄梨属 Persea

鳄梨 *Persea americana* Mill.

| 中 药 名 | 樟梨（药用部位：果实）

| 植物形态 | 常绿乔木，树皮灰绿色，纵裂。各部被黄褐色短柔毛。叶互生，革质，羽状脉，侧脉每边 5~7，叶柄腹面略具沟槽，略被短柔毛。聚伞状圆锥花序长 8~14cm，多数生于小枝的下部，具梗；苞片及小苞片线形。花淡绿带黄色，长 5~6mm。花被筒倒锥形，花被裂片 6，外轮 3 略小。能育雄蕊 9，花丝密被疏柔毛，花药长圆形，第 3 轮雄蕊花丝基部有 1 对扁平橙色卵形腺体，花药药室外向。退化雄蕊 3，位于最内轮，箭头状心形。子房卵球形，花柱密被疏柔毛，柱头略增大，盘状。果实大，通常梨形，黄绿色或红棕色，外果皮木栓质，中果皮肉质，可食。花期 2~3 月，果期 8~9 月。

鳄梨

| 分布区域 |

海南万宁、儋州、海口有栽培。中国福建、台湾、广东、四川、云南等地亦有大量栽培。原产于美洲热带地区。

| 资　　源 |

栽培量大。

| 采收加工 |

嫁接树3~4年后便可结果,实生树要5~6年结果,果实应适时采摘,果实采收时仍然坚硬,必须经过后熟阶段,软熟后才可食用,果实变软的最适温度为15~20℃。

| 功能主治 |

生津止渴。用于糖尿病。

| 附　　注 |

本种喜热带亚热带气候,适应性很强,粗生,速生,较耐寒。最忌积水,故黏土、易结板或含石灰质过高和地势低洼地区都不适宜栽培。

樟科 Lauraceae 楠属 *Phoebe*

红毛山楠
Phoebe hungmaoensis S. Lee

| 中 药 名 | 红毛山楠（药用部位：叶、根）

| 植物形态 | 乔木，小枝、嫩叶、叶柄及芽均被红褐色或锈色长柔毛。叶革质，干后变黑色或深栗色，倒披针形，上面无毛有光泽或沿中脉有柔毛，下面密或疏被柔毛，脉上被绒毛，中脉粗壮，侧脉每边 12~14。圆锥花序生于当年生枝中、下部，被短或长柔毛，分枝简单；花长 4~6mm；花被片两面密被黄灰色短柔毛；能育雄蕊各轮花丝被毛，退化雄蕊具宽而扁平的短柄，被毛，先端呈不明显三角形；子房球形，先端有灰白色疏柔毛，花柱细，被毛，柱头不明显或略扩张。果实椭圆形；宿存花被片硬革质，结果时与花被管交接处强度收缩呈明显紧缢。花期 4 月，果期 8~9 月。

红毛山楠

| 分布区域 | 产于海南昌江、白沙、陵水。亦分布于中国广西。越南也有分布。

| 资　　源 | 生于常绿阔叶林中，常见。

| 采收加工 | 全年均可采收，晒干。

| 功能主治 | 叶：温中理气。用于脚气浮肿、腹胀。根：祛瘀消肿。用于跌打损伤。

| 附　　注 | 本种叶形及毛被近于紫楠*Phoebe sheareri* (Hemsl.) Gamble，但一年生枝条极粗壮，叶较小，通常为倒披针形，先端钝头、宽阔，近于圆形，或微具短尖头，少为短尖，干时变黑色或深栗色，花序较粗壮，果实椭圆形，结果时宿存花被片与花被管交接处强度收缩呈明显紧缢。

樟科 Lauraceae 楠属 *Phoebe*

乌心楠 *Phoebe tavoyana* (Meisn.) Hook. f.

| 中 药 名 | 乌心楠（药用部位：根及叶）

| 植物形态 | 乔木。叶薄革质，干时常为栗色，先端尾状渐尖，基部渐狭，通常下延，上面无毛，下面初时密被灰白色或灰褐色长柔毛，后变短柔毛，脉上仍有疏长柔毛。圆锥花序多个，生于新枝上部叶腋内，在先端分枝、总梗及各级序轴均密被黄灰色柔毛；花长4~5mm，花梗约与花等长；花被片卵形；先端钝，两面被黄褐色柔毛；能育雄蕊各轮花丝被毛，第3轮毛更密，腺体无柄或近无柄，着生在第3轮花丝基部，退化雄蕊具柄，密被长柔毛；子房近球形，无毛或上半部有疏柔毛，花柱丝状，直或略弯，柱头盘状。果实椭圆状倒卵形或椭圆形；果梗短，增粗；宿存花被片紧贴，两面被毛或外面近无毛。

乌心楠

| 分布区域 |

产于海南三亚、乐东、东方、昌江、白沙、陵水、万宁、儋州、五指山等地。亦分布于中国广东、广西、云南等地。东南亚、南亚也有分布。

| 资　源 |

生于林中，十分常见。

| 采收加工 |

全年可采，鲜用或晒干。

| 功能主治 |

根：解酒。叶：用于头痛、感冒。

| 附　注 |

黎药（紫盹丢）：①根水煎服用于解酒；②叶热敷或熏蒸，治头痛、感冒。

| 莲叶桐科 | Hernandiaceae | 莲叶桐属 | *Hernandia* |

莲叶桐

Hernandia nymphaeifolia (C. Presl) Kubitzki

| 中 药 名 | 血桐（药用部位：叶或种子）

| 植物形态 | 常绿乔木，树皮光滑。叶纸质，单叶互生，心状圆形，盾状，全缘，具 3~7 脉；叶柄几与叶片等长。聚伞花序或圆锥花序腋生；花梗被绒毛；每个聚伞花序具苞片 4。花单性同株，两侧为雄花，具短的小花梗；花被片 6，排列成 2 轮；雄蕊 3，每个花丝基部具 2 个腺体，花药 2 室，内向，侧瓣裂；中央的为雌花，无小花梗，花被片 8，2 轮，基部具杯状总苞；子房下位，花柱短，柱头膨大，不规则齿裂，具不育雄蕊 4。果实为 1 个膨大总苞所包被，肉质，具肋状突起，直径 3~4cm；种子 1，球形，种皮厚而坚硬。

莲叶桐

分布区域	产于海南三亚、琼海、文昌等地。亦分布于中国台湾。亚洲、大洋洲、非洲沿海岛屿也有分布。
资　　源	常生于海滨沙滩或村边，少见。
采收加工	叶：全年可采，鲜用或晒干。种子：秋、冬季采果实，去花托，去种子，晒干。
药材性状	叶多皱缩，完整，叶片卵形、心状圆形或盾状，先端急尖，基部圆形或心形，全缘，具 3~7 脉；叶柄与叶片等长。纸质。气微，味辛、涩。以叶片完整、无杂质者为佳。
功能主治	泻下通便，抗癌。用于大便秘结、恶性肿瘤、神经系统及心血管系统疾病。

青藤科 Illigeraceae　青藤属 Illigera

宽药青藤
Illigera celebica Miq.

| 中 药 名 |

宽药青藤（药用部位：根、茎）

| 植物形态 |

藤本。指状复叶有 3 小叶；叶柄具条纹，无毛。小叶卵形至卵状椭圆形，纸质至近革质，先端突然渐尖，基部圆形至近心形，侧脉 4~5 对。聚伞花序组成的圆锥花序腋生，较疏松，小苞片小。花绿白色；花萼管长 3mm，先端缢缩，无毛；萼片 5，被柔毛，具透明腺点，被短柔毛；雄蕊 5，花丝在花芽内围绕花药卷曲，花开后长出花瓣 2 倍以上，形扁，被短柔毛，附属物卵球形，被花丝所覆盖，具柄，子房下位，四棱形；花柱被柔毛，柱头波状，扩大成鸡冠状；花盘上的腺体 5，球形。果实具 4 翅，直径 3~4.5cm，小的翅长 0.5~1cm，大的翅长 1.5~2.3cm。花期 4~10 月，果期 6~11 月。

| 分布区域 |

产于海南万宁、文昌、保亭等地。亦分布于中国广东、广西、云南。越南、柬埔寨、泰国、菲律宾、印度尼西亚、马来西亚也有分布。

宽药青藤

| 资　　源 |

生于阔叶林中或灌丛中，常见。

| 功能主治 |

祛风除，行气止痛。用于风湿骨痛。

| 附　　注 |

本种与小花青藤 *I. parviflora* Dunn 相近似，但花序较大而无毛尾；雄蕊长过花瓣 2 倍以上，花丝下部扁，宽达 1.5~2.5mm；花盘上的腺体圆球形，小；果实小而不同。

青藤科 Illigeraceae 青藤属 Illigera

红花青藤
Illigera rhodantha Hance

中 药 名

红花青藤（药用部位：根或藤茎）

植物形态

藤本。各部被金黄褐色绒毛。指状复叶互生，有小叶 3；叶柄长 4~10cm。小叶纸质，卵形至倒卵状椭圆形，先端钝，基部圆形，全缘，侧脉约 4 对；小叶柄长 0.3~1.5cm。聚伞花序组成的圆锥花序腋生，狭长，较叶柄长，萼片紫红色，长圆形，外面稍被短柔毛；花瓣与萼片同形，稍短，玫瑰红色；雄蕊 5，被毛；附属物花瓣状，膜质，先端齿状，背部张口状，具柄；子房下部，花柱长 5mm，被黄色绒毛，柱头波状，扩大成鸡冠状；花盘上腺体 5，小。果实具 4 翅，翅较大的舌形或近圆形。花期 9~11 月，果期 12 月至翌年 4~5 月。

分布区域

产于海南乐东、东方、昌江、白沙、保亭、陵水、万宁、儋州、琼海等地。亦分布于中国广东、广西、贵州、云南。越南、老挝、柬埔寨、泰国也有分布。

红花青藤

| 资　　源 |

生于山谷密林中或灌丛中，常见。

| 采收加工 |

种后两年，于夏、秋季采收，切段，晒干。

| 药材性状 |

藤茎圆柱形，有少数分枝，直径 3~7mm。表面灰棕色至棕褐色，具明显的纵向沟纹，幼枝被金黄褐色绒毛，老枝无毛。质硬，断面不整齐，外皮薄，棕褐色，木心淡黄棕色。气微，味辛、甘、涩。

| 功能主治 |

味甘、辛，性温。祛风止痛，散瘀消肿。用于风湿性关节痛、跌打肿痛、蛇虫咬伤、小儿麻痹后遗症。

| 附　　注 |

①本种具很鲜艳的红色花；幼枝、叶柄及花序密被金黄褐色绒毛，易与同属其他种区别。②黎药（网枯党）：叶煮水喝，治疗腰痛。

青藤科 Illigeraceae 青藤属 *Illigera*

锈毛青藤 *Illigera rhodantha* Hance var. *dunniana* (Levl.) Kubitzki

| 中 药 名 |

锈毛青藤（药用部位：根或藤茎）

| 植物形态 |

藤本，茎具沟棱，枝被黄褐色长柔毛，指状复叶 3 小叶；小叶先端短渐尖，纸质，两面被黄色绒毛，背面较密，叶柄及小叶柄密被金黄褐色绒毛。聚伞花序组成的圆锥花序腋生，较叶柄长，密被金黄褐色绒毛，萼片紫红色，长圆形，外面稍被短柔毛，长约 8mm；花瓣与萼片同形，玫瑰红色；雄蕊 5，被毛；附属物花瓣状，膜质，先端齿状，背部张口状；子房下部，花柱被黄色绒毛，柱头波状，扩大成鸡冠状；花盘上腺体 5，小。果实具 4 翅，翅较大的舌形。花期 9~11 月，果期 12 月至翌年 4~5 月。

| 分布区域 |

产于海南三亚、东方、昌江、白沙、五指山、儋州、澄迈。亦分布于中国广东、广西、贵州、云南等地。越南、老挝、柬埔寨、泰国也有分布。

| 资　　源 |

生于山坡灌木林中，少见。

锈毛青藤

| 功能主治 | 暂未有资料表明其在医药方面的应用，但同属植物的根及藤茎多有祛风止痛之效，本变种与原变种红花青藤形态相似，民间有异物同用之疑，其药效有待进一步的研究。

肉豆蔻科 Myristicaceae 风吹楠属 Horsfieldia

海南风吹楠 *Horsfieldia hainanensis* Merr.

|中 药 名|

海南风吹楠（药用部位：树皮及叶）

|植物形态|

乔木，小枝皮孔显著。叶薄革质，长圆形或倒卵状长圆形；侧脉 14~22 对，叶柄扁。雄花序圆锥状，生于老枝，分枝稀疏；花序轴、花梗和花蕾外面被锈色树枝状毛；雄花 3~6 朵在分枝先端近簇生，球形；裂片 3 或 4，三角状卵形；雄蕊 20，完全结合成球形体；雌花未见。果序生于老枝，基部具叶痕；果序轴密被皮孔，着果 1~2，稀 3；果实椭圆形，基部具宿存、不规则的盘状花被片；果实成熟时橙黄色；果皮厚，近木质；假种皮近橙红色，完全包被种子；种子卵状椭圆形，两端钝，平滑；种皮淡黄褐色，疏生脉纹；珠孔周围下陷。花期 4~6 月，果期 11 月至翌年 4 月。

|分布区域|

产于海南三亚、白沙、昌江、保亭等地。亦分布于中国广西、云南。泰国、印度也有分布。

|资　　源|

生于海拔 400~450m 的密林中，偶见。

海南风吹楠

| 采收加工 | 全年皆可采收。

| 功能主治 | 用于小儿疳积。

| 附　　注 | ① FOC 已将其学名修订为大叶风吹楠 *Horsfieldia kingii* (Hook. f.) Warb.；②本种为国家二级重点保护野生植物。

| 肉豆蔻科 | Myristicaceae | 肉豆蔻属 | *Myristica Gronov.*

肉豆蔻
Myristica fragrans Houtt.

| **中 药 名** | 肉豆蔻（药用部位：果实和种子）

| **植物形态** | 小乔木，幼枝细长。叶近革质，椭圆形或椭圆状披针形，两面无毛；侧脉 8~10 对；叶柄长 7~10mm。雄花序长 1~3cm，无毛，着花 3~20；花被裂片 3~4，三角状卵形，外面密被灰褐色绒毛；花药 9~12，线形，长约为雄蕊柱的一半；雌花序较雄花序为长；总梗着花 1~2；花被裂片 3，外面密被微绒毛；花梗长于雌花；小苞片着生在花被基部，脱落后残存通常为环形的疤痕；子房椭圆形，外面密被锈色绒毛，花柱极短，柱头先端 2 裂。果实通常单生，具短柄，有时具残存的花被片；假种皮红色，至基部撕裂；种子卵珠形；子叶短，卷曲，基部连合。

肉豆蔻

| 分布区域 | 海南万宁、白沙等地有栽培。原产于马鲁古群岛，热带地区广泛栽培。中国台湾、广东、云南等地亦有引种。

| 资　　源 | 栽培量不大。

| 采收加工 | 果实成熟后摘取。

| 药材性状 | 果实通常单生，具短柄，假种皮红色，至基部撕裂；种子卵珠形，褐色，外有凹痕。

| 功能主治 | 果实表皮用于子宫虚弱、同房无力、寒性头痛；种子用于癫痫、感冒头晕、消化不良。

毛茛科 Ranunculaceae **铁线莲属** *Clematis*

威灵仙
Clematis chinensis Osbeck

| 中 药 名 | 威灵仙（药用部位：叶、根及根茎）

| 植物形态 | 木质藤本，茎、小枝近无毛或疏生短柔毛。一回羽状复叶有 5 小叶，有时 3 或 7 小叶，偶尔基部 1 对以至第 2 对 2~3 裂至 2~3 小叶；小叶片纸质，卵形至卵状披针形，或为线状披针形、卵圆形，长 1.5~10cm，宽 1~7cm，全缘，两面近无毛。常为圆锥状聚伞花序，多花，腋生或顶生；花直径 1~2cm；萼片 4，开展，白色，长圆形或长圆状倒卵形，长 0.5~1cm，先端常凸尖，外面边缘密生绒毛或中间有短柔毛，雄蕊无毛。瘦果扁，3~7，卵形至宽椭圆形，长 5~7mm，有柔毛，宿存花柱长 2~5cm。花期 6~9 月，果期 8~11 月。

| 分布区域 | 产于海南东方、昌江等地。亦分布于中国东南部、中部至西南部。越南也有分布。

威灵仙

| 资　　源 | 生于山谷灌丛中，偶见。

| 采收加工 | 夏、秋季采叶，鲜用或晒干。秋季挖出根及根茎洗净泥土，晒干或切成段后晒干。

| 药材性状 | 鲜叶绿色，干后呈绿褐色，小叶多破碎。完整的叶片呈狭卵或三角状卵形，先端尖，基部圆形或宽楔形，全缘，主脉 3。微呈革质。气微，味淡。根呈细长圆柱形，稍弯曲；表面黑褐色，有细纵纹，有的皮部脱落，露出黄白色木质部；质硬脆，易折断，断面皮部较广，木质部淡黄色，略呈方形，皮部与木质部间常有裂隙。根茎呈柱状；表面淡棕黄色；先端残留茎基；质较坚韧，断面纤维性；下侧着生多数细根。气微，味淡。

| 功能主治 | 叶：利咽，解毒，活血消肿。用于咽喉肿痛、喉痹、喉蛾、鹤膝风、睑腺炎、结膜炎等。根及根茎：味辛、咸，性温。祛风除湿，通络止痛。用于风湿痹痛、肢体麻木、筋脉拘挛、屈伸不利、骨鲠咽喉。

| 附　　注 | 黎药（雅造步）：①根 6~15g，水煎服，治肺炎、肺结核气管炎、疱疹；②叶子捣烂敷患处，治风湿；③根适量含服，治牙痛。

毛茛科 Ranunculaceae **铁线莲属** Clematis

粗柄铁线莲 *Clematis crassipes* Chun et How

| 中 药 名 | 川木通（药用部位：茎）

| 植物形态 | 木质藤本，除花和果外全部无毛。枝暗黄色，有纵沟纹。三出复叶，小叶片革质，长方卵圆形，先端渐尖，基部截形或近于圆形，边缘全缘，反卷，下面有颗粒状的突起，基出主脉5；小叶柄长1.5~2.5cm，扭曲；叶柄基部扁平。圆锥花序腋生，常6~10朵花，花序梗粗壮，基部膨大，苞片和小苞片钻形，花梗长4~10cm，结果时更长和更粗；萼片早落，肉质，先端稍钝，外面绿色，被短柔毛，内面紫色，无毛，边缘被白色绒毛；雄蕊近于等长，花丝扁平，线形，花药长7mm，药隔先端突起呈芒状；心皮被毛。瘦果扁平，纺锤形，被柔毛，宿存花柱长5cm，被金黄色柔毛。花期5月。

粗柄铁线莲

| **分布区域** | 产于海南三亚、保亭、儋州及澄迈等地。亦分布于中国广东、广西南部。 |

| **资　　源** | 生于山坡干燥处，偶见。 |

| **功能主治** | 味淡、辛、苦，性寒；归心、小肠、膀胱经。清热利尿，通经下乳。用于尿路感染、水肿、淋病、小便不利等。 |

| **附　　注** | 本种近似菝葜叶铁线莲 *C. loureiroana* DC.，区别在于本种为三出复叶，叶片较厚，花梗粗壮，萼片早落而肉质，厚达 5mm。 |

▓▓毛茛科▓ Ranunculaceae ▓铁线莲属▓ *Clematis*

毛柱铁线莲
Clematis meyeniana Walp.

| 中 药 名 | 威灵仙（药用部位：根及根茎）

| 植物形态 | 木质藤本，老枝圆柱形，有纵条纹，小枝有棱。三出复叶，小叶片近革质，卵形或卵状长圆形，有时为宽卵形，全缘，两面无毛。圆锥状聚伞花序多花，腋生或顶生，常比叶长或近等长；通常无宿存芽鳞，偶尔有；苞片小，钻形；萼片4，开展，白色，外面边缘有绒毛，内面无毛；雄蕊无毛。瘦果镰刀状狭卵形或狭倒卵形，长约4.5mm，有柔毛，宿存花柱长达2.5cm。花期6~8月，果期8~10月。

| 分布区域 | 海南儋州、万宁有栽培。亦分布于中国广东、广西、湖南、江西、福建、台湾、浙江、湖北、贵州、云南、四川。越南、老挝、马来西亚、菲律宾、日本也有分布。

毛柱铁线莲

| 资　　源 | 生于海拔 1800m 以下的森林、林缘、河流坡地灌丛中，偶见。 |

| 采收加工 | 秋季挖出，去净茎叶，洗净泥土，晒干或切成段后晒干。 |

| 药材性状 | 根呈细长圆柱形，稍弯曲；表面黑褐色，有细纵纹，有的皮部脱落，露出黄白色木质部；质硬脆，易折断，断面皮部较广，木质部淡黄色，略呈方形，皮部与木质部间常有裂隙。根茎呈柱状；表面淡棕黄色；先端残留茎基；质较坚韧，断面纤维性；下侧着生多数细根。气微，味淡。 |

| 功能主治 | 味辛、咸，性温。祛风除湿，通络止痛。用于风湿痹痛、肢体麻木、筋脉拘挛、屈伸不利、骨鲠咽喉。 |

毛茛科 Ranunculaceae 铁线莲属 Clematis

沙叶铁线莲 Clematis meyeniana Walp. var. granulata Finet et Gagn.

| 中 药 名 | 沙叶铁线莲（药用部位：根或全株）

| 植物形态 | 木质藤本，老枝圆柱形，有纵条纹，小枝有棱。三出复叶，小叶片近革质，卵形或卵状长圆形，有时为宽卵形，全缘，两面无毛。圆锥状聚伞花序多花，腋生或顶生，常比叶长或近等长；通常无宿存芽鳞，偶尔有，苞片小，钻形；萼片 4，开展，白色，长 0.7~1.2cm，外面边缘有绒毛，内面无毛；雄蕊无毛。瘦果镰刀状狭卵形或狭倒卵形，长约 4.5mm，有柔毛，宿存花柱长达 2.5cm。花期 6~8 月，果期 8~10 月。

| 分布区域 | 产于海南海口、文昌、三亚、五指山、万宁、保亭、琼中、儋州等地。亦分布于中国广东、广西、云南等地。越南、老挝也有分布。

沙叶铁线莲

资　　源	生于林中或灌丛中，常见。

采收加工　夏季采收，洗净，切断晒干。

药材性状　根细长圆柱形，数条簇生在不规则的根茎上，长5~10cm，表面黑褐色，断面白色。藤茎呈段状或缠绕状，圆柱形，有纵棱，绿褐色或枯绿色。叶对生，三出复叶，先端小叶稍大，两面具密皱纹，质脆易碎。

功能主治　味苦、辛，性寒。清热利尿，通经活络。用于水肿、乳汁不通、风湿骨痛。

附　　注　本变种与毛柱铁线莲的区别：小叶片两面皱纹密。

毛茛科 Ranunculaceae 铁线莲属 *Clematis*

柱果铁线莲 *Clematis uncinata* Champ.

| 中 药 名 | 威灵仙（药用部位：根及根茎）

| 植物形态 | 藤本，干时常带黑色，除花柱有羽状毛及萼片外面边缘有短柔毛外，其余光滑。茎圆柱形，有纵条纹。一至二回羽状复叶，有 5~15 小叶，基部 2 对常为 2~3 小叶，茎基部为单叶或三出叶；小叶片纸质或薄革质，宽卵形、卵形、长圆状卵形至卵状披针形，长 3~13cm，宽 1.5~7cm，全缘，两面网脉突出。圆锥状聚伞花序腋生或顶生，多花；萼片 4，开展，白色，干时变褐色至黑色，线状披针形至倒披针形；雄蕊无毛。瘦果圆柱状钻形，干后变黑，长 5~8mm，宿存花柱长 1~2cm。花期 6~7 月，果期 7~9 月。

柱果铁线莲

| **分布区域** | 产于海南昌江、保亭等地。亦分布于中国广东、广西、湖南、江西、福建、台湾、浙江、江苏、安徽、贵州、云南、四川、甘肃、陕西等地。越南、日本南部也有分布。

| **资　　源** | 生于石灰岩山地，偶见。

| **采收加工** | 秋季挖出，去净茎叶，洗净泥土，晒干，或切成段后晒干。

| **药材性状** | 根呈细长圆柱形，稍弯曲；表面黑褐色，有细纵纹，有的皮部脱落，露出黄白色木质部；质硬脆，易折断，断面皮部较广，木质部淡黄色，略呈方形，皮部与木质部间常有裂隙。根茎呈柱状；表面淡棕黄色；先端残留茎基；质较坚韧，断面纤维性；下侧着生多数细根。气微，味淡。

| **功能主治** | 味辛、咸，性温。祛风除湿，通络止痛。用于风湿痹痛、肢体麻木、筋脉拘挛、屈伸不利、骨鲠咽喉。

毛茛科 Ranunculaceae 人字果属 Dichocarpum

蕨叶人字果

Dichocarpum dalzielii (Drumm. et Hutch.) W. T. Wang et Hsiao

蕨叶人字果

| 中 药 名 |

岩节连（药用部位：根茎及根）

| 植物形态 |

植株全体无毛。根茎较短，密生多数黄褐色的须根。叶 3~11，全部基生，为鸟趾状复叶；叶片草质，宽 3.5~10cm；中央指片菱形，中部以上具 3~4 对浅裂片，边缘有锯齿，侧生指片有 5 或 7 小叶，小叶不等大，斜菱形或斜卵形。花葶 3~11，高 20~28cm；复单歧聚伞花序长 5~10cm，有 3~8 朵花；苞片通常无柄，三全裂；花直径 1.4~1.8cm；萼片白色；花瓣金黄色，瓣片近圆形，先端微凹或有时全缘，常在凹缺中央具一小短尖；雄蕊多数，花药宽椭圆形；子房狭倒卵形，花柱长约 2mm。蓇葖倒人字状叉开，狭倒卵状披针形；种子约 8，近圆球形，褐色，光滑。花期 4~5 月，果期 5~6 月。

| 分布区域 |

产于海南三亚、乐东、五指山、保亭等地。亦分布于中国广东、广西、湖南、江西、福建、浙江、安徽、湖北、贵州、四川等地。

资　　源	生于箐林岩缝，偶见。
采收加工	栽培 3~4 年后，于冬季将根挖出，除去地上部分，洗净，晒干或烘干。
功能主治	味辛、微苦，性寒。活血止痛，清热消肿。用于劳伤腰痛、外伤肿痛、红肿疮毒。

毛茛科 Ranunculaceae 锡兰莲属 Naravelia

两广锡兰莲 *Naravelia pilulifera* Hance

| 中 药 名 | 两广锡兰莲（药用部位：根）

| 植物形态 | 木质藤本。小叶片纸质，宽卵圆形，边缘全缘，两面疏被短柔毛至近于无毛，基出一级脉为 5 条，小叶柄长 2~3cm；叶柄长 5~7cm，近于无毛。圆锥花序腋生，被短柔毛，每花下有一对鳞状小苞片；花开展；萼片 4，窄卵形至椭圆形，两面微被短柔毛或近于无毛，边缘被密绒毛；花瓣 8~12，淡绿色，先端膨大成球形，下部丝形；雄蕊长 4mm，无毛，花药内向，花丝基部微增宽，先端药隔突起钝尖；心皮与雄蕊近于等长，被绢状毛。瘦果狭长，基部有短柄，被稀疏柔毛，宿存羽毛状花柱长 2cm。花期 9 月，果期 10 月。

两广锡兰莲

| 分布区域 | 产于海南乐东、东方、昌江等地。亦分布于中国广东、广西、云南南部。

| 资　　源 | 生于溪边疏林中，偶见。

| 功能主治 | 健脾消食，舒筋活络。用于饮食积滞、胃寒腹痛、跌打损伤等。

毛 茛 *Ranunculus japonicus* Thunb.

| 中 药 名 | 毛茛（药用部位：果实、全草及根）

| 植物形态 | 多年生草本。茎直立，中空。基生叶多数；叶片圆心形或五角形，基部心形或截形，3 深裂不达基部，中裂片 3 浅裂，边缘有粗齿或缺刻，侧裂片不等地 2 裂；叶柄长达 15cm，生开展柔毛。下部叶与基生叶相似，渐向上叶柄变短，叶片较小，3 深裂，裂片披针形，有尖齿牙或再分裂；最上部叶线形，全缘，无柄。聚伞花序有多数花，疏散；花直径 1.5~2.2cm；花梗长达 8cm，贴生柔毛；萼片椭圆形，被白柔毛；花瓣 5，倒卵状圆形，长 6~11mm，基部有爪，蜜槽鳞片长 1~2mm；花托短小，无毛。聚合果近球形；瘦果扁平，无毛，喙短直或外弯。花果期 4~9 月。

毛茛

| 分布区域 | 产于海南万宁。亦分布于中国各地。日本、蒙古、俄罗斯也有分布。

| 资　　源 | 生于田野潮湿地，偶见。

| 采收加工 | 果实：夏季采摘，阴干备用。全草及根：7~8 月采收，洗净阴干。

| 药材性状 | 茎与叶柄均有伸展的柔毛。叶片五角形，基部心形。萼片 5，船状椭圆形，有白柔毛；花瓣 5，倒卵形。聚合果近球形。

| 功能主治 | 果实：味辛，性温，有毒。祛寒，止血，截疟。用于肚腹冷痛、外伤出血、疟疾。全草及根：味辛、微苦，性温，有毒。利湿消肿，退黄退翳，截疟杀虫。用于疟疾、黄疸、鹤膝风等。

| 附　　注 | 本种全草含原白头翁素，有毒，可作为发泡剂和杀菌剂。

芡 实

Euryale ferox Salisb. ex K. D. Koenig & Sims

| **中 药 名** | 芡实（药用部位：种仁、叶、花茎、根）

| **植物形态** | 一年生大型水生草本。沉水叶箭形，两面无刺；叶柄无刺；浮水叶革质，椭圆肾形至圆形，盾状，全缘，下面带紫色，有短柔毛，两面在叶脉分枝处有锐刺；叶柄及花梗粗壮，长可达 25cm，皆有硬刺。花长约 5cm；萼片披针形，内面紫色，外面密生稍弯硬刺；花瓣矩圆披针形或披针形，长 1.5~2cm，紫红色，成数轮排列，向内渐变成雄蕊；无花柱，柱头红色，成凹入的柱头盘。浆果球形，直径 3~5cm，污紫红色，外面密生硬刺；种子球形，黑色。花期 7~8 月，果期 8~9 月。

| **分布区域** | 海南有栽培记录。亦分布于中国各地。印度、孟加拉国、日本、朝鲜、俄罗斯也有分布。

芡实

| 资　　源 |

生于水塘池沼，少见。

| 采收加工 |

种仁：在 9~10 月间分批采收，先用镰刀割去叶片，然后再收获果实。并用笊捞起自行散浮在水面的种子。采回果实后用棒击破带刺外皮，取出种子洗净，阴干。或用草覆盖 10 天左右至果壳沤烂后，淘洗出种子，搓去假种皮，放锅内微火炒，大小分开，磨去或用粉碎机打去种壳，簸净种壳杂质即成。叶：6 月采收，晒干。根：9~10 月采收，洗净，晒干。

| 药材性状 |

种仁类圆球形，有的破碎成块。完整者表面有红棕色或暗紫色的内种皮，可见不规则的脉状网纹，一端约 1/3 为黄白色。胚小，位于淡黄色一端的圆形凹窝内。质较硬，断面白色，粉性。气无，味淡。以饱满、断面白色、粉性足、无碎末者为佳。

| 功能主治 |

种仁：固肾涩精，补脾止泻。用于遗精、淋浊。叶：行气，和血，止血。用于胎衣不下、吐血。花茎：止烦渴，除湿热。用于身体虚弱、心情烦躁。根：用于疝气、白浊、无名肿毒。

睡莲科 Nymphaeaceae 莲属 Nelumbo

莲
Nelumbo nucifera Gaertn.

| 中 药 名 | 莲子（药用部位：成熟种子），莲子心（药用部位：胚根），莲衣（药用部位：种皮），莲花（药用部位：花蕾），莲房（药用部位：花托），莲须（药用部位：雄蕊），荷叶（药用部位：叶），荷梗（药用部位：叶柄），藕（药用部位：根茎），藕节（药用部位：根茎的节部）

| 植物形态 | 多年生水生草本；根茎横生，肥厚，节间膨大，内有多数纵行通气孔道，节部缢缩，上生黑色鳞叶，下生须状不定根。叶圆形，盾状，全缘稍呈波状，上面光滑，具白粉，下面叶脉从中央射出，有 1~2 次叉状分枝；叶柄粗壮，圆柱形，中空，外面散生小刺。花梗和叶柄散生小刺；花直径 10~20cm；花瓣红色、粉红色或白色，由外向内渐小，有时变成雄蕊，先端圆钝或微尖；花药条形，花丝细长，着生在花托之下；花柱极短，柱头顶生；花托直径 5~10cm。坚果椭圆形或卵形，果皮革质，坚硬，熟时黑褐色；种子卵形或椭圆形，种皮红色或白色。花期 6~8 月，果期 8~10 月。

莲

| 分布区域 |

产于海南海口。亦分布于中国各地。东亚、东南亚和大洋洲均有分布。

| 资　　源 |

生于水田、池沼，少见。

| 采收加工 |

种子：9~10 月间果实成熟时，剪下莲蓬，剥出果实，趁鲜用快刀划开，剥去壳皮，晒干。胚根：将莲子剥开，取出绿色胚（莲子心），晒干。花蕾：6~7 月间采收含苞未放的大花蕾或开放的花，阴干。花托：秋季果实成熟时，割下莲蓬，除去果实（莲子）及梗，晒干。雄蕊：夏季花盛开时，采收雄蕊，阴干。叶：6~9 月花未开放时采收，除去叶柄，晒至七八成干，对折成半圆形，晒干。夏季亦用鲜叶或初生嫩叶（荷钱）。叶柄：夏、秋季采收，去叶及莲蓬，晒干或鲜用。

| 药材性状 |

种子：种子略呈椭圆形或类球形。表面浅黄棕色至红棕色，有细纵纹和较宽的脉纹，先端中央呈乳头状突起，深棕色，常有裂口，其周围及下方略下陷。种皮菲薄，紧贴子叶，不易剥离。质硬，破开后可见黄白色肥厚子叶 2，中心凹入呈槽形，具绿色莲子心。气无，味甘、涩，莲子心极苦。以个大饱满者为佳。胚根：本品为莲子除去子叶的胚，略呈细棒状，绿色。其中幼叶 2，一长一短，卷成箭形，向下反折；胚芽极小，位于两幼叶之间；胚圆柱形，黄白色。质脆，易折断，断面有多数小孔。气无，味极苦。

花蕾：花蕾圆锥形。表面灰棕色，花瓣多层，散落的花瓣呈卵形或椭圆形，皱缩或折叠，表面具多数细脉，滑柔软。去掉花瓣，中心有幼小的莲蓬，顶同平坦，上面有小孔十余个，基部渐窄，周围着生多数雄蕊。气香，味微涩。花托：本品为倒圆锥状或漏斗状花托，多撕裂。表面灰棕色，具细纵纹及皱纹，或局部表面破裂呈纤维状；顶面圆而平，有多数挖除果实后的圆形小孔穴，基部有花柄残基或痕迹。体轻，质疏松，纵破开多裂隙似海绵状。气微，味微涩。雄蕊：本品为干燥雄蕊，线状，常螺旋状扭曲，淡黄色或棕色；花丝丝状略扁，稍弯曲，棕黄色或棕褐色，质轻。气微，味微涩。叶：叶多折成半圆形或扇形，展开后类圆盾形，全缘或稍呈波状。上表面深绿色或黄绿色，较粗糙；下表面淡灰棕色，较光滑，自中心向四周射出，中心有突起的叶柄残基。质脆，易破碎。微有清香气，味微苦。

| 功能主治 |　种子：味甘、涩，性平；归心、脾、肾、胃、肝、膀胱经。补脾止泻，益肾固精，养心安神。用于脾虚久泻、肾虚遗精、小便不禁、妇人崩漏带下、心神不宁、惊悸。胚根：味苦，性寒；归心、肺、肾经。清心火，平肝火，止血，固精。用于神昏谵语、烦躁不眠、眩晕、目赤、吐血、遗精、早泄。种皮：味涩、微苦，性平；归心、脾经。收涩止血。用于吐血、衄血、下血。花蕾：味苦、甘，性平；归心、肝经。散瘀止血，祛湿消风。用于损伤呕血、血淋、崩漏下血、天疱湿疮、疥疮瘙痒。雄蕊：味甘、涩，性平。清心益肾，涩精止血。用于遗精、尿频、遗尿、带下、吐血、崩漏。叶：味苦、涩，性平。清热解暑，升发清阳，散瘀止血。用于暑湿烦渴、头痛眩晕、脾虚腹胀、大便泄泻、吐血下血、产后恶露不净。

睡莲科 Nymphaeaceae 睡莲属 Nymphaea

睡 莲
Nymphaea tetragona Georgi

| 中 药 名 | 睡莲（药用部位：花）

| 植物形态 | 多年水生草本；根茎短粗。叶纸质，心状卵形或卵状椭圆形，基部具深弯缺，约占叶片全长的1/3，裂片急尖，稍开展或几重合，全缘，上面光亮，下面带红色或紫色，两面皆无毛，具小点；叶柄长达 60cm。花直径 3~5cm；花梗细长；花萼基部四棱形，萼片革质，宽披针形或窄卵形，长 2~3.5cm，宿存；花瓣白色，宽披针形、长圆形或倒卵形，长 2~2.5cm，内轮不变成雄蕊；雄蕊比花瓣短，花药条形，长 3~5mm；柱头具 5~8 条辐射线。浆果球形，直径 2~2.5cm，为宿存萼片包裹；种子椭圆形，长 2~3mm，黑色。花期 6~8 月，果期 8~10 月。

睡莲

| 分布区域 | 产于海南乐东、保亭等地。亦分布于中国广东、广西、湖南、江西、福建、台湾、浙江、江苏、湖北、贵州、云南、四川、西藏、新疆、陕西、河南、山西、内蒙古、山东、辽宁、吉林、黑龙江。越南、印度、韩国、日本、俄罗斯、哈萨克斯坦、欧洲及北美洲等地也有分布。

| 资　　源 | 生于池塘、湖，偶见。

| 采收加工 | 夏季采收，洗净，去杂质，晒干。

| 药材性状 | 花较大，白色。萼片4，基部呈四方形；花瓣8~17；雄蕊多数，花药黄色；花柱4~8裂，柱头广卵形，茶匙状，呈放射状排列。

| 功能主治 | 味甘、苦，性平；归肝、脾经。消暑，解酒，定惊。用于中暑、醉酒烦渴、小儿惊风。

| 木通科 | Lardizabalaceae | 野木瓜属 | *Stauntonia*

野木瓜 *Stauntonia chinensis* DC.

| **中 药 名** | 假荔枝根（药用部位：带根全草）

| **植物形态** | 木质藤本。掌状复叶有小叶 5~7；小叶革质，长圆形，嫩时常密布斑点。雌雄同株，通常 3~4 朵组成伞房花序式的总状花序；总花梗纤细，基部为大型的芽鳞片所包托；花梗长 2~3cm；苞片和小苞片线状披针形。雄花：萼片外面淡黄色或乳白色，内面紫红色，外轮的披针形，内轮的线状披针形；蜜腺状花瓣 6，舌状，先端稍呈紫红色；花丝合生为管状，退化心皮小，锥尖。雌花：萼片与雄花的相似但稍大；退化雄蕊长约 1mm；心皮卵状棒形，柱头偏斜的头状；蜜腺状花瓣与雄花的相似。果实长圆形；种子近三角形，压扁，种皮深褐色至近黑色。花期 3~4 月，果期 6~10 月。

野木瓜

| **分布区域** | 产于海南三亚、陵水、万宁、琼中等地。亦分布于中国广东、广西、湖南、江西、福建、浙江、安徽、贵州、云南。 |

| **资　　源** | 生于山谷林中，少见。 |

| **采收加工** | 夏、秋季采收，洗净，藤茎切段，根切片，晒干或鲜用。 |

| **药材性状** | 茎圆柱形。表面灰棕色至棕色，有粗纵纹，栓皮常块状脱落而显露内部纤维束；细茎具光泽，纵纹明显，有小枝痕与叶痕。质坚硬，稍带韧性。切断面皮部常与木质部分离，皮部狭窄，深棕色，可见灰白色波环状中柱鞘，木质部宽广，浅棕黄色，射线致密，导管孔明显。叶片完整或破碎，背面网脉间有白色斑点。气微，味淡、稍苦涩。 |

| **功能主治** | 味甘，性温。祛风活络，活血止痛，利尿消肿。用于风湿痹痛、胃肠道及胆道疾患之疼痛、三叉神经痛、跌打损伤、痛经、小便不利、水肿。 |

大血藤科　Sargentodoxaceae　大血藤属　Sargentodoxa

大血藤
Sargentodoxa cuneata (Oliv.) Rehder & E. H. Wilson

| 中 药 名 |

大血藤（药用部位：藤茎）

| 植物形态 |

木质藤本；当年枝条暗红色。三出复叶；小叶革质，顶生小叶近棱状倒卵圆形，侧生小叶斜卵形，干时常变为红褐色，比顶生小叶略大，无小叶柄。总状花序长 6~12cm，雄花与雌花同序或异序，同序时，雄花生于基部；花梗细；苞片 1，膜质；萼片 6，花瓣状；花瓣 6，圆形，蜜腺形；雄蕊长 3~4mm，花丝长仅为花药的一半或更短；退化雄蕊长约 2mm，不开裂；雌蕊多数，螺旋状生于卵状突起的花托上，子房瓶形；退化雌蕊线形，长 1mm。每一浆果近球形，直径约 1cm，成熟时黑蓝色；种子卵球形，基部截形；种皮黑色，光亮，平滑；种脐显著。花期 4~5 月，果期 6~9 月。

| 分布区域 |

产于海南白沙、五指山等地。亦分布于中国长江以南各地。越南、老挝也有分布。

| 资　　源 |

生于林中或灌丛中，偶见。

大血藤

| 采收加工 |

8~9 月采收，除去枝叶，洗净，切段，长
30~60cm，或切片，晒干。

| 药材性状 |

本品呈圆柱形，略弯曲。表面灰棕色，粗糙，
外皮常呈鳞片状剥落，剥落处显暗红棕色，有
的可见膨大的节及略凹陷的枝痕或叶痕。质硬，
断面皮部红棕色，有数处向内嵌入木质部，木
质部黄白色，有多数细孔状导管，射线呈放射
状排列。气微，味微涩。

| 功能主治 |

活血止痛，清热解毒。用于阑尾炎、风湿筋骨
酸痛、钩虫病等。

| 附 注 |

黎药（麦节龙）：大血藤干燥根 15~50g，水煎服，
治风寒湿痹、肢节疼痛、麻木、蛔虫腹痛。

防己科 Menispermaceae **古山龙属** Arcangelisia

古山龙
Arcangelisia gusanlung H. S. Lo

| **中 药 名** | 古山龙（药用部位：藤茎及根）

| **植物形态** | 藤本，叶片革质，具掌状脉。雄花序为圆锥花序，腋生或生于无叶老枝上。雄花：花被9，排成3轮，外轮常很小，小苞片状，最内轮花瓣状，覆瓦状排列，花开放时花被星状展开；聚药雄蕊，花丝合生成短柱状，花药9~12，横裂；雌花序常生于老茎上，亦为圆锥花序。雌花：花被9，排成3轮；退化雄蕊鳞片状；心皮3，每心皮有2叠生胚珠。核果近球形，较大，外果皮近革质，中果皮肉质；果核骨质状，外面有网纹状皱纹或有软刺或平坦，通常有毛；种子充满果核之空腔且与之近同形，胚乳丰富，嚼烂状。

| **分布区域** | 产于海南三亚、白沙、保亭、万宁、东方、儋州等地。海南特有种。

古山龙

资　　　源	生于林中，偶见。
采收加工	全年均可采，以秋季采为好，除去杂质，洗净，切片，晒干。
药材性状	茎圆柱形。表面灰棕色，有浅纵沟，节处隆起。质坚硬，断面木质部灰黄色至黄绿色，散布多数小孔，呈数个同心性环纹及放射状纹理，中心有髓。
功能主治	味苦，性寒；有小毒。清热利湿，解毒止痛。用于肠炎、扁桃体炎、高血压。
附　　　注	黎药（麦挺）：藤茎15~20g，水煎服适量洗身，治黄疸性肝炎、无名腹痛、食物中毒、各种皮肤病、急慢性支气管炎等。

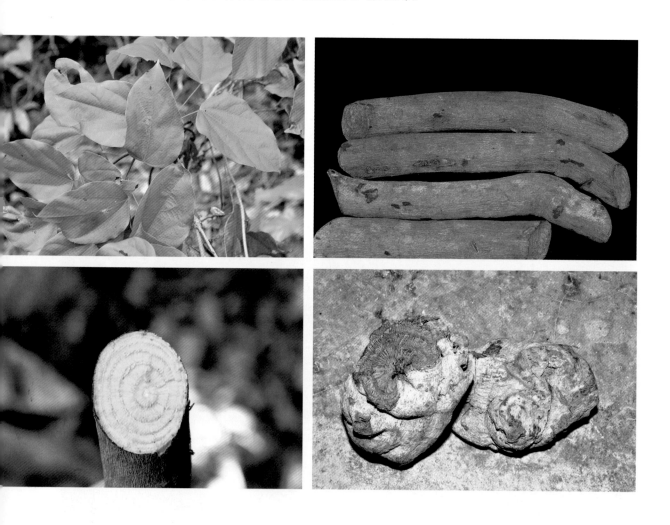

| 防己科 | Menispermaceae | 木防己属 | Cocculus

樟叶木防己
Cocculus laurifolius DC.

| 中 药 名 | 衡州乌药（药用部位：根或全株）

| 植物形态 | 直立灌木或小乔木，很少呈藤状；枝有条纹，无毛。叶薄革质，长4~15cm，宽1.5~5cm，先端渐尖，基部楔形或短尖，两面无毛，光亮；掌状脉3，侧生的一对伸达叶片中部以上；叶柄长通常不超过1cm。聚伞花序或聚伞圆锥花序，腋生，长1~5cm，近无毛。雄花：萼片6，外轮长0.8~1mm，内轮长约1.3mm；花瓣6，深2裂的倒心形，基部不内折，很小，长0.2~0.4mm；雄蕊6，长约1mm。雌花：萼片和花瓣与雄花的相似；退化雄蕊6，微小。核果近圆球形，稍扁，果核骨质，背部有不规则的小横肋状皱纹。花期春、夏季，果期秋季。

樟叶木防己

分布区域

产于海南乐东、东方、昌江、保亭、琼中等地。亦分布于中国的西南部至东部。亚洲东南部和南部也有分布。

资　源

生于林中荫处，偶见。

采收加工

春季或冬季采挖，除去泥土、须根，洗净，切段，晒干。

功能主治

味辛、甘，性温。散瘀消肿，祛风止痛。用于风湿腰腿痛、高血压、疝气等。

防己科 Menispermaceae 木防己属 *Cocculus*

木防己 *Cocculus orbiculatus* (L.) DC.

| 中 药 名 | 木防己（药用部位：根），青檀香（药用部位：茎叶）

| 植物形态 | 木质藤本，小枝被绒毛至疏柔毛，有条纹。叶片纸质至近革质，形状变异极大，先端短尖，长通常不超过 10cm，两面被密柔毛至疏柔毛；掌状脉 3，很少 5；叶柄被稍密的白色柔毛。聚伞花序少花，顶生或腋生，长可达 10cm，被柔毛。雄花：小苞片 2 或 1，长约 0.5mm，紧贴花萼，被柔毛；萼片 6，外轮卵形，内轮阔椭圆形至近圆形；花瓣 6，长 1~2mm，下部边缘内折，抱着花丝，先端 2 裂，裂片叉开，渐尖或短尖；雄蕊 6，比花瓣短。雌花：萼片和花瓣与雄花相同；退化雄蕊 6，微小。核果近球形，红色至紫红色，直径通常 7~8mm；果核骨质，背部有小横肋状雕纹。

木防己

| **分布区域** | 产于海南万宁、海口等地。亦分布于中国各地。亚洲南部至东南部也有分布。

| **资　　源** | 生于疏林或灌丛中，常见。

| **采收加工** | 春、秋季采挖，以秋季采收者质量较好，挖取根部，除去茎、叶、芦头，洗净，晒干。

| **药材性状** | 根呈不规则的圆柱形。表面黄褐色或灰棕色，略凹凸不平，有明显的纵沟及少数横皱纹。质坚硬，断面黄白色，有放射状纹理。味苦。

| **功能主治** | 根：祛风止痛，利水消肿。用于风湿痹痛、水肿、跌打损伤、蛇虫咬伤。茎叶：祛风，消肿，除湿。用于诸风麻痹、胃痛等。

防己科 Menispermaceae 轮环藤属 *Cyclea*

毛叶轮环藤

Cyclea barbata Miers

| **中 药 名** | 银不换（药用部位：根）

| **植物形态** | 草质藤本。叶纸质或近膜质，三角状卵形，两面被伸展长毛，上面较稀疏，缘毛甚密；掌状脉 9~10；叶柄被硬毛，明显盾状着生。花序腋生或生于老茎上，雄花序为圆锥花序式，阔大，被长柔毛，花密集成头状，间断着生于花序分枝上。雄花：有明显的梗；萼杯状，被硬毛，4~5 裂达中部；花冠合瓣，杯状，顶部近平截；聚药雄蕊稍伸出。雌花：无花梗；萼片 2，倒卵形至菱形，外面被疏毛；花瓣 2，与萼片对生，无毛；子房密被硬毛，柱头裂片锐尖。核果斜倒卵圆形，红色，被柔毛；果核长约 3mm，背部两侧各有 3 列乳头状小瘤体。花期秋季，果期冬季。

毛叶轮环藤

| 分布区域 |

产于海南三亚、白沙、保亭、万宁、儋州、昌江等地。亦分布于中国广东南部。中南半岛，以及印度尼西亚也有分布。

| 资　源 |

缠绕于林中乔木上或林缘灌木上，常见。

| 采收加工 |

全年均可采挖，净泥土，去粗皮，切段，晒干。

| 功能主治 |

味苦，性寒。清热解毒，利尿通淋，散瘀止痛。用于风热感冒、咽喉疼痛、牙痛、胃痛、腹痛、湿热泻痢、疟疾、小便淋痛、跌打伤痛、扭挫伤。

| 附　注 |

黎药（雅索咩）：①银不换根 15g，薄荷 30g，山芝麻 9g，水煎服，治外感风热；②银不换根、刺苋菜根、马齿苋各 30g，水煎服，治痢疾；③银不换根 3g，咀嚼咽汁或研粉吞服，治胃痛。

防己科 | Menispermaceae 轮环藤属 | *Cyclea*

粉叶轮环藤
Cyclea hypoglauca (Schauer) Diels

| 中 药 名 | 百解藤（药用部位：根或茎、叶）

| 植物形态 | 藤本，除叶腋有簇毛外无毛。叶纸质，阔卵状三角形至卵形，两面无毛；掌状脉 5~7，纤细；叶柄纤细，长 1.5~4cm，通常明显盾状着生。花序腋生，雄花序为间断的穗状花序状，花序轴常不分枝或有时基部有短小分枝，纤细而无毛；苞片小，披针形。雄花：萼片 4 或 5，分离，倒卵形；花瓣 4~5，通常合生成杯状，高 0.5~1mm；聚药雄蕊长 1~1.2mm，稍伸出。雌花序较粗壮，总状花序状，花序轴明显曲折，长达 10cm。雌花：萼片 2，近圆形，直径约 0.8mm；花瓣 2，不等大，大的与萼片近等长；子房无毛。核果红色，无毛；果核背部中肋两侧各有 3 列小瘤状突起。

粉叶轮环藤

| 分布区域 | 产于海南陵水、儋州、澄迈、定安、海口等地。亦分布于中国南部各地。越南也有分布。

| 资　　源 | 生于疏林中或灌丛中，常见。

| 采收加工 | 全年均可采收，去须根或枝叶，洗净，切段，晒干。

| 药材性状 | 根圆柱形，略弯曲。表面暗褐色，凹凸不平，有弯曲的纵沟、横裂纹和少数支根痕。质硬，断面灰白色，有放射状纹理和小孔。气微，味苦。

| 功能主治 | 味苦，性寒。清热解毒，祛风止痛，利水通淋。用于风热感冒、咳嗽、咽喉肿痛、白喉、风火牙痛、肠炎、痢疾、尿路感染及尿路结石、风湿疼痛、疮疡肿毒、毒蛇咬伤。

防己科 Menispermaceae 轮环藤属 *Cyclea*

铁 藤
Cyclea polypetala Dunn

| 中 药 名 | 龙须藤（药用部位：根、叶）

| 植物形态 | 木质大藤本。叶纸质，阔心形，长 6~18cm，宽 5.5~15cm，全缘，上面光亮，无毛，下面被硬毛或柔毛；掌状脉 5~7，连同网状小脉均在下面突起，叶柄被短硬毛，基部膝曲，不明显盾状着生或基生。圆锥花序由小聚伞花序组成，生于老茎上，较阔大，被短硬毛或柔毛。雄花：萼近坛状，先端近平截或有圆齿状裂片；花瓣 4，分离，长圆形，多少肉质；聚药雄蕊长不及 2mm。雌花：萼片 2，深兜状，长约 0.5mm；花瓣 2，附于萼片基部，微小，近圆形，直径 0.1~0.3mm，边内卷。核果无毛，近球形，稍扁；果核长约 4mm，背部中肋两侧各有 3 行小疣突。花果期 4~11 月。

铁藤

分布区域

产于海南三亚、乐东、五指山、保亭、万宁、琼中等地。亦分布于中国广西南部、云南。泰国北部和西北部也有分布。

资　源

生于林中，少见。

采收加工

根：全年可采，除去须根，洗净，切段，鲜用或晒干。叶：春、夏季采，洗净，鲜用或晒干。

药材性状

根圆柱形，稍扭曲，直径 0.6~1.5cm。表面浅棕色，有纵向纹理和支根痕，弯曲处有横裂纹。质稍硬，断面灰黄色。气微，味苦。叶破碎，完整的叶阔心形，长 6~18cm，先端渐尖，基部浅心形，全缘。表面黄绿色，下表面被子毛茸，掌状脉 5~7 较明显。质脆。气微，味苦。

功能主治

味苦，性寒。清热解毒，利水通淋，祛风止痛。用于咽喉肿痛、白喉、热淋、石淋、牙痛、胃痛、风湿痹痛、痈肿疮毒、毒蛇咬伤。

防己科 Menispermaceae 秤钩风属 *Diploclisia*

苍白秤钩风 *Diploclisia glaucescens* (Bl.) Diels

| 中 药 名 | 秤钩风（药用部位：茎叶）

| 植物形态 | 木质大藤本；茎长可达 20 余米或更长；枝、叶和秤钩风极相似，但只有 1 个腋芽。叶柄自基生至明显盾状着生，通常比叶片长很多，叶片厚革质，下面常有白霜。圆锥花序狭而长，常几个至多个簇生于老茎和老枝上，多少下垂，长 10~30cm 或更长；花淡黄色，微香。雄花：萼片长 2~2.5mm，外轮椭圆形，内轮阔椭圆形，均有黑色网状斑纹；花瓣倒卵形或菱形，长 1~1.5mm，先端短尖或凹头；雄蕊长约 2mm。雌花：萼片和花瓣与雄花的相似，但花瓣先端明显 2 裂；退化雄蕊线形；心皮长 1.5~2mm。花期 4 月，果期 8 月。

苍白秤钩风

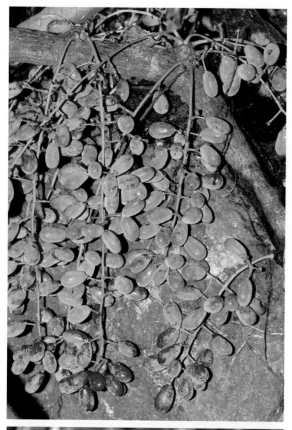

| 分布区域 |

产于海南三亚、昌江、白沙、五指山、万宁、琼中、儋州、东方等地。分布于中国西南部至南部。亚洲热带地区也有分布。

| 资　源 |

生于林中或路边，常见。

| 采收加工 |

全年均可采，割取藤芭，晒干，或采鲜茎用。

| 药材性状 |

茎扁圆柱形，略弯曲。表面来棕色至深棕色，粗糙，有纵裂和短横裂纹，节处呈大小不等的疣状突起。质硬，断面灰黄色，具细密放射状纹理和众多小孔，并有 2~9 轮或更多偏心性环纹，髓细小。气微，味微苦。

| 功能主治 |

味微苦，性寒。清热解毒，祛风除湿。用于风湿骨痛、咽喉肿痛、胆囊炎、痢疾、尿路感染、毒蛇咬伤。

| 附　注 |

黎药（雅麦通）：①茎 15~30g，水煎服，同时用鲜茎叶捣烂敷伤口周围，治毒蛇咬伤；②茎叶 15g 水煎服，治尿路感染。

防己科 Menispermaceae 夜花藤属 Hypserpa

夜花藤
Hypserpa nitida Miers

| 中 药 名 | 夜花藤（药用部位：全株）

| 植物形态 | 木质藤本。叶片纸质至革质，叶形多变，通常两面无毛，上面光亮；掌状脉 3；叶柄长 1~2cm，被柔毛或近无毛。雄花序通常仅有花数朵，长 1~2cm，很少更长而多花，被柔毛。雄花：萼片 7~11，自外至内渐大，最外面的微小，小苞片状，背面被柔毛，最里面的 4~5 片阔倒卵形、卵形至卵状近圆形，有缘毛；花瓣 4~5，近倒卵形，长 1~1.2mm；雄蕊 5~10，花丝分离或基部稍合生。雌花序与雄花序相似或仅有花 1~2。雌花：萼片和花瓣与雄花的相似，无退化雄蕊。核果成熟时黄色或橙红色，近球形，稍扁，果核阔倒卵圆形，长 5~6mm。

夜花藤

分布区域	产于海南乐东、昌江、白沙、五指山、保亭、万宁、琼中、澄迈等地。亦分布于中国广东、广西、福建、云南等地。亚洲东南部也有分布。
资　　源	生于林中，常见。
采收加工	全年均可采收，切段，晒干。
功能主治	味微苦，性凉。凉血止血，消炎利尿。用于咯血、吐血、便血、外伤出血。

防己科 Menispermaceae 细圆藤属 *Pericampylus*

细圆藤
Pericampylus glaucus (Lam.) Merr.

| 中 药 名 | 黑风散（药用部位：全株）

| 植物形态 | 木质藤本，小枝通常被灰黄色绒毛，有条纹，常长而下垂，老枝无毛。叶纸质至薄革质，长 3.5~8cm，先端钝或圆，基部近平截至心形，边缘有圆齿，两面被绒毛；掌状脉 5，网状小脉稍明显；叶柄长 3~7cm，被绒毛，通常生于叶片基部。聚伞花序伞房状，长 2~10cm，被绒毛。雄花：萼片背面多少被毛，最外轮的狭，中轮倒披针形，内轮稍阔；花瓣 6，楔形或有时匙形，长 0.5~0.7mm，边缘内卷；雄蕊 6，花丝分离，聚合上升，长 0.75mm。雌花：萼片和花瓣与雄花相似；退化雄蕊 6；柱头 2 裂。核果红色或紫色，果核直径 5~6mm。花期 4~6 月，果期 9~10 月。

细圆藤

| 分布区域 | 产于海南三亚、乐东、昌江、白沙、五指山、保亭、陵水、儋州、临高、澄迈、琼海。亦分布于中国西南部至东南部。亚洲东南部也有分布。

| 资　　源 | 生于林中或灌丛中，常见。

| 采收加工 | 全年均可采收，晒干。

| 药材性状 | 茎、叶缠绕成束。茎细圆柱形；表面黄棕色至灰棕色，具细纵棱，节部有分枝痕；幼茎被白色绒毛。质脆，断面不平，木质部黄白色，髓部白色或中空，皮部往往撕裂相连。气微，味苦。叶多破碎或折叠。完整叶三角状卵形至阔卵形，上面棕绿色，下面发绿色，被白色绒毛，掌状脉多为5，两面突出，下面较明显；叶柄近盾状着生，被白色绒毛。纸质，易碎。气微，味苦。

| 功能主治 | 味苦，性凉。清热解毒，息风止痉，祛风除湿。用于疮疡肿毒、咽喉肿痛、惊风抽搐、风湿痹痛、跌打损伤、毒蛇咬伤。

| 附　　注 | 黎药（网两逢）：叶煮水喝，热敷，治疗眼被异物刮伤、肿痛。

防己科 Menispermaceae 千金藤属 Stephania

海南地不容
Stephania hainanensis H. S. Lo et Y. Tsoong

|中 药 名|

地不容（药用部位：块根）

|植物形态|

藤本。叶薄纸质，三角状圆形，基部圆至
近平截，边浅波状；掌状脉通常 10~11；叶
柄粗壮，通常与叶近等长或稍短。雄花序
为复伞形聚伞花序，生于短枝上，总梗长
3~7cm，伞梗 3~5，小聚伞花序有花 3~5；
小苞片狭披针形。雄花：萼片黄绿，通常 6，
外轮匙状楔形，内轮稍阔；花瓣 3，橙黄色，
其中 1 枚常深凹；聚药雄蕊柱长约 1mm；
雌花序紧密呈头状，总梗长 2.5~5cm，上端
明显膨大。雌花：花被左右对称；萼片 1，
近卵形；花瓣 2，肉质，阔卵形至贝壳状，
比萼片稍大。核果红色，果梗稍肉质；果核
背部有 4 行钩刺状雕纹，每行约 20。花期
3~5 月。

|分布区域|

产于海南乐东、东方、万宁、昌江、琼中等
地。海南特有种。

|资　　源|

生于疏林中或石缝中，偶见。

海南地不容

| 采收加工 | 秋、冬季采挖，除去须根，洗净，切片，晒干。

| 药材性状 | 块根略呈球形。切片或条状块切面灰黄色或淡黄色，可见筋脉（三生维管束）环状排列，呈同心环状。气微，味苦。

| 功能主治 | 味苦，微寒。止痛，消肿解毒。用于胃痛、外伤疼痛、疮疖痈肿。

| 附　　注 | 黎药（雅乐雷）：地不容、山竹子皮等量，研粉，每次服 1g，每日 3 次；或地不容粉末，每次服 2g，每日 2 次，治胃炎、十二指肠溃疡；地不容、古山龙各15g，甘草 3g，水煎服，每日一剂，治细菌性痢疾；鲜品适量，捣敷患处，治疮疡肿毒。

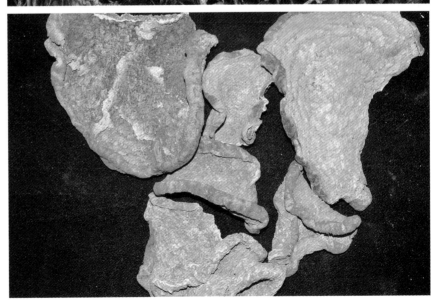

防己科 Menispermaceae　千金藤属 Stephania

千金藤 *Stephania japonica* (Thunb.) Miers

| 中药名 | 千金藤（药用部位：根或藤茎）

| 植物形态 | 藤本。叶纸质或坚纸质，通常三角状近圆形，先端有小凸尖，下面粉白；掌状脉10~11，下面突起；叶柄明显盾状着生。复伞形聚伞花序腋生，通常有伞梗4~8，小聚伞花序近无柄，密集呈头状；花近无梗。雄花：萼片6或8，膜质，倒卵状椭圆形至匙形，长1.2~1.5mm，无毛；花瓣3或4，黄色，稍肉质，阔倒卵形，长0.8~1mm；聚药雄蕊长0.5~1mm。雌花：萼片和花瓣各3~4，形状和大小与雄花的近似或较小；心皮卵状。果实倒卵形至近圆形，成熟时红色；果核背部有2行小横肋状雕纹，每行8~10，小横肋常断裂，胎座迹不穿孔或偶有一小孔。

千金藤

| 分布区域 | 产于海南三亚。亦分布于中国长江以南各地以及河南。越南、老挝、泰国、缅甸、马来西亚、印度尼西亚、孟加拉国、尼泊尔、印度、斯里兰卡、韩国、日本、澳大利亚，及太平洋群岛也有分布。 |

| 资　源 | 生于村边、灌丛、森林、石灰岩山地，偶见。 |

| 采收加工 | 7~8月采收茎叶，晒干；9~10月挖根，洗净晒干。 |

| 功能主治 | 味辛、苦，性寒。清热解毒，利尿消肿，祛风止痛。用于咽喉肿痛、牙痛、胃痛、水肿、脚气、尿急尿痛、小便不利、外阴湿疹、风湿关节痛；外用于跌打损伤、毒蛇咬伤、痈肿疮疖。 |

防己科 Menispermaceae 千金藤属 Stephania

粪箕笃
Stephania longa Lour.

| 中 药 名 | 粪箕笃（药用部位：全株）

| 植物形态 | 草质藤本，除花序外全株无毛；枝纤细，有条纹。叶纸质，三角状卵形，长 3~9cm，宽 2~6cm；掌状脉 10~11，向下的常纤细；叶柄基部常扭曲。复伞形聚伞花序腋生，总梗长 1~4cm，雄花序较纤细，被短硬毛。雄花：萼片 8，偶有 6，排成 2 轮，楔形或倒卵形，长约 1mm，背面被乳头状短毛；花瓣 4 或有时 3，绿黄色，通常近圆形，长约 0.4mm；聚药雄蕊长约 0.6mm。雌花：萼片和花瓣均 4，很少 3，长约 0.6mm；子房无毛，柱头裂片平叉。核果红色，长 5~6mm；果核背部有 2 行小横肋，每行 9~10，小横肋中段稍低平，胎座迹穿孔。花期春末夏初，果期秋季。

粪箕笃

分布区域	产于海南三亚、乐东、昌江、白沙、五指山、万宁、琼中、儋州、澄迈、屯昌、琼海、海口。亦分布于中国南部和东南部。老挝也有分布。
资　　源	生于村边、旷野或灌丛中，十分常见。
采收加工	全年可采。一般多在秋季割取藤叶或连根挖取，洗去泥沙，除去细根，晒干或鲜用。
药材性状	干燥全草，藤茎柔细，扭曲，棕褐色，有明显的纵行线条；叶三角状卵形，灰绿色或绿褐色，多皱缩卷曲。根茎圆柱状或不规则块状，下面分生许多根，表面土黄色至暗棕色，有纵皱；质坚韧，不易折断，断面纤维性，有粉尘。
功能主治	味微苦、涩，性平。清热解毒，利尿消肿。用于肾盂肾炎、膀胱炎、慢性肾炎、肠炎、痢疾、毒蛇咬伤；外用于痈疖疮疡、化脓性中耳炎。
附　　注	黎药（雅岂诺）：①全草 15~20g，水煎服，治伤寒、咽喉炎、气管炎咳嗽；②全草加适量水煎煮后洗患处，治淋病。

防己科 Menispermaceae 千金藤属 Stephania

小叶地不容
Stephania succifera H. S. Lo et Y. Tsoong

| 中 药 名 | 地不容（药用部位：块根）

| 植物形态 | 落叶藤本。叶纸质，近圆形至三角状圆形，先端骤尖，基部平截或微凹，两面密生微小乳突或腹面的小乳突不明显；掌状脉约10，叶柄长通常3~5cm。雄花序为复伞形聚伞花序，末端稍弯拱，有几个线形小苞片，小聚伞花序梗和花梗均很短。雄花：萼片6，排成2轮，外轮倒披针状匙形，内轮较阔，背面均有小乳突；花瓣3，紫色，贝壳状，基部两侧内折，比萼片稍短；聚药雄蕊长0.5mm，花药6。雌花序未见。果序为稍紧密的复伞形聚伞状，伞梗长通常不超过1cm；核果的果核倒卵圆形，背部有4列短而扁的钩刺状突起，每列约20，胎座迹正中穿孔。花期3月。

小叶地不容

| 分布区域 |

产于海南三亚、昌江、白沙、琼中等地。海南特有种。

| 资　　源 |

生于林中或石缝中，偶见。

| 采收加工 |

秋、冬季采挖，除去须根，洗净，切片，晒干或鲜用。

| 药材性状 |

块根类球形，直径 10~50cm。切片的切面灰黄色，有不规则皱纹。

| 功能主治 |

味苦，性寒。镇静止痛，清热解毒。用于各种内外伤疼痛、神经痛、牙痛、胃痛、疟疾、细菌性痢疾、急性胃肠炎、上呼吸道感染、痈肿疮毒、毒蛇咬伤。

| 附　　注 |

本种易被当作海南地不容药用，与后者的主要区别在于其枝、叶有红色液汁，外皮褐色，粗糙，内面淡褐黄色。

防己科 Menispermaceae 千金藤属 Stephania

粉防己
Stephania tetrandra S. Moore.

| 中 药 名 | 防己（药用部位：块根）

| 植物形态 | 草质藤本，主根肉质，柱状；小枝有直线纹。叶纸质，阔三角形，有时三角状近圆形，先端有凸尖，基部微凹或近平截，两面或仅下面被贴伏短柔毛；掌状脉 9~10，较纤细，网脉甚密，很明显；叶柄长 3~7cm。花序头状，于腋生、长而下垂的枝条上作总状式排列，苞片小或很小。雄花：萼片 4 或有时 5，通常倒卵状椭圆形，连爪长约 0.8mm，有缘毛；花瓣 5，肉质，长 0.6mm，边缘内折；聚药雄蕊长约 0.8mm。雌花：萼片和花瓣与雄花的相似。核果成熟时近球形，红色；果核背部鸡冠状隆起，两侧各有约 15 小横肋状雕纹。花期夏季，果期秋季。

粉防己

| **分布区域** |

产于海南澄迈、海口等地。亦分布于中国南部和东部。

| **资 源** |

生于村边、旷野、林缘等处的灌丛中，偶见。

| **采收加工** |

秋季采挖，修去芦梢，洗净或刮去栓皮，切成长段，粗根剖为 2~4 瓣，晒干。

| **药材性状** |

未刮去栓皮者表面灰棕色，粗糙而多细皱，多数可见明显横向突起的皮孔；已刮除栓皮者，表面灰白色，较平滑，可见深色的横沟纹。横断面平坦，浅棕白色，粉质，维管束浅棕色，呈弯曲的横曲纹或皱纹。质重而坚脆，易折断。气无，味苦。以去净栓皮、干燥、粗细均匀、质重、粉性大、纤维少者为佳。

| **功能主治** |

味苦、辛，性寒。利水消肿，祛风止痛。用于水肿、小便不利、风湿痹痛、脚气肿痛、疥癣疮肿、高血压。

防己科 Menispermaceae 青牛胆属 Tinospora

海南青牛胆 *Tinospora hainanensis* H. S. Lo & Z. X. Li

| 中 药 名 | 榄核莲（药用部位：藤茎）

| 植物形态 | 落叶大藤本，全株无毛，老茎无毛有皮孔。叶片膜状薄纸质，心形或心状圆形，两面无毛；基出脉常 5，脉腋内有一小片密集的褐色腺点；叶柄基部膨大，扭曲。花序与叶同时出现，雌花序假总状或基部有短分枝，由小聚伞花序组成，小聚伞花序梗有花 2~4；苞片钻状披针形，脱落；萼片 6，外轮小，近三角形，内轮阔卵状椭圆形，盛开时微外展；花瓣 6，狭披针形，先端短尖；不育雄蕊 6，比花瓣稍短；心皮 3，柱头大。核果红色，阔椭圆状；果核阔椭圆形，背脊仅两端明显，并延伸成刺状，两侧散生刺状和乳头状突起。花期 4 月，果期 6 月。

海南青牛胆

| **分布区域** | 产于海南陵水、临高、万宁、儋州、文昌等地。海南特有种。

| **资　　源** | 生于村边灌丛中，偶见。

| **采收加工** | 全年可采，洗净切片，晒干备用。

| **功能主治** | 味苦，性凉。舒筋活络，清热祛湿。

| **附　　注** | 黎药（雅呆对藤）：切成片 15~20g，水煎服，治疗伤筋、精神衰弱、胃出血；藤 60~100g 与猪肥肉同炖，治疗伤口难愈；叶子 20~30g，捣烂冲入开水，热敷于患处。

防己科 ▌ Menispermaceae ▌ 青牛胆属 ▌ Tinospora

青牛胆
Tinospora sagittata (Oliv.) Gagnep.

青牛胆

| 中 药 名 |

金果榄（药用部位：块根）

| 植物形态 |

草质藤本。叶纸质至薄革质，基部弯缺常很深，通常仅在脉上被短硬毛；掌状脉5；叶柄有条纹，被柔毛或近无毛。花序腋生，常数个簇生，聚伞花序或分枝成疏花的圆锥状花序，总梗、分枝和花梗均丝状；小苞片2，紧贴花萼。雄花：萼片6，或有时较多，常大小不等，最外面的小，常卵形或披针形，较内面的明显较大，阔卵形至倒卵形；花瓣6，肉质，常有爪，瓣片近圆形或阔倒卵形，基部边缘常反折；雄蕊6，与花瓣近等长或稍长。雌花：萼片与雄花相似；花瓣楔形；退化雄蕊6，常棒状；心皮3，近无毛。花期4月，果期秋季。

| 分布区域 |

产于海南保亭、万宁。亦分布于中国广东、广西、湖南、江西、湖北、贵州、四川等地。越南北部也有分布。

| 资　　源 |

生于低海拔沟谷灌丛中，少见。

采收加工

9~11月间挖取块根,除去茎及须根,洗净,晒干。大者可切成两半,晒干或烘干。

药材性状

干燥块根呈不规则圆块状, 或切成半圆球形, 大小不一。表面灰棕色, 略带黄绿色, 皱缩, 凹凸不平, 块根两端有小根的残基。质坚实, 不能折断。切面淡黄白色, 有淡棕色细车轮纹, 显粉性。气淡, 味苦。以表面微黄绿色、断面淡黄色、个大、坚实者为佳。

功能主治

味苦, 性寒。清热解毒, 利咽止痛。用于咽喉肿痛、痈疽疔毒、泄泻、痢疾、脘腹热痛。

附　注

黎药(咯妹靠):茎叶捣烂敷, 用于接骨续筋。

防己科 Menispermaceae 青牛胆属 Tinospora

中华青牛胆
Tinospora sinensis (Lour.) Merr.

| 中 药 名 | 宽筋藤（药用部位：藤茎）

| 植物形态 | 藤本。叶具掌状脉，基部心形，有时箭形或戟形。花序腋生或生老枝上，总状花序、聚伞花序或圆锥花序，单生或几个簇生。雄花：萼片通常6，膜质，覆瓦状排列；花瓣6，基部有爪，通常两侧边缘内卷；雄蕊6，花丝分离，花药稍偏斜地纵裂。雌花：萼片与雄花相似；花瓣较小或与雄花相似；退化雄蕊6，比花瓣短；心皮3，囊状椭圆形，花柱短而肥厚，柱头舌状盾形，边缘波状或条裂。核果1~3，具柄，球形或椭圆形，花柱残基近顶生；果核近骨质，背部具棱脊，胎座迹阔，具一球形的腔，向外穿孔；种子新月形。花期4月，果期5~6月。

中华青牛胆

分布区域

产于海南三亚、昌江、保亭、陵水、琼中、澄迈。亦分布于中国广东、广西、云南等地。中南半岛，以及印度、斯里兰卡也有分布。

资　源

生于林中，常见。

采收加工

全年均可采，洗净，切厚片，晒干或鲜用。

药材性状

药材为圆柱形，如对剖则呈半圆柱形、略扭曲、长短不一的节块状，直径 5~20mm，栓皮外表呈黄绿色，较光滑或具皱纹，有明显的皮孔及叶痕。质硬，可折断，断面灰白色，木质部呈放射状纹理，可见众多的细小圆孔；剖开时，向一方扭曲，木质部从射线部分分裂，呈折纸扇的扇骨状张开样。气微，味微苦。

功能主治

味微苦，性凉。舒筋活络，祛风止痛。用于风湿痹痛、坐骨神经痛、腰肌劳损、跌打损伤。

附　注

黎药（咯妹丢）：茎捣烂敷，治疗跌打损伤；叶煮水喝，治疗胃痛、腹痛。

马兜铃科 Aristolochiaceae 马兜铃属 Aristolochia

广防己

Aristolochia fangchi C. Y. Wu ex L. D. Chow & S. M. Hwang

广防己

| 中 药 名 |

广防己（药用部位：块根）

| 植物形态 |

木质藤本。叶薄革质或纸质，长圆形，先端
短尖或钝，基部圆形，边全缘，基出脉 3；
叶柄具槽纹，密被棕褐色长柔毛。花单生或
3~4 排成总状花序，生于老茎近基部；花梗
密被棕色长柔毛，向下弯垂，近基部具小苞
片；小苞片卵状披针形或钻形，花被管中部
急遽弯曲；檐部盘状，近圆形，暗紫色并有
黄斑，具明显的网状脉纹，边缘浅 3 裂，裂
片先端短尖；喉部半圆形，白色；花药长圆
形，成对贴生于合蕊柱近基部，与裂片对生；
子房圆柱形，6 棱，密被褐色茸毛；合蕊柱
粗厚，先端 3 裂，裂片边缘向外反卷并具乳
头状突起。花期 3~5 月，果期 7~9 月。

| 分布区域 |

产于海南保亭。亦分布于中国广东、广西、
贵州、云南等地。

| 资　　源 |

生于海拔 500~1000m 的山坡密林或灌丛中，
偶见。

采收加工

秋、冬季采挖，洗净，切段，粗根纵切为两瓣，晒干。

药材性状

根圆柱形，或对半剖成半圆柱形，稍弯曲，长8~20cm，直径3~6cm。表面灰棕色，栓皮厚，粗糙。多纵皱纹，弯曲处有深横沟，刮去外皮露出灰黄色皮部；剖开面导管束易成刺片剥下。质坚硬，横切面略粉性，可见细密的放射状纹理。味苦。

功能主治

味辛、苦，性寒。祛风止痛，清热利水。用于湿热身痛、风湿痹痛、下肢水肿、小便不利。

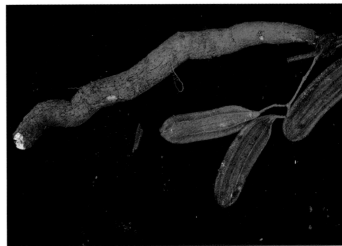

马兜铃科 Aristolochiaceae 马兜铃属 Aristolochia

黄毛马兜铃
Aristolochia fulvicoma Merr. & Chun

| 中 药 名 | 黄毛马兜铃（药用部位：块根）

| 植物形态 | 木质藤本，块根纺锤形。各部密被黄色长柔毛。叶薄革质，卵状椭圆形，基部狭耳形或深心形，两侧裂片内弯或下垂，全缘；基出脉3，侧脉每边5~8。花单生或2朵聚生于叶腋；花梗纤细，近基部具小苞片；小苞片三角形；花被管中部急遽弯曲，下部长约2cm，弯曲处至檐部较下部短而稍狭，外面淡紫红色，有紫色纵脉；檐部盘状近圆形，边缘浅3裂；裂片阔三角形；喉部半圆形，具领状突起；花药长圆形；子房圆柱形，6棱；合蕊柱先端3裂，边缘向下延伸，皱波状。蒴果长圆柱形，成熟时6瓣开裂；种子卵状三角形，灰褐色。花期5~6月，果期7~8月。

黄毛马兜铃

| 分布区域 |

产于海南三亚、五指山、保亭、万宁、琼中等地。
海南特有种。

| 资　　源 |

生于海拔 200~800m 的山地林中，少见。

| 采收加工 |

秋、冬季采挖，洗净，切段，粗根纵切两瓣，晒干。

| 药材性状 |

块根纺锤形，常数个相连成串。

| 功能主治 |

参考"马兜铃"。

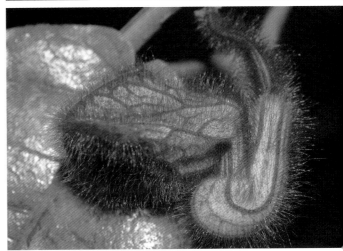

马兜铃科 Aristolochiaceae 马兜铃属 Aristolochia

海南马兜铃
Aristolochia hainanensis Merr.

海南马兜铃

| 中 药 名 |

海南马兜铃（药用部位：叶）

| 植物形态 |

木质藤本，老茎有不规则纵裂、增厚的木栓层。叶革质，卵形，全缘；基出脉3；叶柄密被褐色长柔毛。总状花序腋生或生于老茎近基部，有花3~6；花梗长3.5~4cm，常向下弯；花被管中部急遽弯曲且膨大，呈囊状，囊长1~3cm，管的上部较短而狭，外面黄白色，有明显纵脉，内面黄白色，近基部密生腺体状绒毛，最上部渐扩大成极歪斜喇叭状；檐部长圆形，边缘浅3裂；裂片不等大，在上的裂片长圆形，在下的裂片阔三角形；喉部近圆形，黄色；花药长圆形，子房圆柱形，6棱；合蕊柱先端3裂。蒴果长椭圆形，种子卵形，暗褐色。花期10月至翌年2月，果期6~7月。

| 分布区域 |

产于海南乐东、白沙、五指山、陵水、琼中。亦分布于中国广西。

| 资   源 |

生于山谷林中，少见。

| 采收加工 | 全年可采，干燥备用。

| 药材性状 | 叶革质，长 12~20cm，宽 10~17cm，嫩叶两面均密被棕色长绒毛，成长叶上面无毛或仅叶脉有疏长柔毛，榄绿色，下面被浅褐色或苍白色长柔毛；基出脉 3，叶柄密被褐色长柔毛。

| 功能主治 | 用于止痛。

马兜铃科 Aristolochiaceae 马兜铃属 Aristolochia

南粤马兜铃
Aristolochia howii Merr. et Chun

| 中 药 名 | 南粤马兜铃（药用部位：块根）

| 植物形态 | 木质藤本。叶革质，叶形各式，向下渐狭，基部狭心形，边全缘；叶柄常弯扭，密被棕色长柔毛。花单生或 2 朵聚生，有时排成总状花序，生于叶腋或老茎；花梗纤细；小苞片着生于花梗近基部，钻形，极小，密被长柔毛；花初呈粉红色，以后暗褐色，花被管中部急遽弯曲，具纵脉纹，内外被毛；檐部扩展，呈盘状，正圆形，边缘浅 3 裂，裂片平展，阔卵形，近等大；花药长圆形；子房圆柱形，6 棱；合蕊柱先端 3 裂，裂片先端尖，边缘向下延伸，具乳头状突起。蒴果长圆状，成熟时 6 瓣开裂；种子卵形，中间具海绵质种脊，灰褐色。花期 5~9 月，果期 10~12 月。

南粤马兜铃

| 分布区域 |

产于海南三亚、东方、昌江、白沙、万宁、琼中、定安、琼海等地。

| 资　　源 |

生于疏林中，常见。

| 采收加工 |

全年可采挖，去须根、杂质，洗净切片，晒干。

| 药材性状 |

块根长圆形或卵形，常数个相连，外皮灰褐色。

| 功能主治 |

味苦，性寒。清热解毒。用于慢性支气管炎、喘息样支气管炎、小儿肺炎、细菌性痢疾、乳腺炎、阑尾炎、皮肤化脓性感染。

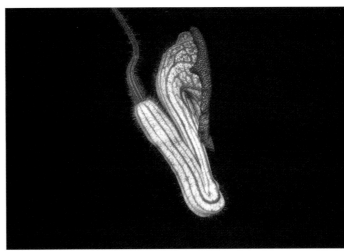

马兜铃科 Aristolochiaceae 马兜铃属 Aristolochia

耳叶马兜铃

Aristolochia tagala Champ.

耳叶马兜铃

| 中 药 名 |

黑面防己（药用部位：根）

| 植物形态 |

草质藤本。叶纸质，卵状心形，先端短尖，基部深心形，两侧裂片近圆形，下垂；基出脉 5，侧脉每边约 3，向上略弯拱；叶柄长 2.5~4cm，无毛。总状花序，腋生，有花 2~3；花梗纤细；小苞片卵状披针形，稍被短柔毛；花被基部收狭呈柄状，具关节，其上膨大呈球形，向上急遽收狭成一长管，具脉纹，管口扩大呈漏斗状，一侧极短，另一侧延伸成舌片，舌片长圆形，先端圆而具凸尖，初绿色，后暗紫色，具纵脉纹；花药卵形；子房圆柱形，6 棱；合蕊柱先端 6 裂。花期 5~8 月，果期 10~12 月。

| 分布区域 |

产于海南五指山、万宁、澄迈、琼海、海口、临高。亦分布于中国广东、广西、福建、台湾、云南等地。越南、柬埔寨、泰国、缅甸、马来西亚、印度、尼泊尔、印度尼西亚、菲律宾、日本也有分布。

| 资　源 |

生于低海拔林中，少见。

| 采收加工 |

秋季采挖，洗净，切片，晒干备用。

| 药材性状 |

根圆柱形，略弯曲。表面黑褐色，有纵向皱纹，偶有横裂纹。质硬，横断面白色，皮部有棕色小点，导管孔径大。气香，味微辛。

| 功能主治 |

味微苦、辛，性微寒。清热解毒，祛风止痛，利湿消肿。用于疔疮痈肿、瘰疬、风湿关节痛、胃痛、湿热淋证、水肿、痢疾、肝炎、蛇咬伤。

猪笼草科 Nepenthaceae 猪笼草属 Nepenthes

猪笼草
Nepenthes mirabilis (Lour.) Druce

猪笼草

| 中 药 名 |

猪笼草（药用部位：全草）

| 植物形态 |

直立或攀缘草本。基生叶密集，边缘具睫毛状齿；卷须短于叶片；瓶状体大小不一；茎生叶散生，基部下延；卷须约与叶片等长，具瓶状体或否；瓶状体具纵棱2，近圆筒形，下部稍扩大，口处收狭或否，口缘宽 0.2~0.4cm，内壁上半部平滑，下半部密生燕窝状腺体，有距 1~2；瓶盖卵形或长圆形，内面密生近圆形腺体。总状花序长20~50cm，被长柔毛，与叶对生或顶生；花被片4，红至紫红色，椭圆形或长圆形，背面被柔毛，腹面密被近圆形腺体。雄花：花被片长 0.5~0.7cm，雄蕊柱具花药1轮，稍扭转。雌花：花被片长 0.4~0.5cm；子房椭圆形。花期 4~11 月，果期 8~12 月。

| 分布区域 |

产于海南三亚、乐东、万宁、定安、琼海、文昌。亦分布于中国广东。中南半岛，以及马来西亚、澳大利亚也有分布。

| 资　　源 |

多生于近海沼泽地，常见。

| 采收加工 |

秋季采收，切段晒干。

| 药材性状 |

干燥的茎叶，以叶先端之囊状体为主。叶片纸质，多破碎；长圆形或披针形；上面灰褐色而染有紫润，下面暗棕色；主脉突出延长成卷须，约与叶等长，卷须先端连一囊状体。囊状体多已压扁，先端连一囊盖；外表棕褐色至棕黄色，较皱缩，内表面红棕色至黄棕色，平滑，密布腺点；囊的底部常残存昆虫尸体碎片。

| 功能主治 |

味甘、淡，性凉。清热止咳，利尿，降压。用于肺热咳嗽、肺燥咯血、百日咳、尿路结石、糖尿病、高血压。

胡椒科 Piperaceae 草胡椒属 Peperomia

硬毛草胡椒
Peperomia cavaleriei C. DC.

| 中 药 名 | 硬毛草胡椒（药用部位：全草）

| 植物形态 | 草本，高 15~30cm；茎带肉质，分枝，基部匍匐，节上生根，密被硬毛。叶对生或 3~5 轮生，纸质，有腺点，阔倒卵形至长倒卵形，长 1.5~2.5cm，宽 1~1.5cm，两面密被硬毛；叶柄短，密被硬毛。穗状花序顶生和腋生，远长于叶片，长 3~5cm；总花梗长 11~15mm，被疏毛；花序轴无毛；花稍密集，着生于花序轴的凹陷处；苞片近圆形，盾状，具短柄；花药圆形，具纤细的花丝；子房椭圆形，粗糙，有腺点，先端略尖。花期 5~7 月。

硬毛草胡椒

| 分布区域 | 产于海南昌江、保亭、三亚。亦分布于中国广西、贵州、云南。

| 资　　源 | 生于海拔 900m 的石灰岩季雨林中，偶见。

| 功能主治 | 用于皮肤湿疹。

胡椒科 Piperaceae 草胡椒属 Peperomia

石蝉草
Peperomia dindygulensis Miq.

| 中 药 名 | 石蝉草（药用部位：全草）

| 植物形态 | 肉质草本，茎直立或基部匍匐，分枝，被短柔毛，下部节上常生不定根。叶对生或 3~4 叶轮生，膜质或薄纸质，有腺点，椭圆形，下部的有时近圆形，长 2~4cm，宽 1~2cm，两面被短柔毛；叶脉 5，基出，最外 1 对细弱而短或有时不明显；叶柄长 6~18mm，被毛。穗状花序腋生和顶生，单生或 2~3 个丛生，长 5~8cm；总花梗被疏柔毛，长 5~15mm；花疏离；苞片圆形，盾状，有腺点，直径约 0.8mm；雄蕊与苞片同着生于子房基部，花药长椭圆形，有短花丝。花期 4~7 月及 10~12 月。

石蝉草

| 分布区域 | 产于海南三亚、乐东、东方、五指山、陵水、琼中、儋州、海口、昌江。分布于中国西南至东南部。东南亚、非洲、北美洲也有分布。

| 资　源 | 生于林谷中或溪边石缝内，常见。

| 采收加工 | 夏、秋季采收，晒干。

| 药材性状 | 茎肉质，圆柱形，弯曲，多分枝，长短不一；表面紫黑色，有纵皱纹及细小皮孔，具短茸毛，节上有时可见不定根。叶对生或3~4叶轮生，具短柄；叶片多卷缩，展平后呈菱状椭圆形或倒卵形，全缘，膜质，两面有细茸毛。气微，味淡。

| 功能主治 | 味辛，性凉。清热解毒，化瘀散结，利水消肿。用于肺热咳喘、麻疹、疮毒、癌肿、烫火伤、跌打损伤、肾炎水肿。

| 附　注 | ①FOC 将其名修订为 *Peperomia blanda* (Jacq.) Kunth。②黎药（魂炸开）：全草煮水喝，清热。

胡椒科 Piperaceae　草胡椒属 Peperomia

草胡椒
Peperomia pellucida (L.) Kunth

| **中 药 名** | 草胡椒（药用部位：全草）

| **植物形态** | 一年生肉质草本，高 20~40cm；茎直立或基部有时平卧，分枝，无毛，下部节上常生不定根。叶互生，膜质，半透明，阔卵形或卵状三角形，长和宽近相等，1~3.5cm，先端短尖或钝，基部心形，两面均无毛；叶脉 5~7，基出，网状脉不明显；叶柄长 1~2cm。穗状花序顶生和与叶对生，细弱，长 2~6cm，其与花序轴均无毛；花疏生；苞片近圆形，直径约 0.5mm，中央有细短柄，盾状；花药近圆形，有短花丝；子房椭圆形，柱头顶生，被短柔毛。花期 4~7 月。

| **分布区域** | 产于海南海口、万宁、文昌。亦分布于中国广东、广西、福建、云南等地。原产于美洲热带地区。

草胡椒

| 资　源 |

生于林下湿地、石缝中或宅舍墙脚下，少见。

| 采收加工 |

夏、秋季采收，洗净，晒干。

| 药材性状 |

茎有分枝，具细纵槽纹，下部节上生有不定根。叶片皱缩或破碎，完整叶片展开后呈阔卵形或卵状三角形，长宽几相等，基部心形，两面无毛。常带穗状花序，顶生或与叶对生。气微，味淡。

| 功能主治 |

味辛，性凉。散瘀止痛，清热解毒。用于痈肿疮毒、烫火伤、跌打损伤、外伤出血。

胡椒科 Piperaceae 草胡椒属 Peperomia

豆瓣绿

Peperomia tetraphylla (Forst. f.) Hook. et Arn.

| **中 药 名** | 豆瓣绿（药用部位：全草）

| **植物形态** | 肉质丛生草本；茎匍匐，多分枝，下部节上生根，节间有粗纵棱。叶密集，4 或 3 片轮生，带肉质，有透明腺点，干时变淡黄色，常有皱纹，略背卷，阔椭圆形，长 9~12mm，宽 5~9mm，无毛或稀被疏毛；叶脉 3，细弱，通常不明显；叶柄短，无毛或被短柔毛。穗状花序单生，顶生和腋生，长 2~4.5cm；总花梗被疏毛或近无毛，花序轴密被毛；苞片近圆形，有短柄，盾状；花药近椭圆形，花丝短；子房着生于花序轴的凹陷处，柱头顶生，近头状，被短柔毛。浆果近卵形，长近 1mm，先端尖。花期 2~4 月及 9~12 月。

豆瓣绿

| 分布区域 | 产于海南昌江、白沙、五指山、琼中。亦分布于中国广西、福建、台湾、贵州、云南、四川、西藏、甘肃等地。

| 资　　源 | 生于岩石上，常见。

| 采收加工 | 夏、秋季采收，洗净，晒干或鲜用。

| 药材性状 | 茎表面具粗纵棱，下部节上有不定根。叶肉质，干时皱缩，展平后呈阔椭圆形或近圆形，形似豆瓣，表面淡黄色，有透明腺点，叶柄甚短。枝顶或叶腋常有穗状花序，花序轴密被毛茸。气微，味淡。

| 功能主治 | 味辛、苦，性温。舒筋活血，祛风除湿，化痰止咳。用于风湿筋骨痛、跌打损伤、疮疖肿毒、咽喉炎、口腔炎、痢疾、水泻、宿食不消、小儿疳积、劳伤咳嗽、哮喘、百日咳。

胡椒科 Piperaceae 胡椒属 Piper

华南胡椒
Piper austrosinense Tseng

| 中 药 名 | 华南胡椒（药用部位：全株）

| 植物形态 | 木质攀缘藤本。枝有纵棱，节上生根。叶厚纸质，花枝下部叶阔卵形，先端短尖，基部心形，两侧相等，基部钝或略狭，两侧常不等齐；叶脉基出 5，对生；下部叶柄长达 2cm，上部叶柄长 4~10mm；叶鞘长为叶柄之半或略短。花单性，雌雄异株，聚集成与叶对生的穗状花序。雄花序圆柱形，先端钝，白色；总花梗长 1~1.8cm；苞片圆形，无柄，盾状，腹面中央和花序轴同被白色密毛；雄蕊 2，花丝与花药近等长。雌花序白色，总花梗与花序近等长；苞片与雄花序的相同；子房基部嵌生于花序轴中，柱头 3~4 裂，被绒毛。浆果球形，基部嵌生于花序轴中。花期 4~6 月。

华南胡椒

分布区域	产于海南乐东、白沙、五指山、琼中、儋州。亦分布于中国广东西南部、广西东南部。
资　　源	生于山谷、密林或疏林中，攀于树上或石上，常见。
采收加工	夏、秋季采收，洗净，鲜用或晒干。
功能主治	味辛，性温。消肿止痛。用于牙痛、跌打损伤。

蒌 叶
Piper betle L.

蒌叶

| 中 药 名 |

蒟酱（药用部位：果穗、叶）

| 植物形态 |

攀缘藤本。叶纸质至近革质，背面及嫩叶脉上有密细腺点，阔卵形至卵状长圆形，基部心形；叶脉 7；叶柄被极细的粉状短柔毛；叶鞘长约为叶柄的 1/3。花单性，雌雄异株，聚集成与叶对生的穗状花序。雄花序开花时几与叶片等长；总花梗与叶柄近等长，花序轴被短柔毛；苞片圆形或近圆形，稀倒卵形，近无柄，盾状；雄蕊 2，花药肾形，2 裂，花丝粗。雌花序长 3~5cm；花序轴密被毛；苞片与雄花序的相同；子房下部嵌生于肉质花序轴中并与其合生，先端被绒毛；柱头通常 4~5 裂。浆果下部与花序轴合生成一柱状、肉质、带红色的果穗。花期 5~7 月。

| 分布区域 |

产于海南乐东、陵水、万宁。中国广东、广西、台湾、云南等地亦有栽种。越南、马来西亚、印度尼西亚、菲律宾、印度、斯里兰卡及非洲东部也有分布。

资　　源	生长于阴湿的森林中，少见。
采收加工	果穗：秋后果实成熟时采摘，晒一日后，纵剖为二，晒干。叶：夏秋间采收，洗净晒干。
药材性状	果穗：呈弯曲的半圆柱形，由许多小浆果聚合而成，长 3~12cm。表面黑褐色，有凹凸不平的突起，切面淡棕色，具明显圆形种粒痕迹，有穗梗。质硬而脆，断面黄棕色或棕黑色，周围可见红棕色的种粒。气芳香，味辛辣。叶：叶片常皱缩成团，展平后卵状长圆形，上面灰绿色或黄色，带有银灰色斑点，下面浅黄绿色，主脉 5，侧脉网状；叶柄甚长，稍扭曲，有纵皱及纵沟。纸质，老叶近革质而稍厚。常杂有少量茎枝，浅棕褐色，节膨大，有不定根痕。气香，味稍咸微辣，略有茶叶味。
功能主治	果穗：味辛，性温。温中下气，消痰散结，止痛。用于脘腹冷痛、呕吐泄泻、虫积腹痛、咳逆上气、牙痛。叶：疏风散寒，行气化痰，解毒消肿，燥温止痒。用于风寒咳嗽、哮喘、百日咳、脘腹胀痛、食滞纳呆、水肿、跌打伤肿、风湿骨痛、疮疡肿毒、痔疮肿痛、烫火伤、风毒脚气、疥癫、湿疹瘙痒。
附　　注	黎药（波菱）：①叶 7 片，东风橘、布渣叶各 15g，杧果核 2 个，水煎服，治风寒咳嗽；②鲜品适量，水煎液浸泡患处，治脚癣。

胡椒科 Piperaceae 胡椒属 Piper

苎叶蒟
Piper boehmeriaefolium (Miq.) C. DC.

| 中 药 名 | 芦子藤（药用部位：全株）

| 植物形态 | 直立亚灌木。叶长圆状披针形，先端渐尖至长渐尖，基部偏斜不
等，腹面无毛，背面沿脉上或在脉的基部被疏毛；侧脉在宽的一侧
3~4，在狭的一侧 2~3；叶柄长 5~8mm，两侧差距约 2mm，无毛或
有时被疏毛；叶鞘长约为叶柄之半。花单性，雌雄异株，聚集成与
叶对生的穗状花序。雄花序短于叶片，长 10~15cm；总花梗远长于
叶柄；苞片圆形，具短柄，盾状，直径约 1.2mm，无毛；雄蕊 2，
花药肾形，2 裂，花丝短。雌花序长 10~12cm；总花梗与雄花序的相同，
花序轴被撕裂状疏毛；苞片与雄花序的相同，但较小。浆果近球形，
离生，直径约 3mm，密集成长的柱状体。花期 4~6 月。

苎叶蒟

| **分布区域** | 产于海南乐东、昌江、白沙、五指山、保亭、万宁、琼中。亦分布于中国广东、广西、贵州、云南等地。越南北部、泰国、马来西亚、印度东北部、不丹也有分布。 |

| **资　　源** | 生于山坡湿润处，常见。 |

| **采收加工** | 秋、冬季采收。洗净，切碎，晒干。 |

| **药材性状** | 茎枝稍弯曲，表面淡黄色，有纵棱和疣状突起。叶多皱缩，展平后长圆形或长圆状披针形，有密细腺点，叶柄较短，基部鞘状。有时可见穗状花序，较叶片稍短。气香，味辛辣。 |

| **功能主治** | 味辛，性温。祛风除湿，通络止痛。用于风寒感冒、风湿痹痛、胃痛、月经不调、跌打损伤、骨折。 |

胡椒科 Piperaceae 胡椒属 Piper

海南蒟

Piper hainanense Hemsl.

| **中 药 名** | 海南蒟（药用部位：茎叶）

| **植物形态** | 木质藤本，除花序轴外无毛；枝有细纵纹。叶薄革质，卵状披针形，长 7~12cm，宽 3~5cm，先端短尖至尾状渐尖，腹面光亮，背面被白粉霜；叶脉 5；叶柄长 1~3.5cm；叶鞘长为叶柄之半或稍过之。花单性，雌雄异株，聚集成与叶对生的穗状花序。雄花序长 7~12cm 或更长；总花梗长 1~2cm；苞片倒卵形至倒卵状长圆形，长约为宽的 2 倍，盾状，表面有腺点；雄蕊 3~4，花丝短。雌花序长 8~15cm，于果期延长，有时可达 22cm；总花梗与雄株的相同；花序轴被毛；苞片长圆形或倒卵状长圆形，长为宽的 3 倍，腹面贴生于花序轴上，边缘分离，盾状；子房倒卵形，无柄，柱头 4 裂。花期 3~5 月。

海南蒟

| 分布区域 | 产于海南三亚、东方、白沙、保亭、万宁、琼中、儋州、澄迈、海口。亦分布于中国广东、广西。

| 资　　源 | 生于疏林中或密林中，十分常见。

| 采收加工 | 全年均可采收，洗净扎把晒干。

| 药材性状 | 茎枝圆柱形，直径 2~4mm；表面有细纵纹，节膨大，生有不定根。叶片近革质，卵形或椭圆形，全缘，上表面黄绿色，下表面色较浅并常有白色粉霜，基出，形成掌状；叶柄较长，具叶鞘。有时带有与叶对生的穗状花序或有细皱纹的浆果。气香，味辛辣。

| 功能主治 | 味辛，性温。温中健脾，祛风除湿，敛疮。用于脘腹冷痛、消化不良、风湿痹痛、下肢溃疡、湿疹。

| 附　　注 | 黎药（簸萋）：叶热敷，治疗风湿关节痛。

胡椒科 Piperaceae 胡椒属 Piper

山 蒟 *Piper hancei* Maxim.

山蒟

|中 药 名|

山蒟（药用部位：茎叶或根）

|植物形态|

攀缘藤本；茎、枝具细纵纹，节上生根。叶
纸质或近革质，卵状披针形，先端短尖，基
部渐狭或楔形，通常相等或有时略不等；叶
脉 5~7；叶柄长 5~12mm；叶鞘长约为叶柄
之半。花单性，雌雄异株，聚集成与叶对生
的穗状花序。雄花序长 6~10cm；总花梗与
叶柄等长或略长，花序轴被毛；苞片近圆形，
近无柄，盾状，向轴面和柄上被柔毛；雄蕊
2，花丝短。雌花序长约 3cm，于果期延长；
苞片与雄花序的相同，但柄略长；子房近球
形，离生，柱头 4 或稀有 3 裂。浆果球形，
黄色。花期 3~8 月。

|分布区域|

产于海南东方、白沙、五指山、万宁、琼中。
亦分布于中国南部各地。

|资　　源|

生于林中，十分常见。

采收加工

秋季采收，切段，晒干。

药材性状

茎圆柱形，细长，直径 1~3mm；表面灰褐色，有纵纹，节膨大，有不定根，节间长 2~10cm；质脆易断，断面皮部灰褐色，较薄，木质部灰白色，有许多小孔。叶多皱缩，有的破碎，完整叶片展平后狭椭圆形或卵状披针形；上表面墨绿色，下表面灰绿色；质脆。气清香，味辛辣。

功能主治

味辛，性温。祛风除湿，活血消肿，行气止痛，化痰止咳。用于风湿痹痛、胃痛、痛经、跌打损伤、风寒咳喘、疝气痛。

附 注

黎药（簸萎杠）：叶煮水喝，治疗胃痛。

胡椒科 Piperaceae   胡椒属 Piper

大叶蒟
Piper laetispicum C. DC.

大叶蒟

| 中 药 名 |

大叶蒟（药用部位：全株）

| 植物形态 |

木质攀缘藤本，枝无毛。叶革质，有透明腺点，长圆形，先端短渐尖，基部两侧不等，斜心形，两耳圆；叶脉羽状，网状脉明显；叶柄短，被短柔毛；叶鞘长 2~3mm。花单性，雌雄异株，聚集成与叶对生的穗状花序。雄花序长约 10cm；总花梗长 1~1.5cm，无毛；花序轴被毛；苞片阔倒卵形，盾状，有缘毛。雄蕊 2，花药 2 室，花丝肥厚。雌花序长和宽与雄花序的相同，在果期延长并显著增粗，长达 15cm；花序轴密被粗毛；苞片倒卵状长圆形，腹面贴生于花序轴上，仅边缘分离，盾状，有缘毛，子房卵形，柱头 4 裂，先端短尖。浆果近球形，果柄与果近等长。花期 8~12 月。

| 分布区域 |

产于海南三亚、乐东、东方、昌江、白沙、保亭、陵水、万宁、澄迈、屯昌。亦分布于中国广东。

| **资　　源** | 生于密林中，攀缘于树上或石上，十分常见。

| **采收加工** | 夏、秋季采挖，洗净，鲜用或晒干。

| **药材性状** | 茎枝圆柱形，表面淡褐色，有细纵纹，叶稍卷折，革质，叶片长圆形或卵状长圆形，长 10~16cm，宽 3~8cm，基部两侧偏斜，常具重叠的两耳，叶背有稀疏的长柔毛；叶柄较短，有柔毛。有时可见穗状花序，花序轴具毛。气香，味辛辣。

| **功能主治** | 味辛，性温。活血消肿止痛。用于跌打损伤、瘀血肿痛。

| **附　　注** | 黎药（簸萎隆）：叶捣烂敷，用于接骨疗伤。

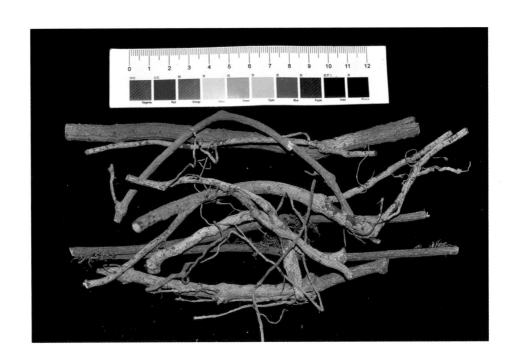

胡椒科 Piperaceae 胡椒属 Piper

荜 拔
Piper longum L.

| 中 药 名 | 荜芨（药用部位：果穗、根）

| 植物形态 | 攀缘藤本。全株被极细的粉状短柔毛。叶纸质，有密细腺点，下部
的卵圆形，向上渐次为卵形至卵状长圆形，基部阔心形，有钝圆、
相等的两耳；叶脉 7，均自基出；先端的有时近无柄而抱茎；叶鞘
长为叶柄的 1/3。花单性，雌雄异株，聚集成与叶对生的穗状花序。
雄花序长 4~5cm；总花梗长 2~3cm；花序轴无毛；苞片近圆形，有
时基部略狭，具短柄，盾状；雄蕊 2。雌花序长 1.5~2.5cm，于果期
延长；总花梗和花序轴与雄花序的无异，唯苞片略小；子房卵形，
柱头 3 裂，卵形，先端尖。浆果下部嵌生于花序轴中并与其合生，
上部圆，先端有脐状突起。花期 7~10 月。

荜拔

|分布区域|

海南海口、万宁等地有栽培。分布于中国云南、
广东、广西、福建有栽培记录。越南、马来西亚、
尼泊尔、印度、斯里兰卡也有分布。

|资　　源|

偶见栽培，资源量少。

|采收加工|

果穗：9月果穗由绿变黑时采收，除去杂质，
晒干。包装后放阴凉干燥处，注意防止霉变或
虫蛀。根：夏、秋季采挖，洗净，晒干。

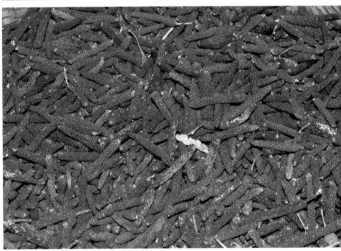

|药材性状|

果穗圆柱形，稍弯曲，由多数小浆果集合而成。
表面黑褐色或棕色，有斜向排列整齐的小突起，
基部有果穗梗残余或脱落痕；质硬而脆，易折
断，断面不整齐，颗粒状。小浆果球形。有特
异香气，味辛辣。以肥大、饱满、坚实、色黑褐、
气味浓者为佳。

|功能主治|

果穗：味辛，性热，归脾、胃、大肠、肺、膀胱、
肝、肾经。温中散寒，下气止痛。用于脘腹冷痛、
呕吐、泄泻、头痛、牙痛、鼻渊、冠心病心绞痛。
根：味辛，性温；归肾、胃经。温中行气，降
逆消食，散寒止痛，截疟。用于中寒脘腹胀满、
呕逆、食积不化、疝肿、妇女宫寒不孕、疟疾。

胡椒科 Piperaceae 胡椒属 Piper

胡 椒 *Piper nigrum* L.

| 中 药 名 | 胡椒（药用部位：果实）

| 植物形态 | 木质攀缘藤本。叶厚，近革质，阔卵形至卵状长圆形，稀有近圆形，先端短尖，基部圆，常稍偏斜，两面均无毛；叶脉 5~7，稀有 9，最上 1 对互生，离基发出，余者均自基出，网状脉明显；叶柄无毛；叶鞘延长，长常为叶柄之半。花杂性，通常雌雄同株；花序与叶对生，短于叶或与叶等长；总花梗与叶柄近等长，无毛；苞片匙状长圆形，长 3~3.5cm，先端阔而圆，与花序轴分离，呈浅杯状，狭长处与花序轴合生，仅边缘分离；雄蕊 2，花药肾形，花丝粗短；子房球形，柱头 3~4 裂，稀有 5 裂。浆果球形，无柄，成熟时红色，未成熟时干后变黑色。花期 6~10 月。

胡椒

| 分布区域 |

海南各地有栽培。原产于东南亚，现广植于世界热带和亚热带地区。

| 资　　源 |

栽培量大，十分常见。

| 采收加工 |

一般定植后 2~3 年封顶放花，3~4 年收获。果穗先晒，后去皮，充分晒干，即为商品黑胡椒。果穗用流水浸至果皮腐烂，去皮，晒干，即为商品白胡椒。

| 药材性状 |

黑胡椒：果实近圆球形，表面暗棕色至灰黑色，具隆起的网状皱纹，先端有细小的柱头残基，基部有自果柄脱落的疤痕。质硬，外果皮可剥离，内果皮灰白色或淡黄色，断面黄白色，粉性，中央有小空隙。气芳香，味辛辣。以粒大、饱满、色黑、皮皱、气味强烈者为佳。白胡椒：果核近圆球形，最外为内果皮，表面灰白色，平滑，先端与基部间有多数浅色线状脉纹。以粒大、个圆、坚实、色白、气味强烈者为佳。

| 功能主治 |

味辛，性热。归胃、脾、肾、肝、肺、大肠经。温中散气，下气止痛，止泻，开胃，解毒。用于胃寒疼痛、呕吐、食欲不振、中鱼蟹毒。

毛 蒟 *Piper puberulum* (Benth.) Maxim.

| 中 药 名 | 毛蒟（药用部位：全株）

| 植物形态 | 攀缘藤本。叶硬纸质，卵状披针形或卵形，先端短尖或渐尖，基部浅心形，两侧常不对称；叶脉 5~7，最上 1 对互生，离基发出，余者均自基部或近基部发出；叶柄长 5~10mm，密被短柔毛，仅基部具鞘。花单性，雌雄异株，聚集成与叶对生的穗状花序。雄花序纤细，长约 7cm，直径约 3mm；总花梗比叶柄稍长，其与花序轴同被疏柔毛；苞片圆形，有时基部略狭，盾状，无毛；雄蕊通常 3，花药肾形，2 裂，花丝极短。雌花序长 4~6cm；苞片、总花梗和花序轴与雄花序的无异；子房近球形，柱头 4 裂。浆果球形，直径约 2mm。花期 3~5 月。

毛蒟

|分布区域|

海南有分布记录。亦分布于中国广东、广西。

|资 源|

生于海拔 100~1300m 的密灌丛或林中，偶见。

|采收加工|

全年均可采，洗净阴干。

|药材性状|

茎枝常扭曲，扁圆柱形，表面灰褐色或灰棕色。节膨大，质轻而脆，断面皮部窄，维管束与射线相同，呈放射状排列，木质部有多数小孔，中心有灰褐色的髓部，叶片灰绿色，多皱缩，展平后卵状披针形或卵形，基部浅心形而常不对称，两面有毛茸，背面较稀疏，叶柄密生短毛，基部鞘状。有时可见与叶对生的穗状花序。气清香，味辛辣。以枝条均匀、色灰褐、叶片完整者为佳。

|功能主治|

味辛，性温。行气止痛，祛风散寒除湿。用于风湿痹痛、风寒头痛、脘腹疼痛、疝气、痛经、跌打肿痛。

|附 注|

FOC 将其学名修订为 *Piper hongkongense* C. de Candolle。

胡椒科 Piperaceae 胡椒属 Piper

假蒟
Piper sarmentosum Roxb.

| 中药名 | 假蒟（药用部位：茎、叶或全草），假蒟根（药用部位：根），假蒟子（药用部位：果穗）

| 植物形态 | 多年生草本。叶近膜质，有细腺点，下部的阔卵形，先端短尖，基部心形或稀有平截；叶脉 7，网状脉明显；叶柄被极细的粉状短柔毛；叶鞘长约为叶柄之半。花单性，雌雄异株，聚集成与叶对生的穗状花序。雄花序长 1.5~2cm；总花梗与花序等长或略短；花序轴被毛；苞片扁圆形，近无柄，盾状；雄蕊 2，花药近球形，2 裂，花丝长为花药的 2 倍。雌花序长 6~8mm，于果期稍延长；总花梗与雄株的相同，花序轴无毛；苞片近圆形，盾状；柱头 4 裂，稀有 3 裂或 5 裂，被微柔毛。浆果近球形，具 4 角棱，无毛，基部嵌生于花序轴中并与其合生。花期 4~11 月。

假蒟

| 分布区域 | 产于海南乐东、昌江、白沙、五指山、保亭、万宁、儋州。亦分布于中国南部各地。越南、菲律宾、马来西亚、印度尼西亚、印度也有分布。 |

| 资　源 | 生于疏林中或村旁湿地上，十分常见。 |

| 采收加工 | 果穗秋季采收，阴干备用。其余全年均可采收，洗净，鲜用或阴干。 |

| 药材性状 | 茎枝圆柱形，稍弯曲，表面有细纵棱，节上有不定根。叶多皱缩，展平后阔卵形或近圆形，上面棕绿色，下面灰绿色，有细腺点，叶脉 7，于叶背明显突出；叶鞘长度约为叶柄之半。有时可见与叶对生的穗状花序。气香，味辛辣。 |

| 功能主治 | 假蒟：味苦，性温；归心、肺、脾、大肠经。祛风散寒，行气止痛，活络消肿。用于风寒咳喘、风湿痹痛、脘腹胀满、泄泻痢疾、产后脚肿、跌打损伤。假蒟根：味苦、辛，性温。祛风除湿，消肿止痛，解毒截疟。用于风湿痹痛、脚气、妊娠水肿、胃痛、牙痛、疮疡、痔肿、疟疾。假蒟子：味辛，性温。温中散寒，行气止痛，化湿消肿。用于脘腹胀痛、寒湿腹泻、风湿痹痛、疝气痛、牙痛、水肿。 |

| 附　注 | 黎药（意翻）：①假蒟、大鱼头同煮食用或煲水洗，治产后气虚脚肿；②假蒟根煎水缓缓含服，治风火牙痛。 |

三白草科 Saururaceae 蕺菜属 Houttuynia

蕺 菜
Houttuynia cordata Thunb.

| 中 药 名 | 鱼腥草（药用部位：全草）

| 植物形态 | 腥臭草本，高 30~60cm；茎下部伏地，节上轮生小根，上部直立，
无毛或节上被毛，有时带紫红色。叶薄纸质，有腺点，背面尤甚，
卵形或阔卵形，长 4~10cm，宽 2.5~6cm，先端短渐尖，基部心形，
两面有时除叶脉被毛外余均无毛，背面常呈紫红色；叶脉 5~7；叶
柄无毛；托叶膜质，长 1~2.5cm，先端钝，下部与叶柄合生而成长
8~20mm 的鞘，且常有缘毛，基部扩大，略抱茎。花序长约 2cm；
总花梗长 1.5~3cm，无毛；总苞片长圆形或倒卵形，长 10~15mm，
先端钝圆；雄蕊长于子房，花丝长为花药的 3 倍。蒴果长 2~3mm，
先端有宿存的花柱。花期 4~7 月。

蕺菜

| 分布区域 |

产于海南乐东、万宁、琼中。亦分布于中国中南部各地，北至陕西、甘肃。亚洲东部及东南部也有分布。

| 资　源 |

生于低湿沼泽地，偶见。

| 采收加工 |

夏、秋季采收，洗净晒干，鲜用随时可采。

| 药材性状 |

茎扁圆形，皱缩而弯曲，长 20~30cm；表面黄棕色，具纵棱，节明显，下部节处有须根残存；质脆，易折断。叶互生，多皱缩，展平后心形，上面暗绿色或黄绿色，下面绿褐色或灰棕色；叶柄细长，基部与托叶合成鞘状。穗状花序顶生。搓碎有鱼腥气，味微涩。以叶多、色绿、有花穗、鱼腥气浓者为佳。

| 功能主治 |

味辛，性微寒；归肺、膀胱、大肠经。清热解毒，排脓消痈，利尿通淋。用于肺痈吐脓、痰热咳喘、热痢、疮痈肿毒、热淋。

| 附　注 |

黎药（杆靠海）：①鲜全草 3~6g，水煎服，或捣烂取自然汁冲蜜糖服，治肺痈；②全草 3g，水煎服，另用 500~1000g 煮水熏洗，治痔瘘；③鲜全草 3g，捣汁冷开水冲服，治毒蛇咬伤。

三白草科 Saururaceae 三白草属 Saururus

三白草 *Saururus chinensis* (Lour.) Baill.

| 中 药 名 | 三白草（药用部位：地上部分、根茎）

| 植物形态 | 湿生草本，茎粗壮，有纵长粗棱和沟槽，下部伏地，常带白色，上部直立，绿色。叶纸质，密生腺点，阔卵形至卵状披针形，长10~20cm，宽5~10cm，两面均无毛，上部的叶较小，茎先端的2~3片于花期常为白色，呈花瓣状；叶脉5~7，均自基部发出，网状脉明显；叶柄无毛，基部与托叶合生成鞘状，略抱茎。花序白色，长12~20cm；总花梗长3~4.5cm，无毛，但花序轴密被短柔毛；苞片近匙形，上部圆，无毛或有疏缘毛，下部线形，被柔毛，且贴生于花梗上；雄蕊6，花药长圆形，纵裂，花丝比花药略长。果近球形，直径约3mm，表面多疣状突起。花期4~6月。

三白草

| 分布区域 | 产于海南琼中、儋州。亦分布于中国长江以南各地，以及河南、河北、山东。越南、菲律宾、日本、朝鲜也有分布。

| 资　　源 | 生于湿地，偶见。

| 采收加工 | 地上部分：全年均可采收，洗净晒干。根茎：秋季采挖。

| 药材性状 | 根茎圆柱形，稍弯曲，有分枝，长短不等。表面灰褐色，粗糙，有纵皱纹及环状节，节上有须根，节间长约2cm。质硬而脆，易折断，断面类白色，粉性。气微，味淡。

| 功能主治 | 地上部分：味苦、辛，性寒；归肺、脾、胃、大肠经。清热利水，解毒消肿。用于热淋、血淋、水肿、脚气、黄疸、痢疾、带下、痈肿疮毒、湿疹、蛇咬伤。
根茎：味甘、辛，性寒；归脾、大肠、膀胱经。利水除湿，清热解毒。用于脚气、水肿、淋浊、带下、痈肿、流火、疔疮疥癣，亦治风湿热痹。

金粟兰科 Chloranthaceae　金粟兰属 Chloranthus

金粟兰 *Chloranthus spicatus* (Thunb.) Makino

| 中 药 名 | 珠兰（药用部位：根、叶或全株）

| 植物形态 | 半灌木，直立或稍平卧；茎圆柱形，无毛。叶对生，厚纸质，椭圆形，长 5~11cm，宽 2.5~5.5cm，先端急尖或钝，基部楔形，边缘具圆齿状锯齿，齿端有一腺体，腹面深绿色，光亮，背面淡黄绿色，侧脉 6~8 对，两面稍突起；叶柄长 8~18mm，基部多少合生；托叶微小。穗状花序排列成圆锥花序状，通常顶生，少有腋生；苞片三角形；花小，黄绿色，极芳香；雄蕊 3，药隔合生成一卵状体，上部不整齐 3 裂，中央裂片较大，有时末端又浅 3 裂，有 1 个 2 室的花药，两侧裂片较小，各有 1 个 1 室的花药；子房倒卵形。花期 4~7 月，果期 8~9 月。

金粟兰

| 分布区域 |

产于海南白沙、万宁。亦分布于中国广东、广西、福建、贵州、云南、四川等地。越南、泰国、日本，以及其他东南亚国家也有分布。

| 资　源 |

生于密林中，偶见。

| 采收加工 |

夏季采收，洗净，切片，晒干。

| 药材性状 |

全株长 30~60cm，茎圆柱形，表面棕褐色；质脆，易折断，断面淡棕色，纤维性。叶棕黄色，椭圆形或倒卵状椭圆形；先端稍钝，边缘具圆锯齿。花穗芳香。气微，味微苦涩。

| 功能主治 |

味甘、辛，性温；归肝经。祛风湿，活血止痛，杀虫。用于风湿痹痛、跌打损伤、偏头痛、顽癣。

金粟兰科 Chloranthaceae 雪香兰属 Hedyosmum

雪香兰 *Hedyosmum orientale* Merr. et Chun

| 中 药 名 | 雪香兰（药用部位：全株）

| 植物形态 | 草本或半灌木。叶膜质或纸质，狭披针形，长 10~23cm，宽 1.5~4cm，先端渐狭成长尾尖，边缘具细密锯齿，齿尖有 1 腺体；中脉腹面凹入，背面突起，叶柄基部合生成一膜质的杯状鞘，先端截形，长 8~10mm。花单性，雌雄异株；雄花序呈密穗状，具总花梗，3~5 个聚生于枝顶，开花时不连总花梗长 1.5~3.5cm；雄蕊 1，无花丝，花药长圆形；雌花序顶生或腋生，少分枝，长 1.5~5cm，宽约 2cm；苞片大，长 8~12mm，有多数橙黄色小点；雌花有与子房贴生的 3 齿裂萼管。核果近椭圆状三棱形，绿色，长约 4mm，紧贴于果上的苞片上部延伸成一长喙。花期 12 月至翌年 3 月，果期 2~6 月。

雪香兰

|分布区域|

产于海南五指山、保亭、陵水。亦分布于中国广东。越南南部、印度尼西亚也有分布。

|资　　源|

生于海拔 500~1200m 的山地雨林中，少见。

|采收加工|

夏季采收，洗净，切片，晒干。

|功能主治|

祛风。用于风湿骨痛。

金粟兰科 Chloranthaceae 草珊瑚属 Sarcandra

草珊瑚 *Sarcandra glabra* (Thunb.) Nakai

| 中 药 名 | 肿节风（药用部位：全株）

| 植物形态 | 常绿半灌木，茎与枝均有膨大的节。叶革质，椭圆形，长6~17cm，宽2~6cm，先端渐尖，基部尖或楔形，边缘具粗锐锯齿，齿尖有一腺体，两面均无毛；叶柄长0.5~1.5cm，基部合生成鞘状；托叶钻形。穗状花序顶生，通常分枝，多少成圆锥花序状，连总花梗长1.5~4cm；苞片三角形；花黄绿色；雄蕊1，肉质，棒状至圆柱状，花药2室，生于药隔上部之两侧，侧向或有时内向；子房球形或卵形，无花柱，柱头近头状。核果球形，直径3~4mm，熟时亮红色。花期6月，果期8~10月。

草珊瑚

| **分布区域** | 产于海南东方、昌江、保亭、陵水、琼中、定安。亦分布于中国广东、广西、湖南、江西、福建、台湾、浙江、安徽、贵州、云南、四川等地。越南、柬埔寨、马来西亚、菲律宾、印度、斯里兰卡、日本、朝鲜也有分布。 |

| **资　　源** | 生于山顶密林下，十分常见。 |

| **采收加工** | 全年均可采收，鲜用或晒干。 |

| **药材性状** | 全株长 40~150cm。主根粗短，直径 1~2cm，支根甚多，长而坚韧。茎圆柱形，直径约 0.5cm，多分枝，节部膨大；表面深绿色或棕褐色，具细纵皱纹，粗茎有稀疏分布的皮孔；质脆，易折断，断面淡棕色，边缘纤维状，中央具棕色疏松的髓或中空。叶对生，基部合生抱茎；叶片薄革质，卵状披针形或长椭圆形，边缘具粗锯齿。枝端常有棕色的穗状花序，多分枝。气微香，味微辛。以茎、叶色绿者为佳。 |

| **功能主治** | 味辛、苦，性平；归心、肝经。祛风除湿，活血散瘀，清热解毒。用于肢体麻木、跌打损伤、骨折、妇女痛经、产后瘀滞腹痛、肺炎、急性阑尾炎、急性胃肠炎、细菌性痢疾、胆囊炎、脓肿、口腔炎、风湿痹痛。 |

金粟兰科 Chloranthaceae 草珊瑚属 Sarcandra

海南草珊瑚 Sarcandra hainanensis (Pei) Swamy et Bailey

| 中 药 名 | 山羊耳（药用部位：全株）

| 植物形态 | 常绿半灌木，茎直立，无毛。叶纸质，椭圆形，长 8~20cm，宽 3~8cm，先端急尖至短渐尖，基部宽楔形，边缘除近基部外有钝锯齿，齿尖有一腺体；侧脉 5~7 对，两面稍突起；叶柄长 0.5~2cm，基部合生成一鞘；托叶钻形。穗状花序顶生，分枝少，对生，多少成圆锥花序状；苞片三角形或卵圆形；雄蕊 1，药隔背腹压扁成卵圆形，先端常微凹，花药 2 室，药室几乎与药隔等长，侧生；子房卵形，无花柱，柱头具小点。核果卵形，长约 4mm，幼时绿色，熟时橙红色。花期 10 月至翌年 5 月，果期 3~8 月。

海南草珊瑚

| 分布区域 | 产于海南乐东、东方、昌江、五指山、保亭、儋州、琼中等地。亦分布于中国广东、广西、湖南、云南。越南、老挝、泰国北部也有分布。

| 资　　源 | 生于海拔 400~1550m 以下的山谷密林中，十分常见。

| 采收加工 | 秋末采收，洗净切片，晒干。

| 药材性状 | 与肿节风较为相似，主要区别在于：叶多薄纸质，边缘具浅钝齿；茎髓较大，不中空。

| 功能主治 | 味辛、苦，性平。活血散瘀，祛风止痛。用于跌打损伤、骨折、瘀阻肿痛、风湿痹痛、肢体麻木等证。

| 附　　注 | ① FOC 将其学名修订为 *Sarcandra glabra* subsp. *brachystachys* (Blume) Verdcourt。
② 黎药（雅哏大）：根 15~25g，水煎服或浸酒内服，治疗风湿性关节炎、急性关节炎，同时用叶捣烂外敷患处；全草捣烂外敷患处，用于接骨。

蓟罂粟
Argemone mexicana L.

| 中 药 名 | 蓟罂粟（药用部位：全草或根、种子）

| 植物形态 | 一年生草本，茎具分枝和多短枝，疏被黄褐色平展的刺。基生叶密聚，叶片宽倒披针形，边缘羽状深裂，裂片具波状齿，齿端具尖刺，两面无毛，沿脉散生尖刺；茎生叶互生，上部叶较小，无柄，常半抱茎。花单生于短枝顶；花梗极短。萼片 2，舟状，先端具距，距尖成刺，外面无毛或散生刺，花开时即脱落；花瓣 6，宽倒卵形，黄色或橙黄色；花药狭长圆形；子房椭圆形或长圆形，被黄褐色伸展的刺，花柱极短，柱头 4~6 裂，深红色。蒴果长圆形，疏被黄褐色的刺，4~6 瓣自先端开裂至全长的 1/4~1/3。种子球形，具明显的网纹。花果期 3~10 月。

蓟罂粟

| **分布区域** | 海南琼海、海口有栽培。中国广东、福建、台湾、云南等地亦有栽培，已归化。原产于中美洲及美洲热带地区。 |

| **资　　源** | 栽培于花园内或逸生于草地，偶见。 |

| **采收加工** | 全草：春、夏季采收，晒干。根：秋季采收，晒干。种子：夏末果实成熟时采下果实，晒干，压破，除去果壳，取种子。 |

| **功能主治** | 全草：味苦、辛，性凉；归脾、肺、胆三经。发汗利水，清热解毒，止痛止痒。用于感冒无汗、黄疸、淋病、水肿、眼睑裂伤、疝痛、疥癣、梅毒。根：利小便，杀虫。用于淋病、绦虫病。种子：缓泻，催吐，解毒，止痛。用于便秘、疝痛、牙痛、梅毒。 |

白花菜科 Cleomaceae 山柑属 Capparis

广州山柑 *Capparis cantoniensis* Lour.

| 中 药 名 | 广州山柑（药用部位：根、种子或茎叶）

| 植物形态 | 攀缘灌木；刺坚硬，尖端常暗黑色。叶近革质，长圆形，长5~10cm，宽 1.5~4cm，无毛，先端常有小凸尖头。圆锥花序顶生，由数至多个亚伞形花序组成，每个亚伞形花序有花数至11，总花梗长 1~3cm；苞片钻形，早落，小苞片微小；花蕾球形，直径 3~4mm；花白色；萼片长 4~5mm，外轮稍大，舟形，内轮略小，椭圆形或倒卵形，白色膜质边缘上被白色缘毛；花瓣倒卵形，长 4~6mm，常在内面中下部被白色柔毛；雄蕊 20~45，花丝长8~15mm，鲜时白色，干后红色，无毛；子房无毛，胎座 2。果实球形至椭圆形，直径 10~15mm，果皮薄，革质，平滑。种子 1 至数个，球形或几椭圆形。

广州山柑

| **分布区域** | 产于海南乐东、昌江、白沙、保亭、万宁、文昌、海口、三亚。亦分布于中国广东、广西、福建、云南等地。越南、马来西亚、印度也有分布。 |

| **资　　源** | 生于密林或疏林中，常攀缘于树上，常见。 |

| **采收加工** | 全年均可采收，洗净，鲜用或晒干。 |

| **功能主治** | 味苦，性寒；归心、肺经。清热解毒，止咳止痛。用于咽喉肿痛、肺热咳嗽、胃脘热痛、跌打伤痛及疥癣。 |

白花菜科 Cleomaceae 山柑属 Capparis

雷公橘 *Capparis membranifolia* Kurz

| 中 药 名 | 雷公橘（药用部位：根及叶）

| 植物形态 | 藤本或灌木，无刺或有极小的刺；枝无刺或有外弯的小刺，茎上多刺。叶幼时膜质，密被锈色短绒毛，老时草质或亚革质，长椭圆状披针形，干后常呈黄绿色，基部楔形，向下渐狭延成叶柄，先端常缢缩而渐尖；侧脉 5~7 对，两面均突出，网状脉明显。花蕾球形，密被易脱落锈色短绒毛；花 2~5 排成一短纵列，腋上生，花梗长约 1~1.8cm；萼片近相等，广卵形，先端急尖，内外均被短绒毛，后变无毛，边缘有纤毛；花瓣白色，倒卵形，长 7~10mm；子房卵形，1 室，胎座 2，每个胎座有 5~6 胚珠。果实球形，直径 8~15mm，成熟时黑色或紫黑色，表面粗糙。花期 1~4 月，果期 5~8 月。

雷公橘

| **分布区域** | 产于海南东方。亦分布于中国南部至东南部各地。越南也有分布。 |

| **资　　源** | 生于低海拔旷野或疏林中，偶见。 |

| **采收加工** | 夏、秋季采收，洗净，切片，晒干。 |

| **功能主治** | 味酸、涩，性温；有小毒。通经活络，消肿止痛。用于风湿关节痛、跌打扭伤肿痛、胃痛、腹痛。 |

白花菜科 Cleomaceae 山柑属 Capparis

小刺山柑 *Capparis micracantha* DC.

| 中 药 名 | 小刺山柑（药用部位：根、叶）

| 植物形态 | 灌木或小乔木，有时攀缘。小枝近圆柱形，无刺或有小刺。叶长圆状椭圆形，两面无毛，有光泽，侧脉 7~10 对，网状脉两面明显，细密。花中等大小，2~7 排成一短纵列，腋上生，最下 1 花梗最短，长约 6mm，与叶柄之间有 1~4 束钻形小刺，最上 1 花梗最长，长约 2cm；萼片卵形；花瓣白色，长圆形或倒披针形；雄蕊 20~40；雌蕊无毛，花期时略纤细，果期时木化增粗；子房卵球形至椭圆形，表面有 4 条纵沟，胎座 4，胚珠多数。果实球形，表面有 4 条略不明显到明显的纵沟槽，长 3~7cm，直径 3~4cm，干后常呈黄褐色，果皮厚约 3mm，橘红色。花期 3~5 月，果期 7~8 月。

小刺山柑

| **分布区域** | 产于海南三亚、乐东、东方、昌江、保亭、琼中、儋州、临高。亦分布于中国广东、广西、云南等地。亚洲南部也有分布。 |

| **资　　源** | 生于低海拔至中海拔疏林中或灌丛中，常见。 |

| **采收加工** | 夏、秋季采收，洗净，切片，晒干。 |

| **功能主治** | 活血散瘀，解痉止痛。 |

白花菜科 Cleomaceae 山柑属 Capparis

青皮刺
Capparis sepiaria L.

| 中 药 名 | 青皮刺（药用部位：根）

| 植物形态 | 灌木，小枝密被灰黄色柔毛，枝粗壮，"之"形弯曲；刺粗壮，长 2~5mm，外弯。叶薄革质，长圆状椭圆形，先端钝形或圆形，干后表面常呈浅灰绿色，无毛，稍有光泽，背面至少在中脉上有宿存被毛，侧脉 4~9 对，纤细，网状脉不明显；叶柄长 3~6mm，密被短柔毛。花小，白色，芳香，排成无总花梗的亚伞形或短总状花序，每个花序上有花 10~22，花序轴密被柔毛；花梗长 8~20mm，无毛；花瓣膜质，长 4~6mm，宽 1.5~3mm，多少被柔毛；雄蕊 25~45；雌蕊柄纤细，常在近基部有短柔毛。果实球形，直径约 1cm，干后呈暗褐色，表面平滑。种子 1~4。花期 4~6 月，果期 8~12 月。

青皮刺

| 分布区域 |

产于海南昌江、乐东、陵水。亦分布于中国广东、广西、云南。越南、柬埔寨、泰国、缅甸、马来西亚、印度、尼泊尔、斯里兰卡、印度尼西亚、菲律宾、澳大利亚东北部，以及印度洋群岛、非洲热带地区也有分布。

| 资　　源 |

生于低海拔至中海拔疏林中，偶见。

| 功能主治 |

压碎口服，用于伤寒、发热、蛇咬伤。

白花菜科 Cleomaceae 山柑属 Capparis

牛眼睛

Capparis zeylanica L.

牛眼睛

| 中 药 名 |

牛眼睛（药用部位：根及叶）

| 植物形态 |

攀缘或蔓性灌木。叶亚革质，形状多变，侧脉 3~7 对。花 2~3 排成一短纵列，腋上生；花梗长 5~18mm，密被红褐色星状短绒毛，果时木质化增粗；萼片略不相等，近圆形，其中 1 个稍大，先端急尖或钝形，内轮椭圆形；花瓣白色，长圆形，上面 1 对基部中央有淡红色斑点；雄蕊 30~45，花丝幼时白色，后转浅红色或紫红色；雌蕊柄花期时基部被灰色绒毛，果期时无毛；子房椭圆形，柱头明显，胎座 4，胚珠多数。果实球形或椭圆形，果皮干后坚硬，表面有细疣状突起，成熟时红色或紫红色。花期 2~4 月，果期 7 月以后。

| 分布区域 |

产于海南三亚、乐东、东方、万宁、海口。亦分布于中国广东、广西。亚洲南部至东南部也有分布。

| 资　源 |

生于平原疏林中，少见。

| 采收加工 |

夏、秋季采收，洗净，切片，晒干。

| 功能主治 |

活血散瘀，解痉止痛。

白花菜科 Cleomaceae 白花菜属 Cleome

白花菜
Cleome gynandra L.

白花菜

| 中 药 名 |

白花菜（药用部位：全草或种子）

| 植物形态 |

直立分枝草本，常被腺毛，有时茎上变无毛，无刺。叶为 3~7 小叶的掌状复叶；无托叶。总状花序长 15~30cm，花少数至多数；苞片由 3 小叶组成，有短柄或几无柄；苞片中央小叶长达 1.5cm，侧生小叶有时近消失；花梗长约 1.5cm；萼片分离，被腺毛；花瓣白色，少有淡黄色或淡紫色，在花蕾时期不覆盖着雄蕊和雌蕊，有爪，瓣片近圆形或阔倒卵形；花盘稍肉质，微扩展，圆锥状，果时不明显；雄蕊 6，伸出花冠外；子房线柱形。果实圆柱形。种子近扁球形，黑褐色，表面有横向皱纹或更常为具疣状小突起，爪开张，但常近似彼此连生，不具假种皮。花期与果期在 7~10 月。

| 分布区域 |

产于海南各地。亦分布于中国各地。世界热带与亚热带地区也有分布。

| 资 源 |

生于低海拔地区田野、荒地，常见。

| 采收加工 |

全草：夏季采收全草，鲜用或晒干。种子：7~9月当角果黄白色略干，种子呈黑褐色时，分批采收，以防脱落；也可待角果全部成熟后，割取全株，晒干脱粒。

| 药材性状 |

全草：茎多分枝，密被黏性腺毛。掌状复叶互生，小叶 3~7，倒卵形或菱状倒卵形，全缘或有细齿；具长叶柄。总状花序顶生；萼片 4，花瓣 4，蒴果长角状。有恶臭气。种子：扁圆形，边缘有一深沟。表面棕色或棕黑色，粗糙不平，于放大镜下观察，表面有突起的细密网纹，网孔方形或多角形，排列较规则或呈同心环状。纵切面可见"U"字形弯曲的胚，胚根深棕色，子叶与胚根等长，淡棕色，胚乳包于胚外，淡黄色，油质。气无，味苦。以粒饱满、色黑者为佳。

| 功能主治 |

全草：味辛、甘，性平；归肝、脾经。祛风除湿，清热解毒。用于风湿痹痛、跌打损伤、淋浊、白带、疟疾、痢疾、痔疮、蛇虫咬伤。种子：味苦、辛，性温；有小毒。归心、脾经。祛风散寒，活血止痛。用于风寒筋骨麻木、肩背酸痛、腰痛、腿寒、外伤瘀肿疼痛、骨结核、痔疮瘘管。

| 附　注 |

FOC 已将其名修订为 *Gynandropsis gynandra* (L.) Briq.。

白花菜科 Cleomaceae 白花菜属 Cleome

黄花草
Cleome viscosa L.

| **中 药 名** | 黄花菜（药用部位：全草或种子）

| **植物形态** | 一年生直立草本，干后黄绿色，有纵细槽纹，全株密被黏质腺毛与淡黄色柔毛，无刺，有恶臭气味。叶为具 3~5 小叶的掌状复叶；小叶薄草质，近无柄，倒披针状椭圆形。花单生于茎上部叶腋内，但近先端则成总状或伞房状花序；花瓣淡黄色或橘黄色；雄蕊 10~22，花丝比花瓣短，花药背着。果实直立，圆柱形，劲直或稍镰弯，密被腺毛，成熟后果瓣自先端向下开裂。种子黑褐色，直径 1~1.5mm，表面有约 30 条横向平行的皱纹。无明显的花果期。

黄花草

分布区域

产于海南乐东、东方、昌江、白沙、保亭、陵水、万宁、儋州、澄迈、西沙群岛。亦分布于中国广东、广西、湖南、江西、福建、台湾、浙江、云南等地。

资　源

生于旷野荒地上，十分常见。

采收加工

秋季采收，鲜用或晒干。7月果实成熟时，割取全株，晒干，打下种子，扬净。

功能主治

全草：味甘、辛，性温，有毒。归肝、膀胱经。散瘀消肿，祛风止痛，生肌疗疮。用于跌打肿痛、劳伤腰痛、疝气疼痛、头痛、痢疾、疮疡溃烂、耳尖流脓、眼红痒痛、白带淋浊。种子：驱虫消疳。用于肠寄生虫病、小儿疳积。

附　注

FOC 将其学名修订为 *Arivela viscosa* (L.) Raf.。

| 白花菜科 | Cleomaceae | 鱼木属 | Crateva

刺籽鱼木
Crateva nurvala Buch.-Ham.

| **中 药 名** | 刺籽鱼木（药用部位：树皮）

| **植物形态** | 乔木，花期时树上有叶。枝有散生近圆形皮孔。小叶草质至薄革质，披针形，先端渐尖，侧生小叶基部不对称，侧脉 7~22 对；叶柄长 5~12cm，先端向轴面有数个苍白色腺体。总状花序生在下部有数叶的花枝顶部，花枝全长 10~18cm，序轴长达 12~28cm，有花近 100；花梗长 3~6cm；萼片小，披针形；花瓣白色，爪长 5~10mm，瓣片长 10~20mm，先端急尖；雄蕊 15~25；雌蕊柄长 3~6cm，在雄花中萎缩或近无柄；子房长约 5mm；柱头扁平，近无柄。果椭圆形，干后淡黄灰色，直径约 3cm。种子多数，稍扁压，暗褐色，背部有不规则的鸡冠状突起。一般花期 3~4 月，果期 8~9 月。

刺籽鱼木

| 分布区域 |　产于海南五指山、万宁、澄迈。亦分布于中国广东、广西、西藏南部、云南。中南半岛、马来半岛也有分布。

| 资　　源 |　生于林中或旷野处，少见。

| 功能主治 |　树皮：健胃，轻泻，利尿，退热。用于结石性感染、尿结石、泌尿系统疾病。从中分离出有效成分羽扇醇，此化合物有抗炎、帮助结石排出和阻止磷酸钙、草酸钙在膀胱内沉积的作用。

| 附　　注 |　FOC 将其修订为沙梨木 *Crateva magna* (Lour.) Candolle。

白花菜科 Cleomaceae 斑果藤属 Stixis

斑果藤
Stixis suaveolens (Roxb.) Pierre

| **中 药 名** | 斑果藤（药用部位：根）

| **植物形态** | 木质大藤本；小枝被短柔毛；节间不等长。叶革质，形状变异甚大，长为宽的2~4倍，两面无毛，最少在中脉上及附近密被水泡状小突起，中脉表面近平坦，背面突起；叶柄粗壮，有水泡状突起，近先端膨大，略呈膝状关节。总状花序腋生，有时分枝或成圆锥花序；苞片线形至卵形；花梗粗短；花淡黄色，芳香；萼片6，少有5，基部连生成1短筒，筒内无毛，片直立或开展，椭圆状长圆形，两面密被绒毛；无花瓣；雌雄蕊柄长约为2mm，近锥形；雄蕊40~80；雌蕊密被黄褐色柔毛；子房椭圆形；花柱3，先端外弯，无柱头。花期4~5月，果期8~10月。

斑果藤

| 分布区域 |

产于海南三亚、东方、昌江、白沙、琼中、陵水、万宁、文昌。亦分布于中国广东、广西、西藏南部、云南南部和东南部。中南半岛，以及马来西亚、孟加拉国、印度、尼泊尔、不丹也有分布。

| 资　　源 |

生于林中，常见。

| 采收加工 |

全年可采，洗净晒干，备用。

| 功能主治 |

味微苦、甘，性凉。止咳平喘。用于咳嗽、咯血、哮喘。

| 附　　注 |

黎药（后丧哪）：①根煮水喝，治疗肝病；②叶煮水喝，治疗男子睾丸疼痛。

白花菜科 Cleomaceae 醉蝶花属 Tarenaya

醉蝶花
Tarenaya hassleriana (Chodat) Iltis

| 中 药 名 | 醉蝶花（药用部位：全草及果实）

| 植物形态 | 一年生草本，全株被黏质腺毛，有特殊臭味，有托叶刺。叶为具5~7小叶的掌状复叶，小叶草质，披针形；叶柄常有淡黄色皮刺。总状花序长达40cm，密被黏质腺毛；苞片单一，叶状，基部多少呈心形；花蕾圆筒形；花梗长2~3cm，被短腺毛，单生于苞片腋内；萼片4，外被腺毛；花瓣粉红色，少见白色，瓣片倒卵状匙形；雄蕊6，花药线形；雌雄蕊柄长1~3mm；子房线柱形；几无花柱，柱头头状。果实圆柱形，表面近平坦或微呈念珠状，有细而密且不甚清晰的脉纹。种子直径约2mm，表面近平滑或有小疣状突起，不具假种皮。花期初夏，果期夏末秋初。

醉蝶花

| 分布区域 |

海南有分布记录。中国广东、浙江、江苏、云南、四川等地亦有栽培。原产于南美洲，广泛栽培于世界热带和暖温带地区。

| 资　　源 |

少见。

| 功能主治 |

全草：祛风散寒，散瘀消肿，去腐生肌，杀虫止痒。用于跌打损伤、肿痛、劳伤腰痛、疮疡溃烂。果实：民间用于肝癌。

十字花科 Cruciferae 芸苔属 Brassica

青 菜
Brassica chinensis L.

| 中 药 名 | 菘菜（药用部位：叶、种子）

| 植物形态 | 一年或二年生草本；根粗，常成纺锤形块根，先端常有短根茎；基直立，有分枝。基生叶倒卵形或宽倒卵形，基部渐狭成宽柄，全缘或有不明显圆齿或波状齿，中脉白色。叶柄长 3~5cm；叶基部渐狭成叶柄；上部茎生叶倒卵形或椭圆形，长 3~7cm，基部抱茎，全缘，微带粉霜。总状花序顶生，呈圆锥状；花浅黄色，花梗细，和花等长或较短；萼片长圆形，直立开展，白色或黄色；花瓣长圆形，先端圆钝，有脉纹，具宽爪。长角果线形，长 2~6cm，无毛，果瓣有明显中脉及网结侧脉；喙先端细，基部宽，长 8~12mm；果梗长 8~30mm。种子球形，紫褐色，有蜂窝纹。

青菜

| **分布区域** | 产于海南乐东、五指山、南沙群岛等地，海南各地有栽培。亦分布于中国广东及沿海岛屿。原产于亚洲。 |

| **资　　源** | 喜生长在土壤肥沃疏松、排水良好的向阳地，常见。 |

| **采收加工** | 6~7 月果实成熟时，于晴天早晨收取，置席上干燥 2 天，充分干燥后，打出种子，再干燥 1~2 天，贮存备用。 |

| **功能主治** | 叶：味甘，性凉；归胃、肠经。解热除烦，生津止渴，清肺消痰，通利肠胃。用于肺热咳嗽、便秘、消渴、食积、丹毒、漆疮。种子：味甘，性平；归肺、胃经。清肺化痰，消食醒酒。用于痰热咳嗽、食积、醉酒。 |

十字花科 Cruciferae 荠属 Capsella

荠
Capsella bursa-pastoris (L.) Medic.

| 中药名 | 荠（药用部位：全草）

| 植物形态 | 茎直立，单一或从基部分枝。基生叶莲座状，羽状分裂至全缘，有叶柄；茎上部叶无柄，叶边缘具弯缺牙齿至全缘，基部耳状，抱茎。总状花序伞房状，花疏生，果期延长；花梗丝状，果期上升；萼片近直立，长圆形，基部不呈囊状；花瓣白色或带粉红色，匙形；花丝线形，花药卵形，蜜腺成对，半月形，常有1外生附属物，子房2室，有12~24胚珠，花柱极短。短角果倒三角形或倒心状三角形，扁平，开裂，无翅，无毛，果瓣近先端最宽，具网状脉，隔膜窄椭圆形，膜质，无脉。种子每室6~12，椭圆形，棕色；子叶背倚胚根。花果期4~6月。

荠

| 分布区域 |

海南各地有栽培。中国其他各地亦有栽培。原产于亚洲，现世界各地广为栽培。

| 资　源 |

生于路旁、田野、屋旁，常见。

| 采收加工 |

3~5 月采收，除去枯叶、杂质，洗净晒干。

| 药材性状 |

主根圆柱形，表面类白色或淡褐色，有许多侧根，茎纤细，黄绿色，易折断。根出叶，羽状分裂，多蜷缩，展平后披针形，边缘有粗齿。表面枯绿色或灰黄色，纸质，易碎。果实倒三角形，扁平，顶部微凹，具残存短花柱。

| 功能主治 |

味甘、淡，性凉；归肝、脾、膀胱经。凉肝止血，平肝明目，清热利湿。用于吐血、咯血、尿血、肾炎水肿、高血压等。

萝 卜
Raphanus sativus L.

| 中 药 名 | 莱菔（药用部位：鲜根、基生叶、成熟种子）

| 植物形态 | 直根肉质，长圆形，外皮绿色、白色或红色；茎有分枝，无毛，稍具粉霜。基生叶和下部茎生叶大头羽状半裂，长 8~30cm，宽 3~5cm，顶裂片卵形，侧裂片 4~6 对，长圆形，有钝齿，疏生粗毛，上部叶长圆形，有锯齿或近全缘。总状花序顶生及腋生；花白色或粉红色，直径 1.5~2cm；萼片长圆形，长 5~7mm；花瓣倒卵形，长 1~1.5cm，具紫纹，下部有长 5mm 的爪。长角果圆柱形，长 3~6cm，宽 10~12mm，在相当种子间处缢缩，并形成海绵质横隔；先端喙长 1~1.5cm；果梗长 1~1.5cm。花期 4~5 月，果期 5~6 月。

| 分布区域 | 海南各地有栽培。中国各地亦普遍栽培。

萝卜

| 资　　源 | 资源量大，常见。

| 采收加工 | 鲜根：秋、冬季采挖鲜根，除去茎叶，洗净。基生叶：冬季或早春采收，洗净，风干或晒干。种子：翌年5~8月，幼果充分成熟时采收晒干，打下种子，除去杂质，放干燥处贮藏。

| 药材性状 | 鲜根：肉质，圆柱形、圆锥形或圆球形，有的具分叉，大小差异较大。表面红色、紫红色、绿色、白色或粉红色与白色间有，先端有残留叶柄基。质脆，富含水分，断面类白色、浅绿色或紫红色，形成层环明显，皮部色深，木质部占大部分，可见点状放射状纹理。气微，味甘、淡或辣。基生叶：通常皱缩卷曲成团，展平后叶片琴形羽状分裂，表面不平滑，黄绿色。质干脆，易破碎。有香气。种子：

呈椭圆形或近卵圆形而稍扁。表面红棕色，一侧有数条纵沟，一端有种脐，呈褐色圆点状突起。用放大镜观察，全体均有致密的网纹。质硬，破开后可见黄白色或黄色的种仁，有油性。无臭，味甘、微辛。以粗大、饱满、油性大者为佳。

| 功能主治 | 根：鲜者味辛、甘，性凉；熟者味甘，性平。归脾、胃、肺、大肠经。消食下气，化痰止血，解渴利尿。用于消化不良、食积胀满、吞酸、腹泻、痢疾、痰热咳嗽、咽喉不利、咯血、吐血、衄血、便血、消渴、淋浊；外用于疮疡、损伤瘀肿、烫伤及冻疮。基生叶：味辛、苦，性平；归脾、胃、肺经。消食理气，清肺利咽，散瘀消肿。用于食积气滞、脘腹痞满、呃逆、吐酸、泄泻、痢疾、咳痰、音哑、咽喉肿痛、妇女乳房肿痛、乳汁不通；外用于损伤瘀肿。种子：味辛、甘，性平；归脾、胃、肺、大肠经。消食导滞，降气化痰。用于食积气滞、脘腹胀满、腹泻、下痢后重、咳嗽多痰、气逆喘满。

无瓣蔊菜
Rorippa dubia (Pers.) Hara

| 中 药 名 | 无瓣蔊菜（药用部位：全草或花）

| 植物形态 | 一年生草本。单叶互生，基生叶与茎下部叶倒卵形或倒卵状披针形，多数呈大头羽状分裂，顶裂片大，边缘具不规则锯齿，下部具 1~2 对小裂片，稀不裂，叶质薄；茎上部叶卵状披针形或长圆形，边缘具波状齿，上下部叶形及大小均多变化。总状花序顶生或侧生，花小，多数，具细花梗；萼片 4，直立，披针形至线形，边缘膜质；无花瓣；雄蕊 6，2 较短。长角果线形，细而直；果梗纤细，斜升或近水平开展。种子每室 1 行，多数，细小，种子褐色、近卵形，一端尖而微凹，表面具细网纹；子叶缘倚胚根。花期 4~6 月，果期 6~8 月。

无瓣蔊菜

| 分布区域 |

产于海南儋州。亦分布于中国华南其他区域、华东、华中、西南。越南、老挝、泰国、缅甸、尼泊尔、菲律宾、马来西亚、印度尼西亚、印度、孟加拉国、日本以及美洲也有分布。

| 资　　源 |

生于村旁，偶见。

| 功能主治 |

清热解毒，止咳化痰平喘，利尿，活血通络，散瘀消肿。用于慢性支气管炎、咽喉痛、感冒发热、咳嗽、闭经、风湿关节痛、小便不利、痈疮肿毒、干血痨、麻疹不透、跌打损伤。

十字花科 Cruciferae 蔊菜属 Rorippa

风花菜
Rorippa globosa (Turcz.) Hayek

| 中 药 名 | 风花菜（药用部位：全草或叶、种子）

| 植物形态 | 一或二年生直立草本，植株被白色硬毛或近无毛。茎单一，基部木质化。茎下部叶具柄，上部叶无柄，叶片长圆形至倒卵状披针形，基部渐狭，下延成短耳状而半抱茎，边缘具不整齐粗齿，两面被疏毛，尤以叶脉为明显。总状花序多数，呈圆锥花序式排列，果期伸长。花小，黄色，具细梗；萼片4，长卵形，开展，基部等大，边缘膜质；花瓣4，倒卵形，基部渐狭成短爪；雄蕊6，4强或近于等长。短角果近球形，果瓣隆起，平滑，有不明显网纹，先端具宿存短花柱；果梗纤细，长4~6mm。种子多数，淡褐色，极细小，扁卵形，一端微凹。花期4~6月，果期7~9月。

风花菜

| **分布区域** | 产于海南各地。亦分布中国各地。越南、日本、朝鲜、蒙古、俄罗斯也有分布。 |

| **资　　源** | 生于田边、路旁、山坡、荒地，偶见。 |

| **功能主治** | 全草：补肾，凉血。用于乳痈。叶、种子：清热解毒。用于痈疮肿毒。 |

十字花科 Cruciferae 蔊菜属 Rorippa

蔊 菜
Rorippa indica (L.) Hiern

| 中 药 名 | 蔊菜（药用部位：全草）

| 植物形态 | 植株无毛或具疏毛。茎单一或分枝，表面具纵沟。叶互生，基生叶及茎下部叶具长柄，叶形多变化，通常大头羽状分裂，先端裂片大，卵状披针形，边缘具不整齐牙齿，侧裂片1~5对；茎上部叶片宽披针形或匙形，边缘具疏齿，具短柄或基部耳状抱茎。总状花序顶生或侧生，花小，多数，具细花梗；萼片4，卵状长圆形，长3~4mm；花瓣4，黄色，匙形，基部渐狭成短爪，与萼片近等长；雄蕊6，2稍短。长角果线状圆柱形，长1~2cm，成熟时果瓣隆起，果梗纤细。花期4~6月，果期6~8月。

| 分布区域 | 产于海南白沙、万宁、琼海、海口。亦分布于中国各地。越南、泰

蔊菜

国、老挝、缅甸、菲律宾、印度尼西亚、马来西亚、尼泊尔、印度、巴基斯坦、孟加拉国、日本、朝鲜及美洲也有分布。

| 资　　　源 | 生于荒芜旷地,常见。

| 采收加工 | 5~7 月采收全草,鲜用或晒干。

| 药材性状 | 全草长 13~35cm,淡绿色。根较长,弯曲,表面淡黄色,有不规则皱纹及须根,质脆,折断面黄白色,木质部黄色。茎淡绿色,叶多卷曲,易碎。花小,萼片黄绿色,花瓣黄色,长角果稍弯曲。

| 功能主治 | 味辛、苦,性微温;归肺、肝经。祛痰止咳,解表散寒,活血解毒,利湿退黄。用于咳嗽痰喘、感冒发热、麻疹透发不畅、风湿痹痛、咽喉肿痛、疔疮痈肿、漆疮、经闭、跌打损伤、黄疸、水肿。

菫菜科 Violaceae　鼠鞭草属 *Hybanthus*

鼠鞭草 *Hybanthus enneaspermus* (L.) F. V. Muell.

| 中 药 名 | 鼠鞭草（药用部位：全草）

| 植物形态 | 半灌木，具细长主根。幼枝具槽纹，被柔毛。叶互生，披针形先端具微尖头，基部楔形下延，全缘或上部疏生 1~3 细锯齿；托叶极小，三角形或钻形，具缘毛。花单生于叶腋，蓝紫色；花梗上部近花处有 2 小苞片；小苞片对生，膜质，具缘毛；萼片近等大，披针形，白色，具缘毛；花瓣不整齐，上方两瓣最小，侧方两瓣卵圆形，下方 1 瓣最大；雄蕊离生，花丝短，其中 2 花丝中部有弯曲距状附属物，花药纵裂；子房近球形，花柱棍棒状，基部膨大。蒴果球形，下垂，3 瓣裂。种子卵圆形，乳黄色，具明显纵条纹。花期 6~7 月，果期 7~8 月。

鼠鞭草

| 分布区域 |

产于海南文昌、昌江。亦分布于中国广东、台湾。澳大利亚、亚洲热带地区、非洲、美洲热带地区也有分布。

| 资　　源 |

生于河岸灌丛及海边沙地，偶见。

| 功能主治 |

全草：强壮，利尿。用作强壮剂、利尿剂。

董菜科 Violaceae 三角车属 *Rinorea*

三角车

Rinorea bengalensis (Wall.) Gagnep.

| 中 药 名 | 三角车（药用部位：树皮）

| 植物形态 | 灌木或小乔木。叶互生，老叶近革质，稍有光泽，先端渐尖，基部楔形，稀近圆形，边缘具细锯齿，近基部渐稀疏或全缘；叶柄长5~12mm，无毛；托叶披针形，早落，留有环状托叶痕。花白色，组成腋生、无总花梗的密伞花序；花梗长可达1cm，略被黄色绒毛；萼片宽披针形，外面被黄褐色绒毛；花瓣卵状长圆形，先端外弯；雄蕊具短花丝，花药2室，长圆形，纵裂，药隔顶部附属物为广卵状。蒴果近球形，3瓣裂；种子广卵形，苍白色，有褐色斑点。花期春、夏季，果期秋季。

三角车

分布区域

产于海南乐东、昌江、五指山、陵水、琼中、保亭。亦分布于中国广西。越南、缅甸、泰国、斯里兰卡、马来西亚、印度、澳大利亚东北部也有分布。

资　　源

生于灌丛及密林中，常见。

功能主治

同属植物巴西三角车的树皮有收敛、解热的功能，本种或有类似功能，其药用功能有待进一步研究。

菫菜科 Violaceae 菫菜属 Viola

七星莲
Viola diffusa Ging.

| 中 药 名 | 七星莲（药用部位：全草）

| 植物形态 | 一年生草本，全体被糙毛或白色柔毛。匍匐枝先端具莲座状叶丛，通常生不定根。叶片卵形，基部宽楔形，明显下延于叶柄，边缘具钝齿及缘毛，幼叶叶脉上及两侧边缘仍被较密的毛；叶柄长2~4.5cm，具明显的翅，通常有毛；托叶基部与叶柄合生，线状披针形。花较小，淡紫色或浅黄色；花梗纤细，中部有1对线形苞片；萼片披针形；侧方花瓣倒卵形或长圆状倒卵形，下方花瓣显著短于其他花瓣；距极短；下方2雄蕊背部的距短而宽，呈三角形；子房无毛，花柱棍棒状，基部稍膝曲，上部渐增粗，前方具短喙。蒴果长圆形，具宿存的花柱。花期3~5月，果期5~8月。

七星莲

| **分布区域** | 产于海南白沙、万宁、琼中。亦分布于中国广东、广西、福建、台湾、浙江、安徽、重庆、云南、四川、西藏、甘肃、陕西等地。越南、泰国、缅甸、菲律宾也有分布。 |

| **资　　源** | 生于草坡、疏林或密林中，常见。 |

| **功能主治** | 全草：清热解毒，消肿止痛，祛风，利尿。用于风热咳嗽、痢疾、淋浊、痈肿疮毒、眼睑炎、烫伤、肝炎、百日咳、跌打损伤、蛇虫咬伤。 |

董菜科 Violaceae **董菜属** *Viola*

光叶董菜 *Viola hossei* W. Beck.

| 中 药 名 | 光叶董菜（药用部位：全草）

| 植物形态 | 多年生草本，无地上茎。叶片三角状卵形，两面无毛并有褐色腺点；叶柄上端具狭翅；托叶深褐色，离生，线状披针形。花淡紫色或紫色；花梗通常不超出于叶，中上部有2线形小苞片；小苞片对生；萼片线状披针形；花瓣长圆状卵形，侧瓣里面无须毛，下方花瓣较短；距短，呈囊状；下方2雄蕊的距短而宽，呈短角状，通常与花药近等长；子房卵球形，花柱棍棒状，基部稍膝曲，柱头两侧增厚成直展而明显的缘边，前方具直立的短喙，喙端具较细的柱头孔。蒴果较小，近球形，有褐色锈点。种子小，球形。花期春、夏季，果期夏、秋季。

光叶董菜

| 分布区域 | 产于海南昌江、白沙、琼中。亦分布于中国广西、贵州、云南等地。越南、泰国、缅甸、马来西亚、印度尼西亚也有分布。

| 资　　源 | 生于林中或溪边，偶见。

| 功能主治 | 清热解毒散结，凉血消肿。用于疔疮肿毒、瘰疬、痈疽发背、丹毒、毒蛇咬伤。

董菜科 Violaceae **董菜属** *Viola*

长萼堇菜

Viola inconspicua Bl.

| 中 药 名 | 铧头草（药用部位：全草）

| 植物形态 | 多年生草本，根茎垂直或斜生。叶基生，呈莲座状；叶片三角形、三角状卵形或戟形，稍下延于叶柄成狭翅，边缘具圆锯齿，两面通常无毛，上面密生乳头状小白点，但在较老的叶上则变成暗绿色；托叶 3/4 与叶柄合生，通常有褐色锈点。花淡紫色，有暗色条纹；花梗中部稍上处有 2 线形小苞片；萼片卵状披针形；花瓣长圆状倒卵形，侧方花瓣里面基部有须毛，下方花瓣连距长 10~12mm；距管状；下方雄蕊背部的距角状；子房球形，无毛，花柱棍棒状，长约 2mm，基部稍膝曲，先端平，两侧具较宽的缘边，前方具明显的短喙，喙端具向上开口的柱头孔。蒴果长圆形。花果期 3~11 月。

长萼堇菜

| **分布区域** | 产于海南乐东、白沙、陵水、万宁、琼中、保亭。亦分布于中国广东、湖南、江西、福建、台湾、浙江等地。越南、缅甸、菲律宾、马来西亚、印度尼西亚、印度、巴布亚新几内亚、日本也有分布。

| **资　　源** | 生于密林中或向阳的草坡上，常见。

| **采收加工** | 夏、秋季采收全草，洗净，除去杂质，鲜用或晒干。

| **药材性状** | 多皱缩成团。主根较粗短。叶丛生，灰绿或枯绿色，具长柄。叶湿润展平后，叶片箭头状披针形或线状披针形，基部稍下延于叶柄，边缘有浅波状齿。花柄长于叶，花黄白色，可见紫色条纹。蒴果椭圆形。气微，味微苦，带黏性。

| 功能主治 | 味微苦、辛，性寒；归大肠、心、肝经。清热解毒，散瘀消肿。用于疮疡肿毒、喉痛、乳痈、肠痈、黄疸、目赤肿痛、跌打损伤、刀伤出血。 |

| 附　注 | 黎药（细芯耕）：①鲜犁头草 120g，鲜半边莲 60g，加适量甜酒捣烂外敷，治疗乳痈、疮疖；②鲜犁头草、半边莲、透骨消各适量捣烂外敷治疗毒蛇咬伤、无名肿毒；③犁头草适量兑淘米水内服，治疗消化不良。 |

菫菜科 Violaceae 菫菜属 Viola

福建菫菜 *Viola kosanensis* Hayata

| 中 药 名 | 江西菫菜（药用部位：全草）

| 植物形态 | 无毛草本；地下茎粗或略粗，通常有匍匐枝。下面叶卵形，上面叶矩圆状卵形，长 3~6cm，基部心形或浅心形，下面常有榄绿色或锈色腺点，边缘具圆齿；托叶卵状披针形，边缘有睫毛状齿，褐色。花两侧对称；萼片 5，披针形或条状披针形，基部附器长约 2mm，先端截形或有 2 小齿；花瓣浅紫色，距管状，长 2~2.5mm，有腺点。果实椭圆形或近球形，长 5~6mm，无毛。花期春、夏季，果期秋季。

| 分布区域 | 产于海南保亭、琼中。亦分布于中国广东、广西、湖南、江西、福建、台湾、安徽、湖北、贵州、云南、四川、陕西等地。

福建菫菜

| 资　　源 | 生于山谷密林下或溪边，偶见。 |

| 功能主治 | 消肿排脓。用于脓肿。 |

堇菜科 Violaceae **堇菜属** *Viola*

云南堇菜 *Viola yunnanensis* W. Beck. & H. de Boiss.

| **中药名** | 昆明堇菜（药用部位：全草）

| **植物形态** | 根茎伸长，具长节间，节上有不定根。地上茎缺或较短。匍匐枝纤细，通常密被白色柔毛，先端有簇生的叶丛且常形成新植株。叶近基生或互生于匍匐枝上；叶片长圆形，基部呈浅而狭的心形，边缘具粗圆齿；托叶大部分离生，披针形，苍白色，膜质，先端狭长，渐尖，边缘具长流苏状齿。花淡红色或白色；花梗密被柔毛，中部以上有2对生的线形小苞片；萼片线状披针形或披针形，基部附属物短，具3脉；上方2花瓣长圆形，侧方2花瓣及下方1花瓣较短；距极短，呈浅囊状，稍向下弯；下方2雄蕊具极短的角状距。花期3~6月，果期8~12月。

云南堇菜

|分布区域|

产于海南昌江、陵水。亦分布于中国云南。越南、缅甸、马来西亚、印度尼西亚也有分布。

|资　源|

生于海拔较高的林中，少见。

|采收加工|

春、夏季采收，洗净，鲜用或晒干。

|药材性状|

多皱缩成团，湿润展开后，主根圆锥形，叶基生，叶片舌形或矩圆状披针形，先端钝，基部截形，叶柄纤细，基部可见托叶，花茎长于叶，花淡棕紫色。气微，味微苦。

|功能主治|

味苦、辛，性寒。清热解毒，消疳化积。用于疮疡肿毒、小儿疳积。

堇菜科 Violaceae 鳞隔堇属 Scyphellandra

鳞隔堇 *Scyphellandra pierrei* H. de Boiss

| 中 药 名 | 鳞隔堇（药用部位：树皮）

| 植物形态 | 直立灌木。叶片卵形或椭圆形，边缘具细锯齿，先端钝或稍尖；叶柄短，长约3mm，被绒毛；托叶小，披针形。花小，单性，辐射对称。雄花：梗纤细，略被毛；萼片5，近三角形，有短毛；花瓣5，长圆形，先端渐尖；雄蕊与花瓣几等长，花药2室，纵裂，药隔钻状，黄色；子房退化。雌花：花梗无毛，基部有小苞片3~4，近三角形；萼片宿存，边缘有细缘毛；花瓣长圆形；雄蕊退化，无花药；子房上位，花柱直立，柱头头状，浅3裂。蒴果长圆形，3瓣裂，先端具尾尖。花期春、夏季，果期夏、秋季。

鳞隔堇

| 分布区域 | 产于海南三亚、乐东、东方、儋州。越南、老挝、缅甸、泰国、斯里兰卡也有分布。

| 资　　源 | 生于林缘或灌木林中，偶见。

| 功能主治 | 同属植物巴西三角车的树皮有收敛、解热的功能，本种或有类似功能，其药用功能有待进一步研究。

| 附　　注 | FOC 将其归入三角车属，学名被修订为 *Rinorea virgata* (Thwaites) Kuntze。

小花远志

远志科 Polygala 远志属 Polygala

小花远志 *Polygala arvensis* Willd.

小花远志

| 中 药 名 |

小金牛草（药用部位：全草）

| 植物形态 |

主根木质，茎多分枝。叶互生，叶片厚纸质，倒卵形。总状花序腋生或腋外生，总花梗极短，花少但密集；花梗短，具苞片3，苞片卵形，具缘毛；萼片5，具缘毛，外面3卵形，里面2斜长圆形；花瓣3，白色或紫色，侧瓣三角状菱形，长约1.5mm，边缘皱波状，基部与龙骨瓣合生，龙骨瓣盔状，较侧瓣长，先端背部具2束多分枝的鸡冠状附属物；雄蕊8，花丝长约2mm，1/2以下合生成鞘，1/2以上两侧各3合生，花药无柄，中间2分离；子房长圆形，柱头乳突状。蒴果近圆形，种子2，长圆形；种阜白色，3裂。花果期7~10月。

| 分布区域 |

产于海南屯昌、万宁、定安。亦分布于中国广东、广西、江西、福建、台湾、江苏、安徽、贵州、云南等地。越南、老挝、柬埔寨、印度尼西亚、印度、巴基斯坦、孟加拉国、斯里兰卡、巴布亚新几内亚、澳大利亚等也有分布。

| 资　　源 | 生于空旷草地上，偶见。 |

| 采收加工 | 春、夏季采收，洗净，切段，晒干。 |

| 药材性状 | 全草长 5~15cm。根细小，淡黄色或淡棕色，质硬，断面黄白色。茎纤细，分枝或不分枝，棕黄色，被柔毛，折断面中空。叶片多皱缩，完整叶呈卵形、倒卵形或长圆形，淡黄色，在叶腋常可见花及果实。蒴果近圆形，先端有缺刻，边缘无缘毛，萼片宿存。种子基部有 3 短裂的种阜。气无，味淡。 |

| 功能主治 | 味甘、辛，性平。祛痰止咳，散瘀解毒。用于咳嗽、咳痰不爽、跌打损伤、月经不调、痈肿疮毒、毒蛇咬伤。 |

| 附　　注 | FOC 已将其学名修订为 *Polygala polifolia* Presl。 |

远志科 Polygala　远志属 Polygala

华南远志 *Polygala glomerata* Lour.

| 中 药 名 | 大金牛草（药用部位：全草）

| 植物形态 | 主根粗壮，茎基部木质化。叶互生，纸质，倒卵形，全缘，微反卷；叶柄被柔毛。总状花序腋生，较叶短，花少而密集；花梗基部具披针形苞片2；萼片5，绿色，具缘毛，宿存，外面3卵状披针形，里面2花瓣状镰刀形，具明显的4~5脉；花瓣3，淡黄色或白带淡红色，基部合生，侧瓣较龙骨瓣短，基部内侧具1簇白色柔毛，龙骨瓣先端具2束条裂鸡冠状附属物；雄蕊8，花丝中部以下合生成鞘，花药棒状卵形；子房圆形，侧扁，具缘毛，花柱先端呈蹄铁状弯曲。蒴果圆形。种子卵形，黑色，密被白色柔毛。花期4~10月，果期5~11月。

华南远志

| 分布区域 |

产于海南三亚、乐东、东方、昌江、白沙、五指山、保亭、陵水、万宁、澄迈、海口。亦分布于中国广东、广西、台湾、浙江、贵州、云南、四川等地。越南、泰国、老挝、柬埔寨、菲律宾、马来西亚、印度尼西亚、巴布亚新几内亚也有分布。

| 资　　源 |

生于空旷草地上，十分常见。

| 采收加工 |

春、夏季采收，切段晒干。

| 药材性状 |

全草长 6~40cm，茎被柔毛，多数有分枝。叶片皱缩，完整叶呈椭圆形、长圆状披针形或卵圆形，灰绿色或褐色，叶端常有一小突尖，叶柄短，有柔毛。蒴果先端内凹，边缘有缘毛，萼片宿存。种子基部有 3 短裂的种阜。气无，味淡。

| 功能主治 |

味甘、辛，性平；归肺、脾经。祛痰，消积，散瘀，解毒。用于咳嗽咽痛、小儿疳积、跌打损伤、瘰疬、痈肿、毒蛇咬伤。

| 附　　注 |

FOC 将其学名修订为 *Polygala chinensis* L.。

远志科 Polygala 齿果草属 Salomonia

齿果草
Salomonia cantoniensis Lour.

| 中 药 名 | 吹云草（药用部位：全草）

| 植物形态 | 一年生直立草木，根纤细，芳香。茎细弱，多分枝，具狭翅。单叶互生，叶片膜质，卵状心形或心形，基部心形，全缘或微波状，绿色，无毛，基出脉3。穗状花序顶生，多花。花极小，无梗；萼片5，线状钻形，基部连合，宿存；花瓣3，淡红色，侧瓣长约2.5mm，龙骨瓣舟状，长约3mm，无鸡冠状附属物；雄蕊4，花丝几乎全部合生成鞘，与花瓣基部贴生，鞘被蛛丝状柔毛，花药合生成块状；子房肾形，侧扁，边缘具三角状长齿；花柱光滑，柱头微裂。蒴果肾形。种子2，卵形。花期7~8月，果期8~10月。

齿果草

| 分布区域 | 产于海南东方、五指山、保亭、陵水。亦分布于中国广东、广西、福建、浙江、贵州、云南等地。泰国、老挝、柬埔寨、缅甸、菲律宾、印度尼西亚、马来西亚、印度、尼泊尔、不丹也有分布。

| 资　　源 | 生于草地上，常见。

| 功能主治 | 全草：活血散瘀，解毒止痛，去翳。用于无名肿毒、牙痛、眼生白膜、肾炎、风湿性关节炎、跌打损伤、血崩、骨折。

睫毛齿果草
Salomonia oblongifolia DC.

| 中 药 名 | 金瓜草（药用部位：全草）

| 植物形态 | 一年生直立草本；茎具纵棱槽，无毛。单叶互生，叶片膜质至薄纸质，椭圆形，基部近圆形，全缘，绿色，无毛，基出脉3，无柄。穗状花序顶生，具密集的花；苞片线形；花小无柄；萼片5，绿色，基部合生，宿存，披针状卵形；花瓣3，红紫色，长2~2.5mm，龙骨瓣较侧瓣长，中部以下与侧瓣合生，先端无鸡冠状附属物；雄蕊4，花丝合生成鞘，具蛛丝状长柔毛；子房倒心形，压扁，两侧具丝状齿，花柱中部以上膨大成圆柱形，光滑，柱头头状。蒴果肾形，先端凹陷，边缘具2列丝状长齿；种子2，卵球形。花期7~8月，果期8~9月。

睫毛齿果草

| 分布区域 |

产于海南陵水、万宁、海口。亦分布于中国广东、广西、湖南、江西、福建、台湾、浙江、江苏、贵州、云南。越南、泰国、柬埔寨、老挝、缅甸、菲律宾、尼泊尔、斯里兰卡、马来西亚、印度尼西亚、印度、巴布亚新几内亚、日本、朝鲜及大洋洲也有分布。

| 资　　源 |

生于空旷草地，偶见。

| 功能主治 |

全草：消肿，解毒，镇痛。用于风湿痛、无名肿毒、牙痛；外用于蛇伤。

| 附　　注 |

FOC 将其学名修订为 *Salomonia ciliata* (L.) DC.。

景天科 Crassulaceae 落地生根属 Bryophyllum

棒叶落地生根
Bryophyllum delagoense (Eckl. & Zeyh.) Druce

棒叶落地生根

| 中 药 名 |

落地生根（药用部位：全草）

| 植物形态 |

茎直立，粉褐色，高约 1m。叶圆棒状，上表面具沟槽，粉色，叶端锯齿上有许多已生根的小植株（由不定芽生成）。花序顶生，小花红色。

| 分布区域 |

产于海南海口、万宁、昌江、东方。原产于非洲马达加斯加岛南部。

| 资　　源 |

常见。

| 功能主治 |

本种可作为落地生根入药，功能见"落地生根"。

景天科 Crassulaceae 落地生根属 Bryophyllum

落地生根 *Bryophyllum pinnatum* (L. f.) Oken

| 中 药 名 | 落地生根（药用部位：全草）

| 植物形态 | 茎有分枝。羽状复叶，长 10~30cm，小叶长圆形至椭圆形，长
6~8cm，宽 3~5cm，先端钝，边缘有圆齿，圆齿底部容易生芽，芽
长大后落地即成一新植物；小叶柄长 2~4cm。圆锥花序顶生，长
10~40cm；花下垂，花萼圆柱形，长 2~4cm；花冠高脚碟形，长达
5cm，基部稍膨大，向上成管状，裂片 4，卵状披针形，淡红色或紫
红色；雄蕊 8，着生于花冠基部，花丝长；鳞片近长方形；心皮 4。
蓇葖包在花萼及花冠内；种子小，有条纹。

| 分布区域 | 产于海南乐东、东方、昌江、白沙、陵水、万宁、文昌。亦分布于
中国广西、福建、台湾、云南等地。原产于非洲。

落地生根

| 资　　源 |

生于山坡、沟边路旁湿润的草地上，常见。

| 采收加工 |

全年均可采收，多鲜用。

| 功能主治 |

味酸、苦，性寒；归肺、肾经。凉血止血，清热解毒。用于外伤出血、跌打损伤、疔疮痈肿、乳痈、丹毒、溃疡、烫伤、胃痛、关节痛、咽喉肿痛、肺热咳嗽。

| 附　　注 |

黎药（雅娥）：本品 9~18g，水煎服或外用适量，用于刀伤、火烫、各种痈疮、肿毒等证。

景天科 Crassulaceae 火焰草属 Castilleja

火焰草 *Castilleja pallida* (L.) Kunth

| **中 药 名** | 火焰草（药用部位：全草）

| **植物形态** | 多年生直立草本，全体被白色柔毛。茎通常丛生，不分枝。叶最下部的对生，其余的互生，长条形至条状披针形，长 2~8cm，宽 0.2~0.5cm，全缘，基出 3 大脉。花序长 3~12cm；苞片卵状披针形，黄白色，长 1~3cm，宽 0.5~1.2cm；花萼长约 2cm，前后两方裂达一半，两侧裂达 1/4，裂片条形；花冠淡黄色或白色，长 2.5~3cm，筒部长管状；药室一长一短。蒴果无毛，长约 1cm，先端钩状尾尖。花期 6~8 月。

火焰草

｜分布区域｜

产于海南昌江、白沙、保亭。亦分布于中国湖南、
台湾、湖北、贵州、云南、四川、甘肃、陕西、
河南、山西、河北、山东、辽宁等地。

｜资　　源｜

生于海拔 800~1200m 的山坡或山谷的土中或石
缝中，偶见。

｜功能主治｜

全草：清热解毒，凉血止血。用于咽喉肿痛、
热毒疮肿、丹毒、吐血、咯血、鼻衄、过敏性
皮炎。

景天科 Crassulaceae 伽蓝菜属 Kalanchoe

伽蓝菜 *Kalanchoe laciniata* (L.) DC.

| 中 药 名 | 伽蓝菜（药用部位：全草）

| 植物形态 | 肉质草本，半灌木或灌木。叶对生，常有抱茎的叶柄，全缘或有牙齿，或羽状分裂。圆锥状聚伞花序，苞片小，花多，花常直立，白色、黄色或红色；花为 4 数；萼片分离至基部或多少合生，三角形或披针形，常短于花冠管；花冠高脚碟形，花瓣合生成多少有 4 棱的管，管部不膨大，或基部膨大成坛状，上部渐狭，分离部分短，基部稍狭；雄蕊 8，贴生在花冠管中部以上或以下，花丝长度不同，有的可到达花冠裂片中部，通常很短；鳞片线形至半圆形；心皮直立，花柱长或短。蓇葖有种子多数；种子圆柱形。花期 3 月。

伽蓝菜

|分布区域|

产于海南东方、昌江。亦分布于中国广东、广西、福建、台湾、云南等地。亚洲东南部及印度也有分布。

|资　　源|

生于石上，偶见。

|采收加工|

全年均可采收，多鲜用。

|功能主治|

味甘、苦，性寒；归心、肝、肺经。散瘀止血，清热解毒。用于跌打损伤、扭伤、外伤出血、咽喉炎、烫伤、湿疹、痈疮肿毒。

|附　　注|

黎药（雅局力）：鲜用50~100g，水煎服，同时以鲜品捣烂外敷于伤口周围，治毒蛇咬伤。

虎耳草科 Saxifragaceae 虎耳草属 Saxifraga

虎耳草
Saxifraga stolonifera Curtis.

| 中 药 名 | 虎耳草（药用部位：全草）

| 植物形态 | 多年生草本，具鳞片状叶。茎被长腺毛，具 1~4 苞片状叶。基生叶具长柄，叶片近心形，7~11 浅裂，裂片边缘具不规则齿牙和腺睫毛，有斑点，具掌状达缘脉序，叶柄被长腺毛；茎生叶披针形。聚伞花序圆锥状，具 7~61 花；花序分枝长 2.5~8cm，被腺毛，具 2~5 花；花梗细弱，被腺毛；花两侧对称；萼片在花期开展至反曲，卵形，3 脉于先端汇合成 1 疣点；花瓣 5，白色，中上部具紫红色斑点，基部具黄色斑点，其中 3 瓣较短，卵形，另 2 瓣较长，披针形。雄蕊长 4~5.2mm，花丝棒状；花盘半环状，边缘具瘤突；2 心皮下部合生；子房卵球形，花柱 2 裂，叉开。花果期 4~11 月。

虎耳草

| **分布区域** | 产于海南昌江。亦分布于中国广东、广西、湖南、江西、福建、台湾、浙江、贵州、云南、甘肃、河北等地。日本、朝鲜也有分布。 |

| **资　　源** | 生于溪边阴湿处，偶见。 |

| **采收加工** | 全年均可采。但以花后采者为好。 |

| **药材性状** | 全体被毛。单叶，基部丛生，叶柄长，密生长柔毛；叶片圆形至肾形，肉质，边缘浅裂，疏生尖锐齿牙；下面紫赤色，无毛，密生小球形的细点。花白色，上面3瓣较小，卵形，有黄色斑点，下面2瓣较大，披针形，倒垂，形似虎耳。蒴果卵圆形。气微，味微苦。 |

| **功能主治** | 味苦、辛，性寒；有小毒；归肺、脾、大肠经。疏风清热，凉血解毒。用于风热咳嗽、肺痈、吐血、风火牙痛、风疹瘙痒、痈肿丹毒、痔疮肿痛、毒虫咬伤、外伤出血。 |

茅膏菜科 Droseraceae　茅膏菜属 Drosera

锦地罗

Drosera burmanni Vahl

锦地罗

|中药名|

落地金钱（药用部位：去花茎的全草）

|植物形态|

草本，茎短，不具球茎。叶莲座状密集，基部渐狭，叶缘头状，黏腺毛长而粗，常紫红色，叶面腺毛较细短；托叶膜质，基部与叶柄合生。花序花葶状，1~3 条，具花 2~19，无毛或具白色腺点，红色或紫红色；苞片被短腺毛，3 或 5 裂，戟形，居中 1 裂特长，线形，两边裂片短小，钻形或三角形；花柄长 1~7mm，被腺毛或无毛；花萼钟形，宿萼腹面密具黑点或无点；花瓣 5，倒卵形，长约 4mm，白色或变浅红色至紫红色；雄蕊 5；子房近球形，无毛，花柱 5，稀 6，内卷，顶部齿裂。蒴果，果爿 5，稀 6；种子多数，棕黑色，具规则脉纹。花果期全年。

|分布区域|

产于海南乐东、昌江、五指山、万宁、定安。亦分布于中国广东、广西、福建、台湾、云南。亚洲东部及东南部、澳大利亚也有分布。

| 资 源 |

生于山坡阳处或疏林中，常见。

| 采收加工 |

夏季采收，洗净，鲜用或晒干。

| 功能主治 |

味苦、淡，性凉；归肺、大肠经。清热祛湿，
凉血解毒。用于痢疾、肠炎、肺热咳嗽、咯血、
小儿疳积、肝炎、咽喉肿痛、疮疡癣疹。

长叶茅膏菜 *Drosera indica* L.

长叶茅膏菜

中药名

长叶茅膏菜（药用部位：全草）

植物形态

一年生草本，直立或匍匐状，茎被短腺毛。叶互生，线形，扁平，长 2~12cm，宽 1~3mm；叶柄被短腺毛或无毛，叶片部位被白色或红色长腺毛。花序与叶近对生或腋生，被短腺毛；苞片线形，被短腺毛；花柄被短腺毛；萼 5 裂至近基部，裂片披针形或长圆形，被短腺毛，全缘或具腺齿；花瓣 5，具脉纹，倒卵形或倒披针形，长约 6mm，白色、淡红色至紫红色；雄蕊 5，长约 5mm，花丝扁平，花药纵裂；子房圆柱形、倒卵形或近球形，胎座 3；花柱 3，每个 2 深裂至近基部，顶部常向内弯卷。蒴果倒卵球形，果爿 3；种子多数，细小，黑色。花果期全年。

分布区域

产于海南乐东、东方、昌江、五指山、万宁、儋州。亦分布于中国广东、广西、福建、台湾等地。亚洲、非洲、大洋洲的热带和亚热带地区也有分布。

| 资　　源 | 生于草丛中，偶见。

| 功能主治 | 地上部分：功能同石竹。全草：清热利尿，止血通经。用于小便淋涩不畅、尿血、尿路感染、闭经、皮肤湿疹。

石竹科 Caryophyllaceae　荷莲豆草属 *Drymaria*

荷莲豆草
Drymaria cordata (L.) Willd. ex Schult.

| 中 药 名 | 荷莲豆菜（药用部位：全草）

| 植物形态 | 一年生草本，根纤细，茎匍匐，丛生，纤细，无毛，基部分枝，节常生不定根。叶片卵状心形，先端凸尖，基出脉 3~5；叶柄短；托叶数片，小，白色，刚毛状。聚伞花序顶生；苞片针状披针形，边缘膜质；花梗细弱，短于花萼，被白色腺毛；萼片披针状卵形，草质，边缘膜质，具 3 脉，被腺柔毛；花瓣白色，倒卵状楔形，长约 2.5mm，稍短于萼片，先端 2 深裂；雄蕊稍短于萼片，花丝基部渐宽，花药黄色，圆形，2 室；子房卵圆形；花柱 3，基部合生。蒴果卵形，长 2.5mm，宽 1.3mm，3 瓣裂；种子近圆形，长 1.5mm，表面具小疣。花期 4~10 月，果期 6~12 月。

荷莲豆草

| **分布区域** | 产于海南乐东、昌江、白沙、五指山、保亭、陵水、琼中、定安。亦分布于中国广东、广西、湖南、福建、台湾、浙江、贵州、云南、四川、西藏等地。亚洲、非洲、美洲的热带地区也有分布。

| **资　　源** | 生于山谷水沟边或草地，偶见。

| **采收加工** | 夏季采全草，晒干或鲜用。

| **药材性状** | 全草长 60~90cm。茎光滑，纤细，下部有分枝。叶对生，完整者卵圆形至近圆形，长 1~1.5cm，叶脉 3~5；具短叶柄，顶生或腋生绿色小花。气微，味微涩。

| **功能主治** | 味苦，性凉；归肝、胃、膀胱经。清热利湿，活血解毒。用于黄疸、水肿、疟疾、惊风、风湿脚气、疮痈疖毒、小儿疳积、目翳、胬肉。

| **附　　注** | ①FOC 已将其学名修订为 *Drymaria cordata* (L.) Willd. ex Schult.。②黎药（雅仄）：全草，水煎服，治胆病。

石竹科 Caryophyllaceae 鹅肠菜属 Myosoton

鹅肠菜
Myosoton aquaticum (L.) Moench

| 中 药 名 | 牛繁缕（药用部位：全草）

| 植物形态 | 二年生或多年生草本，具须根。茎上升，多分枝，长 50~80cm，上部被腺毛。叶片卵形或宽卵形，先端急尖，基部稍心形；叶柄长 5~15mm，上部叶常无柄，疏生柔毛。顶生二歧聚伞花序；苞片叶状，边缘具腺毛；花梗细，长 1~2cm，花后伸长并向下弯，密被腺毛；萼片卵状披针形或长卵形，边缘狭膜质，外面被腺柔毛；花瓣白色，2 深裂至基部，裂片线形或披针状线形；雄蕊 10，稍短于花瓣；子房长圆形，花柱短，线形。蒴果卵圆形，稍长于宿存萼；种子近肾形，稍扁，褐色，具小疣。花期 5~8 月，果期 6~9 月。

鹅肠菜

| 分布区域 |

产于海南乐东、白沙、澄迈、屯昌。亦分布于
中国各地。世界其他区域也有分布。

| 资　　源 |

生于荒地上，偶见。

| 功能主治 |

全草：清热解毒，凉血祛风，消肿止痛，消积
通乳。用于小儿疳积、头痛、眼痛、牙痛、痢疾、
痔疮、肿毒、乳痈、乳汁不通；外用于疮疖。

石竹科 Caryophyllaceae 白鼓钉属 Polycarpaea

白鼓钉
Polycarpaea corymbosa (L.) Lam.

| 中 药 名 | 声色草（药用部位：全草）

| 植物形态 | 一年生草本，多少被白色柔毛。茎直立，单生，中上部分枝，被伏柔毛。叶假轮生状，叶片狭线形或针形，长 1.5~2cm，宽约 1mm，先端急尖，近无毛，中脉明显；托叶卵状披针形，先端急尖，长 2~4mm，干膜质，白色，透明。花密集成聚伞花序，多数；苞片披针形，透明，膜质，长于花梗；花梗细，被白色伏柔毛；萼片披针形，白色，透明，膜质；花瓣长不及萼片的 1/2；雄蕊短于花瓣；先端不分裂。蒴果卵形，褐色，长不及宿存萼的 1/2；种子肾形，扁，长 0.5mm，褐色。花期 7~8 月，果期 9~10 月。

白鼓钉

| 分布区域 |

产于海南三亚、东方、昌江、五指山、万宁、儋州、文昌、海口。亦分布于中国广东、广西、江西、福建、台湾、安徽、湖北、云南等地。广布于世界热带和亚热带地区。

| 资　源 |

生于沿海空旷沙地，常见。

| 采收加工 |

春、秋季采收，洗净扎把，晒干或鲜用。

| 药材性状 |

全草长 15~35cm。茎纤细而坚硬，二歧分枝，被白色小茸毛。叶对生，完整叶片宽线形或针形，有茸毛，托叶长披针形，长约为叶的1/2或更长。花序密集成顶生聚伞状。花小，白色。

| 功能主治 |

味淡，性凉；归胃、膀胱经。清热解毒，利湿化积。用于暑湿泄泻、痢疾、小便淋痛、腹水、小儿疳积、痈疽肿毒。

| 附　注 |

黎药（雅星蹈）：用于外伤清窍不通、风湿而致的四肢麻痹和筋骨不利等；叶用于外伤骨折。

石竹科 Caryophyllaceae 多荚草属 Polycarpon

多荚草
Polycarpon postratum (Forsskal) Ascherson. et Schweinfurth

| 中 药 名 | 多荚草（药用部位：全草）

| 植物形态 | 一年生草本。茎丛生，铺散，疏生柔毛，稀无毛。叶假轮生，叶片匙形或线状长圆形，先端尖，基部渐狭，无毛。聚伞花序密簇生，圆锥状；苞片卵形，膜质，透明；花梗短或近无，被细柔毛；萼片狭披针形，长 2.5~3mm，中部厚，深褐色，边缘白色，膜质，先端钝，外面有脊；花瓣线状长圆形，短于萼片，白色，膜质，透明，先端全缘；雄蕊 5，短于萼片；子房卵形；花柱先端 3 裂。蒴果卵形，短于宿存萼；种子长圆形或卵形，直径 0.25mm，淡褐色。花期 2~5月，果期 5~6 月。

多荚草

| 分布区域 | 产于海南文昌、三亚、乐东、白沙、万宁。亦分布于中国广东、广西、福建、云南等地。亚洲和非洲的热带和亚热带地区也有分布。

| 资　　源 | 生于旷野或田间草地，偶见。

| 功能主治 | 用于牛皮癣、麻风。

粟米草科 Molluginaceae 星粟草属 Glinus

长梗星粟草
Glinus oppositifolius (L.) A. DC.

| 中 药 名 | 簇花粟米草（药用部位：全草）

| 植物形态 | 铺散一年生草本，分枝多，被微柔毛。叶 3~6 假轮生或对生，叶片匙状倒披针形或椭圆形，先端钝或急尖，基部狭长，边缘中部以上有疏离小齿。花通常 2~7 簇生，绿白色、淡黄色；花被片 5，长圆形，长 3~4mm，3 脉，边缘膜质；雄蕊 3~5，花丝线形；花柱 3。蒴果椭圆形，稍短于宿存花被，种子栗褐色，近肾形，具多数颗粒状突起，假种皮较小，长约为种子的 1/5，围绕种柄稍膨大，呈棒状；种阜线形，白色。花果期几全年。

| 分布区域 | 产于海南三亚、东方、昌江、陵水、琼海、儋州、海口。亦分布于中国台湾。亚洲、非洲的热带地区及澳大利亚北部也有分布。

长梗星粟草

| 资　　源 | 生于海边沙地或空旷草地，常见。

| 功能主治 | 全草：清热解毒，利湿。用于腹痛泄泻、感冒咳嗽、皮肤风疹；外用于眼结膜炎、疮疖肿毒。

粟米草
Mollugo stricta L.

| 中 药 名 | 粟米草（药用部位：全草）

| 植物形态 | 铺散一年生草本，茎多分枝，无毛，老茎通常淡红褐色。叶 3~5 假轮生或对生，叶片披针形，先端急尖，基部渐狭，全缘，中脉明显；叶柄短或近无柄。花极小，组成疏松聚伞花序，花序梗细长，顶生或与叶对生；花梗长 1.5~6mm；花被片 5，淡绿色，椭圆形或近圆形，长 1.5~2mm，脉达花被片的 2/3，边缘膜质；雄蕊通常 3，花丝基部稍宽；子房宽椭圆形或近圆形，3 室，花柱 3，短，线形。蒴果近球形，与宿存花被等长，3 瓣裂；种子多数，肾形，栗色，具多数颗粒状突起。花期 6~8 月，果期 8~10 月。

粟米草

| 分布区域 | 产于海南东方、白沙。亦分布于中国广东、广西、湖南、江西、福建、台湾、浙江、江苏、安徽、湖北、贵州、云南、四川、西藏、陕西、山东等地。亚洲热带和亚热带地区也有分布。

| 资　　源 | 多生于旷地或海滨沙地上，常见。

| 采收加工 | 秋季采收，晒干或鲜用。

| 功能主治 | 微涩、淡，性凉。清热化湿，解毒消肿。用于腹痛泄泻、痢疾、感冒咳嗽、中暑、皮肤热疹、目赤肿痛、疮疖肿毒、毒蛇咬伤、烫火伤。

粟米草科 Molluginaceae 粟米草属 Mollugo

种棱粟米草
Mollugo verticillata L.

| 中 药 名 | 种棱粟米草（药用部位：全草）

| 植物形态 | 一年生草本。基生叶莲座状，叶片倒卵形或倒卵状匙形；茎生叶 3~7 假轮生或 2~3 生于节的一侧，叶片倒披针形或线状倒披针形，全缘；叶柄短或几无柄。花淡白色或绿白色，3~5 簇生于节的一侧，有时近腋生；花梗纤细；花被片 5，稀 4，长圆形或卵状长圆形，先端尖，边缘膜质，覆瓦状排列；雄蕊 3，稀 2 或 4~5，花丝基部稍宽；子房 3 室，花柱 3。蒴果椭圆形或近球形，果皮膜质，宿存花被包围一半以上，先端有宿存花柱，3 瓣裂；种子多数，肾形，栗红色，平滑，有光泽，脊具 3~5 条弧形肋棱，棱间有细密横纹。花果期秋、冬季。

种棱粟米草

| 分布区域 | 产于海南东方、乐东、西沙群岛。亦分布于中国广东、广西、福建、台湾、山东等地。日本及欧洲南部、北美洲也有分布。 |

| 资　　源 | 生于海边沙地或耕地上，偶见。 |

| 采收加工 | 全年均可采，洗净晒干或鲜用。 |

| 功能主治 | 用于疟疾。 |

番杏科 Aizoaceae 海马齿属 Sesuvium

海马齿 *Sesuvium portulacastrum* (L.) L.

| 中 药 名 | 海马齿（药用部位：全草、汁液）

| 植物形态 | 多年生肉质草本。茎平卧或匍匐，绿色或红色，有白色瘤状小点，多分枝，常节上生根，长 20~50cm。叶片厚，肉质，线状倒披针形或线形，长 1.5~5cm，先端钝，中部以下渐狭成短柄状，基部变宽，边缘膜质，抱茎。花小，单生于叶腋；花梗长 5~15mm；花被长 6~8mm，筒长约 2mm，裂片 5，卵状披针形，外面绿色，里面红色，边缘膜质，先端急尖；雄蕊 15~40，着生于花被筒顶部，花丝分离或近中部以下合生；子房卵圆形，无毛，花柱 3，稀 4 或 5。蒴果卵形，长不超过花被，中部以下环裂；种子小，亮黑色，卵形，先端突起。花期 4~7 月。

海马齿

| 分布区域 |

产于海南东方、儋州、南沙群岛。亦分布于中国广东、广西、福建、台湾等地。世界热带、亚热带海滨地区均有分布。

| 资　　源 |

生于海岸沙地或珊瑚石缝中，有时也见于季节性的沼泽或咸水小湖边，海边常见。

| 功能主治 |

全草：益气润肠，清除体内毒素。用于发热、肾病、维生素C缺乏症。汁液：止血，解鱼毒素。

番杏科 Aizoaceae 番杏属 Tetragonia

番 杏 *Tetragonia tetragonioides* (Pall.) Kuntze

| **中 药 名** | 番杏（药用部位：全草）

| **植物形态** | 一年生肉质草本，无毛，表皮有呈颗粒状突起的针状结晶体。茎初直立，后平卧上升，高 40~60cm，肥粗，淡绿色，从基部分枝。叶片卵状菱形或卵状三角形，长 4~10cm，边缘波状；叶柄肥粗。花单生或 2~3 朵簇生于叶腋；花梗长 2mm；花被筒长 2~3mm，裂片常 4，内面黄绿色；雄蕊 4~13。坚果陀螺形，长约 5mm，具钝棱，有 4~5 角，附有宿存花被，具数颗种子。花果期 8~10 月。

| **分布区域** | 产于海南海口、三亚、琼海、万宁、儋州。亦分布于中国广东、福建、台湾、浙江、江苏、云南。亚洲东部、大洋洲、非洲、南美洲也有分布。

番杏

| 资　　源 | 生于海滨沙地，偶见。

| 功能主治 | 全草：清热解毒，祛风消肿。用于肠炎、败血症、疔疮红肿、风热目赤。

番杏科 Aizoaceae 假海马齿属 *Trianthema*

假海马齿
Trianthema portulacastrum L.

| **中 药 名** | 假海马齿（药用部位：叶）

| **植物形态** | 一年生草本。茎匍匐或直立，无毛或有细柔毛，常多分枝。叶片薄肉质，无毛，卵形，大小变化较大，先端钝，基部楔形；叶柄基部膨大并具鞘；托叶长 2~2.5mm。花无梗，单生于叶腋；花被长 4~5mm，5 裂，通常淡粉红色，花被筒叶柄基部贴生，形成一漏斗状囊，裂片稍钝，在中肋先端具短尖头；雄蕊 10~25，花丝白色，无毛；花柱 1。蒴果先端截形，2 裂，上部肉质，不开裂，基部壁薄，有种子 2~9；种子肾形，宽 1~2.5mm，暗黑色，表面具螺状皱纹。花期夏季。

| **分布区域** | 产于海南三亚、澄迈、东方、西沙群岛。亦分布于中国广东、台湾。世界热带海滨地区也有分布。

假海马齿

| 资　　　源 | 生于旷地或海边沙地上，偶见。 |
| 功能主治 | 叶：水煎剂内服，用于伤寒发热。 |

大花马齿苋 *Portulaca grandiflora* Hook.

| 中 药 名 | 午时花（药用部位：全草）

| 植物形态 | 一年生草本，茎平卧或斜升，紫红色，多分枝，节上丛生毛。叶密集生于枝端，较下的叶分开，不规则互生，叶片细圆柱形，有时微弯，先端圆钝，无毛；叶柄极短或近无柄，叶腋常生一撮白色长柔毛。花单生或数朵簇生于枝端，日开夜闭；总苞8~9，叶状轮生，具白色长柔毛；萼片2，淡黄绿色，卵状三角形，多少具龙骨状突起，两面均无毛；花瓣5或重瓣，倒卵形，红色、紫色或黄白色；雄蕊多数，花丝紫色，基部合生；花柱与雄蕊近等长，柱头5~9裂，线形。蒴果近椭圆形，盖裂；种子细小，多数，圆肾形。花期6~9月，果期8~11月。

大花马齿苋

| 分布区域 | 海南海口等地有栽培。中国各地公园、花圃亦有栽培。原产于巴西。

| 资　　源 | 栽培，常见。

| 采收加工 | 夏、秋季采收，除去残根及杂质，洗净，鲜用，或略蒸烫后晒干。

| 药材性状 | 茎圆柱形，表面淡棕绿色或浅棕红色，有细密微隆起的纵皱纹。叶多皱缩，线状，暗绿色；鲜叶扁圆柱形，肉质。枝端常有花着生，萼片 2，浅红色，卷成帽状，花瓣多干瘪皱缩成帽尖状，深紫红色。蒴果帽状圆锥形，浅棕黄色，外被白色长柔毛，盖裂，内含多数深灰黑色细小种子。种子扁圆形或类三角形，具金属样光泽，先端有歪向一侧的小尖。气微香，味酸。

| 功能主治 | 味微苦、淡，性寒。清热解毒，散瘀止血。用于咽喉肿痛、疮疖、湿疹、跌打肿痛、烫火伤、外伤出血。

马齿苋
Portulaca oleracea L.

| **中 药 名** | 马齿苋（药用部位：全草或种子）

| **植物形态** | 一年生草本，全株无毛。茎平卧或斜倚，伏地铺散，多分枝，圆柱形，长 10~15cm，淡绿色或带暗红色。叶互生，叶片扁平，肥厚，倒卵形，似马齿状，全缘，上面暗绿色，下面淡绿色或带暗红色。花无梗，直径 4~5mm，常 3~5 簇生于枝端，午时盛开；苞片 2~6，叶状，膜质，近轮生；萼片 2，对生，绿色，盔形，左右压扁，基部合生；花瓣 5，稀 4，黄色，倒卵形，先端微凹；雄蕊通常 8 或更多，花药黄色；子房无毛，花柱比雄蕊稍长，柱头 4~6 裂，线形。蒴果卵球形，盖裂；种子细小，多数，具小疣状突起。

马齿苋

| **分布区域** | 产于海南东方、昌江、五指山、南沙群岛、西沙群岛。亦分布于中国各地。世界热带至温带地区也有分布。

| **资　　源** | 生于海边沙地、旷地、路旁或耕地，常见。

| **采收加工** | 全草：8~9月割取全草，洗净泥土，拣去杂质，再用开水稍烫一下或蒸上气后，取出晒干或烘干；亦可鲜用。种子：夏、秋季果实成熟时，割取地上部分，收集种子，除去泥沙杂质，干燥。

| **药材性状** | 全草：多皱缩卷曲成团。茎圆柱形，表面黄棕色至棕褐色，有明显扭曲的纵沟纹。叶易破碎或脱落，完整叶片倒卵形，绿褐色，先端钝平或微缺，全缘。花少见，黄色，生于枝端。蒴果圆锥形，帽状盖裂，内含多数黑色细小种子。气微，味微酸而带黏性。以株小、质嫩、整齐少碎、叶多、青绿色、无杂质者为佳。种子：扁圆形或类三角形。黑色，少数红棕色，于解剖镜下可见密布细小疣状突起。一端有一凹陷，凹陷旁有一白色种脐。质坚硬，难破碎。气微，味微酸。以粒饱满、色黑者为佳。

| **功能主治** | 全草：味酸，性寒；归大肠、肝经。清热解毒，凉血止痢，除湿通淋。用于热毒泻痢、热淋、赤白带下、痔血、疮疡痈疖、丹毒、湿癣、白秃。种子：味甘，性寒；归大肠、肝经。清肝明目，化湿。用于青盲白翳、泪囊炎。

马齿苋科 Portulacaceae 马齿苋属 Portulaca

毛马齿苋 *Portulaca pilosa* L.

| 中 药 名 | 日中花（药用部位：全草）

| 植物形态 | 一年生或多年生草本，高 5~20cm。茎密丛生，铺散，多分枝。叶互生，叶片近圆柱状线形，长 1~2cm，腋内有长疏柔毛，茎上部较密。花直径约 2cm，无梗，6~9 轮生叶，密生长柔毛；萼片长圆形，渐尖或急尖；花瓣 5，膜质，红紫色，宽倒卵形，先端钝或微凹，基部合生；雄蕊 20~30，花丝洋红色，基部不连合；花柱短，柱头 3~6 裂。蒴果卵球形，蜡黄色，有光泽，盖裂；种子小，深褐黑色，有小瘤体。花果期 5~8 月。

| 分布区域 | 产于海南东方、昌江、五指山、澄迈、西沙群岛。亦分布于中国广东、广西、福建、台湾等地。世界热带地区也有分布。

毛马齿苋

| 资　　源 |

生于海边沙地，常见。

| 采收加工 |

夏、秋季采收，除去残根及杂质，洗净，略蒸或烫后晒干。

| 功能主治 |

味甘，性微寒。清热利湿，解毒。用于湿热痢疾、疮疖。

马齿苋科 Portulacaceae 马齿苋属 Portulaca

四瓣马齿苋 *Portulaca quadrifida* L.

| 中 药 名 | 小马齿苋（药用部位：全草或叶）

| 植物形态 | 一年生的柔弱肉质草本。茎匍匐，节上生根。叶对生，扁平，叶片卵形，长 4~8mm，宽 2~5mm，先端钝或急尖，向基部稍狭，腋间具开展的疏长柔毛。花小，单生于枝端，围以 4~5 轮生叶和白色长柔毛；萼片膜质，倒卵状长圆形，长 2.5~3mm，有脉纹；花瓣 4，黄色，长 3~6mm，长圆形或宽椭圆形，先端圆，具短尖，基部合生；雄蕊 8~10；子房卵圆形，有长柔毛，柱头 3~4 裂。蒴果黄色，球形，直径约 2.5mm，果皮膜质；种子小，黑色，近球形，侧扁，有小瘤体。花果期几全年。

四瓣马齿苋

| 分布区域 |

产于海南东方、三亚、乐东、西沙群岛。亦分布于中国广东、台湾、云南。亚洲和非洲的热带地区也有分布。

| 资　　源 |

生于海边旷地上，偶见。

| 功能主治 |

全草或叶：止痢杀菌。用于痢疾、肠炎、腹泻、湿热性黄疸、内痔出血、功能性子宫出血、乳汁不足、小儿疳积、黄水疮、下肢慢性溃疡、目赤肿痛。

土人参

马齿苋科 Portulacaceae 土人参属 Talinum

土人参
Talinum paniculatum (Jacq.) Gaertn.

中 药 名

土人参（药用部位：根、叶）

植物形态

一年生或多年生草本。主根粗壮，圆锥形，有少数分枝，断面乳白色。茎直立，肉质，基部近木质，多少分枝。叶互生或近对生，具短柄或近无柄，叶片稍肉质，倒卵形或倒卵状长椭圆形，全缘。圆锥花序顶生或腋生，较大型，常二叉状分枝，具长花序梗；花小，直径约 6mm；总苞片绿色或近红色，圆形；苞片 2，膜质，披针形；花梗长 5~10mm；萼片卵形，紫红色，早落；花瓣粉红色或淡紫红色，先端圆钝，稀微凹；雄蕊 15~20，比花瓣短；花柱线形，基部具关节；柱头 3 裂，稍开展。蒴果近球形，3 瓣裂，坚纸质；种子多数，扁圆形，黑褐色或黑色，有光泽。

分布区域

产于海南万宁、屯昌、定安、琼海、海口。亦分布于中国长江以南各地，北至陕西等地。原产于美洲热带地区。

| 资　　源 | 生于田野、路边、墙脚石旁、山坡沟边等阴湿处，栽培或逸为野生，常见。 |

| 采收加工 | 根：8~9 月采收，挖出后，洗净，除去细根，晒干或刮去表皮，蒸熟晒干。叶：夏、秋季采收，洗净，鲜用或晒干。 |

| 药材性状 | 根：圆锥形或长纺锤形，分枝或不分枝。先端具木质茎残基；表面灰黑色，有纵皱纹及点状突起的须根痕。除去栓皮并经煮后表面为灰黄色半透明状，有点状须根痕及纵皱纹，隐约可见内部纵走的维管束，质坚硬，难折断。折断面，未加工的平坦，已加工的呈角质状，中央常有大空腔。气微，味淡，微有黏滑感。叶：多皱缩破碎，墨绿色至黑棕色，全缘，表面光滑。鲜品肉质，翠绿色。气微，味淡。 |

| 功能主治 | 根：味甘、淡，性平；归脾、肺、肾经。补气润肺，止咳调经。用于气虚劳倦、食少、泄泻、肺痨咯血、眩晕、潮热、盗汗、自汗、月经不调、带下、产妇乳汁不足。叶：味甘，性平。通乳汁，消肿毒。用于乳汁不足、痈肿疔毒。

蓼科 Polygonaceae 珊瑚藤属 *Antigonon*

珊瑚藤 *Antigonon leptopus* Hook. et Arn.

| 中 药 名 | 珊瑚藤（药用部位：根）

| 植物形态 | 多年生攀缘藤本，长达 10m。茎自肥厚的块根发出，稍木质，有棱角和卷须，生棕褐色短柔毛。叶有短柄；叶片卵形或卵状三角形，长 6~12cm，宽 4~5cm，先端渐尖，基部心形，近全缘，两面都有棕褐色短柔毛，下面毛较密，叶脉明显；托叶鞘极小。花序总状，顶生或腋生，花序轴顶部延伸变成卷须；花稀疏，淡红色或白色；花被片 5，在果期稍增大，外轮 3 比内轮 2 大；雄蕊 7~8；花柱 3。瘦果卵状三角形，长约 10mm，平滑，包于宿存的花被内。

| 分布区域 | 产于海南三亚、海口。原产于墨西哥，现广植于世界各热带地区。

珊瑚藤

| 资　　源 | 栽培，常见。

| 功能主治 | 根：煎服，用于性病。中国台湾制成泥敷剂药用。

蓼科 Polygonaceae 金线草属 Antenoron

金线草
Antenoron filiforme (Thunb.) Roberty et Vautier

| 中 药 名 | 金线草（药用部位：全草或根茎）

| 植物形态 | 多年生草本，根茎粗壮，茎直立，高 50~80cm，具糙伏毛，有纵沟，节部膨大。叶椭圆形或长椭圆形，长 6~15cm，宽 4~8cm，全缘，两面均具糙伏毛；叶柄长 1~1.5cm，具糙伏毛；托叶鞘筒状，膜质，褐色，长 5~10mm，具短缘毛。总状花序呈穗状，通常数个，顶生或腋生，花序轴延伸，花排列稀疏；花梗长 3~4mm；苞片漏斗状，绿色，边缘膜质，具缘毛；花被 4 深裂，红色，花被片卵形，果时稍增大；雄蕊 5；花柱 2，果时伸长，硬化，先端呈钩状，宿存，伸出花被之外。瘦果卵形，双凸镜状，褐色，有光泽，长约 3mm，包于宿存花被内。花期 7~8 月，果期 9~10 月。

金线草

| **分布区域** | 产于海南白沙。亦分布于中国华南其他区域、华中、华东、西南、华北。缅甸、日本、朝鲜、俄罗斯也有分布。 |

| **资　　源** | 生于山坡林缘、山谷路旁，偶见。 |

| **采收加工** | 夏、秋季采收，晒干或鲜用。 |

| **药材性状** | 全草：根茎为不规则结节状条块，节部略膨大，表面红褐色，有细纵皱纹，并具众多根痕及须根，先端有茎痕或茎残基。质坚硬，不易折断，断面不平坦，粉红色，髓部色稍深。茎圆柱形，不分枝或上部分枝，有长糙伏毛。叶多卷曲，具柄；叶片展开后呈宽卵形或椭圆形；托叶鞘膜质，筒状，先端截形，有条纹，叶的两面及托叶鞘均被长糙伏毛。气微，味涩、微苦。 |

| **功能主治** | 全草：味辛、苦，性凉；有小毒。凉血止血，清热利湿，散瘀止痛。用于咯血、吐血、便血、血崩、泄泻、痢疾、胃痛、经期腹痛、产后血瘀腹痛、跌打损伤、风湿痹痛、痈肿。根茎：味辛、苦，性微寒。凉血止血，散瘀止痛，清热解毒。用于咳嗽咯血、吐血、崩漏、月经不调、痛经、脘腹疼痛、泄泻、痢疾、跌打损伤、风湿痹痛、瘰疬、痈疽肿毒、烫火伤、毒蛇咬伤。 |

蓼科 Polygonaceae 荞麦属 *Fagopyrum*

荞 麦
Fagopyrum esculentum Moench

| 中 药 名 |　荞麦（药用部位：全草），荞麦秸（药用部位：茎叶）

| 植物形态 |　一年生草本，茎直立，上部分枝，具纵棱。叶三角形，长 2.5~7cm，
两面沿叶脉具乳头状突起；下部叶具长叶柄，上部较小近无梗；托
叶鞘膜质，短筒状，先端偏斜，无缘毛，易破裂脱落。花序总状或
伞房状，顶生或腋生，花序梗一侧具小突起；苞片卵形，长约 2.5mm，
绿色，边缘膜质，每个苞片内具 3~5 花；花梗比苞片长，无关节，
花被 5 深裂，白色或淡红色，花被片椭圆形，长 3~4mm；雄蕊 8，
比花被短，花药淡红色；花柱 3，柱头头状。瘦果卵形，具 3 锐棱，
长于宿存花被。花期 5~9 月，果期 6~10 月。

| 分布区域 |　产于海南乐东、三亚。原产于亚洲中部和北部，现澳大利亚及亚洲
东南部、欧洲、北美洲也有分布。

荞麦

资　　源	栽培或逸为野生，少见。

采收加工	霜降前后种子成熟时收割，打下种子，除去杂质，晒干。

药材性状	茎枝长短不一，多分枝，绿褐色或黄褐色，节间有细条纹，节部略膨大；断面中空。叶多皱缩或破碎，完整叶展开后呈三角形或卵状三角形，长 2.5~7cm，基部心形，叶耳三角状，具尖头，全缘，两面无毛，纸质；叶柄长短不一；有的可见托叶鞘，筒状，先端截形或斜截形，褐色，膜质。气微，味淡、略涩。

功能主治	全草：味甘、酸，性寒；归脾、胃、大肠经。健脾消积，下气宽肠，解毒敛疮。用于肠胃积滞、泄泻、痢疾、绞肠痧、白浊、带下、自汗、盗汗、疱疹、丹毒、痈疽发背、瘰疬、烫火伤。茎叶：味酸，性寒。下气消积，清热解毒，止血，降压。用于噎食、消化不良、痢疾、白带、痈肿、烫伤、咯血、紫癜、高血压、糖尿病并发视网膜炎。

蓼科 Polygonaceae 何首乌属 *Fallopia*

何首乌
Fallopia multiflora (Thunb.) Harald.

| 中 药 名 |

何首乌（药用部位：块根、叶），夜交藤（药用部位：藤茎或带叶的藤茎）

| 植物形态 |

多年生草本。茎缠绕，多分枝，具纵棱，无毛，微粗糙，下部木质化。叶卵形，先端渐尖，基部心形，两面粗糙，边缘全缘；叶柄长 1.5~3cm；托叶鞘膜质。花序圆锥状，顶生或腋生，长 10~20cm，分枝开展，具细纵棱，沿棱密被小突起；苞片三角状卵形，具小突起，先端尖，每个苞片内具 2~4 花；花梗细弱，下部具关节，果时延长；花被 5 深裂，白色或淡绿色，花被片椭圆形，大小不相等，外面 3 片较大、背部具翅，果时增大，花被果时外形近圆形；雄蕊 8，花丝下部较宽；花柱 3，极短，柱头头状。瘦果卵形，具 3 棱。花期 8~9 月，果期 9~10 月。

| 分布区域 |

产于海南海口、万宁、儋州。亦分布于中国广东、广西、香港、澳门及华中。日本也有分布。

何首乌

| 资　　源 | 生于山谷灌丛，常见。

| 采收加工 | 块根：培育 3~4 年即可收获，但以 4 年收产量较高，在秋季落叶后或早春萌发前采挖。除去藤茎，将根挖出，洗净泥土，大的切成 2cm 左右的厚片，小的不切。晒干或烘干即成。叶：夏、秋季采收，鲜用。藤茎或带叶的藤茎：夏、秋季采割带叶藤茎，或秋、冬季采割藤茎，除去残叶，捆成把，晒干或烘干。

| 药材性状 | 块根：纺锤形或团块状，一般略弯曲。表面红棕色或红褐色，凹凸不平，有不规则的纵沟和致密皱纹，并有横长皮孔及细根痕。质坚硬，不易折断。切断面

淡黄棕色或淡红棕色，粉性，皮部有类圆形的异型维管束作环状排列，形成"云锦花纹"，中央木质部较大，有的呈木心。气微，味微苦而甘涩。藤茎：藤茎长圆柱形，稍扭曲，长短不一。表面棕红色或棕褐色，粗糙，有明显扭曲的纵皱纹及细小圆形皮孔。节部略膨大，有分枝痕。外皮菲薄，剥离。质脆，易折断，断面皮部棕红色，木质部淡黄色，导管孔明显，中央为白色疏松的髓部。气无，味微苦、涩。以枝条粗壮、均匀、外皮棕红色者为佳。

| **功能主治** | 块根：味苦、甘、涩，性微温；归肝、肾经。养血滋阴，润肠通便，截疟，祛风解毒。用于血虚头昏目眩、心悸失眠、肝肾阴虚之腰膝酸软、须发早白、耳鸣、遗精、肠燥便秘、久疟体虚、风疹瘙痒、疮痛、瘰疬、痔疮。叶：味微苦，性平。解毒散结，杀虫止痒。用于疮疡、瘰疬、疥癣。藤茎或带叶的藤茎：味甘、微苦，性平；归心、肝经。养心安神，祛风通络。用于失眠多梦、血虚身痛、肌肤麻木、风湿痹痛、风疹瘙痒。

| **附　　注** | 黎药（页波歪虽）：①藤泡酒服，治风湿；②块根泡酒服，养血。

蓼科 Polygonaceae 竹节蓼属 Homalocladium

竹节蓼

Homalocladium platycladum (F. Muell. ex Hook.) L. H. Bailey

竹节蓼

中药名

竹节蓼（药用部位：全草）

植物形态

多年生直立草本。茎基部圆柱形，木质化，上部枝扁平，呈带状，宽7~12mm，深绿色，具光泽，有显著的细线条，节处略收缩，托叶鞘退化成线状，分枝基部较窄，先端锐尖。叶多生于新枝上，互生，菱状卵形，先端渐尖，基部楔形，全缘或在近基部有一对锯齿，羽状网脉，无柄。花小，两性，具纤细柄；苞片膜质，淡黄棕色；花被4~5深裂，裂片矩圆形，淡绿色，后变红色；雄蕊6~7，花丝扁，花药白色；雌蕊1，子房上位，花柱3，短，柱头分叉。瘦果三角形，包于红色肉质的花被内。花期9~10月，果期10~11月。

分布区域

海南海口、万宁等地有栽培。中国广东、广西、福建亦有栽培。原产于南太平洋所罗门群岛。

资　源

少见。

| 采收加工 |

全年均可采收，晒干或鲜用。

| 药材性状 |

带叶茎枝平滑无毛。枝扁平，节明显，表面有细密平行条纹，浅绿色或褐绿色，质柔韧。叶片菱状卵形，先端长渐尖，基部楔形，全缘；叶柄极短；托叶鞘退化为一横线条纹。气微，味微涩。

| 功能主治 |

味甘、淡，性平；归肝、肺经。清热解毒，祛瘀消肿。用于痈疽肿毒、跌打损伤、蛇虫咬伤。

蓼科 Polygonaceae　蓼属 Polygonum

头花蓼
Polygonum capitatum Buch.-Ham. ex D. Don

| 中 药 名 | 头花蓼（药用部位：全草）

| 植物形态 | 多年生草本。茎匍匐，丛生，基部木质化，一年生枝近直立，具纵棱，疏生腺毛。叶卵形，先端尖，基部楔形，全缘，边缘具腺毛，两面疏生腺毛，上面有时具黑褐色新月形斑点；基部有时具叶耳；托叶鞘筒状，膜质，长 5~8mm，松散，具腺毛，先端截形，有缘毛。花序头状，直径 6~10mm，单生或成对，顶生；花序梗具腺毛；苞片长卵形，膜质；花梗极短；花被 5 深裂，淡红色，花被片椭圆形，长 2~3mm；雄蕊 8，比花被短；花柱 3，中下部合生，与花被近等长；柱头头状。瘦果长卵形，具 3 棱。花期 6~9 月，果期 8~10 月。

头花蓼

| **分布区域** | 海南海口有栽培。亦分布于中国江西、湖南、湖北、四川、贵州、广东、广西、云南及西藏等地。印度北部、尼泊尔、不丹、缅甸及越南等地也有分布。 |

| **资　　源** | 生于海拔 600~3500m 的山坡、山谷湿地，少见。 |

| **功能主治** | 全草：清热解毒，凉血散瘀，利尿通淋。用于痢疾、石淋、水肿、尿道感染、尿路结石、肾盂肾炎、膀胱炎、风湿痹痛、跌打损伤、疮疡、湿疹。 |

蓼科 Polygonaceae 蓼属 Polygonum

长箭叶蓼

Polygonum hastatosagittatum Mak.

| **中药名** | 长箭叶蓼（药用部位：全草）

| **植物形态** | 一年生草本,茎直立或下部近平卧,分枝,具纵棱,沿棱具倒生短皮刺,皮刺长 0.3~1mm。叶披针形, 沿中脉具倒生皮刺, 边缘具短缘毛; 叶柄具倒生皮刺; 托叶鞘筒状, 膜质, 先端截形, 具长缘毛。总状花序呈短穗状, 长 1~1.5cm, 顶生或腋生, 花序梗二歧状分枝, 密被短柔毛及腺毛; 苞片宽椭圆形, 具缘毛, 每个苞片内通常具 2 朵花; 花梗密被腺毛, 比苞片长; 花被 5 深裂, 淡红色, 花被片宽椭圆形; 雄蕊 7~8, 花柱 3, 中下部合生; 柱头头状; 瘦果卵形, 具 3 棱, 深褐色, 具光泽, 包于宿存花被内。花期 8~9 月, 果期 9~10 月。

长箭叶蓼

分布区域	海南有分布记录。亦分布于中国广东、广西、福建、台湾、浙江、江苏、安徽、贵州、云南、西藏、河南、河北、辽宁、吉林、黑龙江等地。俄罗斯也有分布。
资　　源	偶见。
功能主治	全草：清热解毒，祛风除湿，活血止痛。用于痈肿疮毒、头疮脚癣、风湿痹痛、腰痛、神经痛、跌打损伤、瘀血肿痛、月经不调、毒蛇咬伤。

蓼科 Polygonaceae 蓼属 Polygonum

萹蓄 *Polygonum aviculare* L.

萹蓄

中药名

萹蓄（药用部位：全草）

植物形态

一年生草本，多分枝，具纵棱。叶椭圆形，狭椭圆形或披针形，长 1~4cm，宽 3~12mm，边缘全缘，两面无毛，下面侧脉明显；叶柄短或近无柄，基部具关节；托叶鞘膜质，下部褐色，上部白色，撕裂脉明显。花单生或数朵簇生于叶腋，遍布于植株；苞片薄膜质；花梗细，顶部具关节；花被 5 深裂，花被片椭圆形，长 2~2.5mm，绿色，边缘白色或淡红色；雄蕊 8，花丝基部扩展；花柱 3，柱头头状。瘦果卵形，具 3 棱，长 2.5~3mm，黑褐色，密被由小点组成的细条纹，无光泽，与宿存花被近等长或稍长。花期 5~7 月，果期 6~8 月。

分布区域

海南有分布记录。亦分布于中国长江以南各地，以及陕西、河北。温带其他地区也有分布。

资　　源

生于荒地田边，偶见。

| 采收加工 | 在7~8月生长旺盛时采收,齐地割取全株,除去杂草、泥沙,捆成把,晒干或鲜用。

| 药材性状 | 茎圆柱形而略扁,有分枝。表面灰绿色或棕红色,有细密微突起的纵纹;节部稍膨大,有浅棕色膜质的托叶鞘,节间长短不一;质硬,易折断,断面髓部白色。叶互生,叶片多脱落或皱缩破碎,完整者展平后呈长椭圆形或披针形,灰绿色或棕绿色。有时可见具宿存花被的小瘦果,黑褐色,卵状三棱形。气微,味微苦。以质嫩、叶多、色灰绿者为佳。

| 功能主治 | 味苦,性微寒;归膀胱、大肠经。利水通淋,杀虫止痒。用于淋证、小便不利、黄疸、带下、泻痢、蛔虫病、蛲虫病、钩虫病、妇女蚀、皮肤湿疮、疥癣。

蓼科 Polygonaceae 蓼属 *Polygonum*

毛 蓼 *Polygonum barbatum* L.

| 中 药 名 | 毛蓼（药用部位：全草）

| 植物形态 | 多年生草本，根茎横走；茎直立，具短柔毛，不分枝或上部分枝。叶披针形，长 7~15cm，边缘具缘毛，两面疏被短柔毛；叶柄密生细刚毛；托叶鞘筒状，密被细刚毛，先端截形，缘毛粗壮。总状花序呈穗状，紧密，直立，长 4~8cm，顶生或腋生，通常数个组成圆锥状，稀单生；苞片漏斗状，无毛，边缘具粗缘毛，每个苞片内具 3~5 朵花，花梗短；花被 5 深裂，白色或淡绿色，花被片椭圆形；雄蕊 5~8，花柱 3，柱头头状。瘦果卵形，具 3 棱，黑色，有光泽，包于宿存花被内。花期 8~9 月，果期 9~10 月。

毛蓼

| **分布区域** | 产于海南各地。亦分布于中国华南其他区域，以及湖南、江西、福建、台湾、湖北、贵州、云南、四川等地。越南、泰国、缅甸、菲律宾、马来西亚、印度尼西亚、印度、尼泊尔、斯里兰卡、不丹、巴布亚新几内亚也有分布。 |

| **资　　源** | 生于田边湿地上，十分常见。 |

| **采收加工** | 初花期采收，鲜用或晒干。 |

| **药材性状** | 茎枝圆柱形，粗壮，黄褐色，密被伏毛，断面中空，节部略膨大。叶卷曲，易破碎，展平后呈披针形，两面被短伏毛，褐色，草质；托叶鞘长筒状，密被粗伏毛，膜质，先端有粗壮的长睫毛。总状花序顶生及腋生；花被淡红色或黄白色。瘦果卵形，有3棱，黑色，有光泽，具宿存花被。气微，味微涩。 |

| **功能主治** | 味辛，性温。清热解毒，排脓生肌，活血透疹。用于外感发热、喉蛾、久疟、痢疾、泄泻、痈肿、瘰疬溃破不敛、蛇虫咬伤、跌打损伤、风湿痹痛、麻疹不透。 |

蓼科 Polygonaceae 蓼属 *Polygonum*

火炭母
Polygonum chinense L.

| 中 药 名 | 火炭母草（药用部位：地上部分、根）

| 植物形态 | 多年生草本，基部近木质。根茎粗壮。茎直立，具纵棱，多分枝，斜上。叶卵形或长卵形，边缘全缘，两面无毛，下部叶具叶柄，通常基部具叶耳，上部叶近无柄或抱茎；托叶鞘膜质，无毛，长 1.5~2.5cm，具脉纹，先端偏斜，无缘毛。花序头状，通常数个排成圆锥状，顶生或腋生，花序梗被腺毛；苞片宽卵形，每个苞片内具 1~3 花；花被 5 深裂，白色或淡红色，裂片卵形，果时增大，呈肉质，蓝黑色；雄蕊 8，比花被短；花柱 3，中下部合生。瘦果宽卵形，具 3 棱，长 3~4mm，黑色，无光泽，包于宿存的花被中。花期 7~9 月，果期 8~10 月。

火炭母

分布区域	产于海南各地。亦分布于中国广东、广西、湖南、江西、福建、台湾、浙江、安徽、湖北、江苏、贵州、云南、四川、西藏、甘肃、陕西等地。越南、泰国、缅甸、菲律宾、马来西亚、印度尼西亚、尼泊尔、不丹、印度、日本也有分布。
资　　源	生于山谷湿地、山坡草地，十分常见。
采收加工	夏、秋季间采收，鲜用或晒干。

| **药材性状** | 地上部分：茎扁圆柱形，有分枝，节稍膨大，下部节上有须根；表面淡绿色或紫褐色，无毛，有细棱；质脆，易折断，断面灰黄色，多中空。叶互生，多卷缩、破碎，叶片展平后呈卵状长圆形，全缘，上表面暗绿色，下表面色较浅，两面近无毛；托叶鞘筒状，膜质，先端偏斜。气微，味酸、微涩。 |

| **功能主治** | 地上部分：味辛、苦，性凉；有毒。清热利湿，凉血解毒，平肝明目，活血舒筋。用于痢疾、泄泻、咽喉肿痛、白喉、肺热咳嗽、百日咳、肝炎、带下、癌肿、中耳炎、湿疹、眩晕耳鸣、角膜云翳、跌打损伤。根：味辛、甘，性平。补益脾肾，平降肝阳，清热解毒，活血消肿。用于体虚乏力、耳鸣耳聋、头目眩晕、白带、乳痈、肺痈、跌打损伤。 |

| **附 注** | 黎药（雅芒咩）：①火炭母一把，猪血数块，水煎，连猪血服，轻者 1 次，重者 2 次，治痢疾；②火炭母 5 块，与生米捣碎冲开水服，服药前先服阴阳水（即盐 50g 炒熟，加水煮沸，冲冷水一小茶杯）后服药，治肠胃炎；③火炭母适量，煎浓汁，每天洗 3 次，治皮肤痒疹。 |

蓼科 Polygonaceae 蓼属 Polygonum

水 蓼
Polygonum hydropiper L.

| 中 药 名 | 水蓼（药用部位：地上部分、根）

| 植物形态 | 一年生草本，茎直立，多分枝，无毛，节部膨大。叶披针形，全缘，具缘毛，有时沿中脉具短硬伏毛，具辛辣味，叶腋具闭花受精花；托叶鞘筒状，膜质，褐色，疏生短硬伏毛，先端截形，具短缘毛，通常托叶鞘内藏有花簇。总状花序呈穗状，通常下垂，花稀疏，下部间断；苞片漏斗状，绿色，边缘膜质，疏生短缘毛，每个苞片内具 3~5 花；花被 5 深裂，稀 4 裂，绿色，上部白色或淡红色，被黄褐色透明腺点，花被片椭圆形；雄蕊 6，稀 8，比花被短；花柱2~3，柱头头状。瘦果卵形，双凸镜状或具 3 棱。花期 5~9 月，果期6~10 月。

水蓼

| 分布区域 |

产于海南乐东、三亚、澄迈、万宁。亦分布于中国各地。世界温带和热带地区也有分布。

| 资　源 |

生于湿地或水中，偶见。

| 采收加工 |

在 7~8 月花期时，割起地上部分，铺地晒干或鲜用。根在秋季开花时采挖，洗净，鲜用或晒干。

| 药材性状 |

地上部分：茎圆柱形，有分枝；表面灰绿色或棕红色，有细棱线，节膨大；质脆，易折断，断面浅黄色，中空。叶互生，有柄；叶片皱缩或破碎，完整者展平后呈披针形或卵状披针形，上表面棕褐色，下表面褐绿色，两面有棕黑色斑点及细小的腺点；托叶鞘筒状，紫褐色。总状穗状花序，花簇稀疏间断；花被淡绿色，5 裂，密被腺点。气微，味辛辣。以叶多、带花、味辛辣浓烈者为佳。

| 功能主治 |

地上部分：味辛、苦，性平；归脾、胃、大肠经。行滞化湿，散瘀止血，祛风止痒，解毒。用于湿滞内阻、脘闷腹痛、泄泻、痢疾、小儿疳积、崩漏、血滞经闭痛经、跌打损伤、风湿痹痛、便血、外伤出血、皮肤瘙痒、湿疹、风疹、足癣、痈肿、毒蛇咬伤。根：味辛，性温。活血调经，健脾利湿，解毒消肿。用于月经不调、小儿疳积、痢疾、肠炎、疟疾、跌打肿痛、蛇虫咬伤。

蓼科 Polygonaceae 蓼属 *Polygonum*

酸模叶蓼
Polygonum lapathifolium L.

| 中 药 名 | 鱼蓼（药用部位：全草）

| 植物形态 | 一年生草本，茎直立，具分枝，无毛，节部膨大。叶披针形或宽披针形，上面绿色，常有一个大的黑褐色新月形斑点，两面沿中脉被短硬伏毛，全缘，边缘具粗缘毛；叶柄短，具短硬伏毛；托叶鞘筒状，长 1.5~3cm，膜质，淡褐色，无毛，具多数脉，先端截形，无缘毛，稀具短缘毛。总状花序呈穗状，顶生或腋生，近直立，花紧密，通常由数个花穗再组成圆锥状，花序梗被腺体；苞片漏斗状，边缘具稀疏短缘毛；花被淡红色或白色，4 深裂，花被片椭圆形，外面两面较大，脉粗壮，先端分叉，外弯；雄蕊通常 6。瘦果宽卵形，双凹。花期 6~8 月，果期 7~9 月。

酸模叶蓼

| 分布区域 | 产于海南乐东。亦分布于中国各地。越南、泰国、缅甸、孟加拉国、印度尼西亚、尼泊尔、菲律宾、马来西亚、不丹、印度、巴基斯坦、日本、朝鲜、哈萨克斯坦、蒙古、俄罗斯、塔吉克斯坦、巴布亚新几内亚、澳大利亚、非洲北部、欧洲、北美洲等地也有分布。

| 资　源 | 生于路旁或溪边，少见。

| 采收加工 | 夏、秋季间采收，晒干。

| 药材性状 | 茎圆柱形，褐色或浅绿色，无毛，常具紫色斑点。叶片卷曲，展平后呈披针形或长圆状披针形，主脉及叶缘具刺伏毛；托叶鞘筒状，膜质，无毛。花序圆锥状，由数个花穗组成；苞片漏斗状，内具数花；花被通常4裂，淡绿色或粉红色，具腺点，雄蕊6，花柱2，向外弯曲。瘦果卵圆形，侧扁，两面微凹，黑褐色，有光泽，包于宿存花被内。气微，味微涩。

| 功能主治 | 味辛、苦，性微温。解毒，除湿，活血。用于疮疡肿痛、瘰疬、腹泻、痢疾、湿疹、疳积、风湿痹痛、跌打损伤、月经不调。

| 附　注 | 黎药（吃咩棵）：①辣蓼、香薷各60g，水煎，分3次服，治霍乱；②鲜辣蓼嫩叶适量，捣烂取汁服，治中暑晕倒；③鲜辣蓼茎叶同适量的米酒糟捣烂，敷于伤处，治跌打损伤、局部青紫肿痛；④鲜辣蓼叶捣烂，敷于患处，用布条扎紧，治创伤出血。

蓼科 Polygonaceae 蓼属 *Polygonum*

红 蓼
Polygonum orientale L.

| 中 药 名 | 荭草（药用部位：茎叶、根茎、花序）

| 植物形态 | 一年生草本，茎直立，上部多分枝，密被开展的长柔毛。叶宽卵形，基部微下延，边缘全缘，密生缘毛；叶柄具开展的长柔毛；托叶鞘筒状，膜质，被长柔毛，具长缘毛，通常沿先端具草质、绿色的翅。总状花序呈穗状，顶生或腋生，花紧密，微下垂，通常数个再组成圆锥状；苞片宽漏斗状，被短柔毛，边缘具长缘毛，每个苞片内具3~5花；花梗比苞片长；花被5深裂，淡红色或白色；花被片椭圆形；雄蕊7，比花被长；花盘明显；花柱2，中下部合生，比花被长，柱头头状。瘦果近圆形。花期6~9月，果期8~10月。

红蓼

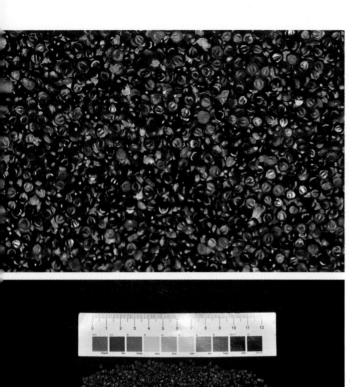

分布区域

产于海南三亚、海口。亦分布于中国各地。越南、泰国、缅甸、菲律宾、孟加拉国、不丹、印度尼西亚、印度、斯里兰卡、日本、朝鲜、俄罗斯、亚洲西南部、澳大利亚、欧洲也有分布。

资 源

生于荒地沟边，偶见。

采收加工

晚秋霜后，采割茎叶，洗净，茎切成小段，晒干；叶置通风处阴干。夏、秋季挖取根部，洗净，晒干或鲜用。夏季开花时采收花序，鲜用或晒干。

功能主治

茎叶：味辛，性平，有小毒；归肝、脾经。祛风除湿，清热解毒，活血，截疟。用于风湿痹痛、痢疾、腹泻、吐泻转筋、水肿、脚气、痈疮疔疖、蛇虫咬伤、小儿疳积疝气、跌打损伤、疟疾。根茎：味辛，性凉，有毒。清热解毒，除湿通络，生肌敛疮。用于痢疾、肠炎、水肿、脚气、风湿痹痛、跌打损伤、荨麻疹、疮痈肿痛或久溃不敛。花序：味辛，性温。行气活血，消积止痛。用于头痛、心胃气痛、腹中痞积、痢疾、小儿疳积、横痃。

蓼科 Polygonaceae 蓼属 *Polygonum*

杠板归
Polygonum perfoliatum L.

中药名

杠板归（药用部位：全草或根）

植物形态

一年生草本。茎攀缘，沿棱具稀疏的倒生皮刺。叶三角形，先端钝或微尖，基部截形或微心形，薄纸质，上面无毛，下面沿叶脉疏生皮刺；叶柄与叶片近等长，具倒生皮刺，盾状着生于叶片的近基部；托叶鞘叶状，草质，绿色，圆形或近圆形，穿叶。总状花序呈短穗状，不分枝顶生或腋生，长 1~3cm；苞片卵圆形，每个苞片内具花 2~4；花被 5 深裂，白色或淡红色，花被片椭圆形，长约 3mm，果时增大，呈肉质，深蓝色；雄蕊 8，略短于花被；花柱 3，中上部合生；柱头头状。瘦果球形，直径 3~4mm，黑色，有光泽，包于宿存花被内。花期 6~8 月，果期 7~10 月。

分布区域

产于海南白沙、五指山、万宁、澄迈、海口。亦分布于中国西南至东南部，北至华北和东北。越南、泰国、菲律宾、印度尼西亚、马来西亚、不丹、尼泊尔、印度、孟加拉国、巴布亚新几内亚、亚洲西南部、日本、朝鲜、俄罗斯、北美洲也有分布。

杠板归

| 资 源 |

生于荒地或田边，常见。

| 采收加工 |

全草：在夏、秋季间采收。割取地上部分，鲜用或晾干。根：夏季采挖根部，除净泥土，鲜用或晒干。

| 药材性状 |　茎细长，略呈方柱形；表面红棕色、棕黄色或黄绿色，生有倒生钩状刺；节略膨大，具托叶鞘脱落后的环状痕；质脆，易折断，断面黄白色，有髓部或中空。叶互生；叶片多皱缩或破碎，完整者展平后近等边三角形，淡棕色或灰绿色，叶绿，叶背主脉及叶柄疏生倒钩状刺。短穗状花序顶生，或生于上部叶腋，苞片圆形，花小，多萎缩或脱落。气微，味微酸。以叶多、色绿者为佳。

| 功能主治 |　全草：味酸、苦，性平；归肺、小肠经。清热解毒，利湿消肿，散瘀止血。用于疗疮痈肿、丹毒、痄腮、乳腺炎、聤耳、喉蛾、感冒发热、肺热咳嗽、百日咳、瘰疬、痔疾、鱼口便毒、泻痢、黄疸、鼓胀、水肿、淋浊、带下、疟疾、风火赤眼、跌打肿痛、吐血、便血、蛇虫咬伤。根：味酸、苦，性平。解毒消肿。用于对口疮、痔疮、肛瘘。

| 附　　注 |　黎药（木楞逃庚）：①杠板归叶研末 30g，冰片 1.5g，调麻油涂患处，治黄水疮；②鲜杠板归捣烂绞汁，调雄黄末涂患处，治带状疱疹；③杠板归、雄黄共捣烂，敷患处，治关节病。

蓼科 Polygonaceae 蓼属 *Polygonum*

伏毛蓼
Polygonum pubescens Blume

| 中 药 名 |

伏毛蓼（药用部位：全草或根）

| 植物形态 |

一年生草本。茎直立，带红色，中上部多分枝，节部明显膨大。叶卵状披针形，上面绿色，中部具黑褐色斑点，两面密被短硬伏毛，边缘具缘毛；无辛辣味。叶柄稍粗壮，密生硬伏毛；托叶鞘筒状，膜质，具硬伏毛，先端截形，具粗壮的长缘毛。总状花序呈穗状，顶生或腋生，花稀疏；苞片漏斗状，绿色，边缘近膜质，具缘毛，每个苞片内具 3~4 花；花被 5 深裂，绿色，上部红色，密生淡紫色透明腺点，花被片椭圆形；雄蕊 8，比花被短；花柱 3，中下部合生。瘦果卵形，具 3 棱，黑色，密生小凹点，无光泽，包于宿存花被内。花期 8~9 月，果期 8~10 月。

| 分布区域 |

产于海南三亚、乐东、白沙、五指山、陵水、万宁、儋州、澄迈。亦分布于中国华南其他区域、华中及西南。泰国、缅甸、菲律宾、印度尼西亚、尼泊尔、印度、日本、朝鲜也有分布。

伏毛蓼

| 资　源 |

生于山地、水旁、山谷、沙地，常见。

| 功能主治 |

全草：清热解毒，祛风利湿，消滞散瘀，止痛止血，杀虫。用于食滞、痢疾、泄泻、肠炎、胃痛、疟疾、崩漏、乳蛾、风湿关节痛、跌打肿痛；外用于皮肤瘙痒、灭蛆。根：用于痢疾。

蓼科 Polygonaceae 蓼属 Polygonum

戟叶蓼

Polygonum thunbergii Sieb. et Zucc.

| 中 药 名 | 戟叶蓼（药用部位：全草）

| 植物形态 | 一年生草本。茎直立或上升，具纵棱，沿棱具倒生皮刺。叶戟形，两面疏生刺毛，极少具稀疏的星状毛，边缘具短缘毛，中部裂片卵形或宽卵形，侧生裂片较小，卵形，叶柄具倒生皮刺，通常具狭翅；托叶鞘膜质，边缘具叶状翅，翅近全缘，具粗缘毛。花序头状，顶生或腋生，分枝，花序梗具腺毛及短柔毛；苞片披针形，先端渐尖，边缘具缘毛，每个苞片内具 2~3 花；花梗无毛，花被 5 深裂，淡红色或白色，花被片椭圆形，长 3~4mm；雄蕊 8，成 2 轮，比花被短；花柱 3，中下部合生，柱头头状。瘦果宽卵形，具 3 棱，黄褐色，无光泽。花期 7~9 月，果期 8~10 月。

戟叶蓼

| 分布区域 | 海南海口有栽培。亦分布于中国各地。印度、日本、朝鲜、俄罗斯也有分布。

| 资　　源 | 生于湿润草地或水边，偶见。

| 功能主治 | 全草：祛风镇痛，渗湿辟秽，利水消肿，清热解毒，活血止咳。用于痧证、感冒、肠炎、腹泻、痢疾、毒蛇咬伤。

蓼科 Polygonaceae　蓼属 Polygonum

绵毛酸模叶蓼

Polygonum lapathifolium L. var. *salicifolium* Sihbth.

|中 药 名|

绵毛酸模叶蓼（药用部位：全草）

|植物形态|

一年生草本。叶披针形，全缘，边缘具粗缘毛；叶下面密生白色绵毛；叶柄短，具短硬伏毛；托叶鞘筒状，长 1.5~3cm，膜质，淡褐色，无毛，具多数脉，先端截形，无缘毛，稀具短缘毛。总状花序呈穗状，顶生或腋生，花紧密，通常由数个花穗再组成圆锥状，花序梗被腺体；苞片漏斗状，边缘具稀疏短缘毛；花被淡红色或白色，4 深裂，花被片椭圆形，先端叉分，外弯；雄蕊通常 6。瘦果宽卵形，双凹，长 2~3mm，黑褐色，有光泽，包于宿存花被内。花期 6~8 月，果期 7~9 月。

|分布区域|

海南有分布记录。亦分布于中国各地。缅甸、印度、印度尼西亚、日本、俄罗斯也有分布。

|资　源|

少见。

绵毛酸模叶蓼

| 采收加工 | 夏、秋季间采收，晒干。

| 药材性状 | 茎圆柱形，褐色或浅绿色，无毛，常具紫色斑点。叶片卷曲，展平后呈披针形或长圆状披针形，主脉及叶缘具刺伏毛；托叶鞘筒状，膜质，无毛。花序圆锥状，由数个花穗组成；苞片漏斗状，内具数花；花被通常4裂，淡绿色或粉红色，具腺点，雄蕊6，花柱2，向外弯曲。瘦果卵圆形，侧扁，两面微凹，黑褐色，有光泽，包于宿存花被内。气微，味微涩。

| 功能主治 | 味辛、苦，性微温。解毒，除湿，活血。用于疮疡肿痛、瘰疬、腹泻、痢疾、湿疹、疳积、风湿痹痛、跌打损伤、月经不调。

蓼科 Polygonaceae 虎杖属 Reynoutria

虎 杖 *Reynoutria japonica* Houtt.

| 中 药 名 | 虎杖（药用部位：根及根茎、叶）

| 植物形态 | 多年生草本，根茎横走。茎直立，空心，散生红色或紫红斑点。叶宽卵形，近革质，边缘全缘，疏生小突起，两面无毛，沿叶脉具小突起；叶柄具小突起；托叶鞘膜质，偏斜，早落。花单性，雌雄异株，花序圆锥状，腋生；苞片漏斗状，每个苞片内具 2~4 花；花梗长 2~4mm，中下部具关节；花被 5 深裂，淡绿色，雄花花被片具绿色中脉，雄蕊 8，比花被长；雌花花被片外面 3 片背部具翅，果时增大，翅扩展下延，花柱 3，柱头流苏状。瘦果卵形，具 3 棱。花期 8~9 月，果期 9~10 月。

虎杖

| 分布区域 | 产于海南万宁、琼海、海口。亦分布于中国各地。日本、朝鲜、俄罗斯也有分布，世界其他地区有栽培。

| 资　　源 | 生于山谷溪边，偶见。

| 采收加工 | 根及根茎：春、秋季将根挖出，除去须根，洗净，晒干。鲜根可随采随用。叶：春、夏、秋季均可采收，洗净，鲜用或晒干。

药材性状	根及根茎：根茎圆柱形，有分枝，长短不一，有的长达30cm，直径0.5~2.5cm，节部略膨大。表面棕褐色至灰棕色，有明显的纵皱纹、须根和点状须根痕，分枝先端及节上有芽痕及鞘状鳞片。节间长2~3cm。质坚硬，不易折断，折断面棕黄色，纤维性，皮部与木质部易分离，皮部较薄，木质部占大部分，呈放射状，中央有髓或呈空洞状，纵剖面具横隔，气微，味微苦、涩。以粗壮、坚实、断面色黄者为佳。
功能主治	根及根茎：味苦、酸，性微寒；归肝、胆经。活血散瘀，祛风通络，清热利湿，解毒。用于妇女经闭、痛经、产后恶露不下、癥瘕积聚、跌仆损伤、风湿痹痛、湿热黄疸、淋浊带下、疮疡肿毒、毒蛇咬伤、水火烫伤。叶：味苦，性平。祛风湿，解热毒。用于风湿关节疼痛、蛇咬伤、漆疮。

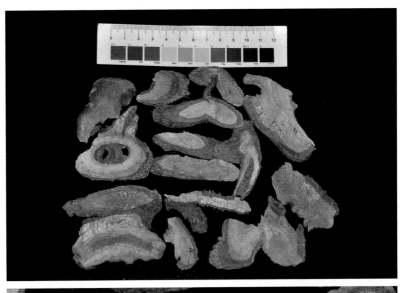

蓼科 Polygonaceae 酸模属 Rumex

羊 蹄 *Rumex japonicus* Houtt.

| **中 药 名** | 羊蹄（药用部位：根、叶、果实）

| **植物形态** | 多年生草本，茎直立，上部分枝，具沟槽。基生叶长圆形，长
8~25cm，边缘微波状，下面沿叶脉具小突起；茎上部叶狭长圆形；
叶柄长 2~12cm；托叶鞘膜质，易破裂。花序圆锥状，花两性，多花
轮生；花梗中下部具关节；花被片 6，淡绿色，外花被片椭圆形，
内花被片果时增大，宽心形，先端渐尖，基部心形，网脉明显，边
缘具不整齐的小齿，全部具小瘤，小瘤长卵形。瘦果宽卵形，具 3
锐棱，两端尖，暗褐色，有光泽。花期 5~6 月，果期 6~7 月。

| **分布区域** | 海南有分布记录。亦分布于中国各地。日本、朝鲜、俄罗斯也有分布。

羊蹄

| 资　　源 | 生于路边草地，少见。 |

| 采收加工 | 根：秋季当地上叶变黄时，挖出根部，洗净鲜用或切片晒干。叶：夏、秋季采收，洗净，鲜用或晒干。果实：春季果实成熟时采摘晒干。 |

| 药材性状 | 根：类圆锥形，根头部有残留茎基及支根痕。根表面棕灰色，具纵皱纹及横向突起的皮孔样疤痕。质硬易折断，断面灰黄色颗粒状。气特殊，味微苦、涩。叶：叶枯绿色，皱缩。展平后基生叶片长圆形至长圆状披针形，边缘微波状皱褶；茎生叶较小，披针形或长圆状披针形。气微，味苦、涩。果实：瘦果宽卵形，有3棱，为增大的内轮花被所包。花被宽卵状心形，边缘有锯齿，各具一卵形小瘤。干燥的果实表面棕色。 |

| 功能主治 | 根：味苦，性寒；归心、肝、大肠经。清热通便，凉血止血，杀虫止痒。用于大便秘结、吐血衄血、肠风便血、痔血、崩漏、疥癣、白秃、痈疮肿毒、跌打损伤。叶：味甘，性寒。凉血止血，通便，解毒消肿，杀虫止痒。用于肠风便血、便秘、小儿疳积、痈疮肿毒、疥癣。果实：味苦，性平。凉血止血，通便。用于赤白痢疾、漏下、便秘。 |

刺酸模 *Rumex maritimus* L.

刺酸模

| 中 药 名 |

假菠菜（药用部位：全草或种子）

| 植物形态 |

一年生草本，茎直立，自中下部分具深沟槽。茎下部叶披针形，长 4~15cm，宽 1~3cm，先端急尖，基部狭楔形，边缘微波状；叶柄长 1~2.5cm，茎上部近无柄；托叶鞘膜，早落。花序圆锥状，具叶，花两性，多花轮生；花梗基部具关节；外花被片椭圆形，长约 2mm，内花被片果时增大，狭三角状卵形，先端急尖，基部截形，边缘每近具 2~3 针刺，针刺长 2~2.5mm，全部具长圆形小瘤，小瘤长约 1.5mm。瘦果椭圆形，两端尖，具 3 锐棱，黄褐色，有光泽。花期 5~6 月，果期 6~7 月。

| 分布区域 |

产于海南白沙、海口。亦分布于中国各地。亚洲、欧洲、美洲温带地区也有分布。

| 资　源 |

生于水田、路旁，少见。

| **功能主治** | 全草：清热解毒，凉血杀虫。用于肺痨咯血、痈疮疖肿、秃疮、疥癣、皮肤瘙痒、跌打肿痛、痔疮出血。种子：印度用作壮阳剂。

商 陆 *Phytolacca acinosa* Roxb.

| 中药名 | 商陆（药用部位：根、叶、花）

| 植物形态 | 多年生草本，全株无毛。茎有纵沟，肉质，绿色或红紫色，多分枝。叶片薄纸质，椭圆形，两面散生细小白色斑点，背面中脉突起；叶柄粗壮，上面有槽。总状花序顶生或与叶对生，圆柱状，直立，通常比叶短，密生多花；花序梗长1~4cm；花两性，直径约8mm；花被片5，白色、黄绿色，大小相等，花后常反折；雄蕊8~10，与花被片近等长，花丝白色，宿存，花药椭圆形，粉红色；心皮通常为8，分离；花柱短，直立，先端下弯，柱头不明显。果序直立；浆果扁球形，直径约7mm，熟时黑色；种子肾形，黑色，具3棱。花期5~8月，果期6~10月。

商陆

| 分布区域 |

产于海南乐东、万宁、琼中、海口。亦分布于
中国各地。越南、缅甸、不丹、印度、日本、
朝鲜也有分布。

| 资　源 |

生于路旁、宅旁，偶见。

| 采收加工 |

根：冬季倒苗时采挖，割去茎秆，挖出根部，
洗净，横切成 1cm 厚的薄片，晒干或烘干即成。
叶：春、夏季采叶，鲜用或晒干备用。花：7~8
月花期采收，去杂质，晒干或阴干。

| 药材性状 |

根：圆锥形，有多数分枝。表面灰棕色或灰黄色，
有明显的横向皮孔及纵沟纹。商品多为横切或
纵切的块片。横切片为不规则圆形，边缘皱缩，
直径 2~8cm，厚 2~6mm，切面浅黄色或黄白
色，有多个凹凸不平的同心性环纹。纵切片为
不规则长方形，弯曲或卷曲，长 10~14cm，宽
1~5cm，表面凹凸不平，木质部有多数隆起的
纵条纹。质坚硬，不易折断。气微，味甘、淡，
久嚼麻舌。以块片大、色白者为佳。花：花略
呈颗粒状圆球形，直径约 6mm，棕黄色或淡黄
褐色，具短梗。短梗基部有 1 枚苞片及 2 小苞
片，苞片线形。花被片 5，卵形或椭圆形。体轻，
质柔韧。气微，味淡。

| **功能主治** | 根：味苦，性寒；有毒；归脾、膀胱、小肠经。逐水消肿，通利二便，解毒散结。用于水肿胀满、二便不通、癥瘕、疝癖、瘰疬、疮毒。叶：清热解毒。用于痈肿疮毒。花：味微苦、甘，性平；归心、肾经。化痰开窍。用于痰湿上蒙、健忘嗜睡、耳目不聪。 |

商陆科 Phytolaccaceae 商陆属 *Phytolacca*

垂序商陆 *Phytolacca americana* L.

| 中 药 名 | 垂序商陆（药用部位：根、叶、种子）

| 植物形态 | 多年生草本，根粗壮，肥大，倒圆锥形。茎直立，圆柱形，有时带紫红色。叶片椭圆状卵形，长 9~18cm，宽 5~10cm，先端急尖，基部楔形；叶柄长 1~4cm。总状花序顶生或侧生，长 5~20cm；花梗长 6~8mm；花白色，微带红晕，直径约 6mm；花被片 5，雄蕊、心皮及花柱通常均为 10，心皮合生。果序下垂；浆果扁球形，熟时紫黑色；种子肾圆形，直径约 3mm。花期 6~8 月，果期 8~10 月。

| 分布区域 | 产于海南乐东、万宁、琼中、海口。亦分布于中国河北、陕西、山东、江苏、浙江、江西、福建、河南、湖北、广东、四川、云南。原产于北美洲，引入栽培。

垂序商陆

| 资　　源 | 生于路旁、宅旁，少见。

| 功能主治 | 根：逐水，解毒。用于慢性肾炎、胸膜炎、心囊水肿、腹水等一般水肿，外伤出血，痈疮肿毒。种子：利尿。叶：解热。用于脚气病。

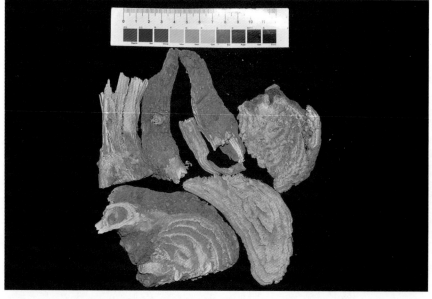

藜科 Chenopodiaceae 滨藜属 Atriplex

匍匐滨藜
Atriplex repens Roth

| 中 药 名 | 匍匐滨藜（药用部位：全草）

| 植物形态 | 小灌木；枝互生，具微条棱。叶互生，叶片宽卵形至卵形，肥厚，全缘，两面均为灰绿色，有密粉，先端圆或钝，基部宽楔形至圆形；叶柄长 1~3mm。花于枝的上部集成有叶的短穗状花序；雄花花被锥形，4~5 深裂，裂片倒卵形，先端内折，雄蕊与花被裂片同数但通常不全发育，花丝扁平，基部连合，无退化子房；雌花的苞片果时三角形至卵状菱形，边缘具不整齐锯齿，仅近基部的边缘合生，靠基部的中心部木栓质鼓胀，黄白色，中线两侧常常各有 1 向上的突出物。胞果扁，卵形，果皮膜质。种子红褐色至黑色，宽约 1.5mm。果期 12 月至翌年 1 月。

匍匐滨藜

|分布区域|

产于海南昌江、儋州、澄迈。亚洲东南部，以及印度、阿富汗也有分布。

|资　　源|

生于海滨空旷沙地，偶见。

|采收加工|

夏、秋季采收，鲜用或晒干。

|功能主治|

味微苦，性凉。祛风除湿，活血通经，解毒消肿。用于风湿痹痛、带下、月经不调、疮疡痈疽、皮炎。

藜科 Chenopodiaceae 藜属 *Chenopodium*

狭叶尖头叶藜 Chenopodium acuminatum Willd. subsp. *virgatum* (Thunb.) Kitam.

| 中 药 名 | 莙荙滨藜（药用部位：全草）

| 植物形态 | 一年生草本；枝斜生，叶较狭小，狭卵形乃至披针形。叶上面无粉，浅绿色，下面多少有粉，灰白色，全缘并具半透明的环边。花两性，团伞花序于枝上部排列成紧密的穗状圆锥状花序，花序轴具圆柱状毛束；花被扁球形，5 深裂，裂片宽卵形，边缘膜质，并有红色或黄色粉粒，果时背面大多增厚并彼此合成五角星形；雄蕊 5。胞果顶基扁，圆形或卵形。种子横生，黑色，有光泽，表面略具点纹。花期 6~7 月，果期 8~9 月。

| 分布区域 | 产于海南昌江、万宁、琼海、文昌、海口、东方、澄迈。亦分布于

狭叶尖头叶藜

中国广东、广西、福建、台湾、浙江、江苏、河北、辽宁等地。越南、日本也有分布。

| 资　　源 | 生于海滨沙地，常见。

| 功能主治 | 本种的原亚种尖头叶藜（*Chenopodium acuminatum* subsp. *acuminatum*）的全草可用于风寒头痛、四肢胀痛，本亚种的药用功能有待进一步研究。

■藜科■ Chenopodiaceae ■藜属■ *Chenopodium*

藜

Chenopodium album L.

| 中 药 名 |

藜（药用部位：幼嫩全草或果实）

| 植物形态 |

一年生草本。叶片菱状卵形至宽披针形，先端急尖或微钝，上面通常无粉，有时嫩叶的上面有紫红色粉，下面多少有粉，边缘具不整齐锯齿；叶柄与叶片近等长，或为叶片长度的 1/2。花两性，花簇于枝上部排列成或大或小的穗状圆锥状或圆锥状花序；花被裂片 5，宽卵形至椭圆形，背面具纵隆脊，有粉，先端或微凹，边缘膜质；雄蕊 5，花药伸出花被，柱头 2。果皮与种子贴生。种子横生，双凸镜状，边缘钝，黑色，有光泽，表面具浅沟纹；胚环形。花果期 5~10 月。

| 分布区域 |

分布于海南海口。亦分布于中国各地。温带、热带地区也有分布。

| 资 源 |

生于荒地、路旁，少见。

藜

| 采收加工 | 春、夏季割取全草或秋季果实成熟时，割取全草，打下果实和种子，除去杂质，晒干或鲜用。

| 药材性状 | 全草：黄绿色。茎具条棱。叶片皱缩破碎，完整者展平，呈菱状卵形至宽披针形，叶上表面黄绿色，下表面灰黄绿色，被粉粒，边缘具不整齐锯齿；叶柄长约3cm。圆锥花序腋生或顶生。果实：五角状扁球形，直径1~1.5mm，花被紧包果外，黄绿色，先端5裂。裂片三角形，稍反卷，背面有5棱线，呈放射状；无翅；内有果实1，果皮膜状，贴生于种子。种子半球形，黑色，有光泽，表面具浅沟纹。

| 功能主治 | 全草：味甘，性平；有小毒。清热祛湿，解毒消肿，杀虫止痒。用于发热、咳嗽、痢疾、腹泻、腹痛、疝气、龋齿痛、湿疹、疥癣、白癜风、疮疡肿痛、毒虫咬伤。果实：味苦、微甘，性寒；有小毒。清热祛湿，杀虫止痒。用于小便不利、水肿、皮肤湿疮、头疮、耳聋。

土荆芥
Chenopodium ambrosioides L.

| 中 药 名 | 土荆芥（药用部位：带果穗全草）

| 植物形态 | 一年生或多年生草本，有强烈香味。茎直立，多分枝，有色条及钝条棱。叶片矩圆状披针形至披针形，先端急尖或渐尖，边缘具稀疏不整齐的大锯齿，基部渐狭具短柄，上部叶逐渐狭小而近全缘。花两性及雌性，通常3~5个团集，生于上部叶腋；花被裂片5，较少为3，绿色，果时通常闭合；雄蕊5，花药长0.5mm；花柱不明显，柱头通常3裂，较少为4裂，丝形，伸出花被外。胞果扁球形，完全包于花被内。种子横生或斜生，黑色或暗红色，平滑，有光泽，边缘钝，直径约0.7mm。花果期的时间都很长。

土荆芥

|分布区域|

产于海南昌江、白沙、保亭、海口。亦分布于中国广东、广西、湖南、江西、福建、台湾、浙江、江苏、四川等地。世界热带及温带其他地区也有分布。

|资　　源|

生于低海拔旷地，常见。

|采收加工|

8月下旬至9月下旬收割全草，摊放在通风处，或捆束悬挂阴干，避免日晒及雨淋。

|药材性状|

全草黄绿色，茎上有柔毛。叶皱缩破碎，叶缘常具稀疏不整齐的钝锯齿；上表面光滑，下表面可见散生油点；叶脉有毛。花着生于叶腋。胞果扁球形，外被宿萼。种子黑色或暗红色，平滑。具强烈而特殊的香气。味辣而微苦。

|功能主治|

味辛、苦，性微温；大毒；归脾经。祛风除湿，杀虫止痒，活血消肿。用于钩虫病、蛔虫病、蛲虫病、头虱、皮肤湿疹、疥癣、风湿痹痛、经闭、痛经、口舌生疮、咽喉肿痛、跌打损伤、蛇虫咬伤。

|附　　注|

FOC已将其学名修订为 *Dysphania ambrosioides* (L.) Mosyakin et Clemants。

藜科 Chenopodiaceae 藜属 Chenopodium

小 藜
Chenopodium serotinum L.

| 中 药 名 | 灰蓼（药用部位：全草或种子）

| 植物形态 | 一年生草本，茎直立，具条棱及绿色色条。叶片卵状矩圆形，长 2.5~5cm，宽 1~3.5cm，通常 3 浅裂；中裂片两边近平行，先端钝，边缘具深波状锯齿；侧裂片位于中部以下，通常各具 2 浅裂齿。花两性，数个团集，排列于上部的枝上，形成较开展的顶生圆锥状花序；花被近球形，5 深裂，裂片宽卵形，不开展，背面具微纵隆脊并有密粉；雄蕊 5，开花时外伸；柱头 2，丝形。胞果包在花被内，果皮与种子贴生。种子双凸镜状，黑色，有光泽，边缘微钝，表面具六角形细注；胚环形。4~5 月开始开花。

小藜

| 分布区域 | 产于海南三亚、乐东、五指山、儋州、澄迈、海口。亦分布于中国各地。亚洲、欧洲、北美洲也有分布。 |

| 资　源 | 生于低海拔旷地、田野，偶见。 |

| 采收加工 | 3~4 月采收，洗净，去杂质，鲜用或晒干；6~7 月间果实成熟时，割取全草，打下果实和种子，除去杂质，晒干备用。 |

| 药材性状 | 全草灰黄色。叶片皱缩破碎，展开后完整叶通常 3 浅裂，裂片具波状锯齿。花序穗状，腋生或顶生。胞果包在花被内，果皮膜质，有明显的蜂窝状网纹，果皮与种皮贴生。种子：边缘有棱，黑色，有光泽，表面具六角形细洼。 |

| 功能主治 | 全草：味苦、甘，性平。疏风清热，解毒去湿，杀虫。用于风热感冒、腹泻、痢疾、荨麻疹、疮疡肿毒、疥癣、湿疮、痔疮、白癜风、虫咬伤。种子：味甘，性平。杀虫。用于蛔虫病、绦虫病、蛲虫病。 |

藜科 Chenopodiaceae 碱蓬属 Suaeda

南方碱蓬 *Suaeda australis* (R. Br.) Moq.

| 中 药 名 |　南方碱蓬（药用部位：全草）

| 植物形态 |　小灌木，茎多分枝，下部常生有不定根，灰褐色至淡黄色，通常有明显的残留叶痕。叶条形，半圆柱状，粉绿色或带紫红色，基部渐狭，具关节，劲直或微弯，通常斜伸，枝上部的叶较短，狭卵形至椭圆形，上面平，下面凸。团伞花序含 1~5 花，腋生；花两性；花被顶基略扁，稍肉质，绿色或带紫红色，5 深裂，裂片卵状矩圆形，无脉，边缘近膜质，果时增厚，不具附属物；花药宽卵形；柱头 2，近锥形，不外弯，黄褐色至黑褐色，有乳头状突起，花柱不明显。胞果扁，圆形，果皮膜质，易与种子分离。种子双凸镜状，黑褐色，有光泽，表面有微点纹。花果期 7~11 月。

南方碱蓬

| 分布区域 | 产于海南三亚、乐东、东方、陵水、万宁、儋州、澄迈、文昌。亦分布于中国广东、广西、福建、台湾、江苏等地。亚洲东南部，以及日本、澳大利亚也有分布。

| 资　　源 | 生于海滩沙地、盐碱地，海边常见。

| 功能主治 | 有研究资料表明本种的根、茎、叶均含有总黄酮，其中叶的含量较高。黄酮类化合物具有抗病毒、抗癌、抗氧化、抗炎、抗衰老等生理和药理活性，这表明叶黄酮具有潜在的药用开发与利用价值；且其同属植物碱蓬的全草有清热、消积之效。本种植物也许有类似作用，其药效更有待进一步的研究。

藜科 Chenopodiaceae 碱蓬属 Suaeda

盐地碱蓬
Suaeda salsa (L.) Pall.

| 中 药 名 | 盐地碱蓬（药用部位：全草）

| 植物形态 | 一年生草本，绿色或紫红色。茎直立，圆柱状，黄褐色，有微条棱，无毛；分枝多集中于茎的上部，细瘦，开散或斜升。叶条形，半圆柱状，枝上部的叶较短。团伞花序通常含 3~5 花，腋生，在分枝上排列成有间断的穗状花序；小苞片卵形，几全缘；花两性，有时兼有雌性；花被半球形，底面平；裂片稍肉质，具膜质边缘，有时并在基部延伸出三角形或狭翅状突出物；花药卵形或矩圆形；柱头 2，有乳头，通常带黑褐色，花柱不明显。胞果包于花被内；果皮膜质，果实成熟后常常破裂而露出种子。种子横生，双凸镜形或歪卵形，黑色，有光泽，周边钝，表面具不清晰的网点纹。花果期 7~10 月。

盐地碱蓬

| 分布区域 | 产于海南澄迈、临高。亦分布于中国东北、内蒙古、河北、山西、陕西北部、宁夏、甘肃北部及西部、青海、新疆及山东、江苏、浙江的沿海地区。欧洲及亚洲其他地区亦有分布。

| 资　　源 | 生于海滩沙地、盐碱地，少见。

| 功能主治 | 有研究资料表明其叶内的总黄酮含量高，且具有较高的抗氧化活性，黄酮类化合物具有抗病毒、抗癌、抗氧化、抗炎、抗衰老等生理和药理活性；且其同属植物碱蓬的全草有清热、消积之效。本种植物的药理药效有待进一步的研究。

苋科 Amaranthaceae　牛膝属 Achyranthes

土牛膝 *Achyranthes aspera* L.

| 中 药 名 |

倒扣草（药用部位：全草）

| 植物形态 |

多年生草本。叶片纸质，宽卵状倒卵形或椭圆状矩圆形，两面密生柔毛，或近无毛；叶柄密生柔毛或近无毛。穗状花序顶生，直立，长 10~30cm，花期后反折；总花梗具棱角，坚硬，密生白色伏贴或开展柔毛；花长3~4mm，疏生；苞片披针形，长 3~4mm，小苞片刺状，坚硬，光亮，常带紫色，基部两侧各有 1 个薄膜质翅，全缘，全部贴生在刺部，但易于分离；花被片披针形，花后变硬且锐尖，具 1 脉；雄蕊长 2.5~3.5mm；退化雄蕊先端截状，有具分枝、流苏状的长缘毛。胞果卵形。种子卵形，棕色。花期6~8月，果期 10 月。

| 分布区域 |

产于海南三亚、万宁、澄迈。亦分布于中国广东、广西、湖南、江西、福建、台湾、浙江、湖北、贵州、云南、四川等地。越南、泰国、老挝、柬埔寨、菲律宾、马来西亚、印度尼西亚、斯里兰卡、尼泊尔、不丹、印度，及亚洲西南部、非洲、欧洲也有分布。

土牛膝

| 资　源 |

生于疏林中或村庄附近旷地，常见。

| 采收加工 |

全年均可采收，除去茎叶，洗净，鲜用或晒干。

| 药材性状 |

根茎呈圆柱状，长 1~3cm，直径 5~10mm，灰棕色，上端有茎基残留，周围着生多数粗细不一的根。根长圆柱形，略弯曲，长 15cm 以下，直径可达 4mm；表面淡灰棕色，有细密的纵皱纹。质稍柔软，干透后易折断，断面黄棕色，可见呈圈状散列的维管束。气微，味微甜。

| 功能主治 |

活血化瘀，泻火解毒，利尿通淋。用于治闭经、跌打损伤、风湿关节痛、痢疾、白喉、咽喉肿痛、淋证、水肿。

| 附　注 |

黎药（哏洛亚）：①单味鲜叶 60g，捣烂绞汁，治尿道炎；②鲜土牛膝根 30g，糖适量，酒水煎服，治跌打损伤；③土牛膝 15g，夏枯草 9g，水煎服，治高血压。

苋科 Amaranthaceae 牛膝属 Achyranthes

牛 膝
Achyranthes bidentata Blume.

| 中 药 名 |

牛膝（药用部位：全草）

| 植物形态 |

多年生草本。叶片椭圆形或椭圆披针形，少数倒披针形，先端尾尖，两面有贴生或开展柔毛；叶柄有柔毛。穗状花序顶生及腋生，长 3~5cm，花期后反折；总花梗长 1~2cm，有白色柔毛；花多数，密生；苞片宽卵形，先端长渐尖；小苞片刺状，先端弯曲，基部两侧各有 1 卵形膜质小裂片；花被片披针形，有 1 中脉；雄蕊长 2~2.5mm；退化雄蕊先端平圆，稍有缺刻状细锯齿。胞果矩圆形，黄褐色，光滑。种子矩圆形，长 1mm，黄褐色。花期 7~9 月，果期 9~10 月。

| 分布区域 |

产于海南乐东、白沙、琼中。亦分布于中国除东北外其余各地。越南、菲律宾、马来西亚、印度、朝鲜、俄罗斯也有分布。

| 资　源 |

生于山坡林下，常见。

牛膝

| 采收加工 | 南方在 11 月下旬至 12 月中旬，北方在 10 月中旬至 11 月上旬收获。先割去地上茎叶，依次将根挖出，剪除芦头，去净泥土和杂质。按根的粗细不同，晒至六七成干后，集中室内加盖草席，堆闷 2~3 天，分级，扎把，晒干。

| 药材性状 | 根呈细长圆柱形，有的稍弯曲，上端稍粗，下端较细，长 15~50cm。表面灰黄色或淡棕色，具细微纵皱纹，有细小横长皮孔及稀疏的细根痕。质硬而脆，易折断，断面平坦，黄棕色，微呈角质样，中心维管束木质部较大，黄白色，其外围散有多数点状维管束，排列成 2~4 轮。气微，味微甜、涩。 |

| 功能主治 | 味苦、酸，性平；归肝、肾经。补肝肾，强筋骨，活血通经，引火下行，利尿通淋。用于腰膝酸痛、下肢痿软、血滞经闭、痛经、产后瘀血腹痛、癥瘕、胞衣不下、热淋、血淋、跌打损伤、痈肿恶疮、咽喉肿痛。 |

苋科 Amaranthaceae 白花苋属 Aerva

白花苋
Aerva sanguinolenta (L.) Bl.

| 中 药 名 | 白花苋（药用部位：根、花）

| 植物形态 | 多年生草本，高 1~2m；茎直立或稍匍匐，圆柱形或具棱角，基部带木质，单一或有分枝，上部具白色绵毛，下部渐变成无毛。叶对生或互生，叶片卵状椭圆形、矩圆形或披针形，长 1.5~8cm，宽5~35mm；花序有白色或带紫色绢毛；苞片、小苞片及花被片外面有白色绵毛，毛较多；花被片白色或粉红色。花期 4~6 月，果期 8~10 月。

| 分布区域 | 产于海南三亚、东方、万宁。亦分布于中国广东、广西、台湾、贵州、云南、四川等地。越南、泰国、柬埔寨、老挝、缅甸、菲律宾、马来西亚、不丹、尼泊尔、印度也有分布。

白花苋

| 资　　源 | 生于低海拔山坡疏林中，少见。

| 功能主治 | 味辛，性微寒。活血散瘀，清热除湿。用于月经不调、瘀血崩漏、经闭、跌打损伤、风湿关节痛、湿热黄疸、痢疾、角膜云翳。

苋科 Amaranthaceae 莲子草属 Alternanthera

锦绣苋
Alternanthera bettzickiana (Regel) Nichols.

| 中 药 名 | 红莲子草（药用部位：全草）

| 植物形态 | 多年生草本。叶片矩圆形，先端有凸尖，绿色或红色，幼时有柔毛后脱落；头状花序顶生及腋生，2~5 个丛生，无总花梗；苞片及小苞片卵状披针形，先端渐尖，无毛或脊部有长柔毛；花被片卵状矩圆形，白色，外面 2 片长，凹形，背部下半密生开展柔毛，中间 1 片较短，疏生柔毛或无毛，内面 2 片极凹，稍短且较窄，疏生柔毛或无毛；雄蕊 5，花药条形，其中 1~2 较短且不育；退化雄蕊带状，高达花药的中部或顶部，子房无毛，果实不发育。花期 8~9 月。

| 分布区域 | 产于海南万宁、儋州、琼海。中国各地亦有栽培。原产于南美洲，世界热带、亚热带地区广泛栽培。

锦绣苋

| **资　　源** | 栽培，常见。

| **采收加工** | 夏、秋季割取全草，洗净，鲜用或晒干用。

| **药材性状** | 茎多分枝，上部方柱形，下部圆柱形，两侧各有一纵沟，在先端及节部均有柔毛，叶长圆形、长圆状倒卵形或匙形，绿色或红色，或部分绿色杂以红色或黄色斑纹，干后色泽不太鲜明。头状花序 2~5 丛生于茎顶或叶腋，花小，花被 5 小瓣。鲜品白色，干品淡黄白色，气微，味微甘、酸。

| **功能主治** | 味甘、微酸，性凉。凉血止血，散瘀解毒。用于吐血、咯血、便血、跌打损伤、结膜炎、痢疾。

苋科 Amaranthaceae 莲子草属 Alternanthera

喜旱莲子草
Alternanthera philoxeroides (Mart.) Griseb.

| 中 药 名 | 空心苋（药用部位：全草）

| 植物形态 | 多年生草本；茎基部匍匐，有不明显4棱，具分枝，幼茎及叶腋有白色或锈色柔毛，茎老时无毛，仅在两侧纵沟内保留。叶片矩圆形，全缘，两面无毛或上面有贴生毛及缘毛；叶柄长3~10mm，无毛或微有柔毛。花密生，成具总花梗的头状花序，单生在叶腋，球形；苞片及小苞片白色，先端渐尖，具1脉；苞片卵形，小苞片披针形；花被片矩圆形，长5~6mm，白色，光亮，无毛，先端急尖，背部侧扁；雄蕊花丝长2.5~3mm，基部连合成杯状；退化雄蕊矩圆状条形，和雄蕊约等长，先端裂成窄条；子房倒卵形，具短柄，背面侧扁，先端圆形。果实未见。

喜旱莲子草

| **分布区域** | 产于海南白沙。亦分布于中国广西、湖南、江西、福建、台湾、浙江、江苏、湖北、四川、河北、北京等地。原产于南美洲。 |

| **资　　源** | 逸为野生，生于池塘、水沟边，常见。 |

| **采收加工** | 春、夏、秋季均可采收，除去杂草，洗净，鲜用或晒干用。 |

| **药材性状** | 全草长短不一。茎扁圆柱形，直径 1~4mm；有纵直条纹，有的两侧沟内疏生毛茸；表面发绿色，微带紫红色；有的粗茎节处簇生棕褐色须状根；断面中空。叶对生，皱缩，展平后叶片长圆形、长圆状倒卵形，或倒卵状披针形，先端尖，基部楔形，全缘，绿黑色，两面均疏生短毛。偶见头状花序单生于叶腋，直径约 1cm，具总花梗；花白色。气微，味微苦、涩。 |

| **功能主治** | 味苦、甘，性寒；归肺、心、肝、膀胱经。清热凉血，解毒利尿。用于咯血、尿血、感冒发热、麻疹、乙型脑炎、黄疸、淋浊、疟腮、湿疹、痈肿疔疮、毒蛇咬伤。 |

| **附　　注** | 黎药（千万南）：全草 60~100g，水煎服，治肾炎水肿、肝腹水。 |

苋科 Amaranthaceae 莲子草属 Alternanthera

刺花莲子草
Alternanthera pungens H. B. K

| 中 药 名 | 刺花莲子草（药用部位：全草的提取物）

| 植物形态 | 一年生草本，茎披散，匍匐，有多数分枝，铺在地面 20~30cm，密生伏贴白色硬毛。叶片卵形，对生叶大小不等，先端圆钝，有一短尖。头状花序无总花梗，1~3，腋生，白色，球形；苞片披针形，先端有锐刺；小苞片披针形，先端渐尖，无刺；花被片大小不等，2 片外花被片披针形，花期后变硬，近基部左右有丛毛，中脉伸出成锐刺，中部花被片长椭圆形，2 片内花被片小；雄蕊 5；退化雄蕊远比花丝短，全缘、凹缺或呈不规则牙齿状；花柱极短。胞果宽椭圆形，褐色，极扁平，先端截形或稍凹。花期 5 月，果期 7 月。

刺花莲子草

| 分布区域 |

产于海南东方、昌江。亦分布于中国福建、四川。原产于南美洲。

| 资　源 |

生于海边路旁或旷地，少见。

| 功能主治 |

全草的乙醇提取物在 100mg/kg 大鼠实验时显示出极强的利尿活性。

| 附　注 |

本品收载于《阿根廷药典》第 6 版，在当地民间传统医药中用途广泛。

莲子草 *Alternanthera sessilis* (L.) DC.

| 中药名 | 节节花（药用部位：全草）

| 植物形态 | 多年生草本，圆锥根粗，茎上升或匍匐，绿色或稍带紫色，有条纹及纵沟，在节处有一行横生柔毛。叶片形状及大小有变化；叶柄长 1~4mm，无毛或有柔毛。头状花序 1~4，腋生，圆柱形，直径 3~6mm；花密生，花轴密生白色柔毛；苞片及小苞片白色，先端短渐尖，无毛；苞片卵状披针形，小苞片钻形；花被片卵形，长 2~3mm，白色，无毛，具 1 脉；雄蕊 3，花丝基部连合成杯状，花药矩圆形；退化雄蕊三角状钻形，比雄蕊短，先端渐尖，全缘；花柱极短，柱头短裂。胞果倒心形，侧扁，翅状，深棕色，包在宿存花被片内。种子卵球形。花期 5~7 月，果期 7~9 月。

莲子草

| 分布区域 |

产于海南三亚、乐东、五指山、保亭、万宁、琼中、儋州、澄迈、海口、西沙群岛。亦分布于中国长江以南各地。越南、泰国、老挝、缅甸、柬埔寨、菲律宾、马来西亚、印度尼西亚、尼泊尔、不丹、印度也有分布。

| 资　　源 |

生于菜园潮湿处，十分常见。

| 采收加工 |

夏、秋季采收，鲜用或晒干。

| 药材性状 |

茎有明显的条纹及纵沟，沟内有柔毛，在节处有 1 行横柔毛。叶缘有时具不明显锯齿。头状花序 1~4 个，腋生，无总花梗；花白色。雄蕊 3。

| 功能主治 |

凉血散瘀，清热解毒，除湿通淋。用于咯血、吐血、便血、湿热黄疸、痢疾、泄泻、牙龈肿痛、咽喉肿痛、肠痈、乳痈、痄腮、痈疽肿毒、湿疹、淋证、跌打损伤、毒蛇咬伤。

苋科 Amaranthaceae 苋属 *Amaranthus*

凹头苋 *Amaranthus lividus* L.

| 中 药 名 | 野苋菜（药用部位：全草或根、种子）

| 植物形态 | 一年生草本。叶片卵形，长 1.5~4.5cm，宽 1~3cm，先端凹缺，有 1 芒尖；叶柄长 1~3.5cm。花成腋生花簇，直至下部叶的腋部，生在茎端和枝端者成直立穗状花序或圆锥花序；苞片及小苞片矩圆形，长不及 1mm；花被片矩圆形或披针形，长 1.2~1.5mm，淡绿色，先端急尖，边缘内曲，背部有 1 隆起中脉；雄蕊比花被片稍短；柱头 3 或 2，果熟时脱落。胞果扁卵形，不裂，微皱缩而近平滑，超出宿存花被片。种子环形，黑色至黑褐色，边缘具环状边。花期 7~8 月，果期 8~9 月。

凹头苋

| 分布区域 | 产于海南海口、乐东。亦分布于中国各地。老挝、尼泊尔、越南、日本，以及非洲北部、欧洲、南美洲也有分布。

| 资　源 | 生于田野、杂草地，偶见。

| 采收加工 | 全草及根：春、夏、秋季采收，洗净，鲜用。种子：秋季采收果实，日晒，搓揉，取种子，干燥。

| 药材性状 | 全草：凹头苋主根较直。茎长 10~30cm，基部分枝，淡绿色至暗紫色。叶片皱缩，展平后卵形或菱状卵形；叶柄与叶片近等长。胞果扁卵形，不裂，近平滑。气微，味淡。种子：种子环形，直径 0.8~1.5mm。前者表面红黑至黑褐色，边缘具环状边。后者棕色或黑色，边缘钝，略有光泽。气微，味淡。

| 功能主治 | 全草及根：味甘，性微寒；归大肠、小肠经。清热解毒，利尿。用于痢疾、腹泻、疔疮肿毒、毒蛇咬伤、蜂蜇伤、小便不利、水肿。种子：清肝明目，利尿。用于肝热目赤、翳障、小便不利。

| 附　注 | FOC 将其学名修订为 *Amaranthus blitum* L.。

苋科 Amaranthaceae 苋属 Amaranthus

刺 苋 *Amaranthus spinosus* L.

| 中 药 名 | 簕苋菜（药用部位：全草）

| 植物形态 | 一年生草本。叶片菱状卵形或卵状披针形，全缘，无毛或幼时沿叶脉稍有柔毛；叶柄无毛，在其旁有 2 刺。圆锥花序腋生及顶生，长 3~25cm，下部顶生花穗常全部为雄花；苞片在腋生花簇及顶生花穗的基部者变成尖锐直刺；小苞片狭披针形，长约 1.5mm；花被片绿色，先端急尖，具凸尖，边缘透明，中脉绿色或带紫色，在雄花者矩圆形，长 2~2.5mm，在雌花者矩圆状匙形，长 1.5mm；雄蕊花丝略和花被片等长或较短；柱头 3，有时 2。胞果矩圆形，在中部以下不规则横裂，包裹在宿存花被片内。种子近球形，黑色或带棕黑色。花果期 7~11 月。

刺苋

| 分布区域 | 产于海南三亚、乐东、昌江等地。亦分布于中国华南其他区域、华中、西南。中南半岛，以及马来西亚、菲律宾、印度、日本及美洲等地也有分布。

| 资　　源 | 生于旷地或园圃，十分常见。

| 采收加工 | 春、夏、秋三季均可采收，洗净，鲜用或晒干。

| 药材性状 | 主根长圆锥形，有的具分枝，稍木质。茎圆柱形，多分枝，棕红色或棕绿色。叶互生，叶片皱缩，展平后呈卵形或菱状卵形，长 4~10cm，宽 1~3cm，先端有细刺，全缘或微波状；叶柄与叶片等长或稍短，叶腋有坚刺 1 对。雄花集成顶生圆锥花序，雌花簇生于叶腋。胞果近卵形，盖裂。气微，味淡。

| 功能主治 | 味甘，性微寒。凉血止血，清利湿热，解毒消痈。用于胃出血、便血、痔血、胆囊炎、胆石症、痢疾、湿热泄泻、带下、小便涩痛、咽喉肿痛、湿疹、痈肿、牙龈糜烂、蛇咬伤。

| 附　　注 | 《福建药物志》记载本品有小毒，服量过多有头晕、恶心、呕吐等不良反应。经期、孕期禁服。

苋科 Amaranthaceae 苋属 Amaranthus

苋
Amaranthus tricolor L.

苋

| 中 药 名 |

苋（药用部位：全草或根、种子）

| 植物形态 |

一年生草本。叶片卵形、菱状卵形或披针形，先端圆钝或尖凹，具凸尖，基部楔形，全缘或波状缘，无毛；叶柄长 2~6cm，绿色或红色。花簇腋生，直到下部叶，或同时具顶生花簇，成下垂的穗状花序；花簇球形，直径 5~15mm，雄花和雌花混生；苞片及小苞片卵状披针形，透明，先端有 1 长芒尖，背面具 1 绿色或红色隆起中脉；花被片矩圆形。胞果卵状矩圆形，长 2~2.5mm，环状横裂，包裹在宿存花被片内。种子近圆形或倒卵形，直径约 1mm，黑色或黑棕色，边缘钝。花期 5~8 月，果期 7~9 月。

| 分布区域 |

产于海南三亚、乐东、东方、白沙、万宁、澄迈、海口、西沙群岛。中国各地亦有栽培，或有时逸为半野生。原产于亚洲热带地区。

| 资　　源 |

栽培，常见。

| **采收加工** | 春、夏季采收，洗净，鲜用或晒干。

| **药材性状** | 茎长 80~150cm，绿色或红色，常分枝。叶互生，叶片皱缩，展平后呈菱状卵形至披针形，长 4~10cm，宽 2~7cm，先端钝或尖凹，具凸尖，绿色或红色、紫色、黄色，或绿色带有彩斑；穗状花序。胞果卵状矩圆形，盖裂。气微，味淡。种子近圆形或倒卵形，黑褐色，平滑，有光泽。气微，味淡。

| **功能主治** | 全草：味甘，性微寒；归大肠、小肠经。清热解毒，通利二便。用于痢疾、二便不通、蛇虫蜇伤、疮毒。根：味辛，性微寒；归肝、大肠经。清解热毒，散瘀止痛。用于痢疾、泄泻、痔疮、牙痛、漆疮、阴囊肿痛、跌打损伤、崩漏、带下。种子：味甘，性寒；归肝、大肠、膀胱经。清肝明目，通利二便。用于青盲翳障、视物昏暗、白浊血尿。

苋科 Amaranthaceae 苋属 Amaranthus

皱果苋
Amaranthus viridis L.

| 中 药 名 | 白苋（药用部位：全草或根）

| 植物形态 | 一年生草本；茎直立，有不明显棱角，稍有分枝，绿色或带紫色。叶片卵形，先端尖凹或凹缺，少数圆钝，有 1 芒尖，基部宽楔形或近截形，全缘或微呈波状缘；叶柄长 3~6cm，绿色或带紫红色。圆锥花序顶生，长 6~12cm，宽 1.5~3cm，有分枝，由穗状花序形成，圆柱形，细长，直立，顶生花穗比侧生者长；总花梗长 2~2.5cm；苞片及小苞片披针形，先端具凸尖；花被片矩圆形，长 1.2~1.5mm，内曲，先端急尖，背部有 1 绿色隆起中脉；雄蕊比花被片短；柱头 3 或 2。胞果扁球形，极皱缩。种子近球形，黑色或黑褐色，具薄且锐的环状边缘。花期 6~8 月，果期 8~10 月。

皱果苋

| 分布区域 | 产于海南三亚、乐东、白沙等地。亦分布于中国除西藏及西北外的大部分地区。世界热带和温带地区也有分布。

| 资　　源 | 生于旷野、宅旁或田野间,十分常见。

| 采收加工 | 春、夏、秋季均可采收全株或根,洗净,鲜用或晒干。

| 药材性状 | 主根圆锥形。全体紫红色或棕红色。茎长 40~80cm,分枝较少。叶互生,叶片皱缩,展平后呈卵形至卵状矩圆形,长 2~9cm,宽 2.5~6cm;叶柄长 3~6cm。穗状花序腋生。胞果扁球形,不裂,极皱缩,超出宿存花被片。种子细小,褐色或黑色,略有光泽。气微,味淡。

| 功能主治 | 味甘、淡,性寒;归大肠、小肠经。清热,利湿,解毒。用于痢疾、泄泻、小便赤涩、疮肿、蛇虫蜇伤、牙疳。

苋科 Amaranthaceae 青葙属 Celosia

青 葙
Celosia argentea L.

| 中 药 名 | 青葙（药用部位：茎叶或根、种子、花）

| 植物形态 | 一年生草本。叶片针状条形，少数卵状矩圆形，绿色常带红色，具小芒尖，基部渐狭。花多数，密生，在茎端或枝端成单一、无分枝的塔状或圆柱状穗状花序，长 3~10cm；苞片及小苞片披针形，白色，光亮，先端渐尖，延长成细芒，具 1 中脉，在背部隆起；花被片矩圆状披针形，长 6~10mm，初为白色，先端带红色，或全部粉红色，后成白色，先端渐尖，具 1 中脉，在背面突起；子房有短柄，花柱紫色。胞果卵形，包裹在宿存花被片内。种子凸透镜状肾形。花期 5~8 月，果期 6~10 月。

| 分布区域 | 产于海南三亚、乐东、东方、白沙、昌江、陵水、万宁、保亭、临高、琼中、儋州、文昌、海口、西沙群岛。亦分布于中国各地。越南、

青葙

柬埔寨、老挝、缅甸、泰国、菲律宾、马来西亚、不丹、尼泊尔、印度、日本、朝鲜、俄罗斯及非洲热带地区也有分布。

| 资　　源 | 生于平原、田边、丘陵或山地，十分常见。

| 采收加工 | 茎叶或根：夏季采收，鲜用或晒干。种子：7~9 月种子成熟时，割取地上部分或摘取果穗晒干，搓出种子，过筛或簸净果壳等杂质即可。花：花期采收，晒干。

| 药材性状 | 种子扁圆形，中央微隆起，直径 1~1.8mm。表面黑色或红黑色，光亮，于放大镜下观察，可见网状纹理，侧边微凹处为种脐。种子易粘手，种皮薄而脆，胚乳类白色。气无，味淡。以粒饱满、色黑、光亮者为佳。

| 功能主治 | 茎叶或根：味苦，性寒；归肝、膀胱经。燥湿清热，杀虫止痒，凉血止血。用于湿热带下、小便不利、尿浊、泄泻、阴痒、疮疥、风瘙身痒、痔疮、衄血、创伤出血。种子：味苦，性寒；归肝经。祛风热，清肝火，明目退翳。用于目赤肿痛、眼生翳膜、视物昏花、高血压、鼻衄、皮肤风热瘙痒、疮癣。花：味苦，性凉。凉血止血，清肝除湿，明目。用于吐血、衄血、崩漏、赤痢、血淋、白带、目赤肿痛、目生翳障。

| 附　　注 | 黎药（细八榄）：根煮水喝，治月经不调；适量捣烂热敷，治风湿关节痛、腹痛。

苋科 Amaranthaceae 青葙属 *Celosia*

鸡冠花 *Celosia cristata* L.

| 中 药 名 | 鸡冠花（药用部位：茎叶或全草、种子、花）

| 植物形态 | 一年生草本，全体无毛；茎直立，有分枝，绿色或红色，具明显条纹。叶片卵形、卵状披针形或披针形，宽 2~6cm；花多数，极密生，成扁平肉质鸡冠状、卷冠状或羽毛状的穗状花序，一个大花序下面有数个较小的分枝，圆锥状矩圆形，表面羽毛状；花被片红色、紫色、黄色、橙色或红黄相间。花果期 7~9 月。

| 分布区域 | 产于海南五指山、陵水、保亭、万宁、琼海。中国各地亦常见栽培。广布于世界温暖地区。

| 资　　源 | 生于平原、田边、丘陵或山地，十分常见。

鸡冠花

| 采收加工 | 茎叶或全草：夏季采收，鲜用或晒干。种子：夏、秋季种子成熟时割取果序，日晒，取净种子，晒干。花：8~10月间，花序充分长大，并有部分果实成熟时，剪下花序，晒干。

| 药材性状 | 种子：呈扁圆形，直径约1.5mm。表面棕红色至黑色，有光泽。置放大镜下观察，见有细密纹理及凹点状种脐。种皮脆，易破裂。偶见胞果上残留的花柱，长2~3mm。气微，味淡。花：为带有短茎的花序，形似鸡冠，或为穗状、卷冠状，上缘呈鸡冠状的部分，密生线状的绒毛，即未开放的小花，一般颜色较深，有红、浅红、白等颜色；中部以下密生许多小花，各小花有膜质灰白色的苞片及花被片。蒴果盖裂；种子黑色，有光泽。气无，味淡。以朵大而扁、色泽鲜艳的白鸡冠花较佳，色红者次之。

| 功能主治 | 茎叶或全草：味甘，性凉。清热凉血，解毒。用于吐血、衄血、崩漏、痔疮、痢疾、荨麻疹。种子：味甘，性凉；归肝、大肠经。凉血止血，清肝明目。用于便血、崩漏、赤白痢、目赤肿痛。花：味甘，性凉，无毒；归肝、肾经。凉血，止血。用于痔漏下血、赤白下痢、吐血、咯血、血淋、妇女崩中、赤白带下。

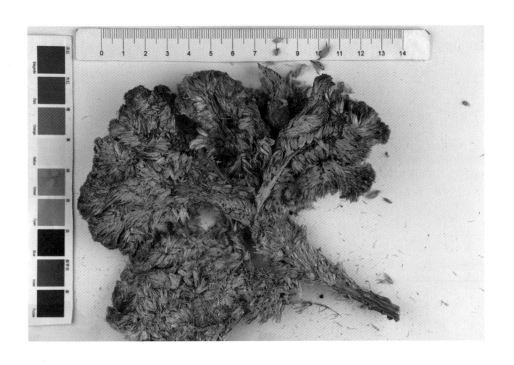

苋科 Amaranthaceae 杯苋属 Cyathula

杯 苋 *Cyathula prostrata* (L.) Bl.

| 中 药 名 | 杯苋（药用部位：地上部分）

| 植物形态 | 多年生草本；茎上升或直立，具分枝，基部数节生不定根。叶片菱状倒卵形，中部以下骤然变细；叶柄长 1~7mm，有长柔毛。总状花序由多数花丛组成，顶生和最上部叶腋生，直立；愈向花序上部，花丛内的不育花数目愈减少，果实成熟时整个花丛脱落；两性花的花被片卵状矩圆形，长 2~3mm，淡绿色，具凸尖，外面有白色长柔毛，内面无；雄蕊花丝长 3~4mm，基部连合部分仅长 1mm；退化雄蕊长方形。胞果球形，直径约 0.5mm，无毛；不育花的花被片及苞片黄色。种子卵状矩圆形，极小，褐色，光亮。花果期 6~11 月。

杯苋

| 分布区域 | 产于海南三亚、东方、昌江、五指山、白沙、保亭、万宁、琼中、定安、海口。亦分布于中国广东、广西、台湾、云南等地。世界热带地区也有分布。 |

| 资　　源 | 生于山坡密林下、小河边、山谷荫蔽处，常见。 |

| 采收加工 | 夏季植株生长盛期采收，除去泥土，鲜用或晒干用。 |

| 药材性状 | 茎长短不等，常有4棱，有少量分枝；表面有柔毛。单叶对生，具柄或近无柄；完整叶片椭圆形或菱状矩圆形，长1.5~5cm，先端钝或短尖，全缘，两面有柔毛。总状花序顶生或腋生，总梗及小花梗纤细；小花淡绿色，干后枯绿色。 |

| 功能主治 | 味苦，性凉。清热解毒，活血散瘀。用于痈疮肿毒、毒蛇咬伤、跌打瘀肿。 |

| 附　　注 | 黎药（簸摁妙）：全草煮水喝，做凉茶。 |

浆果苋

浆果苋
Deeringia amaranthoides (Lam.) Merr.

| 中 药 名 |

浆果苋（药用部位：全株或种子）

| 植物形态 |

攀缘灌木；多下垂分枝。叶片卵形，长 4~15cm，宽 2~8cm，先端渐尖或尾尖，基部常不对称，两面疏生长柔毛，后变无毛；叶柄无毛。总状花序腋生及顶生，再形成多分枝的圆锥花序；花轴及分枝有贴生柔毛；苞片窄三角形；小苞片卵形，长约 1mm；花直径 2~3mm，有恶臭；花被片椭圆形，长 1.5~2.5mm，淡绿色或带黄色，果时带红色，在花期后开展或反折，先端圆钝，无毛；雄蕊花丝上端离生，基部连合成极短的杯状；柱头 3，圆柱状，果时反折。浆果近球形，红色，有 3 条纵沟，下面具宿存花被。种子 1~6，扁压状肾形，黑色，光亮。花果期 10 月至翌年 3 月。

| 分布区域 |

产于海南三亚、乐东、东方、昌江、白沙、五指山、保亭、万宁、琼中、儋州。亦分布于中国广东、广西、台湾、贵州、云南、四川、西藏等地。中南半岛，以及印度尼西亚、马来西亚、印度及大洋洲也有分布。

| 资　　源 |

生于山坡林下或灌丛中，常见。

| 功能主治 |

全株：祛风利湿，通经活络。用于风湿性关节炎、泄泻、痢疾。种子：用于夜盲症。

苋科 Amaranthaceae 千日红属 Gomphrena

银花苋
Gomphrena celosioides Mart.

| 中 药 名 | 地锦苋（药用部位：全草）

| 植物形态 | 一年生直立草本，茎有分枝，枝略成四棱形，有灰色糙毛，幼时更密，节部稍膨大。叶片纸质，长椭圆形，叶柄有灰色长柔毛。花多数，密生，成顶生球形或矩圆形头状花序，银白色；总苞由 2 绿色对生叶状苞片组成，卵形或心形；苞片卵形，白色，小苞片三角状披针形，内面凹陷，先端渐尖，背棱有细锯齿缘，花被片披针形，长 5~6mm，不展开，先端渐尖，外面密生白色绵毛，花期后变硬；雄蕊花丝连合成管状，先端 5 浅裂，花药生在裂片的内面，微伸出；花柱条形，柱头 2，叉状分枝。胞果近球形，直径 2~2.5mm。种子肾形，棕色，光亮。花果期 2~6 月。

银花苋

｜分布区域｜

产于海南东方、昌江、万宁、海口、西沙群岛。亦分布于中国台湾。原产于美洲热带地区，现广布于世界各热带地区。

｜资　　源｜

生于旷野、路旁、海边，少见。

｜采收加工｜

春、夏季间采收全草，洗净，鲜用或晒干用。

｜功能主治｜

味甘，性凉。清热利湿。用于痢疾。

苋科 Amaranthaceae 千日红属 Gomphrena

千日红 *Gomphrena globosa* L.

| 中 药 名 | 千日红（药用部位：全草）

| 植物形态 | 一年生直立草本，茎有分枝，枝略呈四棱形，茎有贴生白色长柔毛，节部稍膨大。叶片纸质，长椭圆形。花多数，密生，成顶生球形头状花序，直径 2~2.5cm，花序银白色；总苞由 2 绿色对生叶状苞片组成；苞片卵形，白色，先端紫红色；小苞片三角状披针形，紫红色，内面凹陷，先端渐尖，背棱有细锯齿缘；花被片披针形，不展开，先端渐尖，外面密生白色绵毛，花期后变硬；雄蕊花丝连合成管状，先端 5 浅裂；花柱条形，比雄蕊管短，柱头 2，叉状分枝。胞果近球形，种子肾形，棕色，光亮。花果期 2~6 月。

千日红

| **分布区域** | 产于海南万宁、屯昌、海口。中国各地亦有栽培。原产于美洲热带地区，现亚洲热带地区广为栽培。 |

| **资　　源** | 栽培常见，资源量大。 |

| **采收加工** | 夏、秋季采摘花序或拔取全株，鲜用或晒干。 |

| **药材性状** | 头状花序单生或 2~3 个并生，球形或近长圆形。鲜时紫红色、淡红色或白色，干后棕色或棕红色。总苞 2，叶状。每朵花基部有干膜质卵形苞片 1，三角状披针形；小苞片 2，紫红色，背棱有明显细锯齿；花被片 5，披针形，外面密被白色绵毛；干后花被片部分脱落；有时可见胞果，近圆形，含细小种子 1，种皮棕黑色，有光泽。气微，味淡。 |

| **功能主治** | 味甘、微咸，性平；归肺、肝经。止咳平喘，清肝明目，解毒。用于咳嗽、哮喘、百日咳、小儿夜啼、目赤肿痛、肝热头晕、头痛、痢疾、疮疖。 |

落葵薯

落葵科 Basellaceae 落葵薯属 Anredera

落葵薯 *Anredera cordifolia* (Tenore) Van Steen

| 中 药 名 |

藤三七（药用部位：藤上的干燥瘤块状珠芽）

| 植物形态 |

缠绕藤本，长可达数米。根茎粗壮。叶具短柄，叶片卵形，先端急尖，基部圆形或心形，稍肉质，腋生小块茎（珠芽）。总状花序具多花，花序轴纤细，下垂，长 7~25cm；苞片狭，不超过花梗长度，宿存；花梗长 2~3mm，花托先端杯状，花常由此脱落；下面 1 对小苞片宿存，宽三角形，急尖，透明，上面 1 对小苞片淡绿色，比花被短，宽椭圆形至近圆形；花直径约 5mm；花被片白色，渐变黑，开花时张开，先端钝圆；雄蕊白色，花丝先端在芽中反折，开花时伸出花外；花柱白色，分裂成 3 个柱头臂，每臂具 1 个棍棒状或宽椭圆形柱头。花期 6~10 月。

| 分布区域 |

产于海南五指山。中国广东、湖南、福建、浙江、江苏、云南、四川等亦有栽培。原产于南美洲热带地区。

| 资　源 |

栽培或偶见逸为野生，偶见。

采收加工

在珠芽形成后采摘，除去杂质，鲜用或晒干。

药材性状

珠芽呈瘤状，少数圆柱形，直径 0.5~3cm，表面灰棕色，具突起。质坚实而脆，易碎裂。断面灰黄色或灰白色，略呈粉性。气微，味微苦。

功能主治

味微苦，性温。补肾强腰，散瘀消肿。用于腰膝痹痛、病后体弱、跌打损伤、骨折。

落葵科 Basellaceae 落葵属 Basella

落 葵
Basella alba L.

| 中 药 名 | 落葵（药用部位：叶或全草、果实、花）

| 植物形态 | 一年生缠绕草本。茎长可达数米，无毛，肉质，绿色或略带紫红色。叶片卵形或近圆形，先端渐尖，基部微心形或圆形，下延成柄，全缘，背面叶脉微突起；叶柄长1~3cm，上有凹槽。穗状花序腋生，长3~15cm；苞片极小，早落；小苞片2，萼状，长圆形，宿存；花被片淡红色或淡紫色，卵状长圆形，全缘，先端钝圆，内折，下部白色，连合成筒；雄蕊着生于花被筒口，花丝短，基部扁宽，白色，花药淡黄色；柱头椭圆形。果实球形，红色至深红色或黑色，多汁液，外包宿存小苞片及花被。花期5~9月，果期7~10月。

| 分布区域 | 产于海南海口、三亚、万宁、五指山、西沙群岛。中国广东沿海岛屿亦常见栽培。分布于亚洲和非洲的热带地区。

落葵

| 资 源 |

栽培常见，资源量大。

| 采收加工 |

叶或全草：夏、秋季采收叶或全草，洗净，除去杂质，鲜用或晒干。果实：7~10月果实成熟后采收，晒干。花：春、夏季花开时采摘，鲜用。

| 药材性状 |

茎肉质，圆柱形，直径 3~8mm，稍弯曲，有分枝，绿色或淡紫色；质脆，易断，折断面鲜绿色。叶微皱缩，展平后宽卵形、心形或长椭圆形，长 2~14cm，宽 2~12cm，全缘，先端急尖，基部近心形或圆形；叶柄长 1~3cm。气微，味甜，有黏性。

| 功能主治 |

全草：味甘、酸，性寒。滑肠通便，清热利湿，凉血解毒，活血。用于大便秘结、小便短涩、痢疾、热毒疮疡、跌打损伤。果实：润泽肌肤，美容。花：味辛、苦，性寒。凉血解毒。用于痘毒、乳头破裂。

落葵科 Basellaceae 落葵属 Basella

蒺藜 *Tribulus terrester* L.

| 中药名 | 蒺藜（药用部位：茎叶、根、花）

| 植物形态 | 一年生草本。茎平卧，无毛，被长柔毛或长硬毛，枝长 20~60cm，偶数羽状复叶，长 1.5~5cm；小叶对生，3~8 对，矩圆形或斜短圆形，长 5~10mm，宽 2~5mm，先端锐尖或钝，基部稍偏斜，被柔毛，全缘。花腋生，花梗短于叶，花黄色；萼片 5，宿存；花瓣 5；雄蕊 10，生于花盘基部，基部有鳞片状腺体，子房 5 棱，柱头 5 裂，每室 3~4 颗胚珠。果实有分果瓣 5，硬，长 4~6mm，无毛或被毛，中部边缘有锐刺 2，下部常有小锐刺 2，其余部位常有小瘤体。花期 5~8 月，果期 6~9 月。

蒺藜

分布区域

产于海南三亚、东方、昌江、陵水、西沙群岛。
亦分布于中国各地。广布于世界温带地区。

资　　源

生于海滨沙滩上，常见。

采收加工

茎叶：夏季采收，鲜用或晒干。根：秋季挖根，
洗净泥土，晒干。花：5~8月采收，阴干或烘干。

功能主治

茎叶：味辛，性平；归肝经。祛风除湿，止痒
消痈。用于暑湿伤中、呕吐泄泻、鼻塞流涕、
皮肤风痒、疥癣、痈肿。根：味苦，性平；归
肝经。行气破血。用于牙齿外伤动摇。花：味
辛，性温；归肝经。祛风和血。用于白癜风。

酢浆草科 Oxalidaceae 阳桃属 Averrhoa

三敛

Averrhoa bilimbi L.

| 中 药 名 | 三敛（药用部位：果实、叶）

| 植物形态 | 小乔木；叶聚生于枝顶，小叶 10~20 对；小叶片长圆形，长 3~5cm，宽约 2cm，先端渐尖，基部圆形，多少偏斜，两面多少被毛，边缘全缘；叶柄长 2~4mm，被柔毛。圆锥花序生于分枝或树干上；萼片长 4mm，卵状披针形，急尖，被柔毛，花瓣长圆状匙形，长于萼片 2 倍以上。果实长圆形，具钝棱。花期 4~12 月，果期 7~12 月。

| 分布区域 | 海南万宁有栽培。中国广东、广西偶有栽培，台湾较多栽培。原产于亚洲热带地区。

| 资　　源 | 栽培量小，少见。

三敛

| **功能主治** | 果实：用于头痛、腹痛、感冒、皮肤病。叶：煎服可止泻、解热。

酢浆草科 Oxalidaceae 阳桃属 Averrhoa

阳 桃 *Averrhoa carambola* L.

| 中 药 名 | 阳桃（药用部位：果实、叶、花、根）

| 植物形态 | 乔木，分枝甚多；树皮暗灰色，内皮淡黄色，干后茶褐色，味微甜而涩。奇数羽状复叶，互生，长 10~20cm；小叶 5~13，全缘，卵形或椭圆形，基部圆，一侧歪斜小叶柄甚短；花小，微香，数朵至多朵组成聚伞花序或圆锥花序，自叶腋出或着生于枝干上，花枝和花蕾深红色；萼片 5，覆瓦状排列，基部合成细杯状，背面淡紫红色，边缘色较淡，有时为粉红色或白色；雄蕊 5~10；子房 5 室，每室有多数胚珠，花柱 5。浆果肉质，有 5 棱，横切面呈星芒状，长 5~8cm，淡绿色或蜡黄色，有时带暗红色。种子黑褐色。

阳桃

| 分布区域 | 产于海南三亚、乐东、白沙、万宁、儋州、澄迈、琼海、海口。中国广东、广西、福建、台湾、云南、四川亦有栽培。原产于马来西亚。

| 资　　源 | 栽培常见，资源量大。

| 采收加工 | 果实：8~9 月果实呈黄绿色时采摘，鲜用。叶：全年均可采收，鲜用或晒干。花：7~8 月花刚开时采收，鲜用或晒干。根：全年均可采，挖根，除去泥土，洗净，晒干；或剥取根皮，除去栓皮，取二层皮，鲜用或晒干。

| 功能主治 | 果实：味酸、甘，性寒；归肺、胃经。清热生津，利水解毒。用于风热咳嗽、咽痛、烦渴、石淋、口糜、牙痛、疟母、酒毒。叶：味涩、苦，性寒；归肝、脾经。祛风利湿，清热解毒，止痛。用于风热感冒、小便不利、产后浮肿、痈疽肿毒、漆疮、跌打肿痛。花：味甘，性平；归肝、胆经。截疟，止痛，解毒，杀虫。用于疟疾、胃痛、漆疮、疥癣。根：味酸、涩，性平；归膀胱、肾经。祛风除湿，行气止痛，涩精止带。用于风湿痹痛、骨节风、瘫痪不遂、慢性头风、心胃气痛、遗精、白带。

酢浆草科 Oxalidaceae 感应草属 Biophytum

分枝感应草 *Biophytum fruticosum* Bl.

| 中 药 名 | 分枝感应草（药用部位：全草）

| 植物形态 | 草本，茎短二叉分枝，基部本质化，密被伏毛或下部无毛，叶多数聚生于枝的顶部；托叶线形；叶轴长 4.5~10cm，被长糙毛；小叶 6~16 对，矩圆形。总花梗纤细，与叶近等长，具 1~3 花，聚生于总花梗先端成伞形花序；小苞片多数，披针形；萼片 5，宿存；花瓣 5，白色，稍长于萼片；雄蕊 10，长短互间，短者具药或无药，分离；子房近球形，5 室，被毛，花柱 5，线形，果期延伸。蒴果椭圆形，等于或长于果萼。种子褐色，卵形，两端稍尖，具小瘤体。花期 6~12 月，果期 8 月至翌年 2 月。

分枝感应草

| 分布区域 |

产于海南三亚、乐东、东方、昌江、白沙、五指山。亦分布于中国广东、广西、台湾、贵州、云南、四川等地。越南、泰国、柬埔寨、缅甸、马来西亚、印度尼西亚、菲律宾等也有分布。

| 资　源 |

生于疏林中或灌丛中，偶见。

| 功能主治 |

安神镇静,散瘀止痛,止血。用于肾虚、跌打损伤、咯血、外伤出血、缠腰火丹、湿疹、脚癣、脱肛、阴挺。

酢浆草科 Oxalidaceae 感应草属 Biophytum

感应草
Biophytum sensitivum (L.) DC.

| 中 药 名 | 罗伞草（药用部位：全草），小礼花（药用部位：种子）

| 植物形态 | 一年生草本，茎单生，不分枝，基部木质化，被糙直毛。叶长
3~13cm，聚生于茎先端；小叶 6~14 对，无柄，触之下垂；小叶片
矩圆形或倒卵状矩圆形而稍弯斜，被短伏毛，边缘具糙直毛；小叶
由叶轴下部向上渐大，近顶部小叶最大且一侧呈耳状，先端小叶变
成芒。花数朵聚于总花梗先端成伞形花序，与叶近等长；花梗极短，
被糙直毛，小苞片多数，披针形；萼片 5，披针形；花瓣 5，黄色，
长于萼片；雄蕊 10，分离，长短互间；子房近球形，花柱 5，宿存；
蒴果椭圆状倒卵形，具 5 条纹棱，被毛。种子褐色，卵形，具带状
排列的小瘤体。花果期 7~12 月。

感应草

| 分布区域 | 产于海南三亚、昌江、白沙、陵水、儋州、保亭。亦分布于中国广东、广西、台湾等地。越南、泰国、马来西亚、印度尼西亚、印度、尼泊尔、斯里兰卡、菲律宾，及非洲热带地区也有分布。

| 资　　源 | 生于疏林或灌丛中，少见。

| 采收加工 | 全草：夏、秋季采收全草，鲜用或晒干。种子：秋季果实成熟时摘取，打下种子，晒干。

| 功能主治 | 全草：味甘、微苦，性平；归肺、膀胱经。化痰定喘，消积利水。用于哮喘、小儿疳积、水肿、淋浊。种子：味甘、苦，性平。解毒，消肿，愈创。用于痈肿疔疮、创伤。

| 附　　注 | 黎药（哏种物）：全草煮水喝，用于解酒、催眠。

酢浆草科 Oxalidaceae 酢浆草属 *Oxalis*

酢浆草
Oxalis corniculata L.

| 中 药 名 | 酢浆草（药用部位：全草）

| 植物形态 | 草本，全株被柔毛。叶基生或茎上互生；叶柄长 1~13cm，基部具关节；小叶 3，无柄，倒心形，长 4~16mm，宽 4~22mm。花单生或数朵集为伞形花序状，腋生，总花梗淡红色，与叶近等长；小苞片 2，披针形，长 2.5~4mm，膜质；萼片 5，披针形，长 3~5mm，背面和边缘被柔毛，宿存；花瓣 5，黄色，长圆状倒卵形，长 6~8mm，宽 4~5mm；雄蕊 10，花丝白色半透明，有时被疏短柔毛，基部合生，长短互间，长者花药较大且早熟；子房长圆形，5 室，被短伏毛，花柱 5，柱头头状。蒴果长圆柱形，长 1~2.5cm，5 棱。种子长卵形，褐色或红棕色，具横向肋状网纹。花果期 2~9 月。

酢浆草

| 分布区域 | 产于海南三亚、乐东、昌江、白沙、五指山、保亭、万宁、儋州、澄迈。亦分布中国大多数地区。世界热带至温带地区均有分布。 |

| 资 源 | 生于草地、路旁、菜地等处，十分常见。 |

| 采收加工 | 全年可采，犹以夏、秋季为宜，洗净鲜用或晒干。 |

| 药材性状 | 为段片状。茎、枝被疏长毛。叶纸质，皱缩，棕绿色。花黄色，萼片、花瓣均 5。蒴果近圆柱形，5 棱，被柔毛，种子小，褐色，具酸气。 |

| 功能主治 | 味酸，性寒。清热利湿，凉血散瘀，消肿解毒。用于泄泻、痢疾、黄疸、淋病、赤白带下、麻疹、吐血、衄血、咽喉肿痛、疔疮、痈肿、疥癣、痔疾、脱肛、跌打损伤、烫火伤。 |

| 附 注 | 黎药（发亲）：①酢浆草全草、甜酒各 6g，水煎服，每日服 3 次，治淋证；②全草 15g，玉米须 3g，水煎服，治湿热尿血；③鲜草捣烂，烧酒调匀外擦，治跌打损伤。 |

酢浆草科 Oxalidaceae 酢浆草属 Oxalis

红花酢浆草
Oxalis corymbosa DC.

| 中 药 名 | 铜锤草（药用部位：全草）

| 植物形态 | 多年生直立草本。叶基生；叶柄长 5~30cm，被毛；小叶 3，扁圆状
倒心形，长 1~4cm，宽 1.5~6cm，先端凹入，两侧角圆形，基部宽楔形，
表面被毛；通常两面或有时仅边缘有干后呈棕黑色的小腺体，背面
尤甚并被疏毛。总花梗基生，二歧聚伞花序，通常排列成伞形花序式，
总花梗长 10~40cm，被毛；花梗、苞片、萼片均被毛；花梗有披针
形干膜质苞片 2；萼片 5，披针形，先端有暗红色长圆形的小腺体 2，
顶部腹面被疏柔毛；花瓣 5，倒心形，长 1.5~2cm，淡紫色至紫红色，
基部颜色较深；雄蕊 10；子房 5 室，花柱 5，被锈色长柔毛，柱头
浅 2 裂。花果期 3~12 月。

红花酢浆草

| **分布区域** | 产于海南各地。中国各地亦有栽培。原产于南美洲。 |

| **资　　源** | 生于山坡、路边，常见。 |

| **采收加工** | 3~6 月采收全草，洗净鲜用或晒干。 |

| **功能主治** | 味酸，性寒；归肝、大肠经。散瘀消肿，清热利湿，解毒。用于跌打损伤、月经不调、咽喉肿痛、水泻、痢疾、水肿、白带、痔疮、痈肿、疮疖、烫火伤。 |

金莲花科 Tropaeolaceae 旱金莲属 Tropaeolum

旱金莲 *Tropaeolum majus* L.

| 中 药 名 | 旱金莲（药用部位：全草）

| 植物形态 | 一年生肉质草本。叶互生；叶柄盾状，着生于叶片的近中心处；叶片圆形，9条主脉由叶柄着生处向四面放射，边缘为波浪形的浅缺刻，背面通常被疏毛或有乳凸点。单花腋生，花黄色、紫色、橘红色或杂色；花托杯状；萼片5，基部合生，边缘膜质，其中一片延长成一长距；花瓣5，圆形，边缘有缺刻，上部2全缘，长2.5~5cm，着生于距的开口处，下部3基部狭窄成爪，近爪处边缘具睫毛；雄蕊8，长短互间，分离；花柱1，柱头3裂，线形。果实扁球形，成熟时分裂成3个具1粒种子的瘦果。花期6~10月，果期7~11月。

旱金莲

| **分布区域** | 海南海口、三亚等地有栽培。中国广西、云南、西藏亦有栽培，部分逸生。原产于南美洲秘鲁、巴西等地。 |

| **资　　源** | 栽培量小，少见。 |

| **功能主治** | 清热解毒，凉血止血。用于痈疖、疮毒、目赤肿痛、跌打损伤、咯血。 |

凤仙花科 Balsaminaceae 凤仙花属 Impatiens

海南凤仙花
Impatiens hainanensis Y. L. Chen

| 中 药 名 | 海南凤仙花（药用部位：全草）

| 植物形态 | 多年生草本，全株无毛。叶互生，具柄，薄纸质，基部两侧有 2 卵圆形无柄的腺体，边缘具圆齿状锯齿，齿端具内弯的小尖；两面无毛。总花梗腋生，具 1 花；花梗细，基部具 1 苞片。花较大，乳黄色或淡黄色。侧生萼片 2，膜质，淡黄绿色，约有 12 细脉，具疏紫色斑点。唇瓣短囊状，旗瓣微兜状，翼瓣具短柄，2 裂，仅背面小耳合生。花丝线形，长 5~6mm，上端扩大；花药卵形，先端钝。子房纺锤状，直立。蒴果棒状，长 2~2.2cm，上部膨大，先端具喙。种子 4~5，长圆形，长约 3mm，褐色，具小瘤状突起。花期 6~7 月。

海南凤仙花

| 分布区域 |

产于海南东方、昌江、保亭、乐东、白沙。海南特有种。

| 资　　源 |

生于石灰岩石缝中，少见。

| 功能主治 |

暂未有资料表明其在医药方面的应用，但其同属植物多有药用，本种植物或有类似作用，其药效有待进一步的研究。

凤仙花科 Balsaminaceae 凤仙花属 Impatiens

华凤仙 *Impatiens chinensis* L.

| 中 药 名 | 华凤仙（药用部位：全草或茎、叶）

| 植物形态 | 一年生草本。叶对生，无柄；叶片硬纸质，线形，基部有托叶状的腺体，边缘疏生刺状锯齿，上面被微糙毛，下面无毛，不明显侧脉 5~7 对。花较大，单生或 2~3 簇生于叶腋，无总花梗，紫红色或白色；花梗一侧常被硬糙毛；苞片线形，位于花梗的基部；侧生萼片 2，线形，唇瓣漏斗状，具条纹，基部渐狭成内弯或旋卷的长距；旗瓣圆形，直径约 10mm，先端微凹，背面中肋具狭翅，先端具小尖，翼瓣无柄，长 14~15mm，2 裂，下部裂片小，近圆形，上部裂片宽倒卵形至斧形，先端圆钝，外缘近基部具小耳；雄蕊 5，花丝线形，扁，花药卵球形，先端钝；子房纺锤形，直立，稍尖。蒴果椭圆形，中部膨大，先端喙尖，无毛。种子数粒，圆球形，直径约 2mm，黑色，有光泽。

华凤仙

｜分布区域｜

产于海南白沙、琼海。亦分布于中国华南其他
区域，以及浙江、云南。越南、泰国、马来西亚、
缅甸、印度也有分布。

｜资　　源｜

生于湿地或沼泽地，偶见。

｜功能主治｜

全草、茎、叶：清热解毒，活血散瘀，消肿拔脓。
用于肺痨、发热、咳嗽、咳痰、颜面及喉头肿痛、
热痢、瘀血疼痛、跌打损伤、蛇头疔、痈疮肿毒。

凤仙花科 Balsaminaceae 凤仙花属 Impatiens

凤仙花 *Impatiens balsamina* L.

| 中药名 | 凤仙透骨草（药用部位：茎），凤仙花（药用部位：花），急性子（药用部位：种子），凤仙根（药用部位：根）

| 植物形态 | 一年生草本。叶互生，披针形，边缘有锐锯齿，基部常有数对无柄的黑色腺体，两面无毛或被疏柔毛，侧脉 4~7 对；叶柄两侧具数对具柄的腺体。花单生或 2~3 簇生于叶腋，无总花梗，白色、粉红色或紫色，单瓣或重瓣；花梗长 2~2.5cm，密被柔毛，苞片线形；侧生萼片 2，唇瓣深舟状，基部急尖，成 1~2.5cm 内弯的距；旗瓣圆形，兜状，背面中肋具狭龙骨状突起，先端具小尖，翼瓣具短柄，2 裂，下部裂片小，上部裂片近圆形，先端 2 浅裂，外缘近基部具小耳；雄蕊 5；子房纺锤形，密被柔毛。蒴果宽纺锤形，密被柔毛。种子多数，圆球形，黑褐色。花期 7~10 月。

凤仙花

| 分布区域 |

产于海南五指山、万宁、保亭、琼中、澄迈。广植于世界温带或热带地区。

| 资　　源 |

栽培，常见。

| 采收加工 |

茎：夏、秋季间植株生长茂盛时割取地上部分，除去叶及花、果，洗净，晒干。花：夏、秋季开花时采收，鲜用或阴干、烘干。种子：8~9月当蒴果由绿转黄时，要及时分批采摘，否则果实过熟就会将种子弹射出去，造成损失。将蒴果脱粒，筛去果皮杂质，即得药材急性子。根：秋季采挖根部，洗净，鲜用或晒干。

| 药材性状 |

茎：长柱形，有少数分枝，长30~60cm，直径3~8mm，下端直径可达2cm。表面黄棕色至红棕色，干瘪皱缩，具明显的纵沟，节部膨大，叶痕深棕色。体轻质脆，易折断，断面中空，或有白色、膜质髓部。气微，味微酸。以色红棕、不带叶者为佳。种子：扁圆形或扁卵圆形，长2~3.5mm，宽2~3mm。表面棕褐色，粗糙，有细密疣状突起及短条纹，一端有突出的种脐。质坚硬，剖开后，种皮薄；子叶2，肥厚，半透明，油质。气微，味淡、微苦。以颗粒饱满者为佳。

| 功能主治 | 茎：味苦、辛，性温；有小毒。祛风湿，活血，解毒。用于风湿痹痛、跌打肿痛、闭经、痛经、痈肿、丹毒、鹅掌风、蛇虫咬伤。花：味甘、苦，性微温。祛风除湿，活血止痛，解毒杀虫。用于风湿肢体痿废、腰胁疼痛、妇女经闭腹痛、产后瘀血未尽、跌打损伤、骨折、痈疽疮毒、毒蛇咬伤、白带、鹅掌风。种子：味辛、苦，性温，有小毒；归肾、肝、肺经。行瘀降气，软坚散结。用于经闭、痛经、产难、产后胞衣不下、噎膈、痞块、骨鲠、龋齿、疮疡肿毒。根：味苦、辛，性平。活血止痛，利湿消肿。用于跌仆肿痛、风湿骨痛、白带、水肿。 |

| 附 注 | 黎药（杆立花）：①鲜品炖猪肉食用，治肺结核；②鲜品捣敷，治疮痈肿毒、蛇头疮。 |

千屈菜科 Lythraceae 水苋菜属 Ammannia

耳基水苋

Ammannia auriculata Willd.

| 中 药 名 | 耳基水苋（药用部位：全草）

| 植物形态 | 直立草本，少分枝，上部茎4棱或略具狭翅。叶对生，膜质，狭披针形，长1.5~7.5cm，先端渐尖或稍急尖，基部扩大，多少呈心状耳形，半抱茎；无柄。聚伞花序腋生，通常有花3；总花梗长约5mm，花梗极短；小苞片2，线形；萼筒钟形，长1.5~2mm，最初基部狭，结实时近半球形，有棱4~8，裂片4，阔三角形；花瓣4，紫色或白色，近圆形，早落，有时无花瓣；雄蕊4~8，约一半突出萼裂片之上；子房球形，长约1mm，花柱与子房等长或更长。蒴果扁球形，成熟时约1/3突出于萼之外，紫红色，直径2~3.5mm，成不规则周裂；种子半椭圆形。花期8~12月。

耳基水苋

|分布区域|

产于海南三亚、乐东、东方、昌江、五指山、万宁。亦分布于中国中南部各地。广布于世界热带地区。

|资　　源|

生于水田中或湿地上，常见。

|功能主治|

用于急慢性膀胱炎、小便淋痛、带下病。

千屈菜科 Lythraceae 萼距花属 *Cuphea*

香膏萼距花 *Cuphea alsamona* Cham. et Schlechtend.

| 中 药 名 | 香膏萼距花（药用部位：提取物）

| 植物形态 | 一年生草本，小枝纤细，幼枝被短硬毛，后变无毛而稍粗糙。叶对生，薄革质，卵状披针形或披针状矩圆形，长 1.5~5cm，宽 5~10mm，先端渐尖或阔渐尖，基部渐狭或有时近圆形，两面粗糙，幼时被粗伏毛，后变无毛；叶柄极短，近无柄。花细小，单生于枝顶或分枝的叶腋上，成带叶的总状花序；花梗极短，仅长约 1mm，顶部有苞片；花萼长 4.5~6mm，在纵棱上疏被硬毛；花瓣 6，等大，倒卵状披针形，长约 2mm，蓝紫色或紫色；雄蕊 n 或 9，排成 2 轮，花丝基部有柔毛；子房矩圆形，胚珠 4~8。

| 分布区域 | 产于海南海口、陵水。原产于美洲。

香膏萼距花

| 资　　源 | 海南逸为野生，偶见。

| 功能主治 | 为活性氧清除剂，用于防治因活性氧过多而引起的各种疾病。

千屈菜科 Lythraceae 紫薇属 Lagerstroemia

紫 薇
Lagerstroemia indica L.

| 中 药 名 | 紫薇（药用部位：叶、花、茎皮和根皮、根）

| 植物形态 | 落叶灌木或小乔木；具 4 棱，略呈翅状。叶互生，纸质，椭圆形，无毛或下面沿中脉有微柔毛，侧脉 3~7 对；无柄或叶柄很短。花淡红色或紫色、白色，直径 3~4cm，常组成 7~20cm 的顶生圆锥花序；花梗长 3~15mm，中轴及花梗均被柔毛；花萼长 7~10mm，外面平滑无棱，但鲜时萼筒有微突起短棱，两面无毛，裂片 6，三角形，直立，无附属体；花瓣 6，皱缩，长 12~20mm，具长爪；雄蕊 36~42，外面 6 着生于花萼上，比其余的长得多；子房无毛。蒴果椭圆状球形或阔椭圆形，幼时绿色至黄色，成熟时或干燥时呈紫黑色，室背开裂；种子有翅，长约 8mm。花期 6~9 月，果期 9~12 月。

紫薇

| 分布区域 | 产于海南三亚、乐东、东方、万宁。中国大部分地区亦有栽培。原产于亚洲。 |

| 资　源 | 栽培或半野生，少见。 |

| 采收加工 | 叶：春、夏季采收，洗净，鲜用，或晒干备用。花：5~8 月采花，晒干。茎皮和根皮：5~6 月剥取茎皮，秋、冬季挖根，剥取根皮，洗净，切片，晒干。根：全年均可采挖，洗净，切片，晒干，或鲜用。 |

| 药材性状 | 花：淡红紫色；花瓣 6，瓣面近圆球形而呈皱波状，边缘有不规则的缺刻；雄蕊多数，生于萼筒基部，外轮 6，花丝较长。气微，味淡。茎皮：呈不规则的卷筒状或半卷筒状。外表面为灰棕色，具有细微的纵皱纹，可见因外皮脱落而留下的压痕。内表面灰棕色，较平坦，质轻、松脆，易破碎。无臭，味淡、微涩。根：呈圆柱形，有分枝，长短大小不一。表面灰棕色，有细纵皱纹，栓皮薄，易剥落，质硬，不易折断，断面不整齐，淡黄白色。无臭，味淡、微涩。 |

| 功能主治 | 叶：味微苦、涩，性寒。清热解毒，利湿止血。用于痈疮肿毒、乳痈、痢疾、湿疹、外伤出血。花：味苦、微酸，性寒。清热解毒，凉血止血。用于疮疖痈疽、小儿胎毒、疥癣、血崩、带下、肺痨咯血、小儿惊风。茎皮和根皮：味苦，性寒。清热解毒，利湿祛风，散瘀止血。用于无名肿毒、丹毒、乳痈、咽喉肿痛、肝炎、疥癣、鹤膝风、跌打损伤、内外伤出血、崩漏带下。根：味微苦，性微寒。清热利湿，活血止血，止痛。用于痢疾、水肿、烫火伤、湿疹、痈肿疮毒、跌打损伤、血崩、偏头痛、牙痛、痛经、产后腹痛。 |

千屈菜科 Lythraceae 紫薇属 *Lagerstroemia*

毛萼紫薇
Lagerstroemia balansae Koehne

| 中 药 名 | 毛萼紫薇（药用部位：根、叶）

| 植物形态 | 灌木至小乔木。叶对生，生于枝上部的互生，厚纸质或薄革质，矩圆状披针形，侧脉 5~8 对，近边缘处分叉而互相连接，叶柄被黄褐色星状毛。圆锥花序顶生，长 6~15cm 或有时更长，密被黄褐色星状绒毛，分枝少；萼陀螺状钟形，长 10~12mm，无棱，外面全部密被黄褐色星状绒毛，内面仅上部被毛，6 裂，裂片三角形；花瓣 6，淡紫红色，圆形或倒卵形，长 18mm，爪纤细；雄蕊 60~70，着生于子房近基部；子房 3~6 室，密被黄褐色粗绒毛，花柱纤细，长达 3cm。蒴果卵形，长 12~15mm，成熟时黑色，5~6 瓣裂，无毛或仅先端密被黄色星状毛；种子先端有翅，基部钝形。花期 6~7 月，果期 10~11 月。

毛萼紫薇

| 分布区域 |

产于海南乐东、东方、昌江。越南和泰国也有分布。

| 资　　源 |

生于落叶季雨林中，少见。

| 功能主治 |

暂未有资料表明其在医药方面的应用，但其同属植物的根、叶多有药用，本种植物也许有类似作用，其药效更有待进一步的研究。

大花紫薇 *Lagerstroemia speciosa* (L.) Pers

| 中 药 名 | 大叶紫薇（药用部位：根、叶）

| 植物形态 | 大乔木，树皮灰色，平滑；小枝圆柱形，无毛或微被糠秕状毛。叶革质，矩圆状椭圆形，长 10~25cm，宽 6~12cm，两面均无毛，侧脉 9~17 对。花淡红色或紫色，顶生圆锥花序长 15~25cm；花轴、花梗及花萼外面均被黄褐色糠秕状的密毡毛；花萼有棱 12，被糠秕状毛，长约 13mm，6 裂，裂片三角形，反曲，内面无毛，附属体鳞片状；花瓣 6，近圆形至矩圆状倒卵形，长 2.5~3.5cm，几不皱缩，有短爪，长约 5mm；雄蕊多数，达 100~200；子房球形，4~6 室，无毛，花柱长 2~3cm。蒴果球形至倒卵状矩圆形，长 2~3.8cm，直径约 2cm，褐灰色，6 裂；种子多数，长 10~15mm。花期 5~7 月，果期 10~11 月。

大花紫薇

|分布区域|

海南各地均有栽培。中国华南其他区域,以及福建亦有栽培。斯里兰卡、印度、越南、马来西亚、菲律宾也有分布。

|资　　源|

栽培,常见。

|采收加工|

根:秋、冬季采挖,洗净,切片,晒干。叶:夏、秋季采摘,晒干。

|功能主治|

敛疮,解毒。用于痈疮肿毒。

千屈菜科 Lythraceae 节节菜属 *Rotala*

圆叶节节菜
Rotala rotundifolia (Buch.-Ham. ex Roxb.) Koehne

| 中 药 名 | 水豆瓣（药用部位：全草）

| 植物形态 | 一年生草本，各部无毛；根茎细长，匍匐；茎单一或稍分枝，直立，丛生，高 5~30cm，带紫红色。叶对生，无柄或具短柄，近圆形、阔倒卵形或阔椭圆形。花单生于苞片内，组成顶生稠密的穗状花序，花序长 1~4cm；花极小，长约 2mm，几无梗；苞片叶状，卵形或卵状矩圆形，约与花等长，小苞片 2，披针形或钻形，约与萼筒等长；萼筒阔钟形，膜质，半透明，长 1~1.5mm，裂片 4，三角形，裂片间无附属体；花瓣 4，倒卵形，淡紫红色，长约为花萼裂片的 2 倍；雄蕊 4；子房近梨形，柱头盘状。蒴果椭圆形，3~4 瓣裂。花果期 12 月至翌年 6 月。

圆叶节节菜

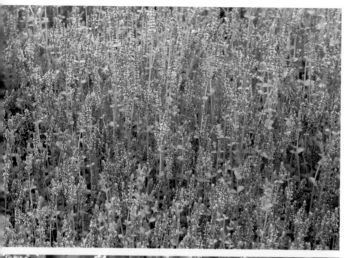

| 分布区域 |

产于海南乐东、东方、昌江、白沙、五指山、保亭、陵水、万宁、儋州、澄迈、海口。亦分布于中国华南其他区域、华东、华中、西南。越南、老挝、缅甸、尼泊尔、泰国、印度、孟加拉国、不丹、马来西亚、日本也有分布。

| 资　　源 |

生于水田或湿地上，常见。

| 采收加工 |

夏、秋季采收全草，洗净，鲜用，晒干或烘干。

| 功能主治 |

味甘、淡，性凉。清热利湿，消肿解毒。用于痢疾、淋病、水臌、急性肝炎、痈肿疮毒、牙龈肿痛、痔肿、乳痈、急性脑膜炎、急性咽喉炎、月经不调、痛经、烫火伤。

海桑科 Sonneratiaceae 海桑属 Sonneratia

海 桑 *Sonneratia caseolaris* (L.) Engl.

| 中 药 名 | 海桑（药用部位：果实）

| 植物形态 | 乔木，小枝通常下垂，有隆起的节，幼时具钝4棱，稀锐4棱或具狭翅。叶形状变异大，长4~7cm，宽2~4cm，先端钝尖或圆形，基部渐狭而下延成一短宽的柄，中脉在两面稍突起，侧脉纤细，不明显；叶柄极短，有时不显著。花具短而粗壮的梗；萼筒平滑无棱，浅杯状，果时碟形，裂片平展，通常6，内面绿色或黄白色，比萼筒长，花瓣条状披针形，暗红色，长1.8~2cm；花丝粉红色或上部白色，下部红色，长2.5~3cm；花柱长3~3.5cm，柱头头状。成熟的果实直径4~5cm。花期冬季，果期春、夏季。

| 分布区域 | 产于海南万宁、文昌。东南亚至澳大利亚北部也有分布。

海桑

| 资　源 |

生于海边泥滩，常见。

| 采收加工 |

春、夏季果实成熟时采收，鲜用。

| 药材性状 |

果实圆球形，皱缩，直径 4~5cm，先端有残存的花柱，基部有宿萼及小果柄，果萼 6 裂，裂片长三角形呈浅碟状，淡棕绿色，厚革质。气微香，味酸甜。

| 功能主治 |

活血消肿。用于扭伤。

安石榴 *Punica granatum* L.

| 中 药 名 | 石榴（药用部位：根、果皮、叶、花）

| 植物形态 | 落叶灌木或乔木，枝顶常成尖锐长刺，幼枝具棱角，无毛，老枝近圆柱形。叶通常对生，纸质，矩圆状披针形，先端短尖或微凹，上面光亮，侧脉稍细密；叶柄短。花大，1~5 生于枝顶；萼筒长 2~3cm，通常红色或淡黄色，裂片略外展，卵状三角形，长 8~13mm，外面近先端有 1 黄绿色腺体，边缘有小乳突；花瓣通常大，红色、黄色或白色，先端圆形；花丝无毛，长达 13mm；花柱长超过雄蕊。浆果近球形，直径 5~12cm，通常为淡黄褐色或淡黄绿色，有时白色，稀暗紫色。种子多数，钝角形，红色至乳白色，肉质的外种皮供食用。

安石榴

| **分布区域** | 海南各地常见栽培。中国各地亦有栽培，有时逸为野生。原产于伊朗、阿富汗等地。 |

| **资　　源** | 生于向阳山坡或栽培于庭园等处，常见。 |

| **采收加工** | 根：秋、冬季挖取根部，洗净，切片，或剥取根皮切片，鲜用或晒干。果皮：秋季果实成熟、先端开裂时采摘，除去种子及隔瓤，切瓣晒干，或微火烘干。叶：夏、秋季采收，洗净，鲜用或晒干。花：5 月开花时采收，鲜用或烘干。 |

| **药材性状** | 根：圆柱形，根皮呈不规则的卷曲状或扁平的块状。外表面土黄色，粗糙，具深棕色鳞片状木栓，脱落后留有斑窝；内表面暗棕色。折断面内层不明显。气微，味涩。果皮：半圆形或不规则块片状，大小不一，厚 1.5~3mm。外表面黄棕色、暗红色或棕红色，稍具光泽，粗糙，有棕色小点，有的有突起的筒状宿萼或粗短果柄。内表面黄色或红棕色，有种子脱落后的凹窝，呈网状隆起。质硬而脆，断面黄色，略显颗粒状。气微，味苦、涩。

| **功能主治** | 根：味酸、涩，性温；驱虫，涩肠，止带。用于蛔虫病、绦虫病、久泻久痢、赤白带下。果皮：味酸、涩，性温，有小毒；归大肠经。涩肠止泻，止血，驱虫。用于痢疾、肠风下血、崩漏、带下、鼻衄、中耳炎、创伤出血、月经不调、红崩白带、牙痛、吐血、久泻、久痢、便血、脱肛、滑精、虫积腹痛、疥癣。叶：收敛止泻，解毒杀虫。用于泄泻、痘风疮、癞疮、跌打损伤。花：味酸、涩，性平。凉血，止血。用于衄血、吐血、外伤出血、月经不调、红崩白带、中耳炎。

| **附　　注** | 本种根皮所含的生物碱具有毒性，较原生药的毒性强 25 倍，动物中毒后多死于呼吸抑制；对骨骼肌有藜芦碱或箭毒样作用。

柳叶菜科 Onagraceae 丁香蓼属 Ludwigia

水 龙 *Ludwigia adscendens* (L.) Hara

| 中 药 名 | 过塘蛇（药用部位：全草）

| 植物形态 | 多年生浮水草本。叶倒卵形；托叶卵形至心形。花单生于上部叶腋；小苞片生于花柄上部，鳞片状，长 2~3mm；萼片 5，三角形至三角状披针形；花瓣乳白色，基部淡黄色，倒卵形，长 8~14mm，宽 5~9mm，先端圆形；雄蕊 10，花丝白色，对花瓣的较短，对萼生的较长；花药卵状长圆形，长 1.5~2mm，花粉粒以单体授粉；花柱白色，长 4~6mm，下部被毛；柱头近球状，5 裂，淡绿色，直径 1.5~2mm；子房被毛。蒴果淡褐色，圆柱状，具 10 纵棱，果皮薄，不规则开裂。种子椭圆状，长 1~1.3mm。花期 5~8 月，果期 8~11 月。

水龙

| 分布区域 |

产于海南乐东、东方、白沙、五指山、万宁、保亭、琼中、儋州、澄迈、屯昌、琼海。亦分布于中国长江以南各地。亚洲热带、亚热带地区也有分布。

| 资　源 |

生于浅水池中或沟渠中，常见。

| 采收加工 |

夏、秋季采收，洗净鲜用或晒干。

| 药材性状 |

干燥全草，茎甚长，粗 3~5mm，红棕色，有纵直条纹，质较柔韧。节下着生多数毛发状须根，黑色，白色囊状浮器已扁瘪不明显，或脱落。叶皱缩，倒卵形至长圆状卵形。花果多脱落而少见。

| 功能主治 |

味苦、微甘，性寒。清热，利尿，解毒。用于感冒发热，燥热咳嗽，高热烦渴，淋痛，水肿，咽痛，口疮，风火牙痛，疮痈疔肿，烫火伤，跌打伤肿，毒蛇、狂犬咬伤。

| 附　注 |

黎药（簸各腩）：叶捣烂敷，用于水蛭咬伤、止血。

柳叶菜科 Onagraceae 丁香蓼属 Ludwigia

草 龙
Ludwigia hyssopifolia (G. Don) Exell

| 中 药 名 | 草龙（药用部位：全草）

| 植物形态 | 一年生直立草本，基部常木质化，常三或四棱形，多分枝，幼枝及花序被微柔毛。叶披针形；托叶三角形。花腋生，萼片4，卵状披针形，长2~4mm，常有3纵脉，无毛或被短柔毛；花瓣4，黄色，长2~3mm；雄蕊8，淡绿黄色，花丝不等长；花盘稍隆起，围绕雄蕊基部有密腺；花柱淡黄绿色，长0.8~1.2mm；柱头头状，浅4裂，上部接受花粉。蒴果近无梗，幼时近四棱形，熟时近圆柱状，长1~2.5cm，上部增粗，被微柔毛，果皮薄。种子在蒴果上部每室排成多列，离生，在下部排成1列，淡褐色，表面有纵横条纹，腹面有纵形种脊，长约为种子的1/3。花果期几全年。

草龙

分布区域

产于海南三亚、乐东、东方、白沙、五指山、屯昌、琼中、儋州、琼海。亦分布于中国西南部至东部各地。越南、泰国、孟加拉国、不丹、印度、印度尼西亚、马来西亚、缅甸、尼泊尔、菲律宾、新加坡、斯里兰卡、澳大利亚，以及非洲、南美洲、太平洋岛屿也有分布。

资　源

生于湿地上或稻田中，常见。

采收加工

夏、秋季采收全草，洗净，切段，晒干或鲜用。

功能主治

味苦、辛，性凉。发表清热，解毒利尿，凉血止血。用于感冒发热、咽喉肿痛、牙痛、口舌生疮、湿热泻痢、水肿、淋痛、疳积、咯血、吐血、便血、崩漏、痈疮疖肿。

柳叶菜科 Onagraceae 丁香蓼属 Ludwigia

毛草龙
Ludwigia octovalvis (Jacq.) Ràven

毛草龙

| 中 药 名 |

毛草龙（药用部位：全草）

| 植物形态 |

多年生直立草本。叶披针形；托叶小或近退化。萼片4，卵形，基出脉3，两面被粗毛；花瓣黄色，倒卵状楔形，长7~14mm，宽6~10mm，先端钝圆形或微凹，基部楔形，具侧脉4~5对；雄蕊8；花药宽长圆形；开花时以四合花粉授于柱头上；花柱与雄蕊，尤与内轮的雄蕊近等长，较外轮的稍短；柱头近头状，浅4裂；花盘隆起，基部围以白毛，子房圆柱状，密被粗毛。蒴果圆柱状，具8棱，绿色至紫红色，长2.5~3.5cm，粗3~5mm，被粗毛，熟时迅速并不规则地室背开裂。种子每室多列，离生，近球状或倒卵状，种脊明显，与种子近等长，表面具横条纹。花期6~8月，果期8~11月。

| 分布区域 |

产于海南三亚、乐东、东方、白沙、五指山、琼海、万宁、保亭、儋州。亦分布于中国西南部至东部各地。世界热带、亚热带地区也有分布。

| 资　　源 |

生于空旷、潮湿地，常见。

| 采收加工 |

夏、秋季采收地上部分，洗净，鲜用或晒干。

| 功能主治 |

味苦、微辛，性寒。清热利湿，解毒消肿。用于感冒发热、小儿疳热、咽喉肿痛、口舌生疮、高血压、水肿、湿热泻痢、淋痛、白浊、带下、乳痈、疔疮肿毒、痔疮、烫火伤、毒蛇咬伤。

柳叶菜科 Onagraceae 丁香蓼属 Ludwigia

细花丁香蓼
Ludwigia perennis L.

细花丁香蓼

| 中 药 名 |

细花丁香蓼（药用部位：全草）

| 植物形态 |

一年生直立草本。叶椭圆状或卵状披针形，稀线形，长 5~8cm，宽 0.7~1.6cm，侧脉每侧 7~12 条，两面无毛，边缘有稀疏缘毛；叶柄两侧下延形成柄翅；托叶很小，三角状卵形。萼片 4，稀 5，卵状三角形，无毛；花瓣黄色，椭圆形；雄蕊与萼片同数，稀更多；花药宽椭圆状，开花时以四合花粉授于柱头上；花柱与花丝近等长；花盘围在柱头基部，果时革质；子房近无毛。蒴果圆柱状，果壁薄，带紫红色，后转淡褐色，先端截形，果 4 室，不规则开裂；果梗常多少下垂。种子在每室多列，游离生，椭圆状，表面具褐色细纹线；种脊狭长，不明显，淡白色。花期 4~6 月，果期 7~8 月。

| 分布区域 |

产于海南三亚、乐东、东方、白沙、昌江、五指山、陵水、儋州。亦分布于中国南部各地。伊朗、日本、印度、越南、马来西亚、印度尼西亚至大洋洲也有分布。

资　　源	生于湿田中或旷地上，常见。

采收加工	夏、秋季采收地上部分，洗净，切段，鲜用或晒干。

功能主治	味微苦、淡，性寒。清热解毒，杀虫止痒。用于咽喉肿痛、口舌生疮、乳痈、疮肿、肛门瘙痒。

丁香蓼
Ludwigia prostrata Roxb.

| 中 药 名 | 丁香蓼（药用部位：全草）

| 植物形态 | 一年生直立草本。叶狭椭圆形，长 3~9cm，宽 1.2~2.8cm，在下部骤变窄；叶柄稍具翅。萼片 4，三角状卵形至披针形，疏被微柔毛；花瓣黄色，匙形，长 1.2~2mm，先端近圆形，基部楔形，雄蕊 4，花药扁圆形，开花时以四合花粉直接授于柱头上；柱头近卵状或球状；花盘围于花柱基部，稍隆起，无毛。蒴果四棱形，长 1.2~2.3cm，粗 1.5~2mm，淡褐色，无毛，熟时迅速不规则室背开裂；果梗长 3~5mm。种子呈一列横卧于每室内，里生，卵状，长 0.5~0.6mm，直径约 0.3mm，先端稍偏斜，具小尖头，表面有横条排成的棕褐色纵横条纹；种脊线形，长约 0.4mm。花期 6~7 月，果期 8~9 月。

丁香蓼

| 分布区域 | 产于海南三亚、保亭、万宁、琼中、澄迈。亦分布于中国各地。尼泊尔、不丹、印度、印度尼西亚、朝鲜、日本也有分布。 |

| 资　　源 | 常生于田边或溪边，常见。 |

| 采收加工 | 秋季结果时采收，切段，鲜用或晒干。 |

| 药材性状 | 本品全株较光滑。主根明显，长圆锥形，多分枝。茎直径 0.2~0.8cm，茎下部节上多须状根；上部多分枝，有棱角约 5，暗紫色或棕绿色，易折断，断面灰白色，中空。单叶互生，多皱缩，完整者展平后呈披针形，全缘。花 1~2，腋生，无梗。花萼、花瓣均 4 裂，萼宿存，花瓣椭圆形，先端钝圆。蒴果条状四棱形，直立或弯曲，紫红色，先端具宿萼。种子细小，光滑，棕黄色。气微，味咸、微苦。 |

| 功能主治 | 味苦，性寒。清热解毒，利尿通淋，化瘀止血。用于肺热咳嗽，咽喉肿痛，目赤肿痛，湿热泻痢，黄疸，淋痛，水肿，带下，吐血，尿血，肠风便血，疔肿，疥疮，跌打伤肿，外伤出血，蛇虫、狂犬咬伤。 |

| 附　　注 | FOC 将其学名修订为 *Ludwigia epilobiloides* Maxim.。 |

小二仙草科 Haloragidaceae 小二仙草属 Haloragis

黄花小二仙草
Haloragis chinensis (Lour.) Merr.

| 中 药 名 | 黄花小二仙草（药用部位：全草）

| 植物形态 | 多年生细弱陆生草本植物。叶对生，近无柄，通常条状披针形至矩圆形，边缘具小锯齿，两面粗糙，多少被粗毛，淡绿色；茎上部的叶有时互生，逐渐缩小而变成苞片。花序为纤细的总状花序及穗状花序组成顶生的圆锥花序。花两性，极小，近无柄，基部具1苞片；萼筒圆柱形，4深裂，具棱，裂片披针状三角形，有黄白色硬骨质的边缘；花瓣4，狭距圆形，黄色，背面疏生毛；雄蕊8，花丝短，花药狭长圆形，基部着生，纵裂；子房下位，卵状，4室，每室具一倒垂的胚珠。坚果极小，近球形，具8纵棱，并具粗糙的瘤状物。花期夏、秋季间，果期5~11月。

黄花小二仙草

| 分布区域 |

产于海南东方、万宁、琼中、海口。亦分布于中国广东、广西、湖南、江西、浙江、贵州、云南、四川等地。印度、越南、巴布亚新几内亚、菲律宾、马来西亚、印度尼西亚，南至大洋洲也有分布。

| 资　　源 |

生于荒山、沙地、草地上，常见。

| 采收加工 |

夏、秋季间采收，洗净，晒干或鲜用。

| 功能主治 |

活血消肿，止咳平喘。用于跌打骨折、哮喘、咳嗽。

| 附　　注 |

FOC 将其学名修订为 *Gonocarpus chinensis* (Lour.) Orchard。

小二仙草科 Haloragidaceae 小二仙草属 Haloragis

小二仙草
Haloragis micrantha (Thunb.) R. Br.

| 中 药 名 | 小二仙草（药用部位：全草）

| 植物形态 | 多年生陆生草本，茎直立或下部平卧，具纵槽，多分枝，多少粗糙，带赤褐色。叶对生，卵形或卵圆形，通常两面无毛，淡绿色，背面带紫褐色，具短柄；茎上部的叶有时互生，逐渐缩小而变为苞片。花序为顶生的圆锥花序，由纤细的总状花序组成；花两性，极小，直径约 1mm，基部具 1 苞片与 2 小苞片；萼筒长 0.8mm，4 深裂，宿存，绿色，裂片较短，三角形，长 0.5mm；花瓣 4，淡红色，比萼片长 2 倍；雄蕊 8，花丝短，长 0.2mm，花药线状椭圆形；子房下位，2~4 室。坚果近球形，小，有 8 纵钝棱，无毛。花期 4~8 月，果期 5~10 月。

小二仙草

| 分布区域 | 产于海南乐东。亦分布于中国广东、广西、湖南、江西、福建、台湾、安徽、贵州、云南、四川等地。越南、泰国、印度、不丹、巴布亚新几内亚、马来西亚、印度尼西亚、新加坡、日本、韩国及太平洋岛屿、大洋洲也有分布。|

| 资　　源 | 生于荒山或沙地上，偶见。|

| 采收加工 | 夏季采收全草，洗净鲜用或晒干。|

| 功能主治 | 味苦、涩，性凉，有毒；归肺、大肠、膀胱经。止咳平喘，清热利湿，调经活血。用于咳嗽、哮喘、热淋、便秘、痢疾、月经不调、跌损骨折、疔疮、乳痈、烫伤、毒蛇咬伤。|

瑞香科 Thymelaeaceae 沉香属 Aquilaria

土沉香 *Aquilaria sinensis* (Lour.) Spreng.

土沉香

| 中 药 名 |

沉香（药用部位：含树脂的木材）

| 植物形态 |

乔木，树皮暗灰色，几平滑；小枝圆柱形，具皱纹，幼时被疏柔毛，后渐脱落。叶革质，先端具短尖头，侧脉每边 15~20，边缘有时被稀疏的柔毛；叶柄被毛。花芳香，黄绿色，多朵，组成伞形花序；花梗长 5~6mm，密被黄灰色短柔毛；萼筒浅钟状 5 裂，裂片卵形；花瓣 10，鳞片状，着生于花萼筒喉部，密被毛；雄蕊 10，排成 1 轮，花丝长约 1mm，花药长圆形，长约 4mm；子房卵形，密被灰白色毛，2 室，每室 1 胚珠，花柱极短或无，柱头头状。蒴果果梗短，卵球形，幼时绿色，2 瓣裂，2 室，每室具有 1 种子，种子褐色，卵球形。花期春、夏季，果期夏、秋季。

| 分布区域 |

产于海南三亚、乐东、东方、昌江、万宁、保亭、琼中、琼海、文昌。亦分布于中国广东、广西、福建等地。

| **资　　源** | 生于低海拔山地或丘陵地，海南有大量栽培，常见。

| **采收加工** | 全年均可采收，种植 10 年以上、树高 10m、胸径 15cm 以上者取香质量较好。

| **药材性状** | 本品呈不规则块状、片状及小碎块状，有的呈盔帽状，大小不一。表面凹凸不平，淡黄白色，有黑褐色与黄色相间的斑纹，并有加工刀痕，偶见孔洞，孔洞及凹窝表面多呈朽木状。质较坚硬，不易折断，断面呈刺状，棕色，有特殊香气，味苦。燃烧时有油渗出，发浓烟，香气浓烈。以色黑、质重、油足、香气浓者为佳。

| **功能主治** | 味辛、苦，性温；归肾、脾、胃、肺、胆、肝经。行气止痛，温中降逆，纳气平喘。用于脘腹冷痛、气逆喘息、胃寒呕吐呃逆、腰膝虚冷、大肠虚秘、小便气淋。 |

| **附　　注** | 沉香结香的方法有多种。①在树干上，凿一至多个宽2cm、长5~10cm、深5~10cm的长方形或圆形洞，用泥土封闭，让其结香；②在树干的同一侧，从上到下每隔40~50cm开一宽为1cm、长和深度均为树干径1/2的洞，用特别的菌种塞满小洞后，用塑料薄膜包扎封口。当上下伤口都结香而相连接时，整株砍下采香。将采下的香，用刀剔除无脂及腐烂部分，阴干。 |

窄叶荛花 *Wikstroemia chuii* Merr.

| **中 药 名** | 狭叶荛花（药用部位：全株）

| **植物形态** | 灌木，幼枝上部近四棱形，下部圆形，老枝带紫色，具细条纹，被黄色短柔毛。叶对生，近革质，光亮，干时黄褐色，披针形，长3~5cm，宽5~13mm，上面深绿，下面绿色，边缘略反卷，侧脉每边9~15条；叶柄长1~1.8mm。花黄色，7~9花组成顶生头状花序，花后稍延伸成短总状花序，花序梗细短，被短柔毛；花萼无毛，长7~10mm，裂片4，卵形或椭圆形，端钝；雄蕊8，2列，上列着生于花萼筒喉部，下列着生于花萼管中部以上，花丝极短，花药长圆形；子房倒卵形，花盘鳞片2，线形。果实椭圆形，两侧稍扁，成熟时红色。花期8月。

窄叶荛花

| 分布区域 |

产于海南五指山、陵水、保亭。海南特有种。

| 资　　源 |

生于疏林中，偶见。

| 采收加工 |

全年皆可采收。

| 功能主治 |

用于跌打损伤。

| 附　　注 |

在 FOC 中，本种学名为 *Wikstroemia chui* Merrill。

瑞香科 Thymelaeaceae　荛花属 Wikstroemia

海南荛花 *Wikstroemia hainanensis* Merr.

|中 药 名|

海南荛花（药用部位：全株）

|植物形态|

灌木，小枝棕褐色，幼枝被紧贴的微柔毛，老枝无毛。叶对生，纸质，卵形，长2~10cm，宽1~2.5cm，先端渐尖，基部楔形，上面深绿色，下面淡绿色，无毛。侧脉每边8~12，纤细，明显；叶柄长1~2mm，近无毛。总状花序紧缩近头状，由3~7花组成，顶生或生于侧枝先端，花序梗通常长3~4mm，被短柔毛。花黄色，无毛，花萼筒长1.3~1.5mm，裂片4，椭圆状卵形，先端钝；雄蕊8，2列，花丝极短，花药长圆形，长1.5~2mm；子房椭圆形，花柱短，柱头头状，具乳突，花盘鳞片4，线形。果实椭圆形，长约7mm，成熟时红色，基部为残存的花萼所包被。花期5~9月。

|分布区域|

产于海南三亚、东方、万宁。海南特有种。

|资　　源|

生于低海拔疏林中或灌丛中，常见。

海南荛花

| **采收加工** | 全年皆可采收。

| **功能主治** | 用于跌打损伤。

■瑞香科 Thymelaeaceae ■荛花属 *Wikstroemia*

了哥王

Wikstroemia indica (L.) C. A. Mey.

| 中 药 名 | 了哥王（药用部位：根、茎、叶、果实）

| 植物形态 | 灌木，小枝红褐色，无毛。叶对生，纸质至近革质，倒卵形、椭圆状长圆形或披针形，长 2~5cm，宽 0.5~1.5cm，干时棕红色，无毛，侧脉细密，极倾斜。花黄绿色，数朵组成顶生头状总状花序，花序梗长 5~10mm，无毛，花萼长 7~12mm，近无毛，裂片 4；宽卵形至长圆形，长约 3mm，先端尖或钝；雄蕊 8，2 列，着生于花萼管中部以上，子房倒卵形或椭圆形，无毛或在先端被疏柔毛，花柱极短或近于无，柱头头状，花盘鳞片通常 2 或 4。果实椭圆形，长 7~8mm，成熟时红色至暗紫色。花果期夏、秋季间。

了哥王

| **分布区域** | 产于海南三亚、乐东、东方、昌江、万宁、儋州、临高、琼海、海口。亦分布于中国长江以南各地。越南、印度至亚洲东部也有分布。

| **资　　源** | 生于海拔 1500m 以下的灌丛中，常见。

| **采收加工** | 根：秋季至春初采根，洗净切片，或剥取内皮，晒干备用。茎、叶：茎、叶全年可采，洗净，切段，晒干或鲜用。果实：秋季果实成熟时采摘，鲜用或晒干。

| **药材性状** | 茎圆柱形，有分枝，长短不等，直径 8~25mm；粗茎表面淡棕色至棕黑色，有不规则粗纵皱纹，皮孔突起，往往两个横向相连，有的数个连接成环；细茎表面暗棕红色，有细纵皱纹，并有对生的叶柄痕，有时可见突起的小枝残基。质硬，折断面皮部有众多绵毛状纤维。叶不规则卷曲，展平后长椭圆形，全缘，淡黄绿色至淡绿色；叶柄短，长约 2mm。质脆，易碎。气微，味微苦。根圆柱形或有分枝，长达 40cm，直径 0.5~3cm。表面黄棕色至灰棕色，具不规则纵皱纹和横向皮孔及稍突起的支根痕。质坚韧，断面皮部厚 1.5~4mm，类白色，易与木质部分离。气微，味微苦，久嚼有持久的灼热感。以条粗、皮厚者为佳。

| 功能主治 | 根：味苦、辛，性寒，有毒；归肺、肝经。清热解毒，散结逐瘀，利水杀虫。用于肺炎、支气管炎、腮腺炎、咽喉炎、淋巴结炎、乳腺炎、痈疽肿毒、风湿性关节炎、水肿鼓胀、麻风、闭经、跌打损伤。茎叶：味苦、辛，性寒，有毒；归心、肺、小肠经。消热解毒，化痰散结，消肿止痛。用于痈肿疮毒、瘰疬、风湿痛、跌打损伤、蛇虫咬伤。果实：味辛，性微寒，有毒。解毒散结。用于痈疽、瘰疬、疣瘊。

瑞香科 Thymelaeaceae 荛花属 Wikstroemia

细轴荛花
Wikstroemia nutans Champ. ex Benth

| 中 药 名 | 垂穗荛花（药用部位：花、根或茎皮）

| 植物形态 | 灌木，小枝圆柱形，红褐色，无毛。叶对生，膜质至纸质，卵形，长 3~6 cm，宽 1.5~2.5cm，两面均无毛，侧脉每边 6~12，极纤细；叶柄无毛。花黄绿色，4~8 组成顶生近头状的总状花序，花序梗纤细，俯垂，无毛，长 1~2cm，萼筒长 1.3~1.6cm，无毛，4 裂，裂片椭圆形，长约 3mm；雄蕊 8，2 列，上列着生在萼筒的喉部，下列着生在花萼筒中部以上，花药线形，花丝短；子房具柄，倒卵形，先端被毛，花柱极短，柱头头状，花盘鳞片 2。果实椭圆形，长约 7mm，成熟时深红色。花期春季至初夏，果期夏、秋季间。

细轴荛花

| 分布区域 |

产于海南三亚、乐东、东方、白沙、万宁。亦
分布于中国广东、广西、湖南、江西、台湾等地。
越南也有分布。

| 资　源 |

生于山地疏林、灌丛或密林中，常见。

| 采收加工 |

花在开放时采收，阴干；根、茎皮在夏、秋季
采收，洗净，切片晒干。

| 功能主治 |

味辛、咸，性温；有毒。软坚散结，活血止痛。
用于瘰疬初起、跌打损伤。

▓ 紫茉莉科 ▓ Nyctaginaceae ▓ 黄细心属 ▓ Boerhavia

黄细心 *Boerhavia diffusa* L.

| 中 药 名 | 黄寿丹（药用部位：根）

| 植物形态 | 多年生蔓性草本，根肥粗，肉质。茎无毛或被疏短柔毛。叶片卵形，长 1~5cm，宽 1~4cm，先端钝或急尖，基部圆形或楔形，边缘微波状，两面被疏柔毛；叶柄长 4~20mm。头状聚伞圆锥花序顶生；花序梗纤细，被疏柔毛；花梗短或近无梗；苞片小，披针形，被柔毛；花被淡红色或亮紫色，长 2.5~3mm，花被筒上部钟形，长 1.5~2mm，薄而微透明，被疏柔毛，具 5 肋，先端皱褶，浅 5 裂，下部倒卵形，具 5 肋，被疏柔毛及黏腺；雄蕊 1~3，不外露，花丝细长；子房倒卵形，花柱细长，柱头浅帽状。果实棍棒状，具 5 棱，有黏腺和疏柔毛。花果期夏、秋季间。

黄细心

| 分布区域 |

产于海南三亚、万宁、文昌。亦分布于中国广东、广西、台湾、贵州、云南、四川等地。越南、老挝、柬埔寨、泰国、尼泊尔、菲律宾、马来西亚、澳大利亚也有分布。

| 资　　源 |

生于沿海地区，十分常见。

| 采收加工 |

秋、冬季采挖，洗净，除去须根，切片，晒干。

| 功能主治 |

味苦、辛，性温。活血散瘀，强筋骨，调经，消疳。用于跌打损伤、筋骨疼痛、月经不调、小儿疳积。

紫茉莉科 Nyctaginaceae 叶子花属 Bougainvillea

光叶子花
Bougainvillea glabra Choisy

光叶子花

| 中 药 名 |

叶子花（药用部位：花）

| 植物形态 |

藤状灌木，茎粗壮，枝下垂，无毛或疏生柔毛；刺腋生，长 5~15mm。叶片纸质，卵形或卵状披针形，长 5~13cm，宽 3~6cm，上面无毛，下面被微柔毛；叶柄长 1cm。花顶生于枝端的 3 个苞片内，花梗与苞片中脉贴生，每个苞片上生 1 花；苞片叶状，紫色或洋红色，长圆形或椭圆形，长 2.5~3.5cm，宽约 2cm，纸质；花被管长约 2cm，淡绿色，疏生柔毛，有棱，先端 5 浅裂；雄蕊 6~8；花柱侧生，线形，边缘扩展成薄片状，柱头尖；花盘基部合生呈环状，上部撕裂状。花期 3~7 月。

| 分布区域 |

产于海南各地。中国各地亦有栽培。原产于巴西，现世界各地常见栽培。

| 资　　源 |

栽培，十分常见。

| 采收加工 |

冬、春季开花时采收，晒干备用。

| 药材性状 |

花常3簇生在苞片内，花柄与苞片的中脉合生。苞片叶状，暗红色或紫色，椭圆形，长2.5~3.5cm，纸质。花被管长1.5~2cm，淡绿色，疏生柔毛，有棱；雄蕊6~8，子房具5棱。

| 功能主治 |

味苦、涩，性温；归肝经。活血调经，化湿止带。用于血瘀经闭、月经不调、赤白带下。

紫茉莉科 Nyctaginaceae 胶果木属 Ceodes

胶果木

Ceodes umbellifera J. R. Forst. & G. Forst.

| 中 药 名 | 牛大力树（药用部位：树皮、叶）

| 植物形态 | 乔木，枝无刺。叶对生或假轮生，叶片纸质，椭圆形、长圆形或卵状披针形，长 10~20cm，宽 4.5~8cm，两面无毛，干时黑褐色，侧脉每边 8~10；叶柄长 1~2.5cm。花杂性，白色，成圆锥聚伞花序，花序长 5~12cm；花梗长 1.5~6mm，基部或较上部有 1~3 小苞片；花被筒钟形，长 5~7mm，被褐色毛，先端 5 浅裂；雄蕊 7~10，稍伸出，花丝不等长，基部连合呈环状，花药近球形；子房长圆形，上部渐尖，花柱细长，柱头多裂，稍伸出。果实近圆柱状，略弯曲，长 2.5~4cm，宽 6~7mm，具 5 钝棱，平滑，有胶黏质；果柄粗壮，长约 1cm，先端有扩展的宿存花被。花果期秋、冬季。

胶果木

分布区域

产于海南三亚、陵水、白沙。亦分布于中国台湾。越南、老挝、柬埔寨、马来西亚、马达加斯加，以及安达曼群岛至澳大利亚北部也有分布。

资　　源

生于中海拔山地疏林，少见。

采收加工

全年皆可采。

功能主治

用于肿毒疼痛、风湿疼痛。

附　　注

①FOC已将其学名修订为 *Pisonia umbellifera* (J. R. Forst. et G. Forst.) Seem.。②黎药（谷稿舵腊）：茎煮水喝、泡酒，具有滋补、强壮作用。

紫茉莉科 Nyctaginaceae 紫茉莉属 Mirabilis

紫茉莉
Mirabilis jalapa L.

| 中 药 名 | 紫茉莉（药用部位：根、叶、果实）

| 植物形态 | 一年生草本。茎直立，圆柱形，多分枝，无毛或疏生细柔毛，节稍膨大。叶片卵形或卵状三角形，长 3~15cm，宽 2~9cm，基部截形或心形，全缘，两面均无毛，脉隆起；叶柄长 1~4cm，上部叶几无柄。花常数朵簇生于枝端；花梗长 1~2mm；总苞钟形，5 裂，裂片三角状卵形，先端渐尖，无毛，具脉纹，果时宿存；花被紫红色、黄色、白色或杂色，高脚碟状，筒部长 2~6cm，檐部直径 2.5~3cm，5 浅裂；雄蕊 5，花丝细长，常伸出花外，花药球形；花柱单生，线形，伸出花外，柱头头状。瘦果球形，革质，黑色，表面具皱纹；种子胚乳白粉质。花期 6~10 月，果期 8~11 月。

紫茉莉

| **分布区域** | 产于海南各地。中国各地亦有栽培。原产于秘鲁，现世界热带、亚热带地区常见栽培。

| **资　　源** | 海南各地栽培，有时逸为野生，常见。

| **采收加工** | 根：在播种当年 10~11 月收获。挖起全根，洗净泥沙，鲜用，或去尽芦头及须根，刮去粗皮，去尽黑色斑点，切片，立即晒干或烘干，以免变黑，影响品质。叶：叶生长茂盛花未开时采摘，洗净，鲜用。果实：9~10 月果实成熟时采收，除去杂质，晒干。

药材性状	根：长圆锥形或圆柱形，有的压扁，有的可见支根，长 5~10cm，直径 1.5~5cm。表面灰黄色，有纵皱纹及须根痕。先端有茎基痕。质坚硬，不易折断，断面不整齐，可见环纹。经蒸煮者断面角质样。无臭，味淡，有刺喉感。叶：多卷缩，完整者展平后呈卵状或三角形，长 4~10cm，具毛茸。气微，味甘平。果实：呈卵圆形，长 5~8mm，直径 5~8mm。表面黑色，有 5 条明显的棱脊，先端有花柱基痕，基部有果柄痕，质硬。种子：黄棕色，胚乳较发达，白色粉质。
功能主治	根：味甘、淡，性微寒。清热利湿，解毒活血。用于热淋、白浊、水肿、赤白带下、关节肿痛、痈疮肿毒、乳痈、跌打损伤。叶：味甘、淡，性微寒。清热解毒，祛风渗湿，活血。用于痈肿疮毒、疥癣、跌打损伤。果实：味甘，性微寒。清热化斑，利湿解毒。用于生斑痣、脓疱疮。
附　注	黎药（哏岛打）：①鲜根捣烂，取汁滴咽喉，治扁桃体炎；②鲜根 120g，白果 20 粒，水炖服，治糖尿病。

紫莱莉科 Nyctaginaceae　腺果藤属 *Pisonia*

腺果藤 *Pisonia aculeata* L.

| 中药名 | 腺果藤（药用部位：树皮和叶）

| 植物形态 | 藤状灌木，树皮绿褐色，疏生柔毛或无毛；枝近对生，下垂，常具下弯的粗刺，刺长 5~10mm。叶对生，部分互生，近革质，叶片卵形至椭圆形，长 3~10cm，宽 1.5~5cm，无毛，被黄褐色短柔毛，侧脉每边 4~6。花单性，雌雄异株，成聚伞圆锥花序，被黄褐色短柔毛；花梗近先端具 3 卵形小苞片；花被黄色，芳香；雄花花被筒漏斗状，被微柔毛，先端 5 浅裂，裂片短三角形，雄蕊 6~8，伸出，花药近球形；雌花花被筒卵状圆筒形，先端 5 浅裂，花柱伸出，柱头分裂。果实棍棒形，长 7~14mm，宽 4mm，5 棱，具有柄的乳头状腺体和黑褐色短柔毛，具长果柄。花期 1~6 月。

腺果藤

| 分布区域 |

产于海南陵水、保亭、琼中。亦分布于中国广东、台湾。世界各热带地区也有分布。

| 资　　源 |

生于海岸旷野灌丛中，十分常见。

| 采收加工 |

全年可采。

| 功能主治 |

用于肿毒疼痛、风湿疼痛。